D0574088
DOCUMENTI 19
FANDANGO
LIBRI

Via Ajaccio 12/B, 00198 Roma
www.fandango.it

titolo originale: *Ach, Afrika*
traduzione dal tedesco di Alberto De Filippis

ISBN 88-87517-84-3

La collana Documenti è curata da Anaïs Ginori

In copertina disegni di Gianluigi Toccafondo
Progetto grafico Studio Jellici

Bartholomäus Grill

Africa!

prefazione di Walter Veltroni
traduzione di Alberto De Filippis

Prefazione

Con modestia, quasi con una sorta di pudore – qualità rara di questi tempi – Bartholomäus Grill definisce le pagine che seguono "solo il ricordo di un corrispondente che cerca, dal 1980, di capire questo continente". In realtà questo libro è molto di più. È ricordo, è vero, è narrazione che nasce da una profonda conoscenza e corre sul filo della memoria. Ma è soprattutto un ritratto – un "mosaico incompleto", come scrive Grill – dell'Africa così com'è. Un ritratto eseguito da un giornalista, da un inviato che mostra cosa vuol dire fare con passione e competenza un mestiere così duro e così bello. Sono gli occhi di un vero reporter, quelli che guardano e indagano un continente descritto come "fuori dal tempo, fatto di contraddizioni spesso estreme ed enigmatiche"; una terra che Grill definisce "difficile e pura, brutale e sensibile, avvilita e felice".

Questo libro racconta l'Africa, mostra i suoi tanti volti, mette in luce una parte della sua anima. È un racconto che parla a noi, il racconto di una realtà intollerabile: nell'Africa sub-sahariana si muore perché non ci sono cibo e acqua sufficienti o a causa dell'Aids e di malattie che da noi potrebbero essere curate facilmente mentre lì fanno vittime soprattutto tra i bambini. Si muore a causa di guerre senza fine alimentate da odi etnici, da avidità di ricchezze e di potere e, quasi sempre, da regimi autoritari e corrotti, e che qui sono conosciute solo quando accade qualcosa di talmente grande da essere costretti a occuparsene, solo quando l'entità del dramma diventa tanto sconvolgente da "obbligare" i mezzi di informazione a darne conto. Ma quando le luci dei riflettori si spengono tutto sembra tornare nell'oblio, tutto viene dimenticato. Mille volte i volontari cattolici e laici, le associazioni, le organizzazioni non governative, le strutture delle Nazioni Unite e tutte le persone che hanno a cuore l'Africa, hanno dichiarato che è una situazione insostenibile. Mille volte si è ripetuto che c'è un fossato inaccettabile che spezza in due il pianeta, che separa un quinto della popolazione mondiale che continua a vivere agiatamente dagli altri quattro quinti che vivono, o meglio sopravvivono, in estrema povertà, come accade nei luoghi visitati e raccontati da Grill.

Ma non si fa ancora abbastanza. La comunità internazionale non ha il coraggio di cambiare strada, di invertire il senso di marcia, di rendere effettiva la cancellazione del debito, di scegliere l'embargo totale della vendita delle armi, di aprire i propri mercati ai prodotti dei paesi in via di sviluppo, di coinvolgere i loro rappresentanti nelle organizzazioni e nei processi decisionali che contano davvero. Uno dei principali problemi dell'Africa resta, appunto, il muro di silenzio che la tiene troppo lontano dai luoghi dove ancora si prendono le decisioni che contano.

Un altro grande giornalista esperto e amante dell'Africa, Ryszard Kapuscinski, ha scritto una volta: "La scena del mondo poggia su una struttura rotante. Ogni avvenimento, per importante che sia, svanisce subito dai nostri occhi per cedere il posto a un nuovo evento-spettacolo. L'attenzione della gente, fino a quel momento concentrata su un fatto, si sposta sul nuovo e successivo. Quello di prima viene subito dimenticato". È così. Sono poche le immagini e le notizie che riescono a filtrare, e anche quando arrivano, non "restano", non alimentano una presa di coscienza collettiva, non convincono come dovrebbero dell'assoluta necessità che si affermi una "dimensione umana" della globalizzazione.

Non conosciamo quasi nulla, sappiamo pochissimo della guerra che in Congo solo negli ultimi cinque anni ha fatto tre milioni di vittime, delle violenze che sconvolgono da tempo l'Uganda e il Sudan, di emergenze sanitarie come quella provocata dalla malaria che fa morire un bambino africano ogni 30 secondi. È un meccanismo che va spezzato, e a questo scopo anche opere come questa di Grill, che la Fandango Libri ha avuto il merito di portare in Italia e di far conoscere ai lettori italiani, sono importanti per far crescere la consapevolezza. Questa è la strada su cui procedere, fino a quando il destino dell'Africa potrà finalmente cambiare.

Walter Veltroni

Caos africano
Approccio a un continente fragile

Da che parte? A sinistra o a destra? O forse al centro? Tutte le strade sembrano uguali. Siamo un po' incerti al bivio fra Lisala e Gemena, da qualche parte nel cuore del Congo, in una foresta senza fine, attraversata da fiumi senza nome.

La mia compagnia di viaggio è composta da cinque membri. Adam, proprietario dell'auto affittata. Domicilio in Tanzania. Il suo autista congolese. Il fotografo parigino e poi un marabù, un *medicine-man* del Ciad. È un tipo che non parla mai e sogghigna sempre in maniera un po' troppo canzonatoria. Oltre alla mia superflua presenza c'è anche una bella tartaruga che appartiene al padrone dell'auto. Il nostro obiettivo, Bangui, la capitale della Repubblica Centrafricana, è ancora lontana. Siamo in viaggio dalle sei di stamattina e fino ad ora avremo fatto appena duecento chilometri. Andiamo a una velocità di circa diciassette chilometri orari. La strada, se così la vogliamo chiamare, è composta da una miriade di buche, pozze fangose, crateri e pozzanghere, a volte grosse come stagni. Sembra un tunnel verde che attraversa senza fine la foresta. Viaggiamo in una luce grigia. Scorgere un pezzettino di cielo azzurro è quasi impossibile. Tre ciclisti, un camion che trasporta birra, e due serpenti, ecco gli unici incontri di oggi. È umido e fa caldo. L'aria sembra ovatta bagnata sulla pelle. Si suda. La polvere incolla gli occhi. L'acqua sta finendo. Ad ogni bivio, ad ogni deviazione, sempre la stessa domanda: e adesso? La cartina non dà indicazioni. Non ci sono cartelli, l'autista non sa più dove andare e non c'è anima viva a cui chiedere informazioni. Ogni errore può costarci giorni. Nella giungla non è raro perdere la strada e i percorsi, spesso, possono terminare in una palude o in un fiume che non è possibile guadare. Conducono nel nulla o per essere più precisi, in qualcosa che a noi sembra il nulla.

Quella sensazione provata nella giungla congolese l'ho avuta spesso in Africa. Il bivio è un'immagine della mancanza di orientamento: mi sono sentito come una particella elementare che vaga senza meta nel cosmo. Sono arrivato per la prima volta in un grande paese dopo Nigeria, Angola o Sudan e mi sono chiesto: da dove cominciare? Come sarebbe stato possibile riuscire a farsi un'idea solo con qualche scheggia di verità, magari dopo aver parlato con una dozzina di persone e visitato qualche luogo? Ho visto rituali, simboli e gesti. Ho ascoltato storie e vissuto incontri eppure non sono riuscito a inquadrare o comprendere quanto mi stava accadendo. Mi mancavano le conoscenze storiche, le basi socioreligiose, un sistema di riferimenti etnografici. Stavo lì a praticare quello che una testa d'uovo, una volta, aveva definito "colonialismo ermeneutico": interpretare, cercare di immedesimarsi, fare speculazioni. È facile immaginare come da questo approccio possano scaturire, spesso, immagini errate. Le cose come noi vorremmo che fossero. Proiezioni dei nostri desideri. Parlerò spesso di me, degli errori della mia percezione e degli interessi che hanno guidato le mie conoscenze. Ma non voglio anticipare tutto nel primo capitolo del libro.

Un territorio grande almeno dieci volte l'Europa, 650 milioni di persone, forse 700, se non di più, 50 stati, migliaia di grandi popoli e minuscole etnie, culture e religioni – non basta questo a voler farsi un'idea di questa parte del mondo? E non è forse arrogante permettersi di pontificare su cosa significhi "essere" africano pur non possedendo nessuna delle 2000 lingue che si parlano qui? È qualcosa di presuntuoso anche se ci si occupa di questo continente da vent'anni. Per evitare subito di risvegliare false aspettative, questa non vuole essere un'opera enciclopedica, né una monografia sull'Africa. Solo il ricordo di un corrispondente che cerca, dal 1980, di capire questo continente. Sono notizie da un luogo fuori dal tempo, fatto di contraddizioni spesso estreme ed enigmatiche. Istantanee da una terra difficile e pura, brutale e sensibile, avvilita e felice, brani di un testo difficile da capire, un'opera che sfuma davanti agli occhi, per confondersi nella varietà di paesi e panorami africani, dei suoi popoli e delle sue culture, di uomini e destini, di lingue e tribù, di spiriti e dèi. Alla fine di questo percorso c'è un mosaico incompleto. Ecco la mia immagine dell'Africa.

I punti sfocati, poco chiari, di questa rappresentazione, sono stati quelli che mi hanno spesso frustrato all'inizio dei miei anni qui. Le cose hanno cominciato a cambiare dopo aver letto i diari di Michel Leiris, l'intellettuale francese che prese parte alla spedizione Dakar-Gibuti, messa su dall'etnologo Marcel Griaule. Il 5 ottobre 1931, Leiris annota: "Dubito di voler sprofondare nel nulla completamente". Il poeta Leiris si scaglia contro la ricerca onnicomprensiva di Griaule poiché questi descrive con schietta franchezza i limiti della conoscenza etnologica. Il bardo invece, vuole immergersi nella "mentalità originaria" anche se alla fine dovrà ammettere di essere rimasto prigioniero di un'*Afrique fantôme*, un'immagine eurocentrica del continente. Non possiamo sfuggire a noi stessi. Le ammissioni di Michel Leiris mi hanno dato un certo sollievo.

In che modo, ad esempio, si potrebbe capire quello che accadeva nella piccola clinica boscimana di Bâ Tadah Fomantum? Fomantum è un guaritore tradizionale, un *medicine-man*, e il suo ambulatorio si trova nella foresta dietro Bamenda in Camerun. Che significa lo strano cartello di legno all'ingresso, raffigurante un serpente con testa d'uomo? Dovrei forse restare serio quando il dottore delle meraviglie mi dice che deve accertarsi che non mi porti appresso spiriti malvagi? Mentre mi minaccia che potrei essere ucciso da api assassine o serpenti velenosi? Fomantum sparge terra, guarda nel fuoco, schizza dell'acqua. Supero l'esame, ma le domande non finiscono lì. Forse che questa schifosa poltiglia di terra simile a tè con cui il maestro cosparge la ferita suppurata sulla gamba di un giovane non provocherà una terribile infezione? No, assicura il paziente. Migliorerà giorno dopo giorno. Lui è qui perché l'ospedale di Bamenda non è più in grado di aiutarlo. Questo spiega una parte del problema. Ma a che pro sottoporsi a questa tortura? E perché quella vecchia è legata fra due lance in mezzo a un cerchio fatto di pezzetti di legno? "Streghe e stregoni l'hanno fatta impazzire", spiega Fomantum. L'uomo getta dell'alcool sui legni e gli dà fuoco. Un cerchio di fiamme prende ad ardere attorno alla paziente. La donna terrorizzata guarda la fiamma, trema, chiude gli occhi e prega. Eppoi là dietro, ugualmente incomprensibile, eppure non così drammatica, un'altra scena. Quattro donne: nude e immobili. Alcune assistenti hanno cosparso i loro corpi di argilla. Fomantum si prostra su di loro, mormora formule occulte e spreme sulle loro mani foglie di canna. Ogni giorno devono compiere questo rituale per due ore, "finché non saranno state abbandonate dalla possessione".

È tutto un teatrino? Ciarlataneria africana? Eppure a Bamenda si parla delle eccezionali capacità taumaturgiche di questo guaritore. La gente lo teme e lo rispetta. Quando i dottori non sanno più dove mettere le mani si rivolgono a lui. Qualche volta gli mandano nella foresta casi apparentemente senza soluzione. La voce che possa persino curare l'Aids però, Fomantum la nega con forza: "Contro questi virus nessuno ha una ricetta". Ho l'impressione di ascoltare un dottorino laureato. Mi sta conducendo in un territorio retto da forze oscure e leggi criptiche, qualcosa aldilà del mio mondo razionale. Eppure, se guardo le cose attraverso i risultati, vale sempre il vecchio detto: "chi cura ha ragione". Ho raccontato questa mia esperienza perché lo stregone in un certo qual modo mi ha curato. Per meglio dire mi ha tolto il vizio di vedere le cose alla maniera occidentale, quel malcostume di analizzare i fatti in maniera obiettiva, sezionando tutto. In Africa s'impara a convivere con le domande. Si accetta quello che non si può comprendere e, nel corso degli anni, si diventa sempre più cauti, guardinghi, forse persino comprensivi nei giudizi verso questo continente. Un piccolo negretto sorridente – è lo stereotipo dell'Africa che veniva fuori dal mio libro da colorare. Dovevo pitturare il negretto, le scarpe erano gialle, i pantaloni verdoni e il fez sulla testa rosso-fragola. Quando imparai a leggere scoprii, in una cassa di legno in soffitta, il libro di Ludwig Foehle *Unter Wilden und Seeräubern*. Conteneva storie del regno dei Kilema e immagini di guerrieri selvaggi che attraversavano la giungla fra i coccodrilli, armati di lance. E poi paludi di mangrovie, immagini di colonialisti con l'elmetto bianco, vestiti d'abiti di cotone immacolato e i loro trofei. In particolare un'immagine mi aveva terrorizzato: Ludwig, il figlio sveglio del proprietario della piantagione di cotone che scruta con il binocolo il contorno della giungla e vede Buschiri, il cacciatore di schiavi, il capo arabo che taglia le orecchie a un missionario e con una scimitarra gigantesca fa a pezzi il cranio di un bambino ancora vivo. "Solo quando tutti i bianchi saranno stati uccisi e tutto distrutto, solo allora potranno riprendere a ciondolare e questo per loro significa essere felici", sospira il narratore. Ovviamente ci sono anche dei ritratti pedagogici come quello di Sam "il fedele negro di Bagamoyo" che cerca d'impedire la sanguinosa rivolta di suo fratello. Non tutti i neri hanno un'anima scura.

"Natale 1940". È la data che c'è all'inizio del libro. Un regalo di mio nonno a mio padre. Il vecchio Grill non aveva mai potuto accettare che dopo la Prima guerra mondiale le colonie fossero state portate via alla Germania. Prendeva a male parole molti dei suoi camerati nazisti dei tempi di Weimar per "il vergognoso trattato di Versailles" e per la "menzogna colonialista". Ridateci i territori ad est! Ridateci le nostre colonie! Il revisionismo sarebbe persino sopravvissuto alla barbarie nazista. Per questo mio padre mi aveva chiesto, come aveva fatto suo padre prima di lui: qual è il monte più alto della Germania? Lo Zugspitze? Certo che no. Il Grossglockner? Neppure. È il Kilimangiaro nell'Africa orientale. Fu così che appresi anche i nomi degli altri due monti, il Kibo e il Mawenzi. Manit, il grande apache, era stato l'eroe più importante della mia infanzia, ma l'Africa mi aveva affascinato persino più dell'America indiana. Il Congo! Timbuctu! Zanzibar! Quelle gigantesche montagne! Erano queste le immagini, i territori delle fantasie infantili, i simboli della natura primordiale, dell'esotico. Proprio questo nel 1980 mi avrebbe inevitabilmente condotto a compiere il mio primo viaggio in Africa, alle pendici del Kilimangiaro. Le mie motivazioni però, erano completamente diverse da quelle dei miei avi: un po' di avventura e tanta solidarietà con i "dannati della terra".

Dallo stato che adesso si chiama Tanzania giungevano notizie di una rivoluzione. Avevamo sentito parlare di un socialismo africano, di una terza via a metà fra il repressivo comunismo sovietico e il capitalismo di rapina. Avevamo studiato i testi del presidente Julius Nyerere, chiamato con timore *mwalimu*, grande maestro. I concetti cardine della sua filosofia suonavano come mantra politici: *self reliance*, superare il sottosviluppo con le proprie forze, e *ujamaa*, vivere e lavorare assieme. Era una massima politica che compendiava la comunità di un villaggio con una moderna coscienza di appartenenza. Laggiù ardeva *uhuru*, la fiaccola della libertà. Era lì che dovevamo andare.

Eravamo un gruppo di nove giovani, attivisti terzomondisti che a Longido, un paesino nei pressi del confine keniano, volevano passare dalla teoria alla prassi e sostenere l'esperimento tanzaniano. In quel villaggio il nostro partner si chiamava Estomihi Mollel, un Masai che aveva studiato sociologia in Australia e fatto grossi progetti per Longido: una piccola diga, un piano di turismo alternativo e una casa del popolo, alla cui realizzazione avremmo dovuto prendere parte. Ci demmo quindi da fare per produrre mattoni d'argilla. Già la seconda sera scoppiò una lunga discussione. Avremmo potuto farci una doccia alla cisterna dietro la casa oppure questo non era altro che un lusso europeo che consumava un bene prezioso? Il dibattito si esaurì quando vedemmo che gli animali andavano ad abbeverarsi di continuo senza che nessun abitante del villaggio si scandalizzasse. Fu la prima disillusione. Anche l'entusiasmo iniziale sarebbe scomparso in fretta perché avremmo ben presto visto che razza di sciocchezza era quella di voler cuocere mattoni d'argilla nel caldo torrido della savana. Oltretutto la qualità dei nostri prodotti lasciava molto a desiderare. E poi nessuna persona del posto ci diede una mano a produrre quei laterizi. Il risultato del nostro impegno fu un pollaio sghembo per

Esto e la sua famiglia. La casa del popolo però, rimase un'idea fissa.

In seguito viaggiammo per il paese, visitammo progetti e ci lanciammo in discussioni con i funzionari locali. Quello che vedemmo non fu più una realtà fatta di solidarietà, ma una situazione in cui mancava tutto, un mondo in cui regnava la corruzione, la cattiva amministrazione e la tendenza alla repressione. Le responsabilità dei fallimenti venivano sempre ascritte a cause remote, al colonialismo e alla sua eredità, all'ingiusto ordine mondiale, al comportamento dell'Occidente che certo non aiutava. Il bianchi cattivi e i neri buoni – la miseria dell'Africa, mi venne detto con sicumera, era provocata all'ottanta per cento da fattori esterni. Oggi vedo le cose in maniera differente. Secondo me gli stessi africani, e nella fattispecie le loro élite politiche, hanno la maggiore responsabilità per la drammatica situazione in cui versa il continente. Quando, quindici anni dopo, ritornai in Tanzania come giornalista a visitare un villaggio modello, di *ujamaa* non c'erano più tracce. Ciò che vidi furono campi bruciati, granai che cadevano a pezzi, macchinari che perdevano grasso. Era il villaggio di Kwalukonge – un'immagine della Tanzania di oggi: tre decenni d'indipendenza, di pace, di sottosviluppo, di sonno, un paese che aveva ottenuto aiuti allo sviluppo come pochi altri al mondo eppure non era migliorato nemmeno un po' dai tempi del colonialismo. L'utopia del mettersi in marcia, in realtà, non era mai cominciata. Di rosso era rimasta soltanto la terra. Al mio vecchio amico Esto Mollel era spettata una tragica sorte, stava lì immobilizzato nella sua capanna. La conseguenza di una brutta caduta.

In occasione della mia terza visita a Longido, nel tardo autunno del 2001, Esto non c'era più. Aveva lavorato al suo progetto sino all'ultimo. Si faceva trasportare nella savana a bordo di una scassatissima Toyota, cercava sponsor, si rivolgeva a oganizzazioni di aiuto, raccoglieva donazioni. All'ingresso del villaggio c'era la sua eredità: un piccolo centro informativo sui Masai e sul declino della loro cultura. Ragazzi e ragazze vendevano zucche a fiaschetta, producevano chincaglieria all'interno delle *bomas*, quelle stesse capanne dove, si diceva, i Masai vivevano ancora così come avevano fatto i loro antenati. Le audaci visioni di Esto non si erano realizzate, ma lì c'erano pur sempre un paio di posti di lavoro per un gruppetto di ragazzi, di gente consapevole. Andai alla sua tomba, posta all'ombra di un gigantesco albero d'acacia sotto cui avevamo cotto i nostri malriusciti mattoni d'argilla. Quest'uomo ha legato a doppio filo la mia vita all'Africa. Incarna l'inossidabile ottimismo degli africani, il loro umorismo, la loro operosità e l'arte di sopravvivere con niente. Esto Mollel è stato il mio *mwalimu*, il mio primo maestro africano. Questo libro è dedicato anche alla sua memoria.

*

Sete, fame e pestilenza, guerra e disperazione – finiranno mai in Africa? Ci sono giorni in cui in questa terra uno si lascia andare al pessimismo più nero che porta ad una depressione paralizzante. Succede quando si attraversano gli sconfinati ghetti ai margini di Città del Capo. Accade quando ci si trova in una bidonville di Dakar oppure in un campo profughi in Congo. Lo avverti quando vedi un bimbo che potrebbe avere l'età di tuo figlio morire di fame in Malawi. Ti blocca quando sei immobile davanti a una fossa comune in Ruanda. Lo provi quando in Sierra Leone incontri un uomo a cui i ribelli hanno tagliato entrambe le braccia. Vien voglia di disperarsi per la indicibile violenza di questo continente e non si riesce più a sopportare la sofferenza dell'Africa e degli africani. Vien voglia di arrendersi. Sembra di udire gli ammonimenti dei profeti dell'Apocalisse. *Africa Nigra*, maledizione, continente perduto, sventura nera.

Poi però ci sono altri giorni che trasudano felicità, speranza, quando esplode l'incontenibile gioia di vivere e l'incredibile bellezza di questo continente. Quando hai la fortuna di vedere il ballo delle maschere dei Dogon, oppure di partecipare a una preziosa celebrazione iniziatica dei Bamileké. Quando puoi ammirare come un normale funerale in Mozambico si trasformi in una festa. Quando ascolti da un mago della pioggia in Guinea le storie più assurde sugli dèi che regolano le intemperie. Quando una notte, a Kinshasa, riesci a comprendere cosa significhi davvero danzare. Non smetterò mai di meravigliarmi per la creatività che nasce dalla povertà e per l'incredibile inventiva dell'uomo. Ho appreso la loro lentezza, l'importanza di valutare le cose, l'impassibile imperturbabilità africana, il loro Amor Fati, l'umorismo quotidiano, il gusto per la chiacchiera, per il gioco, per il ridere e per il sorridere, cose che trionfano sul bisogno. Spesso sembra quasi che proprio la necessità tiri fuori il meglio dall'uomo. In mezzo al monotono beige della savana si possono scoprire le sfumature più belle, nella buia foresta pluviale delle sculture meravigliose, nei villaggetti più noiosi, le ballerine più leggiadre.

Vero è che la bellezza può anche ingannare. Sono nella luce lattiginosa del mattino, i primi raggi di sole scendono su un palmeto, enormi farfalle si alzano dall'erba – una scena talmente incredibile e magica da sembrare un dipinto di Wattenau. Questo almeno è quello che penso. Poi la nebbia scompare, torna il caldo umido. Fra i rami degli alberi scopro uomini con un machete. Sono dei poveracci che lavorano per stipendi da fame. Schiavi. E quell'idillio non è altro che una piantagione. Le palme da cocco adesso sembrano soldati rimessi a nuovo, pronti per la guerra sul mercato globale.

Spesso mi arrabbio con gli africani, non sopporto la maleducazione del personale burocratico, l'onnipresenza delle mazzette e di impiegati corrotti, la brutalità e la villania nelle metropoli, la pigrizia, la sciatteria e l'indescrivibile pressapochismo. Magari affitto una misera camera con l'acqua che cola dalle pareti e il cesso sporco e la mattina dopo il manager dell'hotel ha la faccia di raddoppiare il prezzo perché durante la notte, dice, il cambio è aumentato. Poi magari scoppia una rumorosa disputa e in fondo son contento che nessuno ci osservi. Potrei passare per odioso razzista. E poi, non si sa come, alla fine il problema si risolve da sé. Aspetto nella baracca dove si dovrebbe fare colazione. Sul tetto di lamiera picchietta la pioggia tropicale. Dopo *appena* un'ora di attesa mi rallegro perché arriva un ovetto e una tazza di acqua scura che qui chiamano caffè. Il mio sguardo cade su un piccolo acquario vicino alla credenza. È secco, sul fondo ci sono delle lampadine. Esplodo in una risata fragorosa. L'Africa è un continente senza pace che allo stesso tempo sembra essere prigioniero di una eterna rigidità. Un luogo da qualche parte al crocevia fra tradizione e moderno, che lascia ai margini di questo percorso uomini confusi. Ho vissuto lo stupore della provincia, il villaggio sempre uguale a sé stesso, immobile, la quiete che partorisce la guerra e poi la devastante pandemia dell'Aids. E poi ho visto movimenti violenti, milioni di profughi, gente sradicata che lascia un posto per andare chissà dove, migrazioni di popoli dalla campagna alle grandi città, milizie abbruttite e orde di bambini-soldato che terrorizzano un intero paese. Sugli altopiani abissini una volta, ho incontrato un esercito di prigionieri di guerra. Centinaia di migliaia di persone vestite di stracci. Centinaia di migliaia di visi vuoti, sconfitti dal destino – è stata una visione surreale. Un'immagine che quelli della mia generazione avevano visto solo nei libri di storia sulla Seconda guerra mondiale.

Qualche volta si arriva a pensare che il continente abbia una doppia vita. Una maledetta, ed è quella che noi corrispondenti raccontiamo. Un'altra benedetta. Di cui non parliamo. Eppure l'Africa è tutt'e due le cose. Ci spinge avanti e indietro come fossimo su montagne russe dei sentimenti. Ci pigia fra gli estremi e, qualche volta, questi estremi sono distanti solo un paio di minuti gli uni dagli altri. Altre volte si tratta di chilometri. Ho appena visitato Kanenge, un quartiere distrutto di Bujiumbura, la capitale del Burundi. Ho visto i risultati della pulizia etnica: case bruciate, giardini deserti, strade vuote e per un pelo non ci hanno preso i soldati Tutsi che stavano proteggendo la loro opera di distruzione da sguardi indiscreti. C'è mancato poco che ci fermassero assieme al nostro autista, uno della maggioranza della popolazione, un Hutu. Adesso, seduto in un bar, ascolto una canzone cantata da una voce meravigliosa. È una voce che in questa città senza più anima suona liberatoria, è quella di Khadja Nin, una Tutsi, una star qui. In Europa la conoscono solo gli amanti della musica africana. Quelli che l'hanno vista dal vivo non riescono ad immaginarsi che provenga dal Burundi, un paese dilaniato dall'odio. Khadja Nin e la sua maestra Miriam Makeba, Angelique Kidjo, Dorothy Masuka oppure Cesaria Evora – questa è la sensualità e la voglia di vivere di un continente. Ma se resto più a lungo in quello stesso bar di Bujumbura ecco che l'orrore ritorna. Quello stesso giorno ha la forma di un odontotecnico, un Tutsi, pronto a realizzare una capsula d'oro persino per una Hutu, una persona inferiore – si potrebbe estrargliela quando sarà arrivata la sua ora.

Con il passare del tempo ci si abitua a quest'alternanza di sentimenti. Orribili e meravigliosi. Violenti e pacifici. Cattivi e buoni. Vitali e autodistruttivi. Segreti e banali. Generosi e maligni. Si potrebbe obiettare che queste contraddizioni sono proprie di ogni continente. Eppure da nessuna parte sono impresse in maniera tale come in Africa. In nessun altro luogo le ferite sono così profonde. Da nessuna altra parte si rimarginano con questa velocità. È quanto recita un vecchio proverbio. La forza del perdono e il coraggio della riconciliazione – sono forse queste le lezioni più importanti che possiamo apprendere dall'Africa.

Il viaggio nel quartiere proibito di Bujumbura per il corrispondente curioso significava mettere a repentaglio la propria vita, ma ancor di più per il tassista che, per colmo di sventura, apparteneva all'etnia "sbagliata". Se la stava facendo sotto quando i dubbiosi soldati al posto di blocco quasi ci hanno trascinato fuori dall'auto ed è probabile che avremmo avuto i nostri problemi se fossimo caduti nelle loro grinfie. Alcuni momenti precari non si possono sempre evitare nei territori di guerra o di crisi. Si finisce a guardare la canna di una pistola circondati da miliziani infuriati oppure da una folla eccitata, oppure s'incappa in una sparatoria e non si sa se ne è l'obiettivo. Il cronista viene accusato di essere una spia oppure un agente nemico. A causa della sua professione è considerato uno sgradito testimone oculare e quello che capita in Africa a persone del genere è testimoniato dal numero di colleghi che languiscono nelle prigioni. Qualche volta è la pelle bianca a proteggermi dalle aggressioni, altre volte, quella stessa pelle, rappresenta uno svantaggio visto che non ci si può nascondere, il mio viso pallido si nota dovunque. Non c'è giorno che passi in Africa che non mi ricordi del mio essere bianco.

I bambini mi chiamano *Oyibo* nella regione nigeriana di Yoruba. Presso i Fon del Benin ascolto la parola *jovo*, in Kishuaeli mi chiamano *mzungu* e in Lingala, la lingua principale del Congo, sono un *mundele*. Dappertutto significa la stessa cosa: un bianco, uno straniero, una novità. Perché viene a visitare proprio noi? Che cosa ha in mente? Dopo qualche parola però, ecco che prende il sopravvento una grande amichevolezza e un'ospitalità che era già difficile trovare in passato in un paesino tedesco e che oggi non sarebbe comunque possibile se la mia pelle fosse scura. Mi invitano in una capanna, beviamo birra di miglio, oppure vino di palma, si condivide una cena frugale e ti viene offerto un giaciglio. In Africa mi trattano bene. Qui si regala fiducia primordiale.

In tutti questi anni sono stati rari i momenti in cui ho provato paura o vero terrore. Un corrispondente si trova in queste situazioni solo in casi estremi, quando ad esempio capita fra i due fronti di una guerra civile, oppure quando scoppia una rivolta e nessuno sa chi stia combattendo contro chi. Normalmente è preso dalle sperequazioni di ogni giorno, dai problemi legati al progresso, alla comprensione, al nutrimento. Resta una settimana in un luogo lontano da tutto e non riesce ad avere contatti con il mondo esterno. Aspetta un aereo che non arriverà mai o un visto che gli impiegati della dogana gli rifiutano per motivi imperscrutabili. Cerca per giorni di contattare la sua redazione centrale, ma i telefoni non funzionano e un cellulare è, a causa della mancanza di copertura, utile quanto può esserlo una pelliccia nel deserto. È costretto ad attraversare un bosco perché il motore del suo taxi ha fuso. Condivide squallidi alberghi con ratti, pidocchi, scarafaggi o scorpioni e viene massacrato dalle mosche tse-tse. Qualche volta gli manca l'acqua, oppure il cibo o, se è malato, le forze.

"Non si preoccupi", mi aveva detto l'autista del camion, lasciandomi in un villaggio della provincia etiope del Tigri, "di qui passano molte auto". Mi ero addormentato in una stalla per le capre e la mattina seguente, sul presto, mi ero risvegliato con la febbre. "Auto?", il vecchio del villaggio si era messo a ridere. "Di auto qui ne passano raramente". Ero arrivato in un posto dimenticato. L'uomo aveva notato il mio stato pietoso e mi aveva condotto a una panca di legno nella sua capanna. La febbre salì a 39° e mi venne anche una brutta diarrea, con perdita di sangue. Sono i segni evidenti della presenza di amebe. Normalmente questa infezione non rappresenta un problema se c'è a disposizione un medico. Se non è curata in tempo conduce in 48 ore alla completa disidratazione del corpo. L'ospedale più vicino era a Kassala, una città sudanese oltre il confine, a 300 chilometri o due giorni di viaggio, a patto che ci fosse a disposizione una jeep. Ma non c'era nessun mezzo e la temperatura continuava a salire. Nel mio delirio mi vidi già morto finché non comparve un angelo, di quelli che ogni tanto in Africa s'incontrano al momento giusto: il nipotino di sette anni del vecchio del villaggio. Si sedeva sullo spigolo della panca, portava acqua, raccontava storie, faceva disegni: carri armati, mitragliatrici, aerei a reazione, i volti della guerra civile che avevano popolato il suo universo infantile. Un tardo pomeriggio ritornò dal pozzo e disse una parola che suonava come *kavatscha*. Un bianco alla fossa! Scattai in piedi. Il bambino prese il mio zaino e io cercai di raccogliere me stesso. Al pozzo si era fermato per caso Hermann Rast, un reporter della ARD che avevo conosciuto a Khartoum. Due giorni dopo eravamo a Kassala.

In momenti simili viaggio da solo. Mi pongo domande esistenziali sui miei sogni, le mie paure, la salute, l'età, il futuro. Sono solo in un grande continente. Eppure non sono isolato. Thomas Mann una volta ha scritto che l'ingrediente principale di ogni viaggio è "la vibrante curiosità di un'umanità non ancora vissuta". Questa umanità è il tesoro più prezioso dell'Africa.

Di nuovo in Congo, al bivio nella foresta. Decidiamo, seguendo l'ispirazione del marabù, di andare a destra. È la strada giusta. A un certo punto, nella luce crepuscolare, compaiono le prime capanne di Gemena. È una città scura e triste. Folate di vento alzano una polvere sporca nelle strade senza illuminazione. Ai lati bruciano lumi ad olio e piccoli fuochi. Il primo albergo è pieno. Il secondo ha chiuso i battenti anni fa. Non ci sono stazioni di servizio, né un posto dove dormire o cenare. I nostri stomaci brontolano. Sono tre giorni che non mettiamo sotto i denti cibo degno di questo nome. Un paio di biscotti, qualche banana cotta, e un po' di pesce secco. Tutto qui. Dovremmo forse mangiarci la tartaruga, la nostra fedele accompagnatrice? Giammai! Compriamo due polli vivi alla ricerca di un luogo dove ucciderli e cucinarli. Adam si ricorda di un paio di vecchi amici che dovrebbero abitare da queste parti: "Sono fratelli di Fede. Ci accoglieranno".

Il padrone di casa, un uomo corpulento che indossa un caffettano blu notte, ci riceve in maniera calorosa, quasi ci stesse aspettando. Le sue mogli e le sue figlie apparecchiano una lunga tavola nel cortile, ci portano acqua per lavarci, asciugamani puliti e ci servono del dolcissimo tè alla menta. Un paio di vicini curiosi vengono a farci compagnia. Di dove siete? Dove andate? Si chiacchiera. Prima si parla della famiglia, del numero di figli, la salute, poi della politica del grande Mobutu Sese Seko e del pietoso stato di Gemena. Non passa nemmeno un'ora che sul tavolo appare una montagna di riso con della carne di pecora. Due ore dopo ci ritroviamo nella casa del manager di una fabbrica di sapone. Dormirete qui, non si accettano rifiuti! Ci offrono il letto matrimoniale e lenzuola pulite. Sono pronti due catini di acqua per lavarsi. La moglie del manager macella, spenna e cuoce i nostri due polli in modo che domani avremo qualcosa da mangiare. Sans Souci, il figlio più giovane, pizzica il mio braccio per provare il colore della mia pelle. Si beve un'altra birra, si va a letto e nel dormiveglia si pensa: ah, l'Africa!

Il nostro Congo interiore
L'immagine dell'Africa

A come Africa. All'inizio era stato solo il nome di una terra sconosciuta e quello dei suoi abitanti, anch'essi sconosciuti. Nemmeno loro sapevano di essere africani. Sugli atlanti dei Romani, nelle regioni oltre il Sahara, troviamo solo la nota: *hic sunt leones*. Qui ci sono i leoni. A un certo punto però, da queste parti giunse l'uomo bianco e dichiarò questa terra un continente, e i suoi abitanti dalla pelle scura li chiamò africani. L'Africa fu inventata come oggetto della conquista. Questo pezzo di terra però, divenne realmente africana solo quando fu oggetto di liberazione – gli africani si sono resi conto della loro identità soltanto nella lotta contro gli europei. E oltretutto l'Africa, intesa come un tutt'uno, ancora non esiste. Perlomeno è così che viene rappresentata in Europa. Non è forse vero? Da qualche parte in Sudan m'imbatto in un semplice contadino che crede che Johannesburg sia in Germania. Passeggio per le strade di Dakar e mi sembra di essere a Marsiglia. Chiacchiero con un impiegato sudafricano che domina le differenze fra Guinea, Guinea Equatoriale e Guinea-Bissau così scarsamente come potrebbe farlo un impiegato inglese. Come il suo collega europeo, non sa che nella prima si parla francese, nella seconda spagnolo e nella terza portoghese. Da Harare a Lome la rotta più rapida con l'aereo è quella che passa da Londra o Parigi, visto che il continente nero è diviso in due grossi emisferi: quello in cui si parla francese e l'altro, quello anglofono. Queste due parti non sono connesse quasi per niente fra loro. Viene quasi voglia di accettare l'idea secondo cui l'Africa non esista, che non sia altro che un gigantesco conglomerato di popoli dalla pelle nera. Neppure la storia del colore però è esatta perché vicino all'Africa nera – insomma l'Africa subsahariana senza il Maghreb – esiste anche un'Africa bianca e una serie di culture miste, creole, mulatte, afroasiatiche e meticce. Negli stati di passaggio ci sono nazioni come la Mauritania o il Sudan, paesi in cui africani e arabi si mescolano oppure si combattono. Questo continente non può certo dirsi unito solo perché ogni scolaretto ha sentito il nome di Nelson Mandela. La domanda è quindi: l'Africa c'è o non c'è?

Questo pezzo di terra io l'ho sempre considerata come un tutt'uno, ma forse questa è solo una proiezione, una fissazione del corrispondente che vuole vedere il "suo" continente come un territorio unificato. Eppure, nell'enorme varietà di popoli e culture africane, mi sono imbattuto di continuo in segnali ubiqui, in segni e stili, oggetti di culto, attrezzi, sette e modi comportamentali che nel corso degli anni si sono ispessiti in un panorama panafricano. Le tre pietre del focolare, gli utensili del quotidiano, dalla zappa alla fascia per trasportare i neonati, dalla tecnica del *feldbaus* o dei trasporti pesanti in testa, dalla sagoma delle capanne alla forma degli insediamenti, dal ruolo degli anziani al significato delle maschere, dai miti della creazione, al culto degli antenati, dai rituali della fertilità alle credenze e alle magie, dai maghi della pioggia agli stregoni, dall'invenzione del tempo all'umorismo, alla musica, alla danza, ai giochi dei bambini. Tutti questi elementi si congiungono in un cosmo geografico, storico e culturale che chiamo Africa. Resta un'impresa però, cercare di voler racchiudere questo universo nella sua interezza ed è infinitamente più semplice provare a descrivere quello che l'Africa non è, ovvero differenziare quello che sembra riportarci a ciò che pensiamo del continente, che è aldilà di tutte le proiezioni. Le proiezioni sono, come sappiamo dai tempi di Sigmund Freud, immagini interiori che scagliamo all'esterno, immagini che nascono da nostri bisogni frustrati e da desideri disattesi, da ossessioni, pregiudizi, paure e nostalgie. E non è comunque un caso che l'esplorazione dell'anima scura e lo studio del continente nero al momento non siano così distanti l'una dall'altro. Esistono due continenti, sconosciuti e spaventosi: l'Africa esterna, e questa "vera Africa interiore", come dice il poeta

Jean Paul. Cominciamo allora con il lavoro del giornalista che oggi ha sostituito gli scopritori di un tempo, i missionari, oppure gli scrittori coloniali e che determina massicciamente l'immagine popolare che ci si fa dell'Africa oltre i confini di questa terra.

*

Una pioggia di fuoco sulla Somalia, soldati-bambini ebbri di morte, fame, sete, disperazione. I reporter delle catastrofi si trovano sul volo per Mogadiscio. Sono tipi temerari, giovani e senza paura, spediti dalle loro redazioni centrali nel "cuore di tenebra". In aereo danno uno sguardo veloce a un paio di lanci d'agenzia, a qualche articolo e a qualche appunto sul paese preso da un archivio. Poi atterrano e si ritrovano in un mondo che conoscono come potrebbero conoscere il lato oscuro della luna.

Cos'è che vedono? Uomini magri come chiodi, rovine, violenza. L'essere umano: una massa informe. La sua lingua: gutturale. Il suo credo: arcaico. La sua rabbia: incomprensibile. Vedono un mondo pieno di cattiveria, controllato da signori della guerra senza regole. Esiste però anche un altro mondo, fatto di vestiti colorati, delle risate dei bambini, del vento caldo del deserto, dei cammelli, degli arabeschi e soprattutto delle giovani somale che sembrano figure di Modigliani. Fra di loro non c'erano forse due top model, le due semidee Iman e Waris Dirie? I reporter vanno in estasi. Le loro rapidissime analisi sconcertano tutte quelle persone che da anni cercano di capire l'antichissima struttura sociale somala e che riescono a ritrovarcisi solo dopo molti anni di studio. Ecco che una popolazione etnicamente omogenea si spezzetta in tante parrocchie, le tribù diventano clan e i clan diventano tribù. Anche se in Somalia di tribù non ce n'è nemmeno l'ombra. A chi interessa però se si dice Havardle o Havadle o come diavolo si chiamano? Qual è la differenza fra Issa e Issak? Rahanwejn – si può bere? No, è una tribù, da qualche parte in Africa. Immaginiamoci il contrario: come se un africano scrivesse della Germania e definisse la tribù degli Schwimmen un subclan dei Frunken.

Quid novi ex Africa? Non c'è nulla di nuovo. Solo roba vecchia. La solita Africa in agonia. La cosa importante è soltanto la percezione del continente, non la sua realtà. Ieri Haiti, oggi l'Afghanistan, domani la Liberia. I giornalisti di guerra sciamano come api impazzite attorno al globo. Davanti a tutti marcia Christiane Amanpour della CNN, la Giovanna d'Arco del giornalismo catastrofista, dietro segue il resto dei media. Nella lotta per un punto di share in tv, non può mancare l'inviato sul posto. C'è una cifra altissima di nuovi venuti nel giornalismo professionistico... questi colleghi non hanno idea di dove si trovino dal punto di vista culturale, "lavorano senza il sostegno delle basi storiche", critica Riszard Kapuscinsky, facendo l'esempio dei reportage sul Ruanda. Certo da qualche parte bisogna pur cominciare – si potrebbe ribattere al polacco Kapuscinsky, uno dei più fini corrispondenti che abbiano mai scritto sull'Africa. Si sa per esperienza l'insidia del giudizio su di un paese oltremodo complicato come il Ruanda, ci si ricorda di penosi errori citati nelle lettere di lettori infuriati. E si diventa più attenti nei propri giudizi perché si diviene più consapevoli della propria ignoranza. Perché *risaputo* non vuol dire *conosciuto*. Si capisce quanto spesso si veda solo ciò che si vuole vedere.

Lo scrupolo non sembra essere il forte dei colleghi delle truppe d'assalto, pur non dimenticando che manca loro il tempo per una degna preparazione e per una ricerca approfondita. Quello che accade nel continente "nero" al di fuori delle catastrofi, non interessa l'Europa. L'apporto dell'Africa al commercio mondiale è marginale, il suo peso geopolitico minimo. L'altra Africa, quella serena, tranquilla, ricca d'inventiva, non è interessante. Altrimenti si scoprirebbe che la fame non è un tema all'ordine del giorno o che molte regioni sono più sicure del Lüchow-Dannenberg[1]. Queste notizie però, non troverebbero posto in quella immagine preconfezionata che si vende così bene, quella di un continente perduto, disperato e moribondo. "Il reportage deve confermare ciò che è evidente. Tutto va male laggiù da quando noi ce ne siamo andati", scrive Franz Fanton il filosofo della liberazione. Quando io nel 1987 per la prima (e ultima) volta ho preso parte ad un viaggio stampa al seguito del presidente tedesco, non passava giorno senza che ci fossero numerosi elementi a sostegno di questa tesi. Dopo l'atterraggio a Lagos in Nigeria, un impiegato della dogana ebbe l'ardire di voler ispezionare il bagaglio. "Metodi degni di uno stato di polizia", bofonchiò un fotografo, "ma quello non sa nemmeno che cosa sta cercando". E parlando con un esponente della carta stampata chiese come si chiamasse il presidente di qui. Banana o qualcosa del genere? Il presidente si chiamava Babangida. In fondo però, con i nomi africani ci si può sbagliare. Forse che il nostro indimenticabile presidente della Repubblica Heinrich Lübke – che aveva un amore sviscerato per l'Africa – non scambiò, durante una visita di stato in Madagascar, il nome della first lady con quello della capitale, chiamandola Antananarivo?

I titoli sull'Africa tuttavia non mancano mai. Il continente appare sui giornali più spesso dell'America Latina o dell'Australia. E perché mai poi, da un punto di vista europeo un paese come il Mali dovrebbe rivestire maggiore importanza rispetto a una nazione confinante come il Portogallo? La prova lampante non è tanto la quantità, quanto la qualità dei resoconti, come cambiano gli interessi del mercato e l'esplorazione della realtà. Generalmente quello che viene richiesto non è altro che il semplice lancio d'agenzia: superficiale, sensazionalistico oppure con una impressionante storia catastrofica, non tanto l'analisi approfondita o il racconto sereno. Nell'*infotainment* globale, l'informazione reale viene distribuita a piccole dosi. Alcuni media per ragioni economiche preferiscono sostituire i corrispondenti fissi con redattori inviati quando necessario. Laddove questo metodo è utilizzato i danni sono lampanti. L'esempio è quello della città congolese di Ebola. Prima esplose il virus e poi giunsero i cronisti d'assalto. Probabilmente sono stati scritti più articoli sulla malattia sconosciuta, saltata fuori dalla foresta, quanto in due anni su tutto lo Zaire. Al paese in cui questa epidemia è esplosa, alla sua gente, alla politica, al sistema sanitario, furono lasciate poche frasi. Si trattava delle paure primordiali degli europei. Quando si parla di Africa si pensa agli infetti di malaria, ai morti di Aids, a piaghe come il colera e la peste che puzzano di Medioevo. A batteri malvagi che attendono con impazienza sugli aghi delle siringhe oppure sulle foglie dei banani e nelle mani degli autoctoni, trasportati da mosche o che magari vivono in qualche pozzanghera. Si pensa alla minaccia mortale, incomprensibile che giunge dalle profondità remote dell'Africa e minaccia attraverso i commerci mondiali l'asettica civiltà del nord del mondo. L'Africa sotto la lente di un microscopio è ridotta a virus. Il fatto che a Ebola, a causa di quella malattia che si chiama come la città, muoiano meno persone di quante siano le vittime dell'influenza a Londra, è stato un fatto menzionato solo nelle riviste mediche.

In fondo però, non è che fatti e cifre vadano presi sul serio. Nessuno è in grado di esaminarli e spesso, effettivamente, le statistiche sono talmente distorte da rendere il loro valore minimale. Noi corrispondenti abbiamo per lungo tempo sovrastimato il numero di abitanti della Nigeria – di oltre trenta milioni! Poi si è scoperto che i governi regionali avevano aggiustato le cifre per ottenere più fondi dal governo centrale. Secondo il censimento del 1988 nel paese non vivevano 120 milioni di abitanti, ma appena 90. Eppure si preferisce usare il grande numero perché esso supporta quello scenario minaccioso in cui si parla di esplosione demografica. Anche le organizzazioni umanitarie aggiustano per eccesso le cifre che riguardano il numero di profughi e affamati – questo fa finire più soldi nelle loro casse. Qualche volta in questa sovrastima si nasconde un complesso di colpa: il bisogno in questa terra è così grande a causa delle orribili cose che abbiamo fatto. D'altro canto bisogna anche mantenere un livello minimo di sfiga in modo da tenere sempre a portata di mano qualcosa che sia degno di apparire nei notiziari. "Il valore della nostra vita viene messo a un livello molto basso persino dagli stessi africani", mi ha detto durante la guerra in Kosovo l'intellettuale keniano

Wambui Mwangi. "Per risvegliare un interesse simile sarebbero state necessarie molte vite. In questa indolenza si nasconde qualcosa di profondamente razzista". Quando affonda un traghetto africano, portando con sé 300 persone, leggiamo solo un trafiletto in "notizie dal mondo". I massacri che si ripetono da anni in Burundi non vengono a galla. "Abbiamo bisogno di 500 morti in più. Solo allora arriva la CNN", ha detto un diplomatico tedesco che ho incontrato nella capitale Bujumbura.

L'Africa è come se venisse vista attraverso una lente messa al rovescio. L'oggetto risulta più lontano di quello che è, le sue strutture più fini divengono invisibili. Il giornalismo catastrofista rafforza questo punto di vista: l'Africa urla. Piange. Muore. Alcuni cliché sono stati usati talmente tanto spesso dalla fine del colonialismo, da essere entrati nell'uso comune. Se vediamo un ometto rachitico ci viene da dire "sembra uno del Biafra".

*

Sotto sotto, prossimo all'animale c'è il negro. Un po' sopra ci sono l'uomo bruno, il pellerossa e il giallo, tutti esemplari della razza mongola. Solo dopo seguono i tipi caucasici dalla pelle bianca suddivisi in Slavi, inferiori, e Celti, superiori. Fra di loro i più alti nella scala sono i Germani e in particolare i Teutoni. Era così che il professor Christoph Meiners di Gottinga classificò l'umanità. Nel 1790 si vide obbligato a mettere per iscritto il suo insegnamento sulle "razze", stimolato, dopo la rivoluzione francese, soprattutto da quelli che si riempivano la bocca con questa storia degli uomini tutti uguali. E, *horribile dictu*, gli "amici dei negri" volevano addirittura abolire la schiavitù. Una follia. Contro questa sequela di stupidaggini, si sarebbe dovuto dimostrare al più alto livello scientifico come i Bantu ad esempio, "a causa della loro stupidità, fossero destinati ad essere sottomessi", e "non comprendessero altro che il linguaggio della violenza". Il minuscolo cervello dei "sanguinari", la libidine scimmiesca, l'insopportabile puzzo emanato, nessun progresso, nessuna storia, nessuna propensione all'arte, solo cannibalismo, poligamia e uno stupido e inutile vegetare.

Queste scoperte sarebbero state approfondite nella moderna teoria delle razze da Arthur de Gobineau e da Houston Stewart Chamberlain. Attorno ad esse sarebbero cresciuti i romanzi d'avventura, i documenti dei missionari e le storie da safari entrando nell'uso comune attraverso libri e canzoni per bambini o alcune filastrocche (dieci piccoli negretti...). Questa tradizione è stata curata fino ad oggi soprattutto in alcune città tedesche come Lubecca e Rostock. Una lettera che ricevetti da un certo signor Karl che viveva a Città del Capo conteneva la seguente analisi: "Ci sono un paio di geni che sono diversi, a quelli (ai neri) mancano un paio di secoli di sviluppo e per questo sembra che non siano portati per cose come la democrazia, un'amministrazione ordinata, un'economia pianificata, per la scienza, l'arte... un razzista è qualcuno che odia i neri più di quanto non sia necessario. In questo senso posso dire di non essere un razzista". Era stata messa per iscritto in Sudafrica, tre anni dopo la fine dell'apartheid, duecento anni dopo Christoph Meiners. Davvero le "geniali" elucubrazioni del professore di Gottinga sono estremamente attuali e continuano a fare parte di una lunga tradizione intellettuale occidentale.

Aristotele giustifica intellettualmente il diritto dei Greci a governare i barbari a causa del servilismo innato di quest'ultimi. Il filosofo getta allo stesso tempo le basi su cui si svilupperanno le proiezioni future. Il pensatore francese Montesquieu, dice che gli africani altro non sono che pura indolenza selvaggia senza alcuna capacità. Georg Wilhelm Friedrich Hegel ha pur sempre dedicato all'Africa cinquanta pagine delle sue "lezioni sulla filosofia della storia" sebbene laggiù, come egli stesso ha stabilito: non ci sia storia. Come chiusa il filosofo scrive: "E con questo lasciamo l'Africa per non nominarla più. Perché in questo continente non si è realizzato alcuno sviluppo o movimento degno di tal nome". Lo spirito del mondo dopo la costruzione delle piramidi ha fatto le valige e ha abbandonato l'Africa. Se si volesse comprendere il negro bisognerebbe mondarlo "da ogni timore e moralità che fanno parte dei sentimenti... in questo carattere non v'è nulla di quello che potremmo ritrovare in un tipo umano". I racconti di viaggio degli Arabi che conoscevano il continente sin dall'ottavo secolo, erano, probabilmente ignoti a quell'Hegel conosciuto in tutto il mondo. Portarono clienti di grosso calibro al di là del Sahara. Quando Ibn Battuta giunse in Mali, rimase colpito dalla cultura degli autoctoni. "Fra tutti gli uomini, sono i negri quelli che maggiormente detestano l'ingiustizia".

L'africano senza storia, ferino, e l'europeo messo meglio dal punto di vista biologico, spirituale e morale – Hegel fornisce le basi filosofiche dell'ideologia coloniale. L'uomo bianco si vede come il gradino più alto della scala della creazione e l'Africa come territorio dove realizzare la sua immaginaria superiorità. Con i termini *negro* o *bantu* si definisce un essere inferiore, pigro, stupido, perfido, non civilizzato e, a casa, i suoi compatrioti possono convincersi con i propri occhi. Hagenbeck, il fondatore dello zoo amburghese, agli stupiti anseatici non presentava solo animali, ma anche uomini dell'Africa. Nel 1897, a margine dell'esposizione universale a Bruxelles, venne ricostruito un villaggio e popolato con 267 "selvaggi" del Congo. Nel 1906, nello zoo del Bronx a New York, vennero esposti i pigmei Ota Benga. Nella casa delle scimmie.

Sin dai tempi napoleonici gli africani venivano mostrati alle fiere e ai *freak shows* (gli show dei mostri). Il "pezzo da esposizione" più famoso nel bestiario nero, fu probabilmente Sartjie Baartman, una donna del gruppo dei Khoikhoi, portata dal Capo di Buona Speranza. Nel settembre del 1810 i londinesi lessero un annuncio nel *Morning Post*: "Appena arrivata dalla Kaffraria... visite dalle 13 alle 17, 225 Piccadilly Street. Ingresso: due scellini". La donna venne esposta in una gabbia come una bestia feroce e canzonata dal pubblico con canne di bambù, raccontò un giornalista del *Times*.

Il domatore di Sartjie guadagnò bene, sebbene di lei si persero le tracce per un paio d'anni. Nel settembre del 1814 ricomparve in Francia, quando Sartjie prese a ballare nuda nella strada parigina di Rue Neuve de Petichant aveva 24 anni. Morì appena sei mesi più tardi, dopo aver guadagnato grande popolarità. La chiamavano la "Venere degli ottentotti"; su di lei si scrissero racconti e commedie di bassa lega, piene di doppi sensi e di sesso.

Georges Cuvier, eminente naturalista e luminare – medico personale di Napoleone – volle visitare la Khoikhoi, soprattutto il suo leggendario monte di Venere, ma la pudica "selvaggia" si oppose e serrò le cosce. Dopo tre giorni di esami, Cuvier presentò il suo rapporto all'Accademia: l'oggetto sembrava una scimmia con segni mestruali. La classificò come un essere a mezza strada fra l'uomo e l'animale. L'Africa continuava ad essere, nelle fantasie maschili, anche una metafora della femmina minacciosa: la negra con un'indicibile forza sessuale, allettante e distruttiva, una ripetizione di quella Brunilde dai seni prosperosi emersa dal brodo primordiale. La femmina autoctona, il continente femminile che doveva venire domato, sottomesso, violentato dai padroni colonizzatori. Un residuo di questa proiezione sessista si estrapolò nel complesso dell'uomo bianco di fronte alla libidine del nero, nel mito di Long Dong John, il *bimbo*, il negro dal pene gigante. Lo sguardo coloniale accompagna perfino oggi le delegazioni che viaggiano in Africa per far del bene. Cos'è che notò un ministro tedesco fra le rovine del Great Zimbabwe, uno degli esempi più significativi della presenza di una civiltà medioevale urbana a sud del Sahara? Dalla sommità della rocca disse: "Quassù sarebbe stato un gran bel ristorante, o no?". "Uà, uà, uà", ridacchiò un giornalista. Il ministro volle rincarare la dose: "Le femmine già fanno lo jodel!". Il giornalista chiosò: "Giusto, cameriere nere, uà, uà, uà...".

Sartjie Baartman morì il capodanno del 1816, esule, disperata, divorata dall'alcool e dalla sifilide. Georges Cuvier asportò dal suo cadavere l'apparato riproduttivo e il cervello e li immerse nella formalina. Queste parti sono state esposte, sino al 1974, al Musée de l'Homme di Parigi, poi sono finite a impolverarsi in uno sgabuzzino.

Vent'anni più tardi, dopo la fine dell'apartheid, il Sudafrica ne ha preteso la restituzione. Gli espositori *scientifici* nelle collezioni europee sono un'offesa razzista per ogni africano. Nella sua empatia con la natura, l'anima di un uomo può raggiungere la pace solo se il suo corpo viene seppellito nella terra. Ma i francesi si sono rifiutati, non volevano creare un precedente. I musei etnografici di tutta Europa si svuoterebbero rapidamente se tutto ciò che i loro ricercatori hanno sottratto dovesse essere restituito. "Non abbiamo i resti di Sartjie nella nostra collezione... non so cosa sia successo loro", ha assicurato André Langaney. Il professore non ha detto nient'altro alla stampa; dirige dal 1987 il laboratorio d'antropologia del museo. Le ripetute richieste che ho inviato dal Sudafrica sono rimaste senza risposta. Quando sono apparso personalmente al Musée de l'Homme in Place du Trocadéro si è fatto negare. Nell'archivio ho scoperto una e-mail che Langaney inviò nel 1996 a un'antropologa americana. La biblioteca del museo non aveva nessun documento che si riferisse a Sartjie Baartman; il suo scheletro e le problematiche parti del suo corpo, non vengono più mostrate da almeno vent'anni e nessuno può più vederle. Dopo una lunghissima disputa diplomatica i francesi hanno ceduto. Nell'estate del 2002, 186 anni dopo la sua morte, i resti di Sartjie Baartmann sono stati spediti da Parigi a Città del Capo e sepolti nella terra dei suoi avi.

*

Nel secolo della "vergine degli ottentotti" però, immagini di questo tipo lasciano dei segni. Nei primi anni Sessanta, in piena fase di decolonizzazione, l'intera corte di corrispondenti africani si preoccupò di rinvigorire i fasti del colonialismo. Come avrebbero potuto i neri che, nel migliore dei casi, disponevano di un cervello infantile, governare stati indipendenti? "La selva prolifera sulle strade, la barbarie ha la meglio sullo spirito", filosofeggiava il poeta Hans Germani nel suo *Landesbüchlein* "Mercenari bianchi in una terra nera". Anche nel libro di Peter Scholl-Latour[2], *Assassinio sul grande fiume* – uno dei più venduti volumi sull'Africa dell'intero dopoguerra – non ci viene risparmiato alcun cliché. Vi possiamo leggere di razze guerriere e di tribù selvagge che vivono quasi in uno stadio primitivo, di negre che girano seminude ornate da monili barbari, delle forze scatenanti dell'età della pietra. Quando ho sentito una strana storia due anni fa in un campo profughi in Guinea, mi è ritornato alla mente un articolo di quel grande giornalista. Ai margini del campo era stato trovato un bambino con il ventre aperto e in una notte si era sparsa la voce della presenza di mangiatori di uomini. Scholl-Latour ha raccontato del ritorno del cannibalismo in Congo; la sua fama non si è sparsa tuttavia nel campo profughi quanto fra i lettori di un grosso quotidiano tedesco. A chi importa dopotutto del fatto che fino ad oggi ancora nessuno abbia scoperto tracce di una cultura cannibale in Africa? Nei circoli specialistici si raccontano barzellette a proposito della prosa di Scholl-Latour eppure nessuno osa mettere in dubbio l'effetto successivo delle sue parole nella percezione del continente. Il suo *Afrikanische Totenklage*, il secondo testo sul tema, pubblicato nel 2001, è stato un altro bestseller. Ha perfino trovato lettori nei circoli antimperialistici perché, nel frattempo, l'autore ha avuto modo di abbellire la descrizione del saccheggio neocolonialista del continente. Nel frattempo però è stato tradotto in tedesco il lavoro di un americano e contro queste poesie sepolcrali che sono andate sotto il titolo di *Jenseits von Amerika* (oltre l'America), persino le tragedie di Scholl-Latour apparivano poca cosa. Questi drammi sono usciti dalla penna di Keith Richburg che venne spedito dal *Washington Post* sul fronte africano e, come lui stesso ha descritto, visse per tre anni in mezzo ai cadaveri. Mogadiscio gli ricordava un "inferno nucleare", il Ruanda "una versione malata dell'età della pietra". La Somalia era diventata "un prisma attraverso cui ho visto ciò che resta dell'Africa". Richburg ha trasportato quello che era un conflitto locale su scala continentale. È stato così che, in appena tre anni, è riuscito a fare ciò che noi non siamo riusciti in oltre venti: comprendere la follia africana.

*

L'Africa è sempre stata il nostro Congo interiore. L'estremo opposto della nostra cultura, un mondo di armonia senza tempo, di pace eterna. Il re Leopoldo II del Belgio non voleva sapere nulla delle violenze perpetrate dai suoi sgherri in Congo. Legò questo nome a un paese tropicale fantastico, che probabilmente non ha mai visitato per liberarsi di questa immagine. Il monarca preferì affidarsi a un simulacro anziché guardare in faccia la realtà. Nei suoi castelli erano appesi dipinti che riproducevano foreste vergini. La sua camera da letto era scolpita in legno congolese, nelle Tervuren c'era una preziosa serra di piante tropicali. Il mondo come volontà e dominio. Pensiamolo quando oggi guardiamo i lasciti di Leopoldo II, ma ci dimentichiamo che le immagini bucoliche sono state dipinte assieme da europei e africani, da stimati studiosi come Leo Frobenius, da tradizionalisti come Amadou Hampâte Bâ del Mali, oppure da Amimé Césaire, i cui antenati furono deportati come schiavi in Martinica. "Quello che mi interessa", riconosce Letzterer, "è l'infinita apologia della nostra antica cultura nera". Nella sua opera antesignana *Négritude et humanisme*, del 1957, il poeta, filosofo e presidente del Senegal Léopold Sédar Senghor ha descritto l'umanesimo come forza universale. Nella sua lirica però, ha messo l'accento sulla *diversità* degli africani e romanticizzato il loro passato. Mossi, Songay, Bornu, Dahomey, Benin, Monomotapa, le civiltà precoloniali sono apparse in una luce aurea, per sfuggire alle minacce del presente, dicono i critici. Costoro dimenticano tuttavia, che le civiltà scomparse si imprimono nei ricordi collettivi perché fra le loro ceneri brillano ancora fiammelle di quella dignità e consapevolezza distrutte dal colonialismo.

La *négritude* è stata la grande invenzione filosofica di un autoapprezzamento; i principi fondamentali mettevano le ali ai sinistrorsi del dopoguerra, soprattutto a Jean-Paul Sartre. Nel freddo nord si stava combattendo per le richieste degli africani e nel continente si vagheggiavano teorie ridondanti e grondanti sentimentalismo, come se il vero rivoluzionario potesse trovarsi solo nel profondo sud. Il combattente della libertà in Mozambico, il leggendario Thomas Sankara in Burkina Faso, il precursore Steve Bantu Biko e Robert Mangaliso Sobukwe in Sudafrica, così come Amilcar Cabral in Guinea Bissau. Nel cosiddetto terzo mondo, con preferenza per l'America Latina e l'Africa, si ritrovavano i resti di un'utopia politica che nell'Europa capitalista o nella realtà del socialismo reale era naufragata. Lo Zimbabwe avrebbe dovuto essere un modello del rinnovamento postcoloniale. Di questo ai miei occhi non c'era il benché minimo dubbio. Ho ammirato il grande conciliatore Robert Mugabe e naturalmente quel Julius Nyerere che aveva promosso un socialismo tanzaniano. Numerose analisi di pensatori africani che avevano parlato del ruolo marginale del proprio continente nel sistema mondiale io le consideravo esatte. Tutto però restava nell'ordine delle belle teorie e alla fine la trasfigurazione delle relazioni aveva poco a che fare con la realtà, quanto la sua stessa demonizzazione.

L'immagine della nobile ferinità è efficace. Da Jean-Jacques Rousseau in poi, appartiene alle figure della critica della civilizzazione. Il buon selvaggio vive nelle savane e nelle foreste pluviali dell'Africa, al di fuori del tempo, felice, nel suo beato stato naturale. Caccia, raccoglie e si diverte come i suoi antenati prima di lui. E persino nel XX secolo appare così meravigliosamente trasfigurato, come se tutti gli abitanti della terra fossero benedetti dalla sua bontà, gli orrori della nostra epoca non sono considerati. In Africa si può "cercare la via d'uscita dalle follie del nostro tempo", scrive Albert Schweizer il 6 dicembre del 1954 in una lettera ad Albert Einstein. Potremmo quasi percepire noi stessi questi pensieri se ci sediamo davanti alla capanna del dottore della foresta vergine in Lambarene. Sul fiume scivolano le piroghe, all'orizzonte, nella luce del tramonto, compaiono i verdi monti, regna una pace infinita e l'imperturbabilità dell'uomo è solenne come questo silenzio. "Se solo si potesse ritornare a queste nudità, semplicità, a questa gioia istintiva, più spontanea che riflessiva e si potesse ricominciare di nuovo", si lamenta Graham Greene durante una spedizione in Sierra Leone. Il suo viaggio avrebbe come "risvegliato una specie di speranza nella natura umana", annota. Eppure noi sentiamo una riserva civilizzatrice che brilla come la luce attraverso il fogliame della foresta vergine. Là sotto, nella penombra, il premio Nobel Greene incontra l'altro Nobel Naipaul e gli sussurra come l'Africa sia un luogo di sogno e al contempo pericoloso. Un posto che non comprendiamo, che sotterra la nostra ragione. "In me si andava sviluppando l'immagine che ci fosse qualcosa nei cuori africani da cui fossimo esclusi, oltre ogni politica".

L'Africa, l'enigma. Proprio il suo essere, apparentemente incomprensibile e chiuso, apre gli spazi alle nostre proiezioni. Che mondo meraviglioso, idilliaco. Il mormorio degli spiriti nella foresta, il ruggito del leone a Serengeti, le nostalgie, il perduto regno dei sensi. Sono sensazioni che si possono ritrovare nel classico di Karen Blixen, *La mia Africa*, oppure elaborate a mo' di cronaca rosa nell'afro kitsch di Kuki Gallmann. Ma questi rebus li troviamo anche fra i bagagli dell'alternativo che si mette in viaggio credendo di poter vivere la vera Africa e comprendere davvero gli autoctoni. Prendiamo ad esempio quella parlamentare europea dei Verdi che a Soweto, la più grossa *township* del Sudafrica, si siede come una chioccia in mezzo a donne che stanno chiacchierando. Di come si sia sentita estremamente vicina alle sorelle nere. Quelle stesse sorelle che si sono prese gioco di quella gallina isterica e solidale venuta dall'Europa. Siamo chiamati a confrontarci con questa botta di afrofilia anche sulla spiaggia di palme di Ankobra, in Ghana, durante il workshop *Suona per liberarti*, oppure nel bosco sacro al culto degli Osun a Oshogb, in Nigeria, dove ci si lascia immergere nella magica arte della guarigione. Ci viene incontro su di una pista in Uganda, in un vecchio *hanomag* che ha scritto, come suo motto di viaggio, "psico". L'Africa di cui il nostro viaggiatore parla, non è altro che una raccolta di immagini esotiche messe personalmente in bell'ordine come quinta di un viaggio. Lui si capisce subito con gli esperti di sviluppo che incontra sulle montagne di Usambara, poiché sta lavorando alla sua sindrome da samaritano e può piangere la sofferenza dell'Africa. Forse il viaggiatore alternativo si fermerà anche ad una missione perché non ha più acqua; lì ascolterà un prete che parla della profonda religiosità degli africani, dei loro fervidi canti, della loro colorata liturgia, della loro fede. La "vissuta spiritualità" dell'Africa, dirà il missionario, "è una forza che ringiovanisce e che potrebbe rinnovare le sclerotiche gerarchie ecclesiastiche europee". È così che ognuno si sceglie dal suo *exotarium*, quello di cui ha bisogno.

Spesso lo sguardo sull'Africa viene guidato da sentimenti di colpa. Si crede di dover riparare i danni del razzismo, sottolineando oltremodo le capacità spirituali degli africani. Guardate ad esempio Thabo Mbeki, il presidente sudafricano. Ama Shakespeare e legge poesie di Yeats! Il presidente senegalese Senghor era addirittura membro dell'Assemblea Nazionale francese e fu eletto nell'Académie Française! Senti. Senti come suona bene il nostro Mozart il violinista nero del Soweto-String-Quartet! Proprio in questa esaltazione si nasconde una sottile discriminazione. Un paio di neri riescono a fare il salto e a raggiungere il nostro livello culturale mentre il resto di loro ne è ancora lontano. I buoni propositi degli antirazzisti sortiscono quindi l'effetto contrario. L'innamorato dell'Africa esalta magari uno scrittore mediocre, ma non gli sta facendo un piacere. Perché questo autore prima o poi dovrà riconoscere che i complimenti gli sono stati fatti solo a causa del colore della sua pelle.

Un bizzarro tentativo di riparazione lo vediamo ad esempio nella storia dell'arte. Finora avevamo liquidato tutti gli oggetti provenienti dall'Africa come elementi di "arte tribale", la cui importanza ermeneutica era soprattutto per gli etnologi. Da poco gli storici dell'arte hanno scoperto anche nel continente "nero" l'artista individuale e nel 2000 gli è stata dedicata un'esposizione a Bruxelles: *Mains des Maîtres*. La silenziosa similitudine delle opere esposte ha davvero qualcosa di sorprendente. Vedo la stessa firma dell'opera di Buli in Congo oppure le figure che ritornano dalle maschere dei Fang del Gabon. I loro creatori finalmente sono strappati all'anonimità e avranno nomi come Auteu Atsache che fra il 1840 e il 1880 ci ha regalato le meravigliose statue Bangwa. Per accettarlo nel pantheon della nostra arte si inseguono paragoni con Giotto e Donatello (nero). Eppure anche il concetto di "arte" è qualcosa di impreciso perché le opere degli africani sono qualcosa di differente. Non esistono di per sé, sono piuttosto espressione di una cosmologia, di un complesso sistema di segni, di un codice rituale. La qual cosa non vuol naturalmente dire che non si tratti di prodotti esteticamente rilevanti. Ho ammirato le opere esposte alla mostra di Bruxelles nella identica affascinata maniera dello Schottentor di Regensburg. Anche gli artefici dei bassorilievi di pietra non hanno nome. Anche il loro immaginifico mondo rappresenta per noi un enigma. Eppure non ci verrebbe mai in mente di cercare nomi e origine degli artisti romani e neppure di ritrasportare nel Medioevo l'artista individuale del Rinascimento. È quanto invece avviene nella "riabilitazione" dell'arte subsahariana. Si proiettano le categorie della modernità europea nella tradizione africana e quello che, a prima vista appare come emancipatorio, in realtà è eurocentrico sino alla punta dei capelli.

Nel campo dell'arte deve essere citata ancora un'altra proiezione, poiché questa è ancora più diffusa delle distorsioni storiche degli esperti. Se mi reco a una esposizione di arte africana a Monaco di Baviera oppure a New York sento questo o quell'altro visitatore che dice affascinato: "Oh, queste figure-feticcio, sono così atemporali, così universali – come un vero Picasso!". Sarebbe più giusto dire che sono questo o quel Picasso ad assomigliare a queste figure-feticcio. Quando Picasso ha dipinto *Les demoiselles d'Avignon*, un'opera fondamentale dell'arte contemporanea, il genio si recava regolarmente al Trocadéro il più grande museo etnografico di Parigi. Dopo una visita annota: "Adesso ho capito che cosa sia l'arte". Matisse, Derain, Braque, Vlaminck, Brancusi, Giacometti, Kirchner, i pittori-ponte, i *blauen reiter* – l'avanguardia, passava e ripassava in cerca di ispirazione attraverso quelle collezioni etnografiche, di provenienza dubbia, del proprio tempo. Perché essa trovava in quella *art nègre*, nella plastica negra, nell'opera dei primitivi, ciò che l'intellettualismo della modernità aveva prosciugato: la creazione di forme istintive, una creatività pura, scevra da dogmatismi, una magica forza espressiva. Paul Klee nel suo diario del 1912 va in estasi parlando di "primordi dell'arte". Gli espressionisti, i fauvisti e i cubisti hanno attinto a piene mani dalle fonti primigenie africane. Il risultato di questa infusione ancora oggi è stato scarsamente investigato e si limita a qualche nota a piè di pagina. Parimenti sappiamo ben poco di come questo scambio abbia contribuito alla ricezione della cultura africana. Improvvisamente, da una scultura di Max Ernst ci guarda Gu, il dio della guerra e dell'acciaio, una figura dell'antico regno Dahomey. Fra l'altro anche l'originale del dio si trova al Musée de l'Homme di Parigi. Le persone che vivono in quello che oggi è il Benin debbono accontentarsi di una copia. Ho come l'impressione che il nostro sguardo sull'Africa sia stato interrotto. Noi consideriamo la sua opera creativa attraverso il prisma della modernità. E questo non accade solo nell'arte. Allo stesso modo, quando parliamo della democrazia parlamentare, del romanzo contemporaneo, della musica jazz, della sessualità o della cultura scritta – fra noi e l'Africa c'è sempre una sorta di filtro selettivo. *White man can't jump*, dicono gli afroamericani. In questo caso significa: non siamo in grado di andare oltre quelle barriere che noi stessi abbiamo creato.

*

"Vedi nel mio quadro quello che vuoi", mi ha interrotto Romuald Hazoumé. L'ho visitato a Cotonou e stavo lì lì per interpretare uno dei suoi dipinti. "È un simbolo vudù che non sei in grado di leggere. I colori sono quelli mischiati di cinque paesi africani". Tradizionale? Moderno? Africano? Europeo? Cross Culture? Hazoumé non vuole essere rinchiuso in schemi. Le sue opere sono celebrate in America ed Europa perché esprimono quella forza magica che ravviva asettiche gallerie. Il quadro di cui parlavo è appeso ora nel mio ufficio a Città del Capo. Un simbolo misterioso, rosso mattone e marrone del *kalahari*. O forse un segnale di fertilità. Rappresenta l'Africa. Semplice e complicata. Ogni volta che lo guardo mi dice: cerca di allontanare da te proiezioni e cliché, ma non credere di poter riconoscere dietro la vera Africa. Puoi rappresentare questo continente e gli africani dal punto di vista europeo. Non ne hai altri.

Attenzione! Cattedrali nel deserto![3]

La crisi dell'economia e l'arte della sopravvivenza

Il primo macchinista era ubriaco fradicio. Il secondo daltonico. Entrambi non videro il segnale di stop. Questo almeno è quanto racconta la gente nelle strade di Conakry. La cosa sicura è che il treno merci deragliò e la linea che collega la regione montuosa all'interno della Guinea con il porto atlantico di Kamsar, rimase interrotta per giorni. Su questa direttrice si trasporta bauxite, un miscuglio minerale fondamentale per la produzione di alluminio. La Guinea vive della bauxite. Dopo l'Australia è il secondo produttore al mondo. Adesso, la sua principale arteria economica era interrotta. La causa: troppo liquore e troppo poca attenzione. Se tutti i dettagli di questa storia corrispondano a verità, in Africa non si può mai dire. Possono però essere presi ad esempio per comprendere la condizione economica del continente. L'Africa, ricca di materie prime, di riserve energetiche e di forza lavoro, non fa progressi soprattutto perché dappertutto imperano incompetenza e sciatteria. È come se ogni giorno deragliassero tanti treni.

Il continente "nero" è il fanalino di coda dell'economia mondiale. Il suo apporto al commercio globale è precipitato all'uno per cento circa. Cinquanta stati hanno un prodotto interno lordo complessivo pari a quello di un paese emergente come l'Argentina, sebbene il 40% di questo indotto provenga dal solo Sudafrica. La maggioranza dei paesi subsahariani si trova oggi in condizioni peggiori di quelle in cui versava alla fine dell'era coloniale. Tre quarti dei 650 milioni di africani vivono nella miseria. Un bambino su tre è denutrito. La produzione di alimenti non riesce a star dietro all'aumento demografico. Circa 30 milioni di persone sono affette dal virus dell'Hiv o malate di Aids. L'aspettativa media di vita è precipitata a 48 anni. I pessimisti profetizzano che la prossima generazione sarà ancora più povera, malata e avrà una preparazione anche peggiore. Ancora meno saranno quelli che avranno un'opportunità nella competizione globale.

Nell'ottobre del 2000 Stefan Mair, della Fondazione *Berliner Stiftung Wirtschaft und Politik* valutò, assieme ad altri cinque esperti africani di chiara fama, le prospettive del continente. Nella categoria dell'*emerging economies* furono citati solo due staterelli, Seychelles e Mauritius. Otto nazioni – Ghana, Capoverde, Gabon, Guinea equatoriale, Botswana, Namibia, Lesotho e il Sudafrica – vennero annoverate fra i possibili stati riformatori. Il resto, scrissero i ricercatori, ha poche o nessuna possibilità di sviluppo. Al momento attuale 13 stati non hanno alcun futuro. Di questo gruppo fanno parte la Somalia, la Sierra Leone, il Niger il Ciad, il Burundi, il Congo, il Malawi e il Madagascar. Il terribile verdetto fu: "Lo sviluppo, inteso come una persistente riduzione della povertà, non sarà possibile nella maggioranza dei paesi africani almeno per i prossimi 30/50 anni". Il club degli amici dell'Africa reagì irritato: l'Africa, si disse, sarebbe stata emarginata. Gli esperti però non avevano prodotto altro che una ricerca realistica che andasse oltre il solito scenario catastrofico e i desideri irrealizzabili.

Ma perché le cose stanno così? Perché sempre l'Africa? Altri stati che versavano in brutte condizioni hanno saputo risollevarsi. Non è stato forse il caso delle tigri asiatiche? Forse che il Ghana e la Corea del Sud negli anni Sessanta non avevano lo stesso reddito pro capite? E oggi? Quando il corrispondente africano torna in Europa, riceve sempre la stessa domanda. Le risposte vengono generalmente fornite subito: di regola si possono suddividere in due "scuole". Una ritiene che gli africani siano responsabili della propria miseria, che siano corrotti, ovvero incapaci di fare progressi. Una valutazione ricca di sfumature razziste che non si sentono solo a cena, ma anche nei seminari universitari. L'ultimo grido invece, ha scoperto il motivo fondamentale della tragica situazione del continente nella superstizione degli africani, nella loro "economia magica".

I rappresentanti della seconda "scuola" vengono dal campo degli antiglobal e dei terzomondisti; sono fermamente convinti che l'indigenza dell'Africa sia provocata da forze esterne; alcuni credono addirittura ad una cospirazione globale dei ricchi contro i paesi poveri del mondo. Entrambi questi tentativi di spiegazione contengono un nocciolo di verità – e allo stesso tempo conducono entrambi all'errore. Perché le realtà africane sono più complicate, hanno più sfaccettature; non è che ci siano dappertutto guerra, fame e miseria e, laddove si possa effettivamente parlare di una crisi duratura, essa ha sempre cause endogene ed esogene che si rafforzano reciprocamente.

Chi voglia davvero capire i problemi dell'Africa deve aver chiare alcune cose. Il continente non fa parte di quelle regioni che sono state favorite dalla natura. I suoi abitanti sono sottoposti a situazioni climatiche estreme. Periodi di pioggia con precipitazioni torrenziali alternati a lunghi intervalli di aridità che spesso crescono sino a diventare siccità. La terra fertile è abbastanza rara. I campi fruibili in agricoltura sempre di meno. Molti luoghi, oramai, sono afflitti da una cronica mancanza d'acqua. Non esiste altro continente al mondo che abbia dovuto affrontare tante catastrofi naturali, dagli incendi delle foreste alle tempeste di sabbia, ai cicloni, alle invasioni di insetti, alle eruzioni sino a piaghe bibliche. Nella cintura equatoriale la vita è resa più difficile da terribili malattie infettive come la malaria, la febbre gialla, bilarziosi, tubercolosi, anuria, lo stato generale di salute non è quindi dei migliori. I gruppi farmaceutici dell'emisfero settentrionale della terra hanno poco interesse a sviluppare misure contro questi flagelli, perché i guadagni si ridurrebbero considerevolmente e gli investimenti nella ricerca non riuscirebbero ad essere ammortizzati – i poveri del sud del mondo non potrebbero permettersi le medicine e i vaccini troppo cari.

Il continente che migliaia di anni fa è stato la culla dell'umanità, oggi ha le condizioni di vita più dure. Alla tirannia della natura si somma la maledizione geografica. La maggior parte degli stati africani non hanno uno sbocco al mare, sono tagliati fuori dalle coste e sono come isole irraggiungibili all'interno del continente. L'economista Ricardo Hausmann l'ha chiamata "la trappola dello spazio". Ne ha spiegato le conseguenze portando ad esempio il costo dei trasporti: l'invio di un container da Baltimora alla Costa d'Avorio costa 3000 dollari. Se lo stesso container fosse spedito nella Repubblica Centrafricana, una terra lontana dal mare, il prezzo del carico salirebbe a 13.000 dollari. Il trasporto è così caro perché le infrastrutture sono inesistenti, come le strade, i mezzi di trasporto, e l'approvvigionamento del carburante e anche perché le principali vie di comunicazione non sono sicure. Dappertutto ci sono predoni, autonominatisi doganieri, taglieggiatori o poliziotti: chi appartenga a quale gruppo spesso non è cosa facile da definire per uno nuovo. A Mbari, un villaggio nel bacino del Congo, ho visto a quali difficoltà vada incontro, quotidianamente, un autotrasportatore. Sono stato bloccato a una barriera alla fine dell'abitato. Dietro di me era stato chiuso l'accesso al villaggio. Il *chef de barrière* si era rallegrato del bel boccone caduto nella sua rete e aveva preteso un dazio stratosferico. È una cosa abbastanza comune in regioni che vengono trascurate dallo stato e che non hanno più alcun gettito fiscale. Le vie di comunicazione sono le ultime fonti di guadagno. Chi le utilizza viene salassato come i viaggiatori nel Medioevo europeo quando ogni signorotto poteva inventarsi tasse doganali.

Laddove il furto non è perpetrato da un privato se ne occupa lo stato. Persone e merci debbono infatti attraversare numerosi confini fittizi, spesso insensate linee di demarcazione che le potenze coloniali avevano eliminato. L'Africa viene "balcanizzata" a intervalli regolari e le sue genti rapinate da secoli. Gli europei (e gli arabi!) si sono lanciati in una corsa all'oro e ai diamanti, al caucciù e all'agave, all'avorio, ai legni pregiati, alle spezie e agli uomini. La globalizzazione dell'Africa, la sua violenta integrazione nel moderno sistema mondiale, è cominciata con il commercio degli schiavi. Cinquanta milioni di africani sono stati deportati o ammazzati da cacciatori di uomini senza scrupoli. È un trauma collettivo nella memoria degli africani che ha portato a sviluppare un complesso di accerchiamento e di inferiorità. Il colonialismo ha distrutto i loro tradizionali metodi di produzione, le strutture sociali e il sistema di valori, sostituendoli con un sistema coercitivo che allattava esclusivamente le brame economiche europee. Dopo un secolo di saccheggio i signori coloniali se ne sono andati lasciando dietro di sé simulacri di stato centralisti, praticamente inutili, e popoli dilaniati fra di loro, impreparati ad affrontare la competizione mondiale. “L’educazione coloniale non ci ha preparato alla modernità. Questo è un grosso handicap”, mi disse Abdu-Lateef Adegbite, un imprenditore nigeriano. Dal giorno alla notte impiegati giovani, senza esperienza né preparazione, si sono riversati nelle amministrazioni dei signori coloniali. Gente di venticinque anni è stata nominata ministro minerario, governatore della Banca Centrale, direttore della polizia o alto funzionario, in un’età in cui gli europei sono generalmente considerati ancora in una fase di adolescenza prolungata. Le loro decisioni spesso, sono come quelle che si vedono in Azania, un immaginario paese africano il cui processo di indipendenza viene preso in giro da Evelyn Waugh in quella perfida satira che è “disgrazia nera”. Il Ministero per la Modernizzazione, messo su in quattro e quattr’otto, aveva ordinato mille paia di stivali di gomma per l’esercito, al fine di combattere i vermi dei talloni. Questi animaletti che trapanano le piante dei piedi dei soldati che camminano scalzi – in fondo uno stato moderno ha bisogno di un guerriero sano e pronto alla pugna.

I colonialisti hanno lasciato terra bruciata dietro di sé. I portoghesi avevano reso inabitabili le loro ville a Luanda e a Maputo, distrutto gli archivi e tappato tubazioni e pozzi con il cemento. Nell’abbandonare la Guinea i francesi avevano demolito le infrastrutture, si disse che nella capitale Conakry avevano perfino strappato le prese elettriche dei loro uffici. Il motivo sarebbe stato la rabbia verso i guineani irriconoscenti che non avevano voluto far parte della loro *Communauté Française*, un’alleanza difensiva postcoloniale sul modello del britannico Commonwealth. I “negri” si sarebbero ben presto resi conto che non sarebbero andati lontano senza i loro padroni bianchi! I tratti fondamentali dell'economia coloniale di rapina però, rimasero inalterati: essa era essenzialmente legata a "monocolture", basata sull'esportazione delle materie prime e dei frutti dell'agricoltura. Le giovani nazioni restavano, nella buona e nella cattiva sorte, dipendenti da uno o due beni primari. Lo Zambia, ad esempio, esportava soprattutto rame. L'Uganda principalmente caffè, il Botswana quasi soltanto diamanti. Un limite fatale. Nel corso degli anni i *terms of trade,* in parole povere la bilancia dei pagamenti fra importazioni e esportazioni, sarebbe peggiorata a causa della congiuntura tendenzialmente negativa dei prezzi nel mercato mondiale delle materie prime e dei prodotti agricoli. Gli africani guadagnano sempre di meno per la loro importazione e devono mettere sul piatto della bilancia sempre più beni industriali, prodotti finiti, energia. La Costa d'Avorio, fino all'inizio degli anni '80 il più grosso produttore di cacao al mondo, era stata celebrata come un'economia fantastica, ovvero come un modello capitalistico per l'Africa. Non si è mai più ripresa dalla caduta dei prezzi del cacao sul mercato mondiale.

Ora si potrà obiettare che gli africani, in 40 anni d'indipendenza, hanno avuto poco tempo di diversificare le loro economie e mitigare le proprie relazioni commerciali. Ed è proprio a questo punto, superati gli svantaggi delle condizioni naturali e geografiche inerenti i cambiamenti storici e i deficit strutturali, che inizia la discussione circa le cause interne della miseria africana. È a questo punto che il pensiero del nigeriano Abdu-Lateef Adegbite dev'essere citato nella sua interezza. "Il colonialismo non ci ha preparato alla modernità. Questo rappresenta un duro handicap. Non possiamo però gettare sempre la colpa addosso ai colonizzatori". Le élite autoctone dopo l'indipendenza hanno ripreso le cose esattamente dove le avevano lasciate i signori coloniali, ne hanno ereditato posizioni e privilegi, scrivanie e piscine, lenzuola di seta e servitù. Frantz Fanon, nato in Martinica e precursore della rivoluzione anticolonialista, ha descritto questo scambio di ruoli nell'opera *Masques blancs, peau noire*, maschere bianche, pelle nera. Aveva avvertito dei rischi della fatale trasformazione del saccheggio straniero in saccheggio autoctono. I fatti gli avrebbero dato ragione.

Alla sommità dei gruppi di potere ci sono i *big men*, i pezzi grossi, gli uomini forti che attraverso un sofisticato clientelismo si assicurano il mantenimento del potere. Tutto si svolge attraverso un sistema di ripartizione dei possedimenti economici, che compra la lealtà dei partiti, e con una clientela statalista, parassitaria che, di regola, segue priorità tribali. Il clan familiare allargato del *big man*, la regione d'origine, i notabili della propria etnia vengono ricompensati per primi con poltrone e prebende. Questo porta a un apparato assurdamente gonfio, a parlamenti con troppi deputati e a un'amministrazione che definire "idrocefala" è un eufemismo. Ci sono gabinetti composti da ottanta fra ministri e sottosegretari, se non di più. Impiegati e addetti che esistono solo sulla carta. Stipendi che continuano ad essere pagati per anni a impiegati fantasma o a parenti di amici morti. Le agenzie di marketing, che in Ghana si occupano di cacao, danno lavoro a 105.000 persone anche se sarebbero ugualmente efficienti con un decimo di quella forza lavoro. Il Gabon ha un milione di abitanti e 40.000 impiegati statali, diecimila dei quali non esistono. Per far funzionare l'amministrazione pubblica dello Zaire sarebbero sufficienti, secondo stime della Banca Mondiale, 50.000 impiegati. Ne lavorano 600.000. Perciò, o forse proprio per questo motivo, le amministrazioni, il sistema fiscale e finanziario, la giustizia e le Forze dell'Ordine sono in brache di tela, per non parlare di quelle rovine che qualcuno osa definire ospedali, scuole o università. Nel 1950, negli infelici giorni del colonialismo, la mortalità infantile era di 190 bambini ogni 1000; nel 1995, dopo 35 anni d'indipendenza, ogni 1000 bambini ne morivano 230.

La natura selvaggia ha già da tempo riconquistato le piantagioni degli sfruttatori bianchi. Al di fuori di un paio di fabbriche che producevano birra e sapone, non esisteva più alcuna produzione industriale degna di questo nome. I circoli di denaro e di beni primari erano collassati, la zecca andava male, l'inflazione aveva raggiunto livelli astronomici e si doveva fare attenzione quando si pagava in contanti perché inumidire le dita mentre si contavano le banconote poteva essere mortale; le montagne di denaro nelle casseforti della Banca Centrale erano state infatti ricoperte di veleno per difenderle dai topi. I ricchi però, continuavano a preferire i dollari che avevano raggiunto un controvalore di un miliardo e duecento milioni di euro mentre le masse impoverite erano dovute ritornare al baratto e al commercio di prodotti naturali.

Il cleptocrate più importante ha teorizzato quale fosse il *modus operandi*. È una cosa normale "rubare un pochino", finché si resta nei limiti, annunciò Mobutu a un congresso del suo partito di governo. Cittadini, fate come me. Servitevi! Le grosse bande dell'oro, la statale Gécamines che ai tempi delle colonie si era chiamata Union Minière du Haut Katanga ed era appartenuta ad uno dei più grossi gruppi minerari al mondo, l'aveva smembrata lui stesso. La direzione del gruppo, su indicazione del governatore della Banca Centrale, doveva versare su di un conto speciale del presidente l'intero importo delle esportazioni – finché Gécamines non fallì. Durante la sua amministrazione Mobutu ha rastrellato un patrimonio fraudolento stimato in 14 miliardi di dollari. Possedeva immobili di prestigio, partecipazioni ad aziende e conti segreti in Europa e fece costruire a Gbadolite la sua "Versailles nella giungla". Il complesso del palazzo era stato arredato con lampadari di Murano e mobili in stile Luigi XIV. Nelle cantine vennero stipate 15.000 bottiglie di vini prestigiosi. Il despota preferiva bere soprattutto vino del 1930. Il suo anno di nascita.

Appropriazione indebita e malversazione, favori nascosti o palese corruzione diventarono forme, tollerate socialmente, per arricchirsi. Tutti seguivano l'esempio dell'ingordo "Leopardo" e del *grosses légumes*, il nobile animale che in Zaire è paragonato a un gigantesco ortaggio. Va fatto tuttavia un distinguo fra il comportamento criminale delle élite e la piccola corruzione degli impiegati statali. Costoro erano pagati talmente male che, senza bustarelle, denaro sotto banco, *gasosa* oppure *cadeaux*, non avrebbero potuto sfamare le loro famiglie. Di conseguenza l'impiegato della dogana trafficava con licenze di esportazione, il professore del liceo faceva assumere il fratello nel proprio istituto, il gendarme vendeva patenti, il postino faceva affari con il contenuto dei pacchi che non arrivavano mai. La gente semplice considera la corruzione come un male legittimo, una specie di malattia. *Yellow fever*, febbre gialla, è così che i nigeriani chiamano i loro vigili che vestono uniformi arancioni. Hanno imparato, come tutti gli africani, a convivere con la corruzione. Oltretutto non è che abbiano altra scelta. Perché in società sprovviste di tutto essa è preziosa come la benzina. Perché senza corruzione non funziona nulla. Prima o poi l'accettano tutti, volontariamente o a forza. Gli zairesi esprimono la propria strategia della sopravvivenza con l'intraducibile termine *se débrouiller*: significa letteralmente "sbrogliarsela da soli". Ognuno per sé e Dio per tutti.

All'inizio si trattò di megalomania. Le élite, a seguito dell'indipendenza, pretesero che stati con economie disastrate entrassero di colpo nel club delle nazioni ricche. Il Kenya pianificò lo sviluppo e la realizzazione di una propria automobile. I congolesi si misero a lavorare ad un programma spaziale. Quelli dello Zambia lanciarono corsi di preparazione per astronauti. Il Ghana si regalò il bacino del Volta, il più grande serbatoio artificiale del mondo. La nuova Africa voleva diventare ipermoderna restando ultrafricana. In Zaire la chiamarono *authenticité*, la classe politica abbandonò i costumi europei e riprese quelli tradizionali, s'infilò nell'*abacost* (un modo per dire *à bas le costume*, basta con gli abiti europei) e africanizzò la società solo per sgraffignare qualcosa da aziende di stato, piantagioni e miniere.

La Nigeria sognava di diventare il più potente stato industriale nero della terra, allora, nello slancio dei primi anni, anche il semplice operaio poteva ancora permettersi una Volkswagen. Oggigiorno non riesco a credere che la Nigeria sia l'unico stato fra quelli dell'Africa nera, che versi aiuti economici a nazioni sorelle bisognose e mi meraviglio che in questo paese ci sia ancora qualcosa che funziona. "La Nigeria", scrive il poeta Chinua Achebe, "è uno dei paesi più corrotti, sfacciati e incapaci che Dio ha fatto". La repubblica ha 39 università e una percentuale di analfabetismo del 60%. Produce ogni giorno due milioni di barili di greggio, ma alle pompe non c'è benzina.

"Dia uno sguardo alla nostra metropoli. Si fa chiamare *Centre of Excellence*. Ridicolo! Smaltimento dei rifiuti, fognature, approvigionamento idrico, rete telefonica, scuole, ospedali, tutto in rovina. Lo sa lei per la gente di qui cosa significano le lettere della sigla Nepa, l'azienda statale di elettricità? *Never expect power again*", non aspettatevi più corrente. Oladapo Fafowora è alla finestra e guarda la città distrutta di Lagos. Francamente, in condizioni normali, non sarei mai entrato nel palazzo che ospita il suo ufficio. La costruzione sembra debba crollare da un momento all'altro. Ma Fafowora è un consulente aziendale che, si dice, lavori in maniera onesta, e allora io voglio sapere da lui come si faccia a rovinare un paese potenzialmente ricco. Salgo quindi a piedi, nella penombra, sino al quinto piano. L'ascensore non funziona da anni. Il cortile serve da discarica. Adesso siedo di fronte a un uomo in elegante doppiopetto. Il ventilatore sopra di noi oscilla pericolosamente.

"Il motivo principale risiede nell'élite totalmente incompetente e corrotta. Essa ha solo due obiettivi: il potere e l'arricchimento personale. Qui non esiste senso comune, responsabilità, pianificazione. Le nostre partite attive sono solo cattiva amministrazione, corruzione e avidità". Ma da dove arriva tutto questo? "Si può far risalire il tutto ad un virus che ha infettato il nostro paese: il petroldollaro". Alla fine degli anni Settanta furono scoperti in Nigeria grossi giacimenti di petrolio e i nigeriani si comportarono come James Dean in quel classico di Hollywood, *Il gigante*. Ubriacati dal boom petrolifero gettarono dalla finestra i guadagni – fino al 1999 si è calcolato qualcosa come trecento miliardi di euro. Il big business, il dollaro facile, gli affari-lampo. Tutti volevano una parte della torta e tutto prese ad avere un prezzo: direzioni, licenze delle importazioni, diplomi di scuole superiori, dignità, contratti statali, mandati parlamentari. Non fu più importante quello che si sapeva fare, ma chi si era. E dall'estero i consulenti aziendali, le istituzioni finanziarie e gli investitori del nord del mondo, tutti sollecitarono le rinfrancate classi dirigenti del paese. Costruite! Cementificate! Industrializzate! I nigeriani, molto docilmente, credettero fosse giusto e investirono senza pianificazione né scopo. Il motto era: quanto costa il mondo? Se riusciamo a produrre due milioni di barili di greggio al giorno, possiamo permetterci tutto. Autostrade a dodici corsie, grattacieli, università chiavi in mano, sistemi d'arma intelligenti, catene di montaggio automatizzate. Nel 1976 il mondo conobbe la storia dello scandalo del cemento. I nigeriani avevano ordinato diciotto milioni di tonnellate di cemento. Le navi container si fermarono nel porto di Apapa e non dopo non molto tempo l'aria tropicale cambiò definitivamente quel legante – trasformandolo in blocchi di pietra.

"In questo paese c'è stata un'enorme espansione industriale non accompagnata però da uno sviluppo duraturo", dice Oladapo Fafowora. Nel futuro della nazione non sarebbe stato investito un centesimo.

*

Fu un viaggio faticoso fino ad Ajaokuta. Ci arrivai solo dopo l'alba e, una volta lì, non volevo credere ai miei occhi. Sulla riva del Niger, illuminato dalla luce argentea della luna, sonnecchiava un complesso monumentale. Un colosso nero di grandezze faraoniche: la famosa acciaieria per prodotti laminati. La prima pietra era stata posta nel 1972. Diciotto anni di lavori per un costo stimato, oggi, di circa venti milioni di euro. L'azienda fino ad ora non ha prodotto una sola tonnellata di acciaio. Ha però generato una quantità infinita di scandali di malversazione. I partner commerciali che l'avevano tirata su dal nulla – consorzi russi e francesi così come il cartello di costruzioni tedesco-nigeriano Julius Berger – erano rimasti con un palmo di naso. "Perché si possa avere corruzione c'è sempre bisogno di due persone", mi disse un ingegnere con cui bevvi una birra fresca nella mensa aziendale. All'indomani una simpatica impiegata dell'amministrazione mi procurò un ingresso al complesso. Generalmente una cosa simile è assolutamente vietata per la stampa e i dirigenti hanno ottimi motivi per volerlo. Davanti ai laminatoi con le istruzioni in cirillico, c'erano tre dozzine di operai – una brigata di quell'esercito di ingannati che, con la forza della disperazione, credono ancora che un giorno quelle macchine funzioneranno. Ci sperano e aspettano. Da quanto? "Dieci anni", ammise uno di loro. Fanno circa 3600 giorni. E ogni giornata che passava, la polvere ricopriva sempre più l'acciaio, le macchie di ruggine si allargavano, liane e piante tropicali rivestivano sempre più folte i muri. Non avevo più molto tempo. La direzione aveva saputo che c'era un giornalista nell'azienda e aveva mandato qualcuno a cercarmi per sbattermi fuori. Le poche cose che vidi però, furono sufficienti. La centrale siderurgica di Ajaokuta è probabilmente la più grande cattedrale nel deserto dell'Africa, uno di quei grandiosi progetti inutili che vanno in rovina ad ogni angolo del continente.

L'economia agricola invece, è stata colpevolmente trascurata in quasi tutti gli stati dell'Africa postcoloniale – e di conseguenza le certezze per l'alimentazione. La maggior parte degli africani sono contadini di sussistenza, producono quanto è loro necessario per arrivare alla fine del mese. Gli mancano i mezzi di produzione, il capitale, le tecnologie e l'accesso ai mercati. Anche se volessero non potrebbero produrre in eccedenza perché spesso i prezzi di acquisto vengono messi dallo stato al livello più basso. Questi prezzi fissi per le raccolte corrispondono, fra l'altro, al dieci per cento del prezzo del mercato mondiale, la differenza la incassano lo stato e i parassiti – una classica forma di saccheggio postcoloniale. Le conseguenze della miseria agraria sono note – abbandono delle campagne, città che esplodono, disoccupazione montante, povertà – e le previsioni non sono incoraggianti: nel 2025 in Africa l'esercito dei senza lavoro aumenterà fino a mezzo miliardo di persone. La maggior parte vivranno nelle metropoli, che già oggi non sono controllabili, le megacittà, ostaggio della violenza, sono aumentate mentre le campagne si spopolano.

*

Fra un po' nei villaggi regnerà il silenzio. Quel silenzio che c'è a Sadien. Sadien si trova in Mali. È un luogo spazzato dal vento, ai confini con la regione del Sahel. Sulla strada principale ci sono un paio di vecchi, due polli che razzolano e un paio di camioncini sgarrupati. I due pollastri sono ricoperti di sabbia, fine come farina, trascinata qui dall'Harmattan del Sahara. C'è un caldo torrido. "L'aridità e la mancanza d'acqua sono piaghe della natura, ma ci sono sempre state", racconta Idrissa Diarra, l'anziano capo del villaggio. "Siamo troppo pochi, è questo il nostro problema maggiore. I giovani non vedono nessun futuro in questa regione". A migliaia se ne vanno in città, alla ricerca di pane e lavoro, nella capitale Bamako, laggiù sulla costa atlantica verso Accra o Abidjan. Così a casa loro viene a mancare la forza lavoro per coltivare la terra e proteggere il terreno dall'erosione. E all'improvviso non c'è più nessuno a cui gli anziani possano insegnare le conoscenze ereditate dai padri sull'agricoltura e l'allevamento del bestiame. Un agronomo tedesco che incontrai in Nigeria durante la stagione della siccità affermò scrupolosamente, ma in maniera drastica: "È puro suicidio che non si comprenda quanto sia ormai scarna in Africa la conoscenza agricola".

In Zimbabwe ho seguito per anni la storia di una fattoria che rappresenta in maniera esemplare il fallimento della politica agraria. La fattoria si chiama Khartoum. Fu acquisita dallo stato dopo la capitolazione del regime coloniale rodesiano e ceduta nel 1986 a diciotto famiglie. Queste battezzarono la loro cooperativa Rudaviro che nella lingua degli Shona significa "fiducia". Ci furono sette anni di vacche magre. I primi raccolti non furono proprio floridi perché le sementi erano scadenti e non c'era alcun fertilizzante. Eppure tutto questo bastò per nutrire circa duecento persone e costruire una scuola e una guardia medica dignitosa. Poco tempo dopo però, sarebbe rimasta solo la metà della terra coltivabile sotto l'aratro. I trattori rotti arrugginivano davanti alla fattoria in mancanza di una cura professionale e non si riuscivano a trovare pezzi di ricambio. I campi da coltivare, una superficie di 472 ettari, dovevano essere arati da un paio di buoi – un'impresa senza prospettiva. Oltretutto ci si sarebbe ben presto resi conto di come la coltivazione e la lavorazione del tabacco – "l'albero del pane" per l'azienda – fossero una cosa abbastanza complicata. I rendimenti crollarono e poi non c'erano nemmeno i mezzi per trasportare i raccolti al più vicino mercato di Chegutu. Il contabile di Rudaviro, già allora, diede la colpa al presidente Robert Mugabe e al suo Governo che li avevano abbandonati. Il programma di formazione per gli agricoltori neri da tempo non andava più. La cooperativa cercò di ottenere crediti per i macchinari e gli impianti d'irrigazione. Questi furono però rifiutati dalla banca in mancanza di garanzie. La terra è un bene comune, non è di nessuno. Cominciò così un altro settenato. Doveva essere ancora peggiore del primo.

Quando nell'aprile del 2000 mi feci rivedere dalla gente di Rudaviro, la vecchia macchina a vapore di John Fowler&Co. di Leeds, già non funzionava più; stava dietro al magazzino del tabacco come un pezzo da museo. Il direttore della cooperativa aveva rubato gli ultimi spiccioli dalla cassa e se l'era data a gambe. Nei granai vuoti c'erano donne e bambini malati di febbre gialla. Fuori nei campi, pannocchie rachitiche pendevano dalle piante di mais; le foglie stormivano nel vento caldo come fossero di plastica. La fame bussava alla porta di Rudaviro. Immagini come queste ti segnano: s'intensificano le prove a carico del fallimento africano. Ma non è la gente di Rudaviro la responsabile della propria sfortuna. Sono gli avventurieri politici che stanno nella capitale Harare, i signorotti nel partito e al governo che si dividono fra loro i latifondi migliori. Gente come l'ex ministro dell'agricoltura Kambirai Kangai che prima mi illustrò il suo meraviglioso programma di riforma agraria e che due anni dopo sarebbe finito in galera perché, come capo del dipartimento statale dei cereali, si era intascato milioni di contributi.

Le élite africane ignorano la miseria e non interessa loro preoccuparsi di come estinguerla. Vivono ancora alla grande con i proventi di quello che arriva loro dalle foreste tropicali, dalle piantagioni di tè, dai giacimenti di greggio o dalle miniere di rame. Ci sono un paio di parametri esaustivi per il loro tenore di vita. A volte, quando mi trovo nelle capitali di alcuni stati poveri, vado a vedere i rivenditori di auto di lusso, per esempio quello della Mercedes a Kinshasa. La richiesta è enorme, sebbene in Zaire quasi non ci siano più strade intatte – si calcola che dei 122.000 chilometri di rete stradaria dell'anno 1960, ne siano rimasti praticabili solo 6000. Eppure il direttore della filiale ha tutt'altra preoccupazione: il pagamento in contanti. In quell'istante due uomini trascinano un sacco di plastica rigonfio attraverso l'ufficio. Pesa circa 40 chili e contiene 35 milioni di *Nouveau Zaires*, per un controvalore di 2100 dollari. Nelle ultime fasi del regime di Mobutu, l'inflazione era arrivata al 9800% all'anno (novemilaottocentopercento!!!). Questo significa che quando qualcuno compra una Mercedes, deve portare il denaro con un camion. Sono tanti i tir che arrivano dai rivenditori di Kinshasa. Anche il consumo di champagne è un barometro dell'high-life. Nei primi anni '80 a Libreville, la capitale dello stato semiselvaggio del Gabon, venne registrato il consumo pro-capite più elevato del mondo. La popolazione è poverissima, mentre i ricchi banchettano. Hanno tutto il petrolio che vogliono e, nel caso in cui queste fonti dovessero inaridirsi, c'è sempre la foresta, un territorio grande come l'Italia pronto per essere disboscato. I commercianti di legname e i procacciatori sono pronti: provengono da Francia, Spagna o Malesia. Sulla strada che da Libreville conduce a Njolé ho visto intere carovane di camion vuoti che rullavano verso l'interno del paese. E poi le ho viste ritornare cariche di enormi tronchi, giganti millenari delle foreste vergini abbattuti in un paio di giorni per essere trasportati verso l'Europa e l'Asia. La memoria corre ai prodotti a buon mercato in cui verranno trasformati: truciolato, cartone, manici di scopa, tavolette del bagno, grucce appendiabiti, prodotti gastronomici o confezioni per il formaggio e si può anche udire il rumore dei tappi di champagne che saltano a Libreville. Un brindisi al capitalismo di stato! Ma che volete? È così che i politici gabonesi risolvono tutto: nel nostro paese regna la pace, la gente non ha fame. Forse questi non sono motivi di eccitazione in un continente dominato dalla guerra e dalla miseria? Per fare in modo che il popolo non dimentichi queste "sorti meravigliose e progressive", esse vengono loro ricordate da manifesti grandi come case. A lettere cubitali risalta la domanda: *Qui garantit la paix? BONGO*. Chi garantisce la pace? Il nostro saggio presidente!

Se sfogliamo però un paio di capitoli indietro nel libro della storia, possiamo ritornare al 1989 quando il mondo esterno sapeva ancora poco dei cleptocrati d'Africa. Costoro potevano terrorizzare e depredare i propri popoli fintanto che giuravano fedeltà ideologica ad uno dei due campi geopolitici. Allora c'era la guerra fredda e le superpotenze conducevano nel terzo mondo le loro guerre per procura: il diavolo rosso, il comunismo sovietico o il maoismo contro l'Occidente cristiano. Mobutu Sese Seko, il presidente dello Zaire, era il prototipo dei satrapi africani. Prese il potere anche grazie all'aiuto illegale di agenti segreti belgi e americani, trasformando il suo paese in un bastione contro le forze dell'oscurità. Mobutu rapinò il paese in maniera sfacciata – e ottenne una grande considerazione presso i suoi mentori. "Questa è una voce di viva intelligenza e buona volontà", lodò il presidente Ronald Reagan quando Mobutu apparve accanto a lui sul prato della Casa Bianca. Ai summit degli stati francofoni appariva regolarmente in prima fila subito dopo l'allora presidente francese. Dappertutto gli veniva steso davanti un tappeto rosso. "I corrotti regimi monopartitici venivano tollerati per motivi strategici. Arrivo addirittura a dire che sono stati incoraggiati", afferma Richard Leakey, un *enfant terrible*, l'uomo forte di Nairobi. "L'Occidente non poteva permettersi in piena guerra fredda di dire: il Kenya vada al diavolo". E poi anche l'altra parte, quella comunista, foraggiava con generosità i criminali di stato: con prebende alla fedeltà, forniture d'armi ed esperti militari. Il despota Mengistu Haile Mariam ad esempio – che assunse il titolo onorifico di "Stalin nero" – mantenne una polizia segreta che la STASI[4] lo aveva aiutato a costituire. Quasi tutti i violenti signori africani si rallegrarono degli aiuti fraterni che giungevano da Mosca o Washington, da Parigi o Pechino. A seconda dei casi. Visto da questo punto di vista, l'estero ha pesantemente alimentato l'autodistruzione dell'Africa.

Alla fine del conflitto est-ovest, gli impresari si ritirarono. I regimi dei grandi uomini crollarono e interi paesi precipitarono nella violenza e nell'anarchia. In nazioni come la Somalia, il Congo o la Liberia, la miseria è particolarmente gravosa e nessuno sembra preoccuparsi seriamente del fatto che essa venga rafforzata da caotici poteri interni. Il *warlord* resta sempre il protagonista della guerra per la spartizione dell'economia e i suoi affari vanno a gonfie vele perché non gli mancano certo i partner stranieri, chi gli dia soldi, mercanti d'armi, consulenti militari e agenzie di mercenari. E anche gruppi multinazionali che guadagnano miliardi dallo sfruttamento delle risorse naturali. Il capo di stato Charles Taylor, si è appropriato, per legge, di tutti i "beni strategici dei suoi altipiani: giungle tropicali e tesori della terra, prodotti agrari e frutti di mare e addirittura reperti archeologici e di culto".

Quando nel 1998 i ribelli cacciarono il moribondo presidente Mobutu e restituirono allo Zaire il suo antico nome di Congo, iniziò una gara per le risorse naturali come il paese non aveva vissuto sin dai giorni delle colonie. "Quando il grande elefante muore, i coltelli festeggiano", dice un proverbio africano. Il grande elefante Zaire. Nella sua terra riposano i più ricchi giacimenti di cobalto del mondo, come riferivano con entusiasmo gli esperti minerari già nel Mineral Yearbook del 1988. Oltre a ciò, il paese dispone di immense riserve di rame e, a livello mondiale, si piazza al secondo posto per quello che riguarda i diamanti. E poi c'è l'oro, l'argento, lo zinco, lo zolfo, il cadmio, il germanio, il berillio, il tungsteno, il manganese, l'uranio e altre materie prime strategiche come il coltan. E poi ci sono le foreste tropicali dello Zaire, la sua ricchezza idrica e il potenziale idroelettrico quasi smisurato.

Laurent Kabila, capo dei ribelli e presidente *in spe*, ha spartito i tesori già durante la marcia sulla capitale Kinshasa. Un anno dopo il cambio di potere ho parlato a margine di una conferenza sul tema della corruzione, a Durban in Sudafrica con un esperto chiamato Robert S. Sanford, uno di quei raggianti uomini d'affari che s'incontrano nei bar degli hotel delle capitali africane. Sapeva molto a proposito degli affari di allora, ma non è stato avaro di ricordi: "Kabila è corrotto fino al midollo, glielo posso assicurare". Sanford faceva parte della direzione dell'American Mineral Fields (AMF) un gruppo estrattivo nordamericano che aveva già fatto un paio di ottimi affari rilevando, ad esempio, il 51% delle miniere di rame e cobalto di Kolwezi al prezzo speciale di un miliardo di dollari. Valore stimato: da otto a tredici miliardi di dollari. Con lungimiranza imprenditoriale, l'AMF aveva messo a disposizione del partner d'affari Kabila un jet privato. La sua provvigione è stata di circa 100 milioni di dollari. Ma questo Sandford non ha voluto confermarlo.

In quell'epoca deve essere stato come quando si gioca con il Monopoli. I vincitori furono consorzi anglosassasoni come American Gold Fields, Tenke Mining, Consolidated Eurocan, International Panorama Ressource Corporation; gli approfittatori del Mobutismo – belgi, francesi e imprese sudafricane come il gigante De Beers – furono accusati di collaborazionismo e buttati fuori dal paese. I francesi contemporaneamente, dietro l'attacco economico degli americani nella loro tradizionale *chasse garde* fiutarono un perfido piano; alcuni parlarono addirittura di una "congiura anglofona" che avrebbe come obiettivo la seconda colonizzazione dell'Africa. In realtà, britannici e americani altro non fecero che continuare a esercitare quella sfera d'influenza che i francesi, nel loro stile coloniale, avevano continuato a impiegare sin dagli anni Sessanta: ovvero sfruttare il continente "nero", per il proprio profitto.

Anche i vicini africani si addensarono come avvoltoi sul cadavere dello Zaire: generali dello Zimbabwe, i cui eserciti avevano sostenuto l'avanzata di Kabila, si fecero ricompensare in maniera principesca con interessi da strozzini e concessioni. Ufficiali ugandesi, che all'inizio avevano marciato al fianco degli insorti e che più tardi gli si sarebbero rivoltati contro, presero a fare affari con legni pregiati, oro e diamanti. Il commercio del coltan è nelle mani dell'esercito ruandese e delle collegate truppe ribelli del *Rassemblement congolais pour la démocratie* (RCD). Il coltan non appare particolarmente importante, ma le pietre nere contengono i metalli più nobili dei nostri giorni, la columbite e la tantalite. Una volta elaborati vengono sfruttati nella produzione di chip elettronici, telefoni cellullari, videocamere o playstation, per la costruzione di razzi, capsule spaziali e turbine di aerei a reazione o anche nell'industria atomica che necessita di materiali particolarmente resistenti alle alte temperature. Nel 2000 il prezzo per un'oncia di coltan, esattamente 453,6 grammi, è salito da 30 a 300 dollari; l'esercito ruandese solo in quell'anno ha guadagnato 64 milioni di dollari. La maggior parte di questo denaro, passando sul tavolo del servizio segreto congolese a Kigali, è ritornato sotto forma di armi e di equipaggiamento militare. Il baratto di materie prime in cambio di materiale bellico ha dato vita a cartelli criminali le cui diramazioni dall'Africa centrale via Svizzera, Belgio o Bulgaria arrivavano sino in Russia. Se si crede a uno studio dell'International Peace Information Service di Anversa (*Network War. Un'introduzione all'economia bellica privatizzata del Congo*) ecco che spuntano i nomi di alcuni burattinai come l'egiziano Sharif al-Mazri, il keniano Sanjivan Kuprah, il tagìco Victor Bout *alias* Butt, l'ugandese Salim Saleh, fratellastro del presidente Museveni, il clan di Odessa e il suo capo Leonid Minin, la connection kazaka di Valentina e Alexei Piskanov. Al club dei più importanti estrattori di coltan appartiene l'azienda tedesca H.C. Starck. Gli uomini che estraggono il prezioso materiale dalla terra delle due province congolesi di Kivu lo fanno in condizioni terribili. Nel campo di Kamina erano stipati 30.000 minatori. Fra questi, pare ci fossero anche prigionieri politici ruandesi – la rinascita della schiavitù all'alba del 21° secolo.

L'insaziabile signore della guerra Kabila fu assassinato nel 2001, ma la grande abbuffata va avanti e in essa vi si riconosce quel malcostume che da sempre guida la storia del Congo sin dagli anni della sua dominazione coloniale. Si va dai *dogs of war*, i cani da guerra belgi della *force publique,* del tardo 19° secolo, sino all'armata Brancaleone di Kabila, dai cacciatori di schiavi ai baroni del caucciù sino ai trafficanti di diamanti e ai magnati delle materie prime. L'unica novità è rappresentata dai criteri che l'era del capitalismo, liberato dai vincoli, ha portato con sé. Il continente, afferma il politologo Peter Lock, viene suddiviso da strateghi economici fra *Afrique utile* e *Afrique inutile* – qui l'Africa economicamente utile, lì l'altra Africa. Il continente "nero" è solo una preda, così come lo era stato all'epoca del pirata Cecil Rhodes o di Henry Morton Stanley. Il secondo stato chiamato Congo è anche conosciuto come *Republique Elf* perché, di fatto, è controllato dal gigante petrolifero francese Elf Aquitaine. Le piattaforme per le trivellazioni sottomarine angolane davanti alla costa atlantica sono nelle mani di gruppi statunitensi. La sede della multinazionale petrolifera anglo-olandese Shell, a Port Harcourt in Nigeria, è chiamata *Little London*. L'oro nero zampilla e sono sempre mafie locali e gruppi stranieri a suddividersene i profitti. I villaggi nel delta del Niger però continuano ad essere più poveri che mai. Indimenticabili restano le parole di un bevitore di vino di palma che incontrai in un bar della foresta: "Sulla nostra terra vengono fatti miliardi di utili, ma noi viviamo nell'oscurità".

*

La condizione di bisogno in cui versano i popoli dell'Africa continuerà perché alle sue élite mancano i mezzi, il *know-how* e la volontà di superarla. Da parte degli stati ricchi del mondo, dopo tanti errori, non c'è da aspettarsi granché, un po' di aiuto allo sviluppo, un paio di esperti per riuscire a zittire la propria coscienza, ma più nessun prestito di rilievo e soprattutto nessun capitale. Un paio di multinazionali fanno piazza pulita delle preziose e strategiche materie prime. Oggi, come in passato, vale il motto del miliardario Tiny Rowland, quella frase che pare abbia consegnato ai suoi durante un viaggio in aereo sopra l'Africa: "Là sotto non esiste un solo presidente che io non possa comprare". Rowland, già capo del consorzio anglo-sudafricano Lonrho, una volta venne definito dal premier Edward Heath come, "il viso più odioso del capitalismo". È la faccia del sistema capitalistico in Africa.

Se si evita di guardare agli affari con le materie prime e si prende in esame il "caso" dell'Africa si vedrà che il suo apporto agli investimenti diretti sul mercato mondiale è affondato sotto al 2% – briciole. Il rischio è diventato imponderabile: guerra e anarchia, piccoli mercati, sviluppo limitato ed elevati costi di produzione. Un livello di formazione generale così misero come la competenza di quelli che sarebbero chiamati a prendere decisioni. Chi vorrebbe ancora investire laggiù? La fuga di capitali da posti del genere è enorme. Parimenti il *brain drain*, l'emigrazione delle poche forze qualificate. Vanno all'estero dalle periferie delle metropoli. Da Lagos a Londra. Da Abidjan a Parigi. Da Nairobi a Chicago. I loro paesi d'origine, intanto, nell'era della concorrenza globalizzata, precipitano ancora più indietro.

Gli africani dovrebbero… non possono… devono a ogni costo… gli insegnamenti che giungono dal nord del mondo non mostrano dubbi. Seguono pedissequamente la ricetta dominante del benessere. Oggi questa dice: Aprite i vostri mercati! Deregolarizzate! Privatizzate! E tutto andrà per il meglio. Queste misure hanno palesemente fallito come i programmi di ammodernamento strutturale della Banca Mondiale e del Fondo monetario internazionale. A queste ricette non ci credono più nemmeno i loro inventori a Washington. Quando entro in uno sgarrupato Ministero oppure in un cadente ufficio da qualche parte in Africa, qualche volta cerco di immaginarmi che cosa proverebbero, se venissero qui, gli economisti star di Harvard o gli esperti dell'istituto economico di Kiel per sperimentare, nella pratica, le loro teorie. Comincerebbero il loro lavoro in uffici in cui manca tutto, senza carta, senza una macchina da scrivere, senza niente. Con la corrente che va via di continuo. Per ore. Con i fax e i telefoni che funzionano secondo un solo principio: quello del caso. Computer? Come al solito non ce ne sarebbero, visto che li rubano regolarmente. Già il primo giorno i riformisti in visita si troverebbero precipitati in un guazzabuglio di direttive contraddittorie fra loro, in campo economico, finanziario, nella politica commerciale e monetaria. Dovrebbero rassegnarsi a riconoscere che non esiste alcuna obbligazione legale e nessuna contabilità degna di questo nome. Le loro telefonate alla Banca Centrale rimarrebbero senza risposta, con il Ministro delle Finanze mai disponibile, troppo impegnato a sbrigare alcuni affari. I propri. Non avrebbero nessun assistente qualificato visto che quelli bravi sono già emigrati da tempo in quei posti da dove provengono i signori riformisti. E se davvero, alla fine, dovessero riuscire a risolvere alcuni problemi sarebbero immediatamente trasferiti dall'ufficio di presidenza. In breve agli esperti accadrebbe quanto successo a Sisifo – con l'unica differenza che quella non conosceva l'entità che gli stava invalidando i suoi sforzi. Eppure, almeno, avrebbero appreso come la dura diatriba circa l'utilità e lo svantaggio della globalizzazione in Africa, dal punto di vista dei reali rapporti di forza, sia puramente accademica. Le élite al potere vincono sempre, non importa quali siano le misure introdotte per cercare di risolvere la situazione. Oggigiorno i signori organizzano le loro ruberie con il telefonino e il computer, la massa però, a tutt'oggi attende quell'effetto *trickle-down* promesso. Aspetta ancora di poter attingere a qualche goccia di benessere. "Liberalizzare per chi non ha accesso a questo fenomeno non significa che altra marginalizzazione", afferma l'economista britannico Richard Gibb.

Che fare? Sarebbe già qualcosa se le potenze economiche mondiali sostenessero il *New Partneship for Africa's Development (Nepad)*, un programma di ricostruzione continentale sul modello del piano Marshall proposto dal capo di stato sudafricano Thabo Mbeki. Il concetto attorno a cui tutto ruota è semplice. Gli africani mobilizzano le proprie forze per riportare ordine sui politici e apportare correzioni economiche. Il nord del mondo rafforza la propria collaborazione finanziaria e abbuona i mostruosi interessi, smantellando anche quelle strutture di scambio che marginalizzano il sud del mondo.

Ma non sono cose già sentite? Non si tratta forse dell'ennesimo e altisonante piano di salvezza annunciato in pompa magna che poi finirà per ammuffire negli archivi? Forse sì. O forse no. Perché questa iniziativa contiene un nuovo elemento: l'ammissione del fatto che debbono essere prima di tutto gli stessi africani ad assumere una responsabilità per il proprio benessere e per i propri fallimenti. Questo non vuol dire che i paesi sviluppati debbano essere assolti delle proprie colpe. Fino ad oggi queste nazioni sembra abbiano fatto proprio il motto: pane per il mondo. Ma il salame resta qui, al nord. Prima o poi anch'essi dovranno accettare quelle regole che pretendono vengano rispettate dagli altri. Dovranno aprire quei fortini che si sono costruiti. Nei settori tessile e agricolo gli africani hanno indubbi vantaggi per quanto riguarda i costi eppure vengono ostracizzati e tenuti fuori della competizione internazionale grazie a limitazioni commerciali. Alcuni economisti hanno calcolato che l'Africa in campo agricolo perde ogni anno, solo grazie al protezionismo di Stati Uniti, Unione Europea e Giappone, circa venti miliardi di dollari in esportazione. È il doppio degli aiuti per lo sviluppo che ogni anno confluiscono in Africa! Una vacca in Irlanda riceve da Bruxelles una sovvenzione cento volte maggiore a quella che un allevatore keniano ottiene attraverso donazioni europee. Come potrà mai competere con prodotti come il burro di Kerry che si vende nei supermercati di Nairobi? Se questo contadino muore di fame sarà dipendente dagli aiuti delle Nazioni Unite e alla fine un pasto offerto verrà a costare più di una cena al Waldorf Astoria di New York.

Ma c'è anche l'altra faccia della medaglia. I padri del *Nepad* dovrebbero accettare di rispondere ad alcune domande scomode. Perché la Nigeria, il sesto produttore mondiale di petrolio, dovrebbe condonare i debiti? Perché questa gente investe ogni anno in armi molto più di quanto faccia in scuole e ospedali? Come possono lodare la *good governance*, il governo illuminato, e al tempo stesso difendere un dittatore come il presidente dello Zimbabwe Robert Mugabe che ha distrutto l'economia del proprio paese e massacrato gli oppositori? Non si può generalizzare, d'accordo. Non si deve fare di tutta l'erba un fascio, solo a causa di un paio di pecore nere. Eppure anche da uno stato a pezzi come lo Zimbabwe giunge un segnale di pericolo che il *Nepad* dovrebbe udire. Un allarme rosso. Se il presidente Mbeki e suoi colleghi non dovessero ascoltarlo il treno delle riforme potrebbe ben presto deragliare. Proprio come quella locomotiva in Guinea.

*

La maggioranza degli africani però continuerà ad agire come ha sempre fatto e il resto del mondo a domandarsi come sia possibile che non siano morti di fame nonostante gli esperti da vent'anni profetizzino l'apocalisse. Il quesito ha una sua semplice risposta: gli africani, così come miliardi di persone del sud del mondo, sopravvivono grazie a quell'economia fatta di lavoro nero. Un'economia parallela, che non compare in nessuna statistica e che nessuna ricerca riesce a descrivere. Si tratta di un settore che nella maggioranza dei paesi della fascia subsahariana spesso è maggiore dell'economia ufficiale. In Congo sfama il 70% della popolazione. La nonna vende frutta, il figlio cuce scarpe, la mamma lavora a ore nelle case dei ricchi, il padre è uno stagionale, lo zio portiere d'albergo. La famiglia allargata mette assieme i singoli introiti, li divide e alla fine ogni membro della famiglia ha qualcosa e sviluppa un'incredibile ricchezza d'inventiva.

Gli africani vedono in qualsiasi oggetto, che sia usato, a pezzi, buttato via, nuove possibilità d'utilizzo. Ogni cosa viene trasformata e riutilizzata. Il proprietario di un atelier a Colobane, un quartieraccio di Dakar, una volta mi ha fatto vedere quello che riusciva a recuperare dai rifiuti: un fornello a carburo, recinzioni, scandole del tetto, una pala, sculture. "Economia informale, questo è un concetto peggiorativo", ha spiegato Jacques Bugincourt un vecchio veterano che a Colobane sostiene progetti di sviluppo. "Stiamo parlando di economia *popolare* nel senso pieno del termine. I ghetti non sono una vergogna. Sono una possibilità. La povertà sviluppa una creatività da cui noi possiamo solo apprendere".

Di tanto in tanto incontriamo anche impavidi contemporanei che hanno il coraggio di lanciarsi nell'economia "formale". Un meccanico di Kinshasa mi ha raccontato di aver cercato di aprire un'autofficina. Era andato da questo e da quello. Adesso una tassa speciale. Poi un permesso particolare. La mazzetta per l'assessore, un aiutino per l'impiegato delle tasse, senza dimenticare l'obolo dovuto alla persona responsabile dell'associazione di categoria. E poi i soldati e i gendarmi che bighellonano nel circondario. Anche loro volevano la loro parte. "Le autorità ti succhiano via tutto. Alla fine non apri più perché non ti è rimasto nulla". Questo accade alla maggioranza degli africani che vogliano realizzare qualcosa: la loro iniziativa economica soffoca nel pantano burocratico.

Il nostro meccanico di Kinshasa però, continua a combattere secondo il motto: *Non hai nessuna possibilità. Allora usala.* È uno che sgonfia l'immagine preconcetta dell'africano pigro che, dietro mani che mendicano, viene definita come uno dei più difficili ostacoli dello sviluppo. La cercatrice d'oro in Ghana, il tagliatore di sisal in Tanzania, il minatore nella miniera sudafricana, quello che lava i diamanti in Congo, il tagliatore di legna in Camerun, la sarta in Namibia, dappertutto vediamo gente che, spesso e volentieri, lavora in condizioni che da noi in Europa non sono più concepibili. Se si parla di una sufficiente morale lavorativa nel continente nero a me vengono in mente prima di tutto le donne. Milioni di donne che in un caldo soffocante zappano, arano e coltivano i campi, che ogni giorno debbono farsi chilometri per andare a raccogliere legna da ardere oppure acqua e che nella maggior parte dei casi portano un bimbo sulle spalle e se ne trascinano altri due aggrappati alle falde della gonna. Loro sostengono ben più della metà del cielo africano. E se riescono a mettere da parte qualcosa questa, alle volte, è addirittura sufficiente per una migliore istruzione dei ragazzi. C'è bisogno urgente di forze qualificate nel progetto del secolo: quello della liberazione del continente. Ad opera degli africani stessi.

Getta via il tuo cuore!
Le devastazioni del mercato degli schiavi e la dominazione coloniale

Una chiesa di un rosa antico. Barocco. Case lusitane. Borghesi. Un porto mediterraneo cinto da una cittadella immacolata. Elmina, sulla costa atlantica del Ghana, è una cittadina che sembra uscita dalla tavolozza di un pittore. Entro nella fortezza, attraverso il ponte della ferrovia, un cortile lastricato e mi fermo all'ingresso di una cantina. I gradini conducono dabbasso nella "camera senza ritorno". La stanza è umida, fredda, in penombra. C'è immondizia che pende dal soffitto. Attraverso una sottile fessura penetrano la luce del giorno e l'azzurro del mare.

Chi sedeva in questa cripta era stato abbandonato dagli dèi. Migliaia, decine di migliaia di prigionieri nei meandri della terra furono ridotti in ceppi, trascinati sulla costa, stipati in carceri da cui non esisteva uscita se non con i piedi davanti. Vi sarebbero rimasti fino a quando non sarebbero saliti su di una passerella per essere caricati come bestie da macello nelle stive delle navi per essere trasportati nel nuovo mondo. Mercanzia umana. Avorio nero.

Prinzenstein, Amsterdam, Appolonia, Orange, Metal Cross, Leydsaamheid. I luoghi dei vecchi mercanti di schiavi soltanto sulla costa di quello che è oggi il Ghana sono una sessantina. Sono tutti in uno spazio di appena cinquecento chilometri, una specie di corona del terrore. El Mina, la miniera, costruita dai portoghesi nel 1482, è stata la prima fortezza europea in Africa. Sotto i suoi merli approdarono le caravelle portoghesi, spagnole, olandesi, inglesi, svedesi e danesi. Scambiavano armi, polvere da sparo, perline di vetro, materiali, ferramenta, dapprincipio contro oro e avorio. Poi in cambio di esseri umani. Dalla costa africana trasportarono gli schiavi in Brasile, nei Caraibi, verso il Nordamerica, costretti a lavorare nelle miniere d'argento, nei campi di zucchero, nelle piantagioni di caffè, di cotone e di tabacco. Questa lingua di mare la chiamavano "passaggio di mezzo". Era la seconda tappa fra Europa, Africa e Americhe. Le vecchie rotte degli schiavi si perdevano attraverso il Sahara nel nord del continente e dalla costa orientale dello Suhaeli fin verso la Persia e l'Arabia.

Vado oltre, mi addentro nella *huys van negotie*, la sala delle contrattazioni, dove gli schiavi potevano essere valutati dopo un rapido controllo. I preferiti erano uomini e donne giovani. I criteri con cui venivano scelti sono espressi nel *Journal of a Slave Trader*, del mercante britannico John Newton. Bisognava presentare solo "esemplari" nello stato migliore. Da evitare uomini vecchi, storpi o deboli, dalla pelle aggrinzita o con testicoli piccoli. Nessuna ragazza con seni cadenti e neppure bambini deboli. Costoro, almeno quelli che sopravvivevano al trasporto, procuravano magri profitti.

*

Nel 1492 Cristoforo Colombo scoprì l'America. Nel 1518 il primo carico di schiavi, a bordo di una nave spagnola, raggiunse il nuovo mondo, proveniente dalla Guinea. Nel 1526 il re del Congo Nzinga Mbemba si lamentava in una lettera a Lisbona di come: "Il nostro paese stia venendo completamente spopolato". Era solo l'inizio. Alla fine sarebbero stati interi territori per una superficie di oltre tremila chilometri di costa, dal Senegal fino all'Angola, che sarebbero stati ridotti a un deserto. Joseph Kizerbo ha calcolato che sono stati almeno cinquanta milioni gli africani resi schiavi. Si pensava che lo storico del Burkina Faso fosse ottenebrato dai pregiudizi e che i suoi calcoli fossero esagerati. Solo le più recenti ricerche avrebbero dovuto rendergli ragione. Furono circa dodici milioni le persone rese schiave attraverso gli scambi transatlantici nell'Africa Occidentale e Centrale. Nove milioni finirono in ceppi sulle vie delle carovane, attraverso il Sahara. Otto milioni vennero trasferiti, a forza, dalle coste africane in Oriente. Se si accetta l'ipotesi che, a seguito delle deportazioni, sia deceduta una quantità di persone almeno pari a quella che ha raggiunto i luoghi di sfruttamento, ecco che siamo vicini alle cifre fornite da Kizerbo. Anche le estrapolazioni dei sociologi rafforzano questa ipotesi. Nel 1500 vivevano nel continente nero circa 47 milioni di persone. Nel 1850 avrebbero dovuto essere, in condizioni normali, almeno cento milioni, ma la cifra complessiva rimase invece pressoché inalterata: 50 milioni.

I tabelloni nella sala del commercio di Elmina ci riportano indietro, ai secoli del terrore. Io però, cerco anche un singolo indizio del ruolo degli stessi africani in questa vicenda. Neppure una parola sui mercanti neri di schiavi dell'Ojo e del Benin che non esitarono a vendere ai bianchi i loro fratelli, sorelle, vicini e prigionieri di guerra. Neppure una notarella sull'arricchimento privo di scrupoli degli Asanti, il popolo più potente del Ghana. Nemmeno un commento sul subfornitore del regno del Dahomey, che si trasformò, come ha notato Walter Rodney in: "Un bandito senza uguali nell'Africa occidentale". Il più radicale teorico della liberazione del continente accusa l'élite dominante dell'Africa di avere lavorato gomito a gomito con gli europei nel saccheggio del proprio popolo. I mercanti bianchi stavano sulla costa, all'epoca non avevano ancora a disposizione truppe e neppure mezzi militari per poter compiere da soli la caccia agli "autoctoni". Eppure di questo argomento Clifford Ashun, lo studente che mi accompagna nella visita al museo, non vuol sentire parlare. Non risponde alle domande e mostra silenzioso i sotterranei dove gli schiavi rinchiusi soffocavano nei propri escrementi – quasi temesse che il ruolo giocato dai suoi antenati potesse diminuire il più terribile crimine che gli europei abbiano perpetrato in Africa. Oppure, forse, il suo silenzio altro non è che una silenziosa protesta contro la rimozione e la semplificazione di questo crimine nei luoghi ricchi del mondo. Perché da quelle parti, spesso e volentieri, si dimentica che gli europei hanno "soltanto" intensificato un commercio messo in piedi dagli arabi prima del loro arrivo con grande successo e che già da tempo faceva parte del costume civile e militare. Il califfato di Sokoto già nel XIX secolo era considerato come la seconda società basata sulla schiavitù al mondo. Soltanto negli Stati Uniti, all'epoca, c'erano più schiavi. Ovviamente non c'è nulla da abbellire nel commercio tradizionale di uomini. Va detto però che gli schiavi in Africa di regola facevano parte del nucleo familiare, erano insomma membri di una specie di famiglia allargata. Potevano anche affrancarsi, salire la scala sociale e perfino sposarsi all'interno delle famiglie dei propri padroni. Facevano parte della società umana. Il mercato di schiavi d'oltreoceano invece, umiliava queste persone, riducendole alla stregua di merce, a oggetti privi di qualsiasi dignità.

Le deportazioni di massa introdussero un fenomeno che oggi chiamiamo globalizzazione, rilanciarono le economie nazionali di Europa e America mettendo in ginocchio le società di sussistenza dell'Africa, sottraendo milioni delle sue forze lavoro fra le più forti, sane e preparate. Allo stesso tempo il più grande ratto forzato della storia sotterrò il diritto, la morale, le caste e la struttura della comunità. Non produsse soltanto una classe sociale locale, borghese, potente e ricca, ma anche un *tipo* dispotico la cui creazione noi occidentali, sbagliando, facciamo risalire al XX secolo: il *warlord* (il signore della guerra). Costui terrorizzava e saccheggiava il suo territorio di caccia e certo non gli mancavano le armi: nel periodo del mercato degli schiavi, furono importate in Africa circa venti milioni di armi da fuoco. Persino quelle novità che avrebbero potuto essere positive ebbero sviluppi fatali. Il mais, che i portoghesi avevano portato dall'America, cambiò le abitudini alimentari degli africani. La coltivazione del granoturco non richiede grande lavoro e assicura raccolti generosi. Le pannocchie difendono i semi da insetti e uccelli, ma ci sono delle controindicazioni. Le piante hanno bisogno di molta acqua, lisciviano i terreni e non resistono alla siccità. Dopo lunghi periodi di aridità i raccolti calano paurosamente e la gente diventa dipendente da questo "albero del pane" – e muore di fame.

Di questa rivoluzione verde e delle sue conseguenze parlano gli agronomi che oggi hanno altri motivi per essere preoccupati. La scarsezza di popolazione è stata "compensata" dalla sovrappopolazione. Non dimentichiamo però, che questo sporco commercio fu vietato duecento anni fa: nel 1803 in Danimarca, nel 1807 in Inghilterra, nel 1808 in America, nel 1814 in Olanda, nel 1818 in Francia. Di cosa si lamentano dunque gli africani? Perché continuano a parlare di *hidden costs*, di costi nascosti, che avrebbero pagato per il traffico di uomini e a cui loro stessi hanno preso parte? Non è che noi europei continuiamo a lamentarci delle conseguenze della guerra dei Trentanni, aggiungeva un collega. Certo costui si dimenticava di dire che la caccia agli schiavi è durata quasi 400 anni, che questo continente è stato dissanguato come nessuna altra parte del mondo nella storia, eccezion fatta per l'Europa della Seconda guerra mondiale. Che la paura è sopravvissuta per generazioni e generazioni. La paura del ratto e della morte sociale che descrive lo schiavo liberato Olaudah Equiano nella sua autobiografia. Equiano era figlio di contadini del popolo degli Ibo in quella che oggi è la Nigeria. Racconta di come, all'età di undici anni, dovesse badare alla casa con sua sorella, perché i suoi genitori lavoravano nei campi. Riferisce di come fosse salito su di un albero mentre giocava a nascondino e di come, d'un tratto, due uomini e una donna fossero saltati sul muro di argilla della fattoria e avessero rapito i due bimbi. Poi l'attesa dell'incognito e quella paura che ti s'insinua nell'anima. La storia infinita della scomparsa degli uomini cambiò la prospettiva di vita del continente. Gli africani divennero fatalisti. L'angoscia di essere ridotti in ceppi si impresse nella memoria collettiva diventando proverbio, trasformandosi in canzoni, racconti e balli rituali, insinuandosi negli incubi dei bambini ("sii bravo altrimenti arriva l'uomo bianco che ti porta via!"), nell'attitudine alle armi, nelle difese, nelle palizzate o nei villaggi fortificati. Si espresse nel rifiuto di mangiare cibo in scatola perché si credeva contenesse carne di schiavi. Si manifesta nelle cicatrici sulla pelle. Le persone si sfigurano con tatuaggi, oppure si trafiggono la bocca, talvolta con enormi dischi sulle labbra. Sono relitti di un'antica credenza: che l'apparire brutti diminuisse il valore di scambio di una persona.

Probabilmente però, la peggiore conseguenza della schiavitù, perché riconoscibile ancora oggi, è la maniera con cui si è deformata la considerazione di sé, dell'altro, del continente e dei suoi abitanti. "Il nostro spirito è ancora schiavo del pensiero dei signori bianchi", ha scritto Marcus Garvey, precursore del movimento Black Power giamaicano. L'africano che, per secoli, era stato considerato come un ilota, un animale da lavoro domestico, privo di qualsiasi volontà, divenne "l'eterno schiavo" condividendo il destino che era stato di Ahasver "l'eterno ebreo", che per aver alzato le mani su Cristo, nella mitologia antisemita sarebbe stato condannato a vagare senza pace sino alla fine dei giorni. Si trasformò in Jim, negro servile e sciocco – e qualche volta viene voglia di crederci davvero visto che un nero, per il colore della sua pelle, dovunque arrivi viene associato all'idea di inferiorità. Il commercio degli schiavi ha sottratto agli africani la dignità di esseri umani e distrutto il benché minimo rispetto di tutto ciò che è africano nel mondo esterno.

*

"Voi tedeschi non avete nulla di cui discolparvi", assicura Joseph Mensah. "I vostri mercanti hanno fatto affari solo con oro e avorio". Alcuni pipistrelli svolazzano nel carcere degli schiavi. Il tetto, le colonne e i soffitti sono perfettamente costruiti con mattoni giallognoli – materiale da costruzione proveniente da Königsberg, vecchio artigianato tedesco. Sulla fortezza, poco lontano dalla città ghanese di Prince's Town, sventola un'aquila rossa in campo bianco. La bandiera fu issata con tutti gli onori il primo gennaio 1863. "Siccome Sua Signoria Eccellentissima è famosa in tutto il mondo, ho deciso di chiamare quel monte: il Grande Friedrichsberg", disse il maggiore e cadetto Otto Federico di Groeben in Logbuch. Costui guidò la spedizione prussiano-brandeburghese nella Costa d'Oro.

Federico Guglielmo, umanista e uomo di lettere, volle esserci nell'affare con i "negri", "perché il commercio e la navigazione marittima sono le colonne portanti di uno stato". I mercanti tedeschi trasportarono dalla Costa d'Oro nelle Americhe circa 30.000 schiavi. Joseph Mensa però, il custode del Großfriedrichsburg, ha vigilato sull'innocenza del grande principe elettore. "Furono gli olandesi che iniziarono questa storia della schiavitù". Nel suo ufficio mi mostra la paccottiglia raccolta: un posacenere con il castello di Sans Souci, il vecchio Fritz (uno dei simboli di Berlino) su di un boccale di birra, brocche con il simbolo del mondo, la corona, lo scettro e le insegne nobiliari.

Nossignore! Che al signor Mensah nessuno gli tocchi i suoi Prussiani! Di sotto invece, nel buio carcere dove gli schiavi venivano sfiniti, fatti morire di fame e massacrati di botte, si sente il rumore del mare, il timbro della marea, sempre uguale, immemore della storia.

*

L'avventura prussiano-brandeburghese rimane un episodio nella storia dello schiavismo. Sarebbero dovuti passare duecento anni prima che i tedeschi rimettessero piede sulle coste africane e fra l'altro ci sarebbero giunti troppo tardi visto che inglesi, francesi, portoghesi e belgi avevano già occupato da tempo larghe fette di territorio. E poi c'erano i predicatori patriottardi alla Friedrich Fabri, il direttore della *Rheinischen Missionsgesellaschaft* di Barman[5] e il suo documento, pubblicato nel 1879, dal titolo *La Germania ha bisogno delle colonie?*, che risvegliò lo spirito coloniale. Ci fu poi il dottor Carl Peters, figlio di un pastore protestante di Neuhaus sull'Elba che, nel 1884, fondò la *Società per la colonizzazione tedesca* formulandone quello che era lo scopo principale, scevro da ogni equivoco: "l'arricchimento deciso e privo di scrupoli del proprio popolo a spese di altri più deboli". Quello stesso anno Peters e i suoi accoliti organizzarono una spedizione in Africa orientale laddove c'era ancora una bella fetta di torta a disposizione del Kaiser e del suo Reich. Peters, dalla costa, penetrò nel cuore di quella che oggi è la Tanzania e distribuì a moltissime autorità locali contratti in cui queste venivano messe sotto la "protezione" della sua società. Laddove non esistevano figure carismatiche, esse vennero realizzate in quattro e quattr'otto e messe su di un trono. È stato così che la conquista di tanti posti ha portato con sé una nuova figura, una specie di podestà indigeno. A Berlino, inizialmente, non si fece molto caso ai giochetti del signor Peters. Bismarck, il cancelliere tedesco, considerava questi trattati come "cartaccia con sotto la x di un negro". Ancora nel 1888 aveva detto a un viaggiatore: "La sua mappa dell'Africa è molto bella, ma la mia cartina di questa terra si trova in Europa". Quello stesso anno infatti si sviluppò un processo che il *Time* di Londra ben descrisse come *The Scramble for Africa*. La gara per l'Africa. Appena quattro anni prima, dal 15 novembre 1884 al 26 febbraio 1885, nel palazzo berlinese del Radziwill si erano ritrovati gli emissari delle grandi potenze europee, i rappresentanti di quei paesi che aspiravano allo stesso ruolo, e una delegazione degli Stati Uniti. Obiettivo: dirimere i dissapori circa l'Africa centrale e occidentale e non per, come erroneamente si pensa, dividersi il continente. La vera frammentazione dell'Africa era già cominciata da tempo. Venne legittimata attraverso la cosiddetta conferenza del Congo e successivamente messa in atto. Le potenze firmatarie nel loro documento finale precisarono quasi le regole del gioco di questa corsa. Oggigiorno noi utilizziamo un'altra parola per descrivere riunioni di questo tipo: le chiamiamo summit.

Nel frattempo anche l'impero tedesco aveva visto aumentare il suo appetito. Non appena i delegati lasciarono Berlino, i territori che Carl Peters aveva rivendicato, vennero immediatamente messi sotto la protezione dell'imperatore. Si trattò di dare carta bianca a uno psicopatico, un nazionalista tedesco che in seguito avrebbe compiuto massacri in Africa orientale. In patria invece, sarebbe stato celebrato come un temerario conquistatore e ambasciatore di progresso. La Società per la Colonizzazione Tedesca intanto, cambiò nome in Società Tedesco-Est Africana. Continuò ad appropriarsi di terre e venne sempre più finanziata da banche, aziende e privati – persino il vecchio imperatore Guglielmo I investì circa mezzo milione di marchi – e alla fine, il 1° gennaio 1891, rivendette i diritti di proprietà all'impero tedesco. Si trattò dell'atto di nascita delle colonie germaniche in Africa orientale. Nel frattempo tutto il territorio a sud del Sahara era stato a sua volta spezzettato dagli europei e "balcanizzato". I territori più grandi se li erano spartiti fra loro inglesi e francesi. I belgi si erano tenuti una striscia di terra al centro, mentre il Portogallo aveva mantenuto i lati: l'Angola a sud-est e il Mozambico a sud-ovest. Gli italiani si presero Somalia ed Eritrea mentre agli spagnoli non rimase che qualche briciola sulla costa occidentale. I tedeschi dovettero accontentarsi di una *streukolonie*, di possedimenti sparpagliati: Togo, Camerun, l'Africa sud orientale e l'Africa orientale tedesca.

In Europa la rivoluzione industriale aveva raggiunto il suo zenit. Le ambiziose forze del capitalismo erano alla ricerca di materie prime e di nuovi sbocchi commerciali per la loro produzione di massa. Oltre a questo si sperava che l'espansione coloniale potesse fornire la soluzione ad un problema sociale; avrebbe dovuto essere lo spazio vitale naturale per quella massa montante di tanti proletari prodotti dalla ciclica crisi economica. Le élite delle grandi potenze europee – Inghilterra, Francia, Germania – riunirono al sogno coloniale quello imperiale: la creazione di regni mondiali. Abbellirono di continuo la loro politica di rapina con motivi umanitari e missionari come l'abolizione della schiavitù e la diffusione della civiltà – su questo ci si era messi d'accordo già nel documento conclusivo della conferenza di Berlino del 1884/1885. Bernhard Dernburg, primo ministro tedesco delle colonie, diede una franca definizione di questo affare: "La colonizzazione significa lo sfruttamento del suolo, dei suoi tesori, della flora, della fauna e soprattutto della popolazione, a vantaggio della potenza colonizzatrice in riconoscenza della sua maggiore cultura, dei suoi concetti di onestà e dei suoi metodi migliori". Per essere chiari: sottomissione, saccheggio e rieducazione.

*

Nell'agosto del 1980 arrivai per la prima volta a Bagamoyo. Negli anni a venire avrei visitato quattro volte quel posticino addormentato sulle coste dell'Oceano Indiano perché esso è uno di quei luoghi dell'Africa che mi attraggono come una calamita. È uno degli snodi in cui s'intersecano i fili della storia della conquista. Fu qui che attraccarono le navi degli indiani e dei persiani, qui avevano regnato arabi, portoghesi, e il sultano di Zanzibar. Qui cominciarono le missioni esplorative europee. Qui terminarono le carovane dei cacciatori di uomini orientali. In una cappella ai margini della città venne composto nella bara il cadavere ricoperto di mosche del missionario David Livingstone. Fu da Bagamoyo che il ricercatore del Congo Verney Lovett Cameron e il pessimo Henry Morton Stanley penetrarono nel continente, così come John Hanning Speke lo "scopritore" delle sorgenti del Nilo, e lo stesso Carl Peters, che abbiamo già conosciuto. Furono quasi 70.000 gli schiavi che ogni anno passarono attraverso le carceri di Bagamoyo. Per chi non fosse crepato o non fosse riuscito a fuggire durante la marcia forzata di sei mesi da Ujijii, sul lago Manganica, fino alla costa, non c'era più speranza. È stata la disperazione a dare il nome alla città. Bagamoyo significa *getta via il tuo cuore*. Fu questo posto che i commissari dell'impero nominarono provvisoriamente capitale della loro colonia. Boma, la fortezza-amministrazione tedesca, eretta su di un promontorio che domina la riva del mare, è costruita sul perimetro di una cittadella araba. All'ombra della monumentale costruzione, un ragazzino mi offre un'antica moneta. È stata coniata nel 1892, su di un lato raffigura l'aquila imperiale, sull'altro incisioni con caratteri arabi. Sulla via che conduce a ciò che resta della dogana, un uomo anziano fa un gesto per mostrarmi una lettera di privilegio del locale ufficio amministrativo imperiale di Bagamoyo. Si tratta di un documento che certifica l'affrancamento di suo padre, un ex schiavo, da parte della missione cattolica. Quella missione è ancora lì e c'è anche un bel museo che illustra l'importanza di Bagamoyo come posizione strategica. Su di un'illustrazione ci sono tre frecce inflitte nel corpo del continente, fortemente ricalcate, come cunei sulla carta di un corpo d'armata. I pastori di anime penetrarono in direzione nord, sino al Kilimangiaro. I padri bianchi marciarono ad ovest, mentre i benedettini verso sud, sino al fiume Rufjii. Dovevano seguirli geometri e cartografi, costruttori di ferrovie e piantatori di cotone, cacciatori di leoni e mercanti, e i soldati della scorta tedesca. "I missionari hanno consumato le piste della conquista", dice Valentine Bayo. È l'attuale superiore della missione. Un sacerdote virile, senza peli sulla lingua che mi ha invitato a cena nel refettorio. Dopo poche battute è subito chiaro come non appartenga a quei servi di Dio che piegano a loro vantaggio la storia delle missioni in modo da mostrare solo buoni cristiani bianchi che hanno salvato poveri negretti pagani dalla schiavitù. Forse dipende tutto dal fatto che, come africano, è molto più semplice riconoscere il ruolo che una missione ha avuto come strumento della sottomissione coloniale. Lo stesso "villaggio della libertà" che i pescatori di anime avevano fatto costruire ai margini di Bagamoyo, era servito a scopi molto terreni. Era lì che gli schiavi, liberati dalla chiesa, lavoravano per profitto e devozione della stessa e per la loro salvezza nell'aldilà. "I missionari li hanno convertiti e resi schiavi", dice padre Bayo. Visto da questa prospettiva la nobile giustificazione con cui vennero abbellite le ruberie dei colonialisti appare sotto tutta un'altra luce. Costoro vennero solo per sottrarre agli arabi un lucroso negozio, per proibirlo a uomini scellerati come Abushiri bin Salim al-Harthi. Si trattava di quello stesso Bushiri che mi aveva terrorizzato già nei libri dell'infanzia di Ludwig Foehle, nella biblioteca coloniale di mio nonno, perché, con la sua scimitarra, faceva a pezzi i crani dei probi missionari bianchi. Adesso invece, un missionario nero mi raccontava che il campo di battaglia contro lo schiavismo, la prima vera missione militare "umanitaria" in Africa, aveva avuto altri obiettivi. I conquistatori avevano avuto bisogno delle braccia di *Sam*, il fedele negro di Bagamoyo, l'unico eroe di colore nelle storie di Ludwig Foehle.

*

È umido e fa caldo. I machete sibilano nelle foglie carnose del sisal. È una specie di agave. Il fogliame pieno di spine è lungo e affilato come chiodi. Queste piante possono provocare brutte infiammazioni. Le erbacce sono infestate da serpenti velenosi. Un lavoro duro, a cottimo, sette giorni la settimana. 30 foglie danno un mazzo, 110 mazzi un metro cubo, 2,2 metri cubi sono una giornata. Un tagliatore di sisal svelto come William Makinda ce la fa. "Guadagno 900 scellini al giorno". Una volta erano un euro e mezzo. Salari del genere rendono i prodotti al dettaglio – corde, filo, funi, tappeti, cestini – davvero a buon mercato. Mi trovo sui possedimenti della Amboni Ltd., la più grande piantagione di sisal di tutta l'Africa. Si estende senza fine oltre le colline, ben oltre la città costiera di Tanga, in Tanzania. Il padre di Makinda ha sempre lavorato in questa piantagione. Suo nonno, prima di lui, è stato fra i primi che iniziarono a lavorare qui cento anni fa. Il 28 giugno 1890 un certo Karl Perrot, proprietario di omonime case di commercio a Wiesbaden, Zanzibar e Tanga, costruì presso la "città negra di Schumbageni" una fattoria e ci fece piantare caffè, palme da cocco, alcune sansevierie e alberi della gomma. Negli uffici dell'amministrazione osservo un antico quadro, si tratta del direttore Rudolph Schöller, un eroe del suo tempo, ritratto dal principe dei pittori Franz von Lenbach. Nel libro dei ricordi dell'azienda sono attaccate vecchie foto ingiallite dei padri fondatori. George Grosz non avrebbe potuto caricaturare meglio quei ventri tesi, ricoperti da vestiti color kaki, con grossi sigari e facce guglielmine. Nel salone maledicono la schiavitù, nelle piantagioni la fanno sopravvivere con salari da fame. Durante la visita alla Amboni ho avuto occasione di gettare un'occhiata in fascicoli impolverati, e ho potuto scoprire contratti con capitribù ricattati, in cui questi si impegnavano "a compiere il lavoro in qualsiasi momento". Contro gli operai avrebbero potuto essere impiegate, con la compiacente autorizzazione del locale ufficio amministrativo imperiale, "pene disciplinari fino a 15 frustrate (eccezion fatta per donne e bambini)". Si trattava del "negro pigro" e del programma di educazione al lavoro. Se si fa un paragone tuttavia, i "nativi" nelle colonie dell'Africa occidentale venivano trattati meglio.

Il Palais de Laeken, le Arcades du Cinquantenaire, lo Chateau d'Ardennes, l'Arboretum di Tervure, l'Hotel Van Eetvelde in stile Art Nouveau, sono i gioielli architettonici di Bruxelles in perfetta tendenza coloniale – costruiti su mani mozzate. Erano gli arti di quegli schiavi congolesi che non riuscivano a raggiungere la quantità stabilita di caucciù. Da questa sostanza viscosa si ricavò dapprima resina, la domanda mondiale però, esplose dopo che il veterinario John Dunlop, nel 1887, inventò il pneumatico e l'impero tropicale privato, che il re Leopoldo II si era fatto costruire dal massacratore Henry Morton Stanley, cominciò a fruttare guadagni da favola. La sua popolazione però, venne decimata. Secondo i calcoli dello storico americano Adam Hochschild furono circa dieci milioni i congolesi che morirono a causa della violenza, della fame, del lavoro forzato e delle deportazioni. Il mestiere della morte fu reso possibile grazie alla *Force Publique*, una truppa mista composta da autoctoni e da mercenari stranieri, comandati da ufficiali belgi. "L'Europeo non contratta. La sua ragione è data dalle armi", ha affermato Joseph Frässle, un gesuita che ai suoi tempi fu per quindici anni di stanza nell'alto Congo. Il suo collega svedese, Edward Sjöblom scrive: "Ah, se il mondo civilizzato sapesse che qui centinaia, migliaia di persone vengono assassinate, i loro villaggi distrutti e i sopravvissuti... come costoro debbano condurre la propria esistenza in una inverosimile condizione di schiavitù".

L'Europa *fin de siècle* tutto questo lo ignorava. Vedeva nel sovrano

Leopoldo II un filantropo i cui pionieri avevano eliminato la schiavitù e portato la luce della civiltà in un buio continente. Il *Kninkliijk Museum voor Midden Afrika* di Tervuren preserva quell'apparenza di gloria di cui gli stessi belgi amano fregiarsi. È un palazzo neoclassico che venne inaugurato nel 1897 a Bruxelles in occasione dell'Esposizione Universale. All'ingresso ci accolgono le allegorie della visione coloniale. L'*Afrique féconde*, l'Africa feconda, del pittore Erneste Wijnants: l'immagine di una donna robusta e dai fianchi larghi che trasporta sul capo frutti tropicali. L'*esclavage*, la schiavitù, di Arsène Matton: un bruto in taffetano e pugnale ricurvo che sta castigando una donna di colore. E poi, sempre dello stesso Matton, *La Belgique apportant la sécurité au Congo*, il Belgio che porta la sicurezza in Congo. Una valchiria fiamminga armata di corazza, le sue gambe tornite circondate da piccoli negri che la guardano riconoscenti. I belgi avevano predicato civiltà, ma causarono quella barbarie che Joseph Conrad ha così ben descritto nel suo *Cuore di tenebra*. "Massacrate quelle bestie. Uccideteli tutti", grida il protagonista Mister Kurtz. La fonte per la figura letteraria era stata, probabilmente, Léon Rom, un ufficiale della Force Publique. Nel suo giardino aveva fatto piantare le teste dei congolesi decapitati. Rom, alias Kurtz, personifica idealmente tutto il male dell'era coloniale, quando il cuore di tenebra batteva in Europa.

I belgi hanno preso a parlare pubblicamente dei massacri in Congo soltanto nel 2000 – e si sono resi conto di come gli orrori compiuti dai padri e dai nonni abbiano segnato sino ad oggi il destino di quella nazione. Nessuna "madre patria" ha mai sfruttato in maniera talmente priva di scrupoli i suoi domini. Nessuna li ha devastati in questa maniera e abbandonati in uno stato talmente caotico. La missione dei belgi lasciò dietro di sé più prigioni che accademici autoctoni – in tutto, quando i belgi si ritirarono, i "dottori" non erano più di sette. Alla fine il rimedio per l'abolizione della schiavitù era stato peggiore del male.

Ancora una volta, nel 1961, durante il complotto per l'assassinio di Patrice Lumumba, primo premier del Congo indipendente, Bruxelles avrebbe colpevolmente assistito senza muovere un dito. Il convinto nazionalista Lumumba non aveva solo avuto l'ardire di rinfacciare *coram publico* a re Baldovino i crimini commessi durante la dominazione coloniale, ma aveva persino nazionalizzato la fiorente industria estrattiva e gettato nel tumulto il grande capitale straniero. Lumumba doveva morire. Il complotto segreto della CIA, di alcuni ufficiali del servizio segreto belga e di cospiratori congolesi è ben illustrato nel libro *l'Assassinat de Lumumba* del sociologo belga Ludo de Witte. Il potere andò nelle mani del generale di corpo d'armata Joseph Désiré Mobutu, uno dei più solerti despoti al servizio dell'Occidente che s'inserisce perfettamente nel solco di quella tradizione risalente a Leopoldo II – costui rapinò e brutalizzò il proprio popolo come aveva fatto in passato il sovrano belga.

*

Eppure non possiamo essere certo noi (tedeschi) a guardare la pagliuzza nell'occhio degli altri quando nel nostro abbiamo una trave. Il Mr Kurtz tedesco si chiamava Paul Reichard, creò in Africa il *Siedlung Weidmannsheil* e anche lui amava ornare il giardino con teste "autoctone" mozzate. E, accidenti, che razza di ufficiale coloniale che era *chicotte*, come lo chiamava il suo camerata guglielmino *kiboko* – il frustino era un utilissimo attrezzo per far comprendere quei "concetti morali" di cui il ministro delle colonie Dernburg era grande estimatore. Il dottor Carl Peters, nominato commissario dell'impero per la regione del Kilimangiaro, lo trasformò per il "negro" autoctono nel mezzo di correzione più importante. Il console Baumann, che una volta lo aveva accompagnato, scrive in una lettera ai genitori: "Fra l'altro Peters è mezzo matto. Tutto attorno a lui viene regolato a colpi di frusta. Da 100 a 150 sono all'ordine del giorno. Quasi non ci si crede alla paura che le persone hanno di Peters e dei suoi sgherri". Il figlio di un pastore protestante si era laureato con una tesi su Schopenhauer. Durante le "spedizioni punitive" amava molto rifarsi alla saggezza del suo mentore spirituale per difendersi dalla "negatività delle attrazioni terrene". Quella carriera violenta s'interruppe bruscamente. Mabruk, un servitore di Peters, ebbe una scappatella con Jagodia, una concubina dell'harem di amanti dello stesso Peters. L'uomo fece impiccare sia lo schiavo che l'amante infedele. Lo scandalo rimbalzò sino in Germania e venne stigmatizzato al Reichstag dal deputato socialdemocratico August Bebel. Nel 1897 Peters venne licenziato e gli furono ritirati il titolo e i diritti pensionistici. L'uomo venne anche preso in giro dai giornali che presero a chiamarlo "Petersboia". Morì nel 1918. Diciannove anni dopo, *post mortem*, Adolf Hitler lo reintegrò nelle sue funzioni, restituendogli l'onore. Dottor Carl Peters: fulgido esempio ariano. Modello per la gioventù tedesca.

Il colonizzatore sadico è una figura che ricompare in tutte le grandi potenze imperiali. È la persona ideale per gestire il commercio della sottomissione. La sua brutalità rafforza in tutte le colonie la ribellione. In Rhodesia gli Ndebele si rivoltarono contro Cecil Rhodes, il saccheggiatore di maggior successo nella storia coloniale. In Sudafrica gli Zulu combatterono contro gli invasori boeri. In Occidente gli Asanti, i Somali nel Corno d'Africa e i Sudanesi sotto la guida del leggendario Mahdi, si sollevarono contro i britannici. In Africa occidentale le truppe di Ahmadou Cheikou, El Hadj Omar e Samori si ribellarono ai francesi. I Baulè li impegnarono in aspre battaglie in Costa d'Avorio. Nell'Africa sudoccidentale tedesca ci furono prima i Wahehe e poi una lega di guerrieri Maji Maji. Si trattava dei precursori delle guerre di liberazione anticolonialista del XX secolo. Dappertutto nel continente scoppiarono focolai di rivolta. Dovunque vennero soffocati. Solo gli Etiopi riuscirono a sconfiggere gli invasori. Nel 1896 il sovrano Menelik e le sue armate inflissero agli italiani la disfatta più terribile che una potenza coloniale avesse potuto soffrire nel "continente nero". L'Africa ha ampiamente pagato il suo debito di sangue. Nel massacro di Omdurman i britannici sterminarono 11.000 sudanesi a fronte di 49 caduti nelle proprie file. Nel 1904 nell'Africa-tedesca sud-occidentale vivevano circa 80.000 Herero. Nel 1911 si erano ridotti ad appena 15.130. Nell'agosto del 1904, il generale Lothar von Trotha e i suoi incursori avevano sconfitto gli Herero nella battaglia di Waterberg e sospinto i sopravvissuti nel deserto di Omaheke dove questi morirono di stenti – l'inizio tedesco ad un secolo di genocidi.

Gli africani non riuscirono a formare coalizioni stabili che fossero in grado di scacciare gli invasori con la loro forza militare. Dovettero invece capitolare di fronte alla schiacciante superiorità degli armamenti e alla loro logistica. Gli europei avevano a disposizione cannoniere, artiglieria pesante, cavallerie leggere, un sistema di comunicazione capillare e avevano trovato una difesa contro il loro nemico giurato, contro la malaria. Quella difesa era il chinino. Soprattutto però, avevano un'arma finale, definitiva: la mitragliatrice Maxim. *Whatever happens, we have got/the Maxim Gun, and they have not*, filosofeggiò un poeta inglese. Nel marzo del 1906 ad esempio, sir Frederick Lugard fece circondare il piccolo villaggio di Satiru in Africa occidentale e ordinò di sterminare i suoi 2000 abitanti. Donne e bambini compresi. Quando Winston Churchill, allora sottosegretario al ministero delle Colonie e non ancora conosciuto come uomo di leziosaggine, lesse il rapporto segreto su questa "spedizione punitiva" non esitò a definirla un massacro. Il superbo Lugard non fece una piega. Amava chiamare quel campo di battaglia privato "la mia afosa Russia" e vedersi come uno zar. La sua signora, la giornalista Flora Shaw poi, inventò un gran bel nome femminile per il regno dei tropici. Lo chiamò Nigeria.

In questo regno viveva una volta Okonkwo, l'eroe tragico di Chinua Achee. *Things Fall Apart*, il romanzo più bello che l'Africa abbia regalato al mondo, racconta dell'inutile lotta di un nativo contro lo strapotere britannico. Okonkwo cerca di difendere le sacre tradizioni del suo popolo, ma non può nulla contro la volontà di conquista, la tecnica militare e l'impeto di conversione cristiana. I suoi dèi sono privi di forza. Le magie protettrici degli avi falliscono. Okonkwo riconosce che il suo mondo è destinato a scomparire. "Lo straniero ha distrutto tutto quello che ci teneva uniti, tutto è crollato come un castello di carte". All'alba del XX secolo l'Africa era parcellizzata e l'esproprio di un intero continente era stato compiuto.

*

Appropriazione indebita di terre, assoggettamento, sfruttamento. Non è stato giusto, eppure oggi non se ne vuole più sentir parlare e non si vuol considerare quali siano state le conseguenze prodotte dal colonialismo. A quelle linee arbitrarie di demarcazione fra paesi ci siamo abituati. La determinazione di latitudini e longitudini, dell'altezza delle montagne e della profondità dei mari, la misurazione di distanze e temperature, tutto questo registrare, incasellare in tabelle, fare cartografia, in realtà non sono che i primi atti di occupazione. "Non esiste nulla di più violento e brutale che tracciare una linea per dividere un popolo. Soprattutto se si tratta di una linea retta. Questa è l'esemplificazione stessa del disprezzo", possiamo leggere in Thomas Pynchon. Non di rado il colonialista ha tirato la sua linea di demarcazione con il righello, nel bel mezzo di popoli, insediamenti, ambiti culturali, gruppi linguistici. Spesso e volentieri però, ci si dimentica di quello che, così facendo, è stato diviso. E che cosa sia stato invece creato. Si pensi, ad esempio, a uno stato come la Nigeria, una vera e propria invenzione geografica composta da tre grandi popoli – gli Yoruba, gli Ibo e gli Haussa-Fulani – e da circa altre 430 piccole etnie. I Britannici condannarono questa nazione a morire nella culla. Sin dalla sua indipendenza, ottenuta nel 1960, il paese è stato sottoposto alle spinte centrifughe di qualcosa che non è destinato a stare assieme. La violenza tribale fra cristiani e musulmani negli ultimi anni è costata migliaia di vite.

Persino io ho considerato a lungo le linee di demarcazione come l'immagine "lampante" della conquista, come la conseguenza a lungo termine più fatale del colonialismo – e ho invece sottovalutato le devastazioni interne. Queste distruzioni, a prima vista, appaiono invece sotto forma di ordine. Prendiamo per dare una dimostrazione, la geometria della strada che da Buea, ai piedi del monte Camerun, arriva sino alla costa atlantica: file diritte di alberi che si perdono all'orizzonte. La mente corre al simbolo nazionale che Elias Canetti ha attribuito a noi tedeschi: il bosco. Il bosco marciante. Anche questo esercito di alberi – caucciù e piantagioni di cacao – era sotto il comando tedesco. Dapprima giunsero i ricercatori come Barth, Rohlfs, Nachtigall e definirono le piste verso l'interno; poi, nell'ottobre 1884, la fregata Bismarck e la corvetta Olga risalirono il fiume Camerun per insegnare agli autoctoni Tommaso Moro. Infine arrivarono i commercianti, davanti a tutti gli agenti della Kantzen&Thormälen e poi Woermann da Amburgo, che all'epoca controllava la più importante linea di piroscafi a vapore verso l'Africa. L'economia poté fare affidamento sull'esercito. La truppa coloniale tedesca eliminò la concorrenza dei mercanti africani, requisì il territorio migliore, bruciò i villaggi, deportò i suoi abitanti nelle riserve e ammazzò chiunque provasse a rivoltarsi. Fece anche in modo, attraverso il reclutamento forzato, che all'economia di rapina non venisse mai a mancare materiale umano. "Il negro è per sua natura schiavo", riteneva Julius Scharlach, avvocato e imprenditore amburghese. I "negri" lavoravano nelle piantagioni, costruivano strade, ponti, ferrovie e aziende, erano responsabili dei servizi di trasporto. Nel 1904 nella sola provincia di Douala erano attivi 28.000 portatori, fra di loro molti erano donne e bambini. "I villaggi erano vuoti", riporta, non senza una punta di vergogna, l'allora governatore Theodor Seitz.

Le piantagioni avevano nomi altisonanti, oppure comici – Victoria, Moliwe, Porto di guerra, Bibundi – e i suoi manager tenevano statistiche precise che ci permettono di risalire alle inumane condizioni di lavoro. Gli schiavi morivano come mosche. "Non è eccessivo affermare che ogni anno fino al 30% dei lavoratori servissero come concime per le colture", ha riassunto lo storico colonialista Wilfried Westphal. Chi resisteva alla corvée veniva regolarmente ricompensato con acquavite. Gli alcolici, i generi d'esportazione tedeschi più importanti verso Camerun e Togo, facevano allo stesso tempo parte del programma culturale dei colonizzatori e il deputato Adolph Woermann non ne faceva nessun mistero: "Ecco come i Tedeschi si sono potuti impadronire dell'Africa occidentale... Voglio dire, laddove si vuole portare la civiltà c'è bisogno, qua e là, di… stimolanti...". Acquavite, rum, *genever*. Questi *corroboranti* apportarono profitti sensibili alla sua azienda.

Nell'*Afrikahaus* di Amburgo le attività commerciali di Woermann, il "mercante imperiale", appaiono sotto una luce davvero soffusa, esotica. Quando ero redattore politico del settimanale *Die Zeit* mi recavo spesso in quell'edificio commerciale al numero 27 della Großen Reichstrasse. Dalla redazione sino alla centrale della Woermann erano solo tre minuti a piedi. L'ingresso era guardato dalla statua di un guerriero nero, armato di scudo e lancia. Sul portone in ferro battuto rilucevano palmizi argentei. Nel cortile ti accoglievano due teste di elefante in ghisa. L'iconologia di un impero commerciale, materiale per una tesi sulla cosiddetta teoria della dipendenza. Il centro – dunque il colonizzatore – si sviluppa sulle spalle della periferia – il colonizzato. L'azienda Woermann deve il suo successo ad una economia di rapina d'oltremare i cui costi di sfruttamento e mantenimento sono stati sopportati dai contribuenti del Reich tedesco. I sostenitori della teoria della dipendenza sono stati spesso attaccati perché i guadagni dalle colonie erano troppo insignificanti per dare davvero un colpo d'acceleratore allo sviluppo del nord. Dando però uno sguardo ai singoli rami e agli attori dell'economia i loro argomenti sono plausibili. Per quanto riguarda invece le perdite per il sud, non è che queste possano essere sminuite con la favoletta dell'innocua espansione coloniale.

Sisal, caucciù, legnami pregiati, zucchero, banane, arachidi, cacao, tè, caffè, tabacco, olio e palme da cocco, cotone, le regioni più fertili del continente vennero ricoperte di piantagioni. La stessa cosa in tutte le colonie. La coltivazione di *cash crops*, di prodotti ad alta resa per i mercati della madre patria, non solo fu responsabile di quelle monocolture da cui ancora oggi dipendono molti stati africani, ma è anche responsabile del deficit di generi alimentari. L'esportazione crea una nuova dimensione del bisogno: la fame. I piccoli contadini vennero fatti spostare su campi improduttivi e non furono più in grado di nutrire le loro grandi famiglie. Per questo furono costretti ad andare a lavorare nelle piantagioni. Solo così avrebbero potuto guadagnare il denaro per pagare le tasse che i colonizzatori avevano imposto anche con il fine di autofinanziarsi. Il sistema tributario era il cuore della loro missione civilizzatrice: trasformare il "negro pigro" in uno zelante sgobbone. Il giorno in cui il funzionario bianco o il poliziotto nero presero a camminare attraverso il villaggio e a tirare da ogni capanna un filo di paglia per determinare il numero di quelli che dovevano pagare le tasse, rappresentò per i suoi abitanti, l'ultimo atto della sottomissione. "Sai, se paghi le tasse significa che sei stato sconfitto", disse un capotribù del vecchio Zimbabwe. Gli africani d'allora in poi avrebbero dovuto essere schiavi dell'uomo bianco, utilizzare il suo denaro, comprare i suoi prodotti per finanziare il suo esercito e la sua amministrazione. La comunità di sussistenza si sarebbe trasformata in comunità lavoratrice. L'economia del baratto sostituita da quella del denaro. La modernizzazione forzata portò con sé violenti cambiamenti: abbandono delle campagne, emigrazione professionale, sradicamento, violenza familiare, alcolismo. In alcuni luoghi la gente rimase davvero a bocca aperta. Una vera paralisi sociale. Il rapporto fra il singolo e la società, fra uomo e donna, fra vecchi e giovani, fra città e campagne si trasformò. L'influsso delle autorità tradizionali si erose perché queste non erano riuscite a difendere la popolazione come non lo avevano fatto gli dèi e gli antenati. Spesso non vennero più accettate e anzi considerate collaboratrici o forze al soldo del colonizzatore.

"I bambini negri" a cui fu concesso il privilegio di frequentare una scuola delle missioni, si formarono a valori come l'individualismo, la disciplina nel lavoro, la razionalità e la capacità di far di conto, l'igiene corporale, il concetto di linearità temporale e la cultura scritta. Impararono che la religione dei loro genitori non era altro che un cumulo di sciocche credenze. Che quelle norme e quei valori che gli erano stati insegnati erano primitivi. Che la cultura africana impediva il progresso. In questo modo si estinse quella poca autostima rimasta che era sopravvissuta al trauma della schiavitù. Gli animi, il pensiero e i desideri degli africani furono colonizzati.

*

Sul retro del monumento sulla Eckernforde Avenue a Tanga qualcuno ha inciso la frase *Germans go home!* Malonde Maseru non sa cosa significhi. Se lo capisse probabilmente andrebbe su tutte le furie. Il vecchio era un Ascaro, un soldato al soldo delle truppe coloniali tedesche. Per questo suo impegno la Repubblica Federale lo ricompensa con un vitalizio annuale di 81.000 scellini. Nel 1995 erano circa 240 marchi (120 euro di oggi), una bella sommetta in Tanzania. I soldi glieli dà un'inglese. Si chiama Mrs Tamé, è la vedova di un diplomatico tedesco ed è *very british*. È il prototipo di quelle donne coloniali, tenacissime, legate ai tropici, che sono sopravvissute ai loro sposi e non riescono più a fare a meno dell'Africa. Bevono gin tonic come profilassi contro la malaria, amano il rosa shocking, sanno usare un fucile, controllano in modo manageriale le piantagioni di cacao e magari riescono anche a fare beneficenza. Mrs Tamé attraversa la selva facendo un gran baccano con la sua vecchia land rover e si dirige verso Mapotjomi. Oggi è giorno di paga.

Malonde Maseru mi viene incontro marciando rigido come un giovane fante. Indossa un candido Kanzu, una lunga veste bianca di cotone, un corpetto e dei sandali ricavati da copertoni d'auto. In testa ha un berretto e sul mento fanno capolino dei peli bianchi. La pelle è tesa e conciata dal tempo. In bocca ha ancora tre denti gialli.

"La scorsa notte ho sognato un'altra volta della guerra", e incomincia subito a raccontare. Che cosa ha sognato? "La battaglia di Tanga contro gli inglesi". Parliamo quindi del 4 e 5 novembre 1914. "48 ascari coraggiosi", onorati sul monumento di cui si diceva in città, versarono all'epoca il proprio sangue per il *reich* tedesco. "L'imperatore Guglielmo", Maseru fa il saluto militare quando pronuncia il suo nome – "piaceva a tutti!". Canticchia una marcetta in Kishuaeli. "Molti se la diedero a gambe. Voi, no. I tedeschi non ci hanno trattato male. C'erano sempre *ugali* (zuppa di mais) e crauti da mangiare. Fumavamo Nwota Star. E avevamo tante, tante pallottole calibro 9.3". Come è finito a fare il soldato? "Lettow-Vorbeck cercava reclute. Io ci andai e mi fecero un esame per vedere se potevo tenere un arma. Lettow-Vorbeck era un grande uomo. Brandelli di ricordi, serbati come perle in uno scrigno.

No, Malonde Maseru non deve scusarsi di niente. È sano come un pesce – "grazie alla disciplina militare tedesca" – ha già quasi la stessa età di questi baobab. È pressoché centenario. L'età precisa però non la conosce. Il suo camerata Hamisi ha da poco raggiunto i suoi avi. "Oggi stiamo ancora a casa, poi domani si levano le tende", dice in un ottimo tedesco. Ora gli ascari rimasti sono solo due, testimoni fortunati di un'epoca oscura, Maseru parla come i veterani di tutti i paesi e la pensioncina annuale fa risplendere il suo passato. Accetta il denaro con un'espressione da pascià e ringrazia l'imperatore.

In questo incontro degno di nota, il colonialismo ha mostrato il suo doppio volto. Un uomo come Maseru, che ha attivamente partecipato alla propria sottomissione, la considera invece come una cosa eccitante e davvero non si è trattato solo di una forza distruttrice. I tedeschi in Africa orientale hanno lasciato dietro di sé patiboli e monocolture, ma anche una infrastruttura reale, strade, ferrovie, porti, dighe, reti del telegrafo, ospedali, un'architettura moderna, funzionale, adatta al clima e di un'eleganza senza tempo. Hanno costruito un'amministrazione e un sistema scolastico pubblico in cui la maniera di scrivere Kishuaeli è stata latinizzata, da allora in questa lingua la parola *schule* (scuola in tedesco ndt) si dice *shule*. Naturalmente tutti questi sforzi erano guidati da alcune ossessioni: rigore e rettitudine, disciplina e controllo di quello che ci circonda e che veniva recepito come selvaggio e privo di ordine. Qualche innovazione apportò anche effetti collaterali, imprevisti, che alla fine andarono a scapito della dominazione straniera. Questo vale soprattutto per l'effetto della tanto criticata missione: un'intera generazione di partigiani fu allevata nelle strutture ecclesiali, Nrumah (Ghana), Hophouët-Boigny (Costa d'Avorio), Kenyatta (Kenya), Nyerere (Tanzania), Banda (Malawi), Mugabe (Zimbabwe), Mandela (Sudafrica) per citare i più famosi.

A queste persone non vennero solo insegnate disciplina e ubbidienza, ma anche il comandamento dell'amare il prossimo tuo, i principi della giustizia e l'uguaglianza di tutti gli uomini davanti a Dio, i valori umanistici basilari dell'Occidente. Il colonialismo non è stato altro che, contemporaneamente, "assoggettamento politico e liberazione mentale". Questo è ciò che pensa il filosofo keniano Ali Alamin Mazrui. La contrapposizione con il corpo sociale, con l'economia, con il sistema educativo, la religione e i canoni morali dell'uomo bianco, hanno gettato le basi per l'abbattimento del giogo coloniale.

*

Il sogno di un impero coloniale tedesco non durò a lungo. Naufragò subito dopo la Prima guerra mondiale in una serie di sconfitte. Paul von Lettow-Vorbeck, nella cui truppa coloniale aveva servito come ascaro Malonde Maseru, continuò una tenace guerriglia strisciante contro i britannici numericamente superiori. Alla fine però, anche il "leone d'Africa" dovette gettare le armi, ultimo fra gli ufficiali tedeschi a non essere mai stato sconfitto sul campo di battaglia, come si disse dopo il suo glorioso rientro in patria. Il colore e il taglio delle sue uniformi tropicali sarebbero poi servite alle SA come esempio per le camicie nere.

Dall'altra parte del continente, nella parte tedesca sudoccidentale, le truppe coloniali germaniche avevano capitolato molto prima. Il 6 luglio 1915 nella cittadina di Tsumeb, dietro l'Hotel Minen, ben 550 uomini caddero prigionieri in mano ai britannici. Poco prima avevano affondato le loro armi, i fucili e i camion di munizioni Krupp nel lago Otjikoto, che distava circa 19 chilometri. I dominatori cambiarono, ma il carattere teutonico rimase. Non dobbiamo far altro che recarci nel suddetto Hotel Minen. Nella sala grande, fra le corna di gnu, troviamo una collezione di lattine, la classifica della bundesliga di calcio e bigliettini elettorali di Franz Joseph Strauß. Nel menù ci sono filetti d'aringa, wurstel della Turingia e gambuccio di maiale. La musica che ascolto è quella delle amate melodie di Jürgen Markus e Heino. La gioventù bianca porta i capelli alla *vokuhila*. Fuori, nel bar all'aperto, un avventore descrive la vera natura degli "stupidi", dei *babbuini*. Il problema è che: i "babbuini" governano dal 1990 quel territorio sudoccidentale chiamato Namibia e alcuni della loro razza ancora stanno a rompere le scatole ai vicini con quella storia della richiesta d'indennizzi.

Ci sono per esempio questi arroganti capi Herero che vogliono assolutamente essere ricevuti dalle alte cariche della Germania in visita. L'invitato di stato però, il presidente della Germania Federale Roman Herzog, si è rifiutato di incontrare ufficialmente i postulanti. Parlano in rappresentanza di un popolo che le truppe coloniali tedesche fra il 1904 e il 1907 hanno praticamente sterminato e pretendono scuse chiare e magari anche un segno tangibile di riparazione per quel genocidio. "I tedeschi debbono pagare per il sangue dei nostri padri", ha detto uno dei postulanti. Certamente il comportamento dei tedeschi non è stato "esemplare", ha affermato Herzog in maniera lapidaria. Una richiesta di scuse però, non sarebbe altro che chiacchiere. Farebbe più male che bene. Oltretutto si tratta di fatti antichi. Ancora dobbiamo stare a chiedere perdono? Pagare di nuovo? Forse che la Germania, in Namibia al primo posto nel fornire aiuti per lo sviluppo, non fa abbastanza? E poi il passato è passato. Che ce ne frega a noi dei crimini dei nonni?

Ovviamente la Repubblica Federale avrebbe potuto versare agli Herero una specie di riparazione, un paio di milioni per il progetto di una scuola, la costruzione di una fontana oppure dei programmi agricoli. Berlino invece, come tutte le ex potenze coloniali, se ne guarda bene. Parola d'ordine: evitare qualsiasi precedente. Si teme altrimenti di provocare una valanga di immense proporzioni. La posta in gioco infatti, è altissima: 777 miliardi di dollari. Una cifra con nove zeri. Sono il denaro richiesto da una petizione di africani che pretendono un indennizzo da parte di Stati Uniti ed Europa a causa dello schiavismo. Non una parola naturalmente, sul fatto che anche commercianti africani di uomini ci abbiano guadagnato alla grande. "Sono tutte menzogne", si difende offesa una delle postulanti. Chi ha moralmente ragione non crede di doversi confrontare con la realtà storica. Quali sono però i criteri secondo cui queste riparazioni debbono essere suddivise? Chi è oggi a poter dire di averne diritto. Singoli? Popoli? Stati? Forse che sul banco degli imputati oltre all'azienda Woermann non ci dovrebbe essere anche il gruppo ghanese Ashanti Goldfields? E nel caso della Liberia in che maniera si dovrebbe procedere? Lì dall'America nel 1847 ritornarono degli schiavi liberati per costruire una Repubblica. La Repubblica dei Liberi. Costoro realizzarono invece un sistema del terrore. Una specie di apartheid alla rovescia. Nero. E non ebbero remore a schiavizzare i propri fratelli, i "primitivi". La storia del gruppo Firestone, a cui gli americo-liberiani concessero in usufrutto immense piantagioni e una teoria di lavoratori pagati un niente, è uno dei casi più indicativi dello sfruttamento dell'Africa nel ventesimo secolo, una joint venture fra aristocratici neri e capitalisti bianchi.

A parte il fatto che senza dubbio nessuno vorrebbe, o potrebbe, pagare la somma richiesta, le riparazioni finirebbero, così come già succede per una grossa fetta degli aiuti allo sviluppo, nelle tasche dei soliti potenti, ovvero di quelle élite africane che saccheggiano i propri paesi come i signori bianchi prima di loro. I crimini che "il continente africano compie contro sé stesso" sono "talmente smisurati e, sfortunatamente, talmente obbrobriosi, da rimandare continuamente a quei crimini storici perpetrati da altri ai danni di questa terra". A dirlo è un premio Nobel della letteratura. Il nigeriano Wole Soyinka. Tutte le cause della miseria di oggi vengono fatte risalire alla buia epoca del saccheggio. Le vittime sono nere. I carnefici bianchi. Una visione monodimensionale che non considera le responsabilità postcoloniali delle élite autoctone. Questo fa il gioco degli stessi europei che possono rispedire al mittente le accuse degli africani e che, secondo lo stesso modo di pensare, permette loro di non riconoscere la correità per il terribile stato del continente.

In fondo la richiesta di indennizzo non è che un simbolo perché il mondo non dimentichi uno dei più vergognosi capitoli della sua storia. In questo indennizzo traspare ancora una volta la mortificazione collettiva dell'Africa, un'umiliazione che non può essere estinta e che certamente non può neppure venire compensata da indennizzi economici. Il mercato degli schiavi e il colonialismo hanno degradato gli africani a bestie da lavoro e il tragico è che ci credono gli stessi africani. Questa terra ha somatizzato quel complesso d'inferiorità postulato dal darwinismo sociale dei colonizzatori. Questo ha perfino paralizzato i primi pensatori. "Volevo essere una persona. Nient'altro che una persona", scrive Frantz Fanon nei suoi scritti autobiografici. Spessissimo ho sentito africani di cultura parlare male dei loro connazionali: pigri, privi di spirito, buoni a nulla. Ho subito notato lo sminuire della propria cultura e l'esaltazione di tutto ciò che è occidentale e mi sono scoperto a difendere l'Africa di fronte agli stessi africani. Forse questa però è una caratteristica tutta tedesca, quella di "elaborare" dei complessi di colpa. Questo malessere storico che alle volte nasce dalla nostalgia. La stessa che mi prende quando vedo le pregiate facciate art déco di Dakar. Quando, seduto alla stazione di Nakuru, sorseggio tè da tazzine vittoriane nella sala per i viaggiatori di prima classe. Quando a Bagamoyo un uomo mi saluta in tedesco: "*Guten Morgen, Herr Lehrer*". Oppure, ancora, quando in un luogo di schiavisti ascolto il grido del silenzio.

Il sudafricano John Maxwell Coetzee, uno dei più incisivi autori che abbiano scritto dell'Africa, ha steso una nuova versione del romanzo coloniale *Robinson Crusoe*. Al suo Venerdì era stata tagliata la lingua in modo da non poter più raccontare la storia della schiavitù. Il padrone bianco, Mr Foe – un'allusione a Daniel Defoe – dice in un momento in cui il complesso di colpa ha il sopravvento: "Dobbiamo restituire a Venerdì la voce e il silenzio che lo circonda".

*

È una bella giornata. Un giorno luminoso dell'anno 2000. È sabato e la fattoria si chiama Devonia. Sono seduto sulla terrazza con Dennis e Liz Lapham, i padroni di casa. I loro nipotini corrono attorno alla tavola. Davanti a noi c'è un giardino lussureggiante: frangipani fioriti in una esplosione di bianco, felci, strelizie, zebre che brucano l'erba. Dietro si stendono campi di soia, pronta per essere raccolta, agri dove rumoreggia una trebbiatrice. Tutto risplende di una magica luce autunnale, una luminosità ambrata. Un sogno africano. I Lapham raccontano i loro incubi. Quegli strani rumori, l'abbaiare dei cani, il rullare dei tamburi. Qualche volta si avvertono nel bel mezzo della notte. Sono ritmi cupi, monotoni, portati dal vento oltre le cime. "È terrorizzante. Spesso mi sveglio", dice Liz Lapham. "Abbiamo paura che possano arrivare e distruggere tutto. Che possano ucciderci". "Loro" sono i neri senza-terra che calano nelle grandi piantagioni dei bianchi. Suonano tamburi e ballano toyi-toyi, la danza della resistenza, e poi *Hondo! Hondo!*, Bruciamo tutto! Guerra!

Laggiù nella valle, segnalato da un cartello con sopra disegnata una mitragliatrice, si trova la "base 4", il campo di venti uomini. Il loro leader dice: "Questa è la nostra terra. Vogliamo che i Lapham dividano con noi l'azienda". Si chiama Stix Chimuti. Ha undici figli. È disoccupato e affamato di terra. Ha un paio di cicatrici sul corpo ed è povero come i suoi compagni. Possidente e posseduto, l'azienda dei bianchi e il campo dei neri – i poli estremi dell'ultimo conflitto in corso in Africa. Uno scontro postcolonialista. Una lotta in corso in Zimbabwe. "Voi bianchi vi siete presi tutto. I minerali, gli animali, la terra", dice James Gora che mi ferma a un posto di blocco. Sotto al braccio pende una frusta. Ma se invece – come nel caso dei Lapham – la proprietà fondiaria fosse stata acquisita legalmente appena dieci anni fa? "Non importa. Prima di loro i coloni europei quella terra l'avevano rubata e noi ce la riprendiamo". La massa ha la benedizione del presidente. In innumerevoli incitamenti all'odio, Robert Mugabe ha esortato il popolo alla *chimurenga*, l'ultima guerra di liberazione. Questo dopoché lui stesso ha intenzionalmente procrastinato per oltre venti anni una riforma agraria di cui tutti sentono il bisogno. Nel frattempo le aziende agricole più importanti sono state occupate. La produzione di generi alimentari è in ginocchio. La gente muore di fame e quei pochi produttori bianchi a cui viene ancora concesso di fare il proprio lavoro debbono convivere notte e giorno con quella paura che ha accompagnato da sempre il colonialismo. Nella notte ascoltiamo i tamburi. La domenica successiva alla mia visita alla fattoria Devonia sarebbe stato ucciso un altro imprenditore agricolo bianco: David Stevens.

*

Ritorno a Bagamoyo. Ci deve essere stato un momento in cui qui la storia si è fermata e nessuno ricorda più come tutto sia cominciato. In questa cittadina c'è solo un passato offuscato, rovine arabe, cappelle grigie e moschee, lampade che pendono da porte sgarrupate. Non c'è più la forca dove i colonialisti tedeschi appendevano autoctoni recalcitranti. Si possono leggere solo le iscrizioni sulle pietre tombali là dietro. Qui riposano, nella terra di Tanzania, morti per il Kaiser e per il Reich: Franz Groucza, assistente del lazzaretto, Antonie Bäumler, dell'Associazione Tedesca delle Donne, il principe elettore Württemberg, l'ispettore Emil Hochstetter. E anche Gretchen

Schuller, l'amata bambina portata via dopo sei giorni dalla febbre gialla. "Gli occhi lontani / Al cuore per sempre vicina", c'è scritto sull'epitaffio. Il cimitero tedesco, è composto da 21 tombe. Ad est l'immenso Oceano Indiano, ad ovest il corpaccio dell'Africa. In mezzo cento anni di solitudine. Il continente nero ha divorato i bianchi: coltivatori di sisal e fiscalisti, amministratori e maestri di scuola, pescatori di anime e antropologi. E anche gli scorticatori delle truppe coloniali tedesche. Erano venuti in Africa per civilizzarla. Arrivarono con fruste, salmi e statuine di porcellana. Portarono terrore e cultura, tracciarono confini, rubarono la terra, tormentarono le persone, pretesero tasse, costruirono chiese e caserme – e di loro non rimase altro che polvere. I loro lasciti però, avrebbero dovuto pesare come una pesante ipoteca sul continente. Il sistema mondiale come oggi lo conosciamo è, in qualche modo, figlio del colonialismo in Africa. Costruirono un continuum storico in cui la subordinazione economica del continente nero dipendeva dall'Europa. Lo sviluppo del sottosviluppo. Perché l'integrazione dell'Africa in questo sistema è fallita. Non si trattò di modernizzare, bensì di marginalizzare, dice chiaramente il filosofo Valentin Mudimbe. Questo continente si trova ad essere contemporaneamente in una terra di nessuno dello sviluppo storico. Il suo vecchio mondo è morto. Il nuovo non è ancora nato. Di questa crisi della modernizzazione interrotta, della lacerazione dell'Africa e degli africani parla il prossimo capitolo. Questo invece, visto che ci troviamo ancora nel cimitero tedesco, vorrei chiuderlo con le considerazioni di Anna Riet: "La cosa peggiore è che non hanno mai voluto considerarci persone", dice. Anna Riet vive in una casetta sulla Borgward Street di Windhuk. Per tutta la vita ha fatto la sguattera ai tedeschi. Spesso ha pensato: "Dio mio, ma che ci stiamo a fare noi qua? Portaci via!". Non vorrebbe mai riposare in un cimitero vicino a dei bianchi: "Perché forse, finirei di nuovo a dover stirare per loro!".

L'antico muore
Un continente dilaniato fra tradizione e modernità

Una conca valliva circondata da dolci catene di colline. Nella pianura campi di mais, di miglio, alberi quasi gettati lì a caso eppure, come accade nei giardini inglesi, posti secondo un ordine preciso. Lo sguardo segue le fiancate della montagna, corre oltre la pianura e si sofferma un po' su quelle magiche, minuscole fattorie che da quassù sembrano tanti ceppi su cui siano spuntati funghi chiodini. È la terra dei Betamaribé in Benin, contemplata dalla cima del monte Atacora. Ho passato quattro giorni in questo paese e ho pensato che non ci potrebbe essere un posto più bello in tutta l'Africa.

Cominciamo dal vecchio del villaggio che mi invita nella sua *tata*. Le *tata* sono le case dei Betamaribé: circolari, fatte di argilla. Con le loro torrette ricoperte di paglia ricordano piccole fortezze. Distano l'una dall'altra lo spazio di un grido e sono suddivise in piccoli agglomerati sparsi. L'ingresso ovale della tata conduce nella fresca oscurità. La prima cosa che vedo è la cucina, la dispensa, e poi il luogo per attrezzi e armi. Nel porcilaio sento grugnire i maiali. Sembro Gulliver che visita il paese di Lilliput, troppo grande, massiccio, per spazi così minuscoli. Mi arrampico su di una scala i cui pioli sono fatti di tronchi sino al secondo piano nella *tabota*, uno spazio largo circondato da cilindri di argilla e tetti conici. Sono le camere da letto e il granaio. Una è per la donna e l'altra per l'uomo. La terza stanza è per gli anziani. L'ingresso della tata è a ovest, di fianco alla colonna di pietra dei sacrifici, nel punto cardinale dei viventi. Il lato esposto invece, è a oriente, dove si agitano i venti freddi e gli spiriti maligni e guarda nel regno dei morti. Il lato settentrionale è femminile, quello meridionale maschile. Luce, terra aria. Nella tata si aprono finestre che danno sul cosmo dei Betamaribé. La vita sociale, la serie di regole della natura, l'opera degli dèi, l'imperscrutabile ordine del tempo, dello spazio, degli elementi, tutto è riprodotto in una casa fatta di argilla.

È il periodo dell'iniziazione, quel periodo in cui i giovani entrano nel mondo degli adulti. Nel villaggio c'è grande eccitazione le donne macinano granaglie in mortai di legno, bambini graffiati scappano dappertutto nella tata. Gli uomini ammazzano i maiali e si accertano se il *chuku*, la birra di miglio sia pronta. Nel primo pomeriggio torneranno i ragazzi. Hanno passato tre settimane nella foresta. Isolati dalla comunità hanno dovuto imparare a sopportare la fame e la sete. Si sono esercitati nell'arte della caccia e nella lotta con la frusta e hanno dovuto mostrare di non patire né il dolore né la paura. I loro maestri li hanno portati nel mondo degli adulti e non ci sono andati tanto per il sottile. "Qualche volta ci battevano come cani", racconta un candidato e mi mostra lividi ed ematomi. Ma oggi, sia lode agli dèi, l'esame è finalmente terminato. Presto quel giovane potrà bere con gli anziani, cacciare gazelle, costruire una *tata* e sposarsi. Adesso esplode la danza dei giovani che circondano l'albero delle riunioni, ai cui rami sono appesi le loro armi – archi, faretre, lance. Avanzano a mezzaluna, restano sul posto e poi di nuovo in avanti, battendo i piedi tanto da far tremare il suolo. Piccole nuvole di polvere si sollevano sotto di loro. Su tutto prevale il ritmo dei campanelli che tintinnano come pietre in un barattolo, sempre più forte. È un battito che scuote i corpi dei danzatori, come se fossero un organismo unico. I candidati, tutti fra i dodici e quindici anni, nudi come vermi, hanno addosso soltanto corna di bufalo e collane Caori. Vengono incitati dalle donne e dalle ragazze del villaggio che gridano, canticchiano, applaudono. Allo stesso tempo, e con un certo interesse, si contempla il livello di mascolinità dei candidati. È un rituale che percepisco come armonia completa.

In un angolo nascosto oltre le montagne i Betamaribé hanno potuto preservare le loro tribù e le tradizioni. I loro dèi sono sopravvissuti ai guerrieri religiosi e all'offensiva missionaria cristiana, ai dominatori francesi e tedeschi. Lo stile di una *tata* dimostra la loro capacità di difendersi. Avevano la grande fortuna che la lingua di terra su cui sono nati non avesse importanza economica e tantomeno strategica. Non sono crollati da soli come la comunità di Okwonkwo raccontata nel libro di Chinua Achebes *Things fall apart*. Per ora. Oppure è tutta un'illusione? Sono forse sotto l'effetto di troppa birra di miglio? Adesso comincio anche io, come Gauguin aveva fatto in passato, a blaterare di purezza e pulizia, di nobile ferinità, di gente che vive felice e sobriamente, lontano dai ritmi forsennati della vita moderna? Quello che vedo del mondo dei Betamaribé non è quello che essi trasmettono. La loro vita quotidiana è dura, misera e monotona. La siccità è periodica, ci sono malattie insidiose, alcolismo, zizzania, una superstizione che avvelena la vita sociale. Molti lattanti muoiono e pochi adulti diventano vecchi.

Queste persone vivono di stenti, bisogna fare qualcosa, dare una mano, fare in modo che stiano meglio! Tante calze per i poveri negretti, c'è scritto nei *Buddenbrook*. Lasciate in pace gli africani. Sono poveri, ma contenti! Da quando è stato inventato l'aiuto allo sviluppo sono questi i due poli del dibattito. Diamo giudizi sui rapporti con il terzo mondo secondo le categorie del benessere. La povertà ci infastidisce e d'altro canto la vita semplice risveglia in noi la nostalgia verso uno stato vicino alla natura, modesto, verso una serena sopportazione. "Ciascuno sembra vivere in un mondo a sé", ha scritto Goethe nel 1787 parlando di Napoli. Eppure l'autore non vedeva le privazioni dei quartieri poveri. Ecco la trappola dei tempi moderni: ci ammaliamo di abbondanza e siamo tentati di spiegare l'esistenza solo in termini di mancanza!

"Niente foto! Le immagini rubano lo spirito della festa!", ordina lo stregone. Mentre seguo da lontano la celebrazione sento su di me il suo sguardo severo. L'aria è pregna di un'inspiegabile tensione, una minaccia. Se l'obiettivo della mia macchina fosse stato diretto sui ballerini probabilmente si sarebbe arrivati alle armi. Eppure la potenza distruttrice della storia, il coltello della modernizzazione non potranno essere respinti. Probabilmente questi giovani appartengono all'ultima generazione che potrà rispettare le leggi dei padri. Già adesso vedendo quelle auto che di tanto in tanto attraversano la valle, spuntano i desideri e l'insoddisfazione. Nel capoluogo di Naititingou si è deciso di asfaltare la strada. Presto su di essa scivoleranno nuove, irresistibili divinità: BMW, Nike, Windows. E tutto crollerà (*things will fall apart*).

*

Sono così affascinato dal mondo dei Betamaribé perché in esso scorgo qualcosa di perduto: la chiarezza, la semplicità, il bastarsi, quell'armonia tipica della vita pre-moderna. È un impulso melanconico, europeo. Pier Paolo Pasolini, grande autore e cineasta italiano, ha scritto di lamentare la perdita di "quel mondo contadino, senza confini, prenazionale, e appena industrializzato" e di trattenersi per questo "quanto più a lungo possibile nei paesi del terzo mondo in cui tutto questo ancora sopravvive, sebbene anche il terzo mondo stia ormai orientandosi verso lo sviluppo". Il rullo della modernizzazione avanza inesorabile. Ha distrutto la vita dei campi in Europa e con essa l'idillio che tanto piace all'uomo civilizzato al posto della azienda contadina, del fornaio del villaggio, del fabbro, della lentezza e della tranquillità, ci sono l'industria agraria, il supermercato, il paesino spopolato, il tempo che tutto controlla e la lotta per la produzione. Parliamo di trasformazioni sociali oppure strutturali dello spazio agricolo. I suoi abitanti conservano i relitti dei cosiddetti "buoni vecchi tempi" ridotti a nostalgico kitsch: il correggiato appeso alla parete, la carriola usata come vaso da fiori, il barile della salamoia in cui ficcare gli ombrelli. In Africa troviamo ancora quel mondo originario, apparentemente autentico per questo un viaggio in questo continente risulta così attraente non solo per i critici del progresso oppure per chi è stanco della civiltà.

La trasformazione sociale è un processo universale, qualcosa che presto o tardi investe qualsiasi sistema comune, un qualcosa che arriva persino nella foresta più impenetrabile, nell'isola più sperduta, nel deserto più lontano. Si sviluppa in gradini evoluzionistici dalla società arcaica sino a quella moderna, dai cacciatori e semplici raccoglitori ai contadini, dal nomadismo alla stanzialità, dalla semplice cultura della coltivazione sino ad un sistema agricolo elaborato. Dalla civiltà contadina a quella industriale. "Tutto si dissolve. Quanto c'è di più santo viene profanato", ha scritto Karl Marx a proposito degli ultimi gradi di questo processo. Non mi permetto di discutere le teorie dei vari sociologi sulla modernizzazione, la dinamica delle forze produttive, il significato delle innovazioni tecnologiche, le molle della ripartizione del lavoro, delle differenze sociali, del cambiamento di valori. Solo la legge fondamentale di ogni modernizzazione è sempre la stessa: adeguarsi o soccombere.

Quelle africane sono società ibride in cui gli oggetti di alcune differenti fasi dello sviluppo stanno gli uni accanto agli altri: il giavellotto e il fucile a ripetizione, la slitta da neve e la quattro per quattro, il cellulare e il tamburo per trasmettere notizie, la zucca a fiaschetta e il bidone di plastica. Il nuovo medium della comunicazione globale, internet, probabilmente cambierà definitivamente l'Africa così come tutti gli influssi stranieri. Lo stato ibrido della società si riflette nella consapevolezza dell'uomo; è contemporaneamente legato con quanto resta della vecchia cultura africana e della più recente cultura globale. Georg Simmel ha descritto questo stato che gli europei hanno vissuto nel XIX secolo nella sua opera del 1890, "sulle differenze sociali". Una volta la tradizione determinava gli uomini, ne predestinava il corso della vita; adesso l'uomo è stato sradicato, è un individuo in divenire senza alcun contatto con la comunità.

Ci sono cose che provengono da ere diverse: in una baracca ai margini dell'aeroporto di Dakar scopro un computer portatile. Su di un quartieraccio di Maputo fa bella mostra di sé un cartellone pubblicitario dove un leopardo si tuffa in un'antenna satellitare, oppure ancora questa strana ferrovia in Mali dove la locomotiva, quando cala la sera, inspiegabilmente si ferma. Aspetto un'ora, poi due, tre. Vado a spasso per tutto il treno. Alla fine del convoglio il macchinista sta battendo con una pietra acuminata sull'aggancio dell'ultimo vagone. Non ha né un martello né una pinza. "La locomotiva è rotta. Aspettiamo che ne arrivi un'altra a trainarci". Una scena folle. Una scena africana nella tremolante luce delle lanterne. Una pietra che cerca rumorosamente di contrapporsi alla meccanica del XX secolo. Talvolta la frattura si vede anche nei desideri come quelli di Monsieur Mongo, il dentista della città di Kisangani. Il suo ambulatorio è ospitato in un appartamento sgarrupato, di epoca coloniale. Su di un poster alla parete c'è una KaVo Systematica 1060, l'ultimo grido in termini di sedie da dentista. È roba francese. Il trapano del dottore funziona grazie a un fon. Sono stato davvero felice allora, di non avere mal di denti.

L'immagine che più di tutte rappresenta questi sfasamenti temporali però, l'ho vista nel nord della Tanzania, sulla strada che da Longido porta ad Arusha. Lì, davanti a un panorama da mozzare il fiato, ai margini della strada c'era un *moran*, un giovane guerriero Masai che sorvegliava le greggi. Nel lobo del suo orecchio c'era uno di quegli scatolini neri della Kodak; vicino a lui un pilone d'acciaio per le trasmissioni perforava il cielo della sera. Faccio visita al vecchio del villaggio, Ngereza Sengeon Mollel nella sua *boma*: due capanne senza finestre ripulite con sterco di vacca. La parte destra la divide con la prima e la parte sinistra con la seconda moglie. Ha otto figli. Entro nella capanna di destra. Un puzzo penetrante di ammoniaca, grasso, feci. Un fumo aggressivo. Nel mezzo arde un fuoco, in un angolo sta bollendo qualcosa. Una donna esce dalla penombra. Indossa grossi monili di perle alle braccia e alle gambe. Al suo collo anelli di rame. Viene servito del tè. Mollel parla, mentre il suo figlio più piccolo, con una pagliuzza, giochicchia con il mio polpaccio bianco. "Ci hanno trasferito qui a Long Jave, vuol dire "il luogo dove fa molto freddo". Era il 1965. "Da allora i Masai Mara non migrano più. L'immensa savana era diventata troppo piccola. Prima furono i coloni bianchi a sottrarre la terra. Poi, fu la volta di un'organizzazione per la difesa degli animali diretta da uno zoologo tedesco molto noto in tv: Berhard Grzimek. Si disse che i tanti capi di bestiame dei Masai minacciavano l'ineguagliabile fauna del posto. Siccome i Serengeti non potevano morire e la natura deserta era più importante dei selvaggi, vennero create riserve naturali nella savana. Uomini e animali diventarono sempre di più e i pascoli sempre più ristretti. Alla fine arrivò lo stato con i suoi progetti agrari che riducevano ancora di più lo spazio. Popolazioni seminomadi non facevano parte del piano. Avevano bisogno di troppa terra. Di conseguenza una parte di esse venne resa stanziale. Uno shock culturale per i Masai che disprezzavano la condizione di contadini. Trent'anni dopo i coloni di Long Jave bevono ancora sangue di manzo, circoncidono ancora i figli e praticano l'infibulazione alle bambine. Le migrazioni le attuano solo nei miti. Al dio Enkai non offrono più animali in sacrificio perché adesso pregano il Cristo cristiano. "Abbiamo portato via la pietra dei sacrifici e non è successo nulla. Non ci interessa cosa dice Enkai. Credo sia morto". Mollel e i suoi però non sembrano più felici. Vivono in un presente senza aria. La loro tribù e le usanze stanno scomparendo. Dalla terra sconfinata al pascolo parcellizzato. Dalla democrazia del villaggio a quella delle urne. Da una società che si difendeva alla società aperta – il balzo nel moderno è ancora troppo lontano. Quello che l'Europa ha avuto il tempo di fare in molte generazioni si pretende che l'Africa lo faccia in una. E così l'orgoglioso *moran* è la quintessenza di un futuro incompiuto. Adesso sta lì, sperduto al margine della civilizzazione, strappato ai ritmi della natura, deriso per quell'orologio al quarzo che porta al polso e che non sa leggere. Ridotto a un ricordo fotografico per i turisti che fanno safari. Vaga senza meta. Ha iniziato a ubriacarsi. Abbandonato. Rassegnato. Nel 1980 sono venuto qui per la prima volta. A Longido c'erano due baretti e niente luce. Un villaggio pacifico. Addormentato. Rimasto indietro. Nel 2000 il numero dei suoi abitanti era raddoppiato. Erano arrivati luce e telefono, una dozzina di birrerie e tutti i conflitti sociali del mondo.

*

Gli europei li hanno battezzati Boscimani. Loro si definiscono San. Sono gli abitanti originari dell'Africa del Sud. Assieme ai Khoikhoi – Ottentotti nella terminologia coloniale – formano la famiglia dei Khoisan. Ne sopravvivono ancora circa 100.000 nel sud del continente. Parlano una lingua incredibile di cui non saremmo in grado di ripetere i suoni senza rischiare di slogarci la lingua; possiamo riuscire a scriverla solo con l'aiuto di ingombranti lettere sussidiarie. Anche sui San la modernità è precipitata sotto forma di riserve e stanzialità forzate. In Namibia gli hanno perfino dedicato una "capitale": Tsumkwe nell'arido nord-est del paese, proprio sotto alle vette del Caprivi dedicate al cancelliere del Reich tedesco. Tjum!kui, come dicono gli stessi San, è uno dei luoghi più tristi che io abbia visto in Africa. Un ammasso di case al crocevia fra due strade che nascono dalla giungla. Un posto di polizia, scuola, prigione, chiesa, due ostelli, un edificio dell'amministrazione, una pompa corrosa dalla ruggine dove non c'è benzina, un Pronto Soccorso dove mancano i medicinali. In mezzo a tutto questo ci sono ventisette *shebeens*, rivendite illegali di alcolici, tramezzi di legno dove continuamente si sbevazza. Quando ci sono soldi.

Il caso ha voluto che arrivassi a Tjum!kui in un giorno di paga, assieme agli abitanti del villaggio di !Ao=/'s. È il 20 del mese, il giorno in cui i vecchi ritirano la pensione statale. Sono circa 25 euro. Accompagnati dalla loro tribù, portano il denaro di filato a un grosso bidone di plastica blu da dove un donnone degli Herero mesce una specie di birra fatta di malto e zucchero. C'è anche dell'acquavite e si capisce subito perché la chiamano *witblits* – arriva sparata nel sangue come un lampo bianco. In appena dieci minuti la gente di !Ao=/'s è ubriaca fradicia. Battono i piedi al ritmo di una musica sparata da un radiolone, barcollano, balbettano, biascicano, gridano e si azzuffano finché, prima o poi, finiscono con il sedere per terra e un'espressione un po' così. Hanno dimenticato come si chiamano, dove vivono, chi sono. "Il posto della morte", ecco come definiscono la loro "capitale" gli Ju/'oansi, una delle tredici famiglie linguistiche dei San. È il luogo in cui si realizza il vaticino di =/Oma G/aqu.

=/Oma G/aqu era l'uomo più anziano del villaggo di !Ao=/'s. Quando vi ero arrivato, due estati prima (sarebbe morto di lì a poco), mi aveva raccontato della bella vita nella sua giovinezza, di quando poteva correre ancora come un'antilope e le tribù dei San vivevano ancora seguendo la luna, le piogge, il corso dei fiumi e la vita selvaggia. Quando la terra era ancora vasta e il cielo alto. Finché un giorno non sono arrivati quei neri con il loro bestiame e i bianchi con le loro leggi e le armi. Si sono presi la terra e hanno costretto quei seminomadi a diventare stanziali. I San furono "piantati" come se fossero alberi di baobab e i giovani disimpararono come si migra, come si caccia, come si sopravvive, finché un giorno la luce si è spenta negli occhi di =/Oma G/aqu. Sedeva di fronte a me come Tiresia, l'antico indovino greco, alzando implorante il braccio e fissando con uno sguardo fisso un cespuglio: "Il nostro tempo è finito".

Quegli uomini che da 40.000 anni attraversavano i deserti, le savane e le montagne del sud dell'Africa furono scacciati da due culture superiori: dai Bantu, neri, allevatori di bestiame che arrivarono a premere dal nord, e dai coloni bianchi che sarebbero arrivati migliaia di anni dopo con i loro carri. Le riserve e gli agglomerati dove vegetano sono come bare, in cui la tradizione viene seppellita. L'ultimo atto dell'annichilimento lo ha fornito, come per gli indiani d'America, l'acquavite. Si possono vedere San alcolizzati e perduti che vagano a Windhuk, Kimberley o Città del Capo. Nessuno vuole averli vicino. Si tollera solo la loro cultura. Vivono in una specie di *etnokitsch*, sono "tipici" come gli spazzacamini, le uova di struzzo, o la tappezzeria del conquistatore bianco. Lo stile boscimano è arcaico, innocente, un lontano ricordo dell'infanzia del genere umano. Sono guardati come graffiti del neolitico. Nella sua malinconica opera *Il mondo perduto del Kalahari*, il sudafricano Laurens van der Post parla di quegli uomini dell'età della pietra "puri di cuore", della loro "selvaggia ferinità" e della "vera femminilità" delle loro donne. Alcuni di questi nobili selvaggi con quella divertente acconciatura con chicchi di grano, la pelle gialla come un'albicocca, e quegli occhi scuri di antilope non sembrano per niente santi. Il romanticismo è figlio della distruzione. Inutilmente i poeti cercano di salvare ciò che la loro civilizzazione ha distrutto.

*

L'uomo, dapprincipio mi sembra un ragazzino. Sembra essere cresciuto nella *Forêt de Ngoto*. Mi squadra da capo a piedi sospettoso ma non si muove di un passo. All'improvviso è circondato da venti o trenta persone. Anche loro sono balzati fuori dalla boscaglia. Mi guardano. Li guardo. Sono nudi. Pigmei. Dal greco *pygmaios*, "alto come un pugno", sta scritto nel vocabolario. Fra di loro si chiamano BaAka. Anche loro appartengono, come i Khoikoi e i San, ai paleonegroidi, gli ultimi discendenti dei primi abitatori dell'Africa. Anche di loro ne sono rimasti circa 100.000, vivono sparpagliati in nove nazioni diverse, nelle impervie foreste pluviali dell'equatore. Mi sono imbattuto in loro nella Repubblica Centrafricana, ai margini di una strada forestale.

L'uomo mi fa cenno di seguirlo. Attraverso la cortina verde arrivo a una radura dove ci sono una dozzina di capanne simili a igloo ricoperte di erba, foglie e ramoscelli. Un cucciolo annusa delle radici di manioca che stanno a cuocere su carboni ardenti. Farfalle di un giallo zafferano svolazzano fra i raggi del sole che filtrano. All'ombra di questi alberi giganteschi queste persone sembrano ancora più esili, delicate, vulnerabili. Minuscoli esseri neri. Questi piccoli uomini ridacchiano quando la macchina del fotografo scatta. Le immagini sviluppate sono simili a finestre attraverso cui ci fanno cenno individui di un'altra epoca. Walter Benjamin una volta ha scritto: "L'attesa è uno scambio di sguardi. Si attende di ricevere quello dato". La macchina fotografica non ricambia nessuno sguardo. Lo ruba.

"In quanti vivono nella vostra tribù?" "Viviamo nella foresta". "Dove coltivate la manioca?" "Le radici sono buone". Le mie domande e le loro risposte dividono mondi che non sanno ascoltarsi. Il traduttore non ne può più. Solo una volta che parliamo di "elefanti con le ruote", di grossi camion che vengono a caricare legname, i nostri due universi si avvicinano. "La strada che porta ai confini della foresta diventa ogni giorno più breve", dice un anziano. I BaAka avvertono la minaccia, ma non sanno darle un nome. Motoseghe, caterpillar, aratri – mancano le parole. La foresta vergine che li protegge diventa sempre più piccola. Viene dissodata col fuoco da allevatori e agricoltori neri e disboscata da giganti del legno che provengono da Europa e Asia. Sgranocchiamo della manioca. Guardiamo il cucciolo che insegue le farfalle. Sorridiamo. Fumiamo. Facciamo disegni nell'aria. Non abbiamo altro modo di comunicare.

In Africa non c'è più posto per cacciatori e raccoglitori. Le strade entrano nella foresta, alcuni geometri misurano territori. I satelliti sorvolano le grandi foreste. Quello che, nell'era postcoloniale, ricadeva nell'incognito, in una generazione sarà cancellato. Comunità senza una gerarchia sociale e steccati che separano, senza disciplina diritto punitivo e difesa non se ne vedono più all'inizio del nostro secolo. I BaAka non votano, non hanno diritti e non hanno protezione. Sono considerati primitivi sia dai bianchi che dai neri.

Cappellini da baseball e banconote, occhiali da sole, radio urlanti e birre che intontiscono, seducono la piccola gente della foresta e la legano per sempre a posti come Bayanga dove c'è una segheria. Nei capannoni tronchi giganti rimbombano su guide d'acciaio. Ruotano su se stessi mossi da una scortecciatrice per poi essere tagliati da colossali seghe circolari (a nastro). Là dentro scopro i pigmei, inerti, addetti alle pulizie: degli schiavi pagati niente, che collaborano alla distruzione del loro ultimo rifugio. Nell'amministrazione della segheria c'è appeso un diagramma con le tariffe: macchinisti e operai specializzati guadagnano fino a 950 franchi al giorno. Seguono poi sei livelli per gli operai generici. Nell'ottavo e ultimo gruppo non conta più nemmeno la qualificazione, solo la razza: pigmei. Prendono 400 franchi al giorno.

Ci sono sempre stati durante i miei incontri con i popoli primitivi dell'Africa questi momenti in cui ho provato tristezza e vergogna. Devo riconoscere il fatto che anche noi lavoriamo nella grossa segheria della civilizzazione. Noi reporter. Noi gli scopritori della postmodernità. Siamo i messaggeri della distruzione.

*

Lascio la giungla e mi dirigo nella grande città, verso Bangui, verso Jaoundé, verso Abidjan. Non appena metto piede in un albergo di lusso, all'Hotel Ivoire ad esempio, mi lascio alle spalle l'Africa. Dietro quei vetri fumé comincia la Francia: gioielleria, profumeria, pasticceria, fiorista, boutique di moda, *supermarché*, galleria d'arte, cinema, giornali francesi. L'ospite dimentica la povertà, la sporcizia, la criminalità della città, le guardie all'ingresso la tengono lontana. Quel totem ornato con maschere e zanne sulla rampa d'accesso, le sculture di ebano, specialità ivoriane nel menù, un'opera d'arte che nel vestibolo rappresenta danze primitive – questo è il massimo di Africa che venga tollerato all'Ivoire. Le stesse belle di notte, cercano di rendere più luminoso il nero della loro pelle con velenose creme sbiancanti, trasformandolo in un marrone castagna. Sembrano qualcosa che fa parte di un altro mondo. L'Ivoire è un grosso teatro dell'illusione in cui le élite nere e i loro aiutanti bianchi stanno fra loro. Solo fuori, sulla veranda, piluccando con dei gamberetti, quando il vento porta i miasmi della laguna, la realtà arriva alle narici dei signori. Ma è già saltato un altro tappo di champagne e si guarda dabbasso alle migliaia di luci di Abidjan. Abbiamo la veduta più spettacolare di tutta l'Africa. Voilà!

Qualche volta, al bar dell'hotel, faccio conoscenza con un segretario di stato oppure con un funzionario di partito che si entusiasma per la sua moderna città. Allo stesso tempo critica i valori africani originali, le usanze degli antenati, la vita precoloniale, i tempi andati. È durante queste conversazioni che mi viene in mente quella statua che sta a St George's Mall, nella zona pedonale di Città del Capo. Si tratta di un feticcio iperdimensionato, nero come la pece e liscio come le sculture *makondo*. Il suo corpo è trafitto da teste di Bart Simpson. È opera di Brett Murray e si rifà a una metafora religiosa: il martirio di San Sebastiano. L'eroe dei fumetti trafigge le carni dell'Africa così come le frecce trafissero il corpo del santo. Simbolizza lo stato spirituale del continente, il suo dissidio fra tradizione e modernità, fra straniero e autoctono. È in questo stato d'animo che si trova il mio interlocutore al bar dell'hotel. Di fatto vorrebbe vivere in maniera moderna ed evoluta. Rifugge la campagna e la tradizione. Eppure queste non lo abbandonano. Ogni weekend infatti scappa dalla città e dalla modernità e va nella sua *shamba*, così si chiama in Kenya, ritorna alla sua capanna, al suo villaggio, al suo gregge. Via la cravatta, la giacca, la maschera da colletto bianco e le nevrosi urbane.

Le metropoli del continente si fanno belle con opere sfavillanti. Nel perimetro di Ouagadougou sta nascendo una città tentacolare, in un pasticcio sudanese postmoderno. Lagos è attraversata da autostrade e *flyovers* più larghe che a Los Angeles, l'aeroporto di Bujumbura. Il teatro nazionale di Accra. La stazione termini di Tazara in Dar es Salaam. Lo Sheraton ad Harare. L'Opera di Pretoria. I casermoni-dormitorio sul modello di quelli della RDT a Maputo. Abuja è la gigantesca capitale tentacolare della Nigeria. Si potrebbero fare esempi a non finire per esprimere le manifestazioni mal riuscite della modernità. Spesso sembrano qualcosa di futurista quasi fossero state concepite da Tatlin, spesso mostrano invece una propensione al totalitarismo che distrugge ogni tradizione, ogni ricordo. Altre volte invece, sono strane come il monumento che ad Accra è dedicato all'indipendenza del paese e che sembra una pubblicità di McDonald. Il museo storico di Jaoundé, stretto fra i complessi ministeriali come uno sgabuzzino per le scope. Abbasso il passato! Non rimarremo mai più indietro! Eppure i grattacieli, quintessenza della modernità, stanno in mezzo al niente. Le loro ombre cadono su ghetti, bidonville, Sanytowns, Bairros. Se andiamo a guardare dietro la facciata dei grattacieli africani c'è il buio. Niente elettricità, le condutture d'acqua sono asciutte, la luce non funziona. Interruttori, rubinetti cromati, maniglie delle porte, tutto quello che aveva un valore economico è stato smontato e svenduto. I gabinetti sono fogne. Gli infissi trasformati in legna da ardere. I balconi sono pollai e i parcheggi sono orti. Sul marciapiede incontro uomini con machete e pecore che guardano le finestre vuote. Vado dietro il palazzo di una banca e mi ritrovo in un mercato di bestiame. Il villaggio, la vita contadina, sono emigrati in città. Come dovunque ci sia stato un salto in una subitanea modernità, la vita contadina è sopravvissuta nelle costruzioni di cemento, quelle stesse che ho visto nella Bucarest di Ceausescu. Non si differenzia molto da Luanda o Kinshasa – si tratta di *slums*, di ghetti verticali.

La grande città africana è nata sulle basi militari e amministrative dei colonialisti e ha continuato a ingrandirsi dopo la partenza della Potemkin. Nessuno se la sente di passeggiare di notte nei suoi meandri. È vuota, imprevedibile, pericolosa. Manca l'urbanità, la vita pubblica, la società civile. Mancano i cittadini che rendono tale uno città. A Dakar, Nairobi oppure Johannesburg si sta lentamente costituendo una borghesia nera, ma nella maggioranza delle città africane la stiamo ancora cercando. Per semplificare ci sono i ricchi e potenti, quelli che trafficano negli apparati dello stato e delle forze armate, una casta di commercianti e la massa che non ha niente. Sopra e sotto. In mezzo non c'è nulla. Senza uno strato borghese tuttavia, in

Africa non ci sarà mai una vera modernizzazione, dice Yoveri Museveni, il presidente dell'Uganda. E così la città africana resta un luogo dove il moderno che incombe e quello che resta della tradizione si scontrano. I macchinoni di lusso e le carrette. Il traffico automobilistico e il bestiame, il telefonino e la fame, il vestito Armani e gli stracci del poveraccio, il tempio bancario con i capitelli dorici e la capanna con il tetto di sterco.

*

Rimpiangono il loro passato paradisiaco. Vivono psicologicamente nel Medioevo. Non fanno nulla per migliorare la propria situazione. Sono vigliacchi, mediocri, pigri e piagnoni. Chi è che liquida così gli africani? Un direttore di banca svizzero? Un ufficiale coloniale britannico in pensione? Un impiegato razzista di un ufficio delle relazioni esterne di Berlino? Nulla di tutto ciò. Si tratta di un'africana. Si chiama Axelle Kabou, nata nel 1955 a Douala in Camerun. Ha studiato lingue, economia e scienza della comunicazione a Parigi e vive a Dakar (Senegal). Sa di cosa parla. Kabou è stata a lungo nel ramo della carità, ha coordinato progetti di sviluppo e assistito presidenti.

Dopo aver lasciato il lavoro ha pubblicato un libello. L'Africa sta sull'orlo dell'abisso. Il continente offre le peggiori prestazioni del pianeta. Che cosa è stato fatto dagli anni dell'indipendenza in poi? Un accidente. Quando Kabou ha letto a Dakar la sua provocatoria opera *"Et si l'Afrique refusait le développement?"* (e se l'Africa rifiutasse lo sviluppo?), è successo un terremoto. È stata offesa. Chiamata traditrice. Una donna che aveva venduto la sua anima a Parigi. Una che non era più figlia dell'Africa.

Axelle Kabou ha rotto un tabù. Non ha dato la colpa per la situazione del continente solo a capi di stato ammalati di potere e ad élite corrotte, ma anche alla gente normale. A tutti. Gli africani credono ancora che il resto del mondo debba essere responsabile per il salvataggio del continente – una specie di compensazione tardiva per colpe pregresse; il loro vittimismo – e questa mentalità da straccioni, viene rafforzata attraverso l'atteggiamento di alcuni bianchi un po' naïf. Gli africani dovrebbero guardarsi un po' allo specchio e riconoscere quello che è stato il proprio apporto ad una situazione talmente grave. Non lo fanno. Sono sempre gli altri i colpevoli. Le multinazionali. Il sistema che regola il commercio internazionale. La Banca Mondiale. Il debito contratto nei confronti dei paesi del primo mondo e il WTO (World Trade Organisation). Senza dimenticare i danni lasciati in eredità dalla storia coloniale. Élite nere e soccorritori bianchi non fanno che confermare la leggenda secondo cui ci sarebbe "un secolare complotto dell'uomo bianco contro i neri" e si risparmiano la riflessione su quelle che possono essere le cause complesse di una crisi che dura da sempre. Proprio per questo la tesi di Axelle Kabou deve sembrare blasfema. Questa storia che "l'Africa, questo continente incantevole, prima dell'arrivo dei colonizzatori fosse un tutt'uno meravigliosamente armonico" è un mito anticolonialista. Non corrisponde alla realtà. "Il suo pamphlet è un *cri de colère*, un grido di rabbia, e spesso queste manifestazioni portano a mettere in fila determinati argomenti in maniera grossolana e tagliargli con l'accetta. Kabou non è scevra da stereotipi ("l'africano" come tipo). Dimentica di considerare quei fattori esterni che hanno portato alla crisi cronica. Una specie di sindrome da privazione che la dominazione bianca ha lasciato nella psiche collettiva. Dimentica anche che l'Africa non ha ancora compiuto quel balzo da società agraria a società industriale. La modernizzazione è stata innestata su di una società le cui strutture sociali e culturali non erano in grado di sopportare. Ma non sono state solo (cause) immanenti, impedimenti insiti nei rapporti africani che hanno impedito lo sviluppo di quei necessari aumenti di produttività. Facciamo solo un paio di esempi per mostrare come i colonialisti abbiano ucciso nella culla alcuni tentativi africani di creare aziende. I tedeschi in Camerun hanno scacciato quei mediatori che facevano buoni affari organizzando i traffici commerciali fra la costa e l'interno del paese. In Costa d'Avorio i francesi hanno fatto fuori la concorrenza dei coltivatori di cacao locali. In Rodesia i coloni britannici con un diritto terriero criminale e una perfida legge sul controllo del mais, emanata nel 1931, si sono liberati dell'agricoltura nera su larga scala.

Eppure per queste piccolezze non c'è spazio nella generalizzazione di Axelle Kabou. I suoi verdetti alle volte sembrano tanto simili alle semplificazioni proprie di Albert Schweizer. Agli infantili africani semplicemente manca la "voglia di progresso", scrive il medico della giungla. "Il loro ideale è la vita più semplice e meno complicata possibile". Ergo: non c'è nessuno spunto che fuoriesca dalla tesi centrale della Kabou che possa essere oggetto di un serio dibattito. Non parla soltanto della modernizzazione "mancata" nell'Africa postcoloniale, ma di una modernizzazione "rifiutata". Gli africani sarebbero "gli unici esseri umani al mondo che credono siano gli altri a doversi occupare del proprio sviluppo".

"Mister! Mister!". Un grido che ti becca fra capo e collo. Proviene da oscure capanne e dalle bocche di bambini affamati. Si propaga nei vicoli. Sale oltre i tetti di lamiera. "Mister! Mister!". Ragazzini imploranti mi seguono, sembrano macchinette. Vogliono la penna, l'orologio, il berretto. "Mister! Mister!". I più anziani chiedono medicine o anche solo un biglietto da visita. Un contatto in Europa, un numero di telefono. Un qualche aggancio nel paese di Bengodi da cui provengo. Si accettano anche biglietti aerei. Il vecchio del villaggio vuole soldi per un pozzo e un Pronto Soccorso. Il sindaco di Ilha de Mosambique prima che io me ne vada mi dà direttamente una lista di desiderata: cinque rimorchi, un caterpillar e un paio di tonnellate di cemento. Incontro il Presidente etiopico oppure il primo Ministro della Namibia ed è sempre quel "Mister! Mister!" espresso in una forma diplomatica. Hanno bisogno di sovvenzioni per grossi progetti: dighe, aeroporti o impianti siderurgici. In fondo all'uomo bianco i soldi gli escono dalle orecchie. È suo obbligo morale aiutare dopo che ha saccheggiato e rovinato questo continente. Dal ragazzino di strada fino al capo di stato in tutti i paesi, a tutti i livelli ci scontriamo con questa mentalità da accattoni. Alle volte si sentono cose da pazzi. *"Bring the colonial master back"*, mi dice un cameriere di Onisha in Nigeria. Tornate europei! Ricostruite di nuovo quest'Africa a pezzi! Questo incoraggiamento risuona dalla lontana Germania. "Il salvataggio viene dai bianchi", risaltava nel 1992 su di una copertina dello *Spiegel*, e nella *Süddeutsche Zeitung* leggo che questo continente avrebbe bisogno di esser messo sotto tutela.

Questo atteggiamento è il complemento ideale di questa mentalità da straccioni, non cela soltanto uno spirito paternalistico e l'eterna tutela, ma anche un non saper davvero che fare. Sono stati investiti miliardi in aiuti allo sviluppo e che cosa ne è stato ricavato? Tutta una serie di cattedrali nel deserto, di progetti in rovina, di speranze disattese. A poco a poco si è cominciato a far largo il convincimento che questo fallimento fosse insito nell'aiuto allo sviluppo. Se ne iniziò a parlare verso la fine degli anni '50, nella fase della de-colonizzazione, quando si voleva aiutare i giovani stati africani. In realtà, dietro al motivo filantropico, si celava il calcolo strategico della guerra fredda: nella lotta per l'egemonia politica i due grandi blocchi, quello occidentale e quello orientale, il primo e il secondo mondo, fecero la felicità del terzo apportando i propri modelli di modernizzazione che fossero di stampo capitalistico o improntati al socialismo reale. Fu in questo modo che si riuscì a comprare la fedeltà ideologica delle élite del sud del mondo: mettendo generosamente mano al portafogli. Carri armati e razzi facevano parte del pacchetto. Quelle stesse élite non se lo fecero ripetere due volte e si buttarono su quel ben di Dio. L'aiuto allo sviluppo assicurava il loro potere e allo stesso tempo li debilitava. Da quel piatto ci mangiarono, ma contemporaneamente ne diventarono schiavi.

Da un colonialismo che "prendeva" si arrivò ad avere un colonialismo che "dava", ha detto il filosofo Alexandre Kojève. Ovviamente anche i paesi donatori si augurano che i paesi fruitori degli aiuti si sviluppino secondo quelli che sono i termini occidentali ma la prassi si è rifiutata di seguire le loro teorie. Per questo motivo altre teorie sono state inventate. Nuovi modelli. Nuovi paradigmi keynesiani, neoclassici, marxisti. Sono venute alla luce forme miste e sono fiorite accuse reciproche come ad esempio la teoria della dipendenza. Sono sbocciati concetti accademici che solo a pronunciarli fanno venire la pelle d'oca: teorema del neo fattore delle proporzioni. Bisognerebbe provare ad articolarlo quando ci si trova in un povero villaggetto nella savana. Su due concetti però, tutte le scuole di pensiero sono d'accordo: crescita e industrializzazione. Tutte hanno fallito. Dalle agenzie per l'aiuto allo sviluppo dalle Nazioni Unite giù giù sino ai ministeri dei vari paesi, per terminare alle cosiddette organizzazioni non governative, hanno costituito la punta di diamante della modernizzazione. Tutte si sono allineate a quella tendenza per poi criticarla. Hanno cambiato le loro strategie, si sono prefisse nuove priorità e linee guida: lotta alla povertà, orientamento delle necessità basiche, aiuto alle donne. Non è però che sia servito a molto, persino in quei paesi che sono stati praticamente bombardati di aiuti, trasformando i propri panorami. Dopo che il minuscolo Benin ha voltato le spalle al socialismo la cifra delle organizzazioni di aiuto è schizzata a 3000 unità. Sul volo di ritorno dalla Somalia al Kenya incontrai un americano che era alla disperata ricerca di progetti. Era poco prima di Natale e lui aveva ancora 50.000 dollari da distribuire; questi soldi dovevano assolutamente essere devoluti prima di Capodanno per potersi assicurare lo stesso budget per l'anno successivo. Parlai a quel salvadanaio ambulante americano di un programma d'irrigazione sul fiume Shebele nel Belet Huen. Non so cosa ne sia stato e non è neanche una cosa tanto importante. Le operazioni continuano e non importa se abbiano o meno un senso. Tutto ciò un senso ce l'ha per quell'esercito di soccorritori. Perché gli affari che gravitano attorno alla povertà creano posti di lavoro – nel nord ricco. Tutto questo però, inibisce l'iniziativa privata. Una storia tipica l'ho sentita a Mathare, un ghetto ai confini di Nairobi. "La gente si aspetta troppo da noi e fa troppo poco", raccontava un sacerdote. Quando finalmente era stata sistemata la condotta dell'acqua con fontanelle pubbliche un vecchio si è lamentato. "Chi mi paga se devo trasportare il secchio pieno d'acqua dal rubinetto sino alla mia capanna?".

Ogni volta che gli esperti riconoscono i propri errori rischiano figuracce clamorose. È diventato famoso il caso di quei norvegesi che avevano regalato una fabbrica per la lavorazione del pesce ai nomadi del lago Turkana. Volevano creare posti di lavoro e, allo stesso tempo, trovare un rimedio alle ricorrenti carestie. Una volta costruito l'impianto si accorsero, solo allora, che i Turkana, allevatori, detestavano tanto il pesce quanto il lavoro salariato e che i costi energetici per il congelamento del filetto in mezzo a un quasi deserto facevano lievitare in modo irragionevole i costi di produzione. Oltretutto si scoprì che non erano stati calcolati i costi per la costruzione di quelle strade che sarebbero servite per portare le merci ai loro fruitori. Venne una delegazione da Oslo per chiedere scusa. Oh Gesù! Come abbiamo potuto essere così ingenui. La commissione per la pesca nel Kenia nordoccidentale è anch'essa un aneddoto. Se ne sorride proprio come accade quando si parla degli spazzaneve che l'Unione Sovietica regalò una volta allo stato fratello della Guinea.

Queste azioni tuttavia, non hanno provocato grandi danni a differenza di altre che invece vennero considerate una benedizione della modernità ed esportate con un'intenzione umanitaria. In Africa ci sono molti bambini e molta fame. Noi abbiamo molti generi alimentari, ad esempio una montagna di latte in polvere. Nel 1975 furono quasi 800.000 tonnellate. Forse che questo non sarebbe servito al bisogno di calorie dei neonati? Questo alimento tuttavia ha bisogno di determinati standard igienici. Necessita di acqua pulita e bisogna fare bollire le tettarelle altrimenti i biberon diventano veicoli d'infezione, ma è raro che nelle capanne africane queste avvertenze vengano rispettate. Oltretutto le madri non erano capaci di comprendere le complicate istruzioni per l'uso sul barattolo. Questo per i loro bambini ebbe conseguenze terribili: disturbi intestinali. Soffrirono di marasma, gli vennero rughe e visi da vecchi. Gli mancò il nutriente latte materno. E un bel giorno arrivarono gli esperti delle Nazioni Unite e stabilirono scioccati che non solo il latte in polvere aumentava la mortalità infantile, ma anche la natalità. Grazie allo svezzamento repentino, veniva a mancare un elemento regolatore naturale della contraccezione. Giova ricordare che, nel frattempo, le nostre montagne di latte in polvere sono diventate più piccole e i giganti dell'alimentazione come la Nestlè che producono cibo per l'infanzia più ricchi, guadagnando miliardi.

"*The magic baby bottle* – Il magico biberon". C'è scritto sotto al quadro che ho comprato prima della nascita di mio figlio Leo. "Proteggerà per sempre il vostro bambino", diceva Twins Seven Seven, il pittore nigeriano conosciuto in tutto il mondo. Sul quadro si vedono meravigliosi folletti dei boschi. Circondavano un essere straordinario, ai cui piedi c'era la magica bottiglietta – un simbolo del progresso e, al contempo, un avviso nei confronti dei pericoli della civiltà. Potremmo anche interpretare tutto questo come un ironico commento al rovesciamento dei valori. Mentre le madri europee da tempo sono ritornate all'allattamento, nelle moderne case africane i neonati vengono alimentati con alimenti artificiali. In fin dei conti non si vuole più restare indietro.

Nel 1895 venne pubblicato un libro dal titolo *Tödliche Hilfe* (aiuto mortale). Era il rapporto elaborato da Brigitte Erler dopo il suo ultimo viaggio per conto del Ministero Federale per la Cooperazione Economica. Il suo giudizio era frustrante. Siccome sin da allora è cosa normale rinfacciare globalmente agli aiuti allo sviluppo la mancanza di successi duraturi, voglio spezzare una lancia in favore di quelli che lo attuano. In Africa ho incontrato un sacco di ingegneri agrari, di dottori, infermiere, di manovali, di urbanisti o maestri che lavorano nelle condizioni più difficili e sono riusciti a realizzare progetti a regola d'arte. Spesso però, queste persone debbono sentirsi come Sisifo. Eppure se vogliamo dar retta a Camus, dobbiamo immaginarceli come persone soddisfatte. I tanto bistrattati esperti allo sviluppo e soprattutto quelli che intervengono nelle emergenze umanitarie – carestie, siccità, inondazioni, esodi di massa – devono confrontarsi ogni giorno con un dilemma di natura morale. Salvano vite umane e, allo stesso tempo, rafforzano senza volerlo alcune strutture di potere. Si può arrivare a situazioni paradossali come in Angola, dove il comandante militare di una città affamata ha potuto dichiarare che loro, gli stranieri, fossero responsabili per alimentazione, salute e sociale mentre lui e le sue truppe dovevano fare la guerra – prolungando così quella situazione che, in fin dei conti, aveva provocato l'emergenza. Spesso la fame diventa un'arma. Il regime in Zimbabwe ne rappresenta la più recente visione. Esso rifiuta che i bisognosi che sostengono l'opposizione, o che siano anche solo sospettati di farlo, ricevano generi alimentari dalle organizzazioni internazionali.

E con questo ritorniamo ad Axelle Kabou, quella brillante pensatrice trasversale che spesso viene fraintesa. Lei non vuole certo maledire i suoi contemporanei africani, soltanto scuoterli in maniera che si liberino di quella "insopportabile mediocrità". Pretende un'autocritica. Questa è però una virtù che non si incontra così spesso a sud del Sahara. Anche alle critiche esterne gli africani reagiscono in maniera abbastanza allergica – in ogni annotazione vedono pedante critica neocolonialista, quando non addirittura superbia razzista e questo non solo in Sudafrica dove avrebbero buone ragioni per diffidare dei propri compatrioti bianchi. Jojo Kobbinah, un collega ghanese, ha scritto una volta a proposito dei miei articoli: "Lo so che Grill è animato da buone intenzioni, ma i suoi scritti mi fanno regolarmente imbestialire". Tanto peggio se a farlo è una sorella nera. La Kabou non pretende solo autocritica, ma vuole invece un radicale cambio di mentalità. Un nuovo stimolo creativo che permetta di superare quel complesso d'inferiorità che gli stessi africani si sono costruiti. Si potrebbe anche dire che implori quell'etica protestante-calvinista che Max Weber ha interpretato come la forza trainante del moderno capitalismo. Ma dov'è che gli africani devono andare a cercarsi quel bagaglio spirituale? La risposta è difficile se solo mi reco nella migliore scuola africana dove cinque bambini devono dividersi un libro strappato e inutilmente vecchio. Oppure se do un'occhiata alla biblioteca vuota di un'università. O anche solo se trascorro un giorno in un municipio e permetto alla onnipotente tradizione di guidarmi.

*

Il nostro municipio si trova in un quartiere di Porto Novo, la capitale del Benin. In uno spiazzo si è riunita una folla. È eccitata. I tamburi rullano. In sottofondo strepita una mietitrebbia. I bambini ballano nella polvere in un'estasi sincopata. Sul chiacchiericcio e sulle risate troneggia un uomo serissimo, dallo sguardo di ghiaccio. I tatuaggi e le cicatrici ornamentali sul viso, il copricapo sulla testa, la sua veste larga e con ricami in oro mostra la sua importanza. Dodoklounon Dozé è onorato e temuto perché è capace di influire sull'imperscrutabile corso del destino. È un *fetischeur*, un prete del culto Vodún che noi europei chiamiamo vudù. Rullo di tamburi. Grida acute. Tozé balza in piedi. Dalla capanna escono correndo, come fossero state morse dalla tarantola, cinque ragazze. Saltano, strisciano i piedi, ballano, pestano per terra, si scuotono e crollano a terra come prive di volontà. Possedute. Sulle bocche delle ballerine compare della bava. Sembrano furiose e, allo stesso tempo, assenti, come in trance. Questo stato è considerato una dimostrazione divina. *Vodún dó mé ji*, dicono i sacerdoti. Il vudù cavalca una persona. Nel Benin del sud sono centinaia le divinità venerate. Guidano il destino dei morti, punendoli, vendicandosi, avvertendoli, proteggendoli oppure premiandoli. Decidono della vita e della morte. Scagliano maledizioni o protezioni. Buona salute o infermità, pioggia o siccità.

I tamburi tacciono. Gli aiutanti di Todé sgozzano cinque capretti e li gettano alle donne. Una dopo l'altra esse si lanciano con rumori gutturali sulle gole degli animali morenti. La danza raggiunge il suo parossismo. Dura una decina di minuti prima che l'ultima delle donne strappi con i denti un brandello di carne sanguinante dal suo capretto. Il rituale è terminato. Le cinque ragazze, spossate come dopo un parto difficile, hanno pagato il loro debito di sangue e d'ora in poi sono state ammesse al vudù, battezzate ai segreti della loro divinità. Non sembrano particolarmente felici. Due, tre anni fa, sono state scelte con astuzia del *feticheur* e rinchiuse in una specie di convento. Il tempo dell'iniziazione è costato loro molto denaro, pazienza e qualche chance nella vita. Adesso però sono diventate attrici di un sistema di culto che detta le regole della vita religiosa, sociale e politica. In Benin in molti posti questi sacerdoti erano diventati una piaga. Depredavano i propri fedeli, parlavano a vanvera, profanavano sepolcri, all'occorrenza collaboravano con i colonizzatori. Per paura di diventare un paria, anche chi non ci credeva era stato costretto ad assoggettarsi ai loro tabù, alle costrizioni e alle ordalie. Alla fine il contropotere dei sacerdoti era diventato così forte che il regime marxista militare del presidente Kérékou aveva visto la sua autorità messa a repentaglio. Stregoneria e oscurantismo!, avevano sentenziato i commissari e nel 1975 il culto vudù era stato vietato. Quattordici anni dopo, nel corso della democratizzazione del paese, questo culto venne di nuovo permesso come bene culturale nazionale e insinuò di nuovo nel quotidiano ciò che resta il componente principale di qualsiasi religione: la paura.

Le religioni naturali sono poteri forti in Africa. Ci sono un'infinità di divinità. Solo fra gli Yoruba in Nigeria, gli etnologi ne hanno contato 1700. Al di sotto degli dèi, ci sono gli spiriti. Spiriti protettivi, buoni e demoni che governano sul mondo dei mortali. E poi ci sono gli antenati che non dobbiamo immaginarci come anime di morti, ma come esseri che esistono e che hanno dei poteri. Governano il quotidiano. Aiutano chi è rimasto oppure lo puniscono. Bisogna essere buoni con loro, onorarli, calmarne l'ira e nutrirli portando ai loro altari offerte di cibo e bevande. Le volte che ricevo vino di palma o birra di banano la prima sorsata devo sputarla per terra. È per gli antenati. Le forze dell'oltretomba sono molto importanti per gli africani. Molto più importanti di quanto possano esserlo per un cattolico europeo, per non parlare di un protestante, Dio e i Santi. E siccome le divinità, gli spiriti e gli avi, sono così prossimi ai viventi, la paura nei loro confronti è maggiore.

Persino un tipo moderno come il nostro traduttore Dominique Hazoumé non è immune a questo timore. Generalmente blatera di discoteche, auto sportive e video di Mtv. Oggi no. È inginocchiato e recita giaculatorie. La paura di fronte ai poteri animisti è più forte, più antica di quelle norme occidentali che ha assimilato. Davanti a Dominique c'è un *revenant*, uno che è ritornato del mondo dei morti e ha trasformato il paesino di Saketé in un manicomio. Sono figure selvagge, stanno sedute sulle cime degli alberi e sulle cuspidi dei tetti. Si appostano dietro gli angoli delle case, danno la caccia ai bambini, soffiano una brodaglia verdastra, sono sfrontati, ringhiano, borbottano e urlano come se stessero soffrendo le pene dei dannati. Mi sembrano spiriti erranti, fantasmi della foresta o carnefici. Le loro vesti di sacco sono ornate di pelli di gatto, teschi di cane, pelle di serpente, bamboline vodoo, di penne intinte nel sangue, lucchetti arrugginiti, piccole zucche a fiaschetta piene di elisir magici. Nessuno sa chi si nasconda sotto quell'armamentario. Per diciannove giorni quegli spiriti erranti vagano come fantasmi. Non sono tempi felici per i polli di Saketé. Il *feticheur* li macella uno dopo l'altro. Deve placare gli assedianti. Fanno girare terribili trottole di fronte alla sua capanna, fanno fracasso alle finestre, segnano con scritte l'architrave della porta – la formula dell'alcol metilico, ai margini della piazza dei ragazzi si colpiscono reciprocamente con delle verghe i polpacci fino a farli sanguinare. È una cerimonia di mascolinità, attuata sotto gli occhi degli avi. Uno di questi "ritornati" mi viene incontro a testa bassa e pretende un'offerta. "Siamo i morti di Saketé", mi dice in un francese che ha davvero poco di spirituale. "L'aldilà è molto noioso. Una volta all'anno vogliamo *plai-*

sir, piacere ! Vogliamo ubriacarci, mangiare a volontà, ballare, andare in motoretta, spaventare la gente!". E di tanto in tanto picchiare qualche mortale, tirchio, corrotto o vizioso.

L'epifania dei morti è un atto di controllo sociale che può essere ammesso fra eccessi davvero violenti. Nelle prealpi svizzere sino a poco tempo fa esisteva qualcosa di simile: *l'Haberfeldtreiben*[6]. Anche qui alcuni spiriti mascherati si facevano giustizia da soli nei confronti di chi avesse infranto le regole morali. In genere i rituali animisti in Africa mi ricordavano il duro cattolicesimo alpino. Sono cresciuto in un paesino sotto al Brünnstein, un posto infestato da folletti maligni e da altri spiriti. Ma almeno lì, grazie a Dio, c'era tutto un pantheon di santi che intervenivano quando fosse necessario. San Floriano proteggeva dal fuoco, pregavo sant'Antonio quando qualcosa era andato perduto. La benedizione di san Blasius, da compiersi con due candele incrociate a mo' di croce, mi proteggeva dal torcicollo. Il mercoledì delle Ceneri il prete mi segnava con una croce di cenere sulla fronte. A Pasqua, gusci di uova benedette venivano sparsi agli angoli dei campi e in periodi particolarmente pericolosi, come ad esempio al cambio di stagione nelle notti senza luna, la famiglia girava con acqua benedetta per tutto il giardino e nella stalla per scacciare gli spiriti cattivi. Il pastore benediceva gli armenti e perfino i trattori. E poi c'era la candela nera che nonna accendeva quando c'era un temporale. Non deve quindi stupire se il comportamento dei "ritornati" di Saketé mi provocasse una specie di epifania. Non ebbi nemmeno grossi problemi a mettermi sotto la protezione di un Vodún. Solo le bevande sacrificali non posso dire mi abbiano entusiasmato. Si trattava di una brodaglia alcolica dove galleggiavano serpenti velenosi morti, o ancora del sangue di pollo servito in una scodella segata nel mezzo.

Lasciai il paesino e uscii dalla foresta, prendendo la strada principale verso Porto Novo. Quella via ora sembrava stranamente sconosciuta: una striscia d'asfalto diritta, liscia, razionale, una linea di divisione, che mi separava nettamente da Saketé e dal mio stesso passato, da quella mitica oscurità che è stata inghiottita dalla modernità. Ripensai alle tesi di Axelle Kabou e cercai d'immaginare come la gente di Saketé potesse darsi da sola le condizioni necessarie alla propria modernizzazione, ma era un compito impossibile.

*

L'anziano custode è inginocchiato sotto il suo turbante rosso cinabro. All'angolo destro della sua bocca fanno capolino due grossi denti d'oro. Gli stallieri, i cammelli, i gatti, tutto il palazzo sembra sprofondato in un sonno millenario. Attendo l'udienza nel salone luminoso. Negli arabeschi sui muri forti i colori della terra giocano con tenui tinte pastello, ombre dure con lievi rotondità. È il palazzo dell'emiro di Kano in Nigeria. Ancora un posto di armonia completa, di pace senza tempo. Sembra di esser presi da una chiarezza infantile. La cosa migliore da fare sarebbe tirare fuori un libro da colorare e riempire tutte le cose meravigliose con un pennello. Fuori il quarto cortile, quello di rappresentanza, comincia ad animarsi. Sventagliatori, addetti al baldacchino, bardi, addetti all'abito, cortigiani e segretari dell'emiro. Una lucertola verde-limone sfreccia attraverso il quadrilatero.

Arriva! Alhaij Ado Bavero, signore di Kano. Il paggio del primo cortile lo annuncia e i presenti precipitano nella polvere come se fossero stati colpiti da un fulmine. Sua altezza mi fluttua davanti come se viaggiasse su rotelle invisibili. L'aspetto tondeggiante è intabarrato da una Babanriga verde oliva: un abito ampio, sulla testa un turbante che lascia liberi solo gli occhi e il naso. L'abito che lo ricopre sembra un prolungamento della sua pelle. Ha un viso corrucciato, come qualcuno disturbato dal mal di denti. Dai corni giunge l'eco di suoni rimbombanti. Inframmezzati dai toni chiari delle lunghe trombe Kakaki. I musicisti con tenute verde-pisello e rosso fragola saltellano attorno all'emiro. Abbassa il capo. Non ti azzardare a rivolgergli la parola. Sfuggi il suo sguardo. Togliti le scarpe. Faccio quello che mi viene detto di fare dall'alto segretario.

Emiri e sultani sono potenti. Più potenti di qualsiasi altra autorità terrena. Sono guide spirituali, politici e allo stesso tempo autorità religiose con cui le moderne autorità non possono fare a meno di fare i conti. Stanno alla sommità di una teocrazia creata nell'XI secolo quando l'Islam fece la sua apparizione nelle savane africane. Guai all'imam, al signorotto locale o al capo clan che non gli rendano regolarmente omaggio. La parola dell'emiro è legge e, se necessario, viene imposta a fil di spada. Le insegne del suo potere, sotto cui prende posto, le mani giunte, un viso duro, gli occhi scuri, ombrati, rivolti verso un punto invisibile. Alla sua destra e alla sua sinistra siedono i notabili e i consiglieri, immobili come mummie, silenziosi. Dividono la colonna di vassalli in tre. Cadono in ginocchio giurando la propria fedeltà e si ritirano di nuovo con gesti di umiltà. Io sto lì con i calzini e il capo abbassato. Sono un *kafir*, un infedele, attento però a non infrangere nessuna delle regole segrete, nessuno di quegli invisibili tabù.

Anche durante la preghiera del venerdì bisogna essere discreti. Nascosto dietro al paravento del tetto che mi ha affittato un commerciante osservo ciò che accade. "Allahu Akbar! (Dio è grande!)" risuona dai minareti della moschea principale. Il traffico è immobile. Nella canicola del mattino sgorgano in migliaia e migliaia tacciono sulla spianata intabarrati in un mare di Babanriga bianchi e blu. S'inginocchiano contemporaneamente. Si sollevano. In ginocchio, seduti, in piedi. Gli ordini dei muezzin scendono fra la folla come i refoli di vento in un campo di mais. L'ambaradan dura appena dodici minuti e termina così com'era cominciato. 60.000 fra ragazzi e uomini, uno stadio di calcio al completo, si sparpagliano in strada, tranquilli, disciplinati, come guidati da fili invisibili. Un rituale di fede e di potere, nato dallo spirito del profeta. Un ordine cementato in trenta generazioni: l'Islam in Africa.

"Una volta loro avevano la Bibbia e noi la terra. Ora noi abbiamo la Bibbia e loro la terra", dice un proverbio dell'Africa Meridionale. Anche la missione cristiana si è preoccupata, letteralmente, di togliere agli africani le proprietà, ma bisogna ammettere che non ha avuto il successo della concorrenza islamica. È vero che tante pecorelle si lasciarono battezzare, ma sotto la superficie del riconoscimento cristiano, nel profondo dell'animo, covavano ancora le vecchie divinità. In molti luoghi fiorirono forme di fede sincretistiche in cui si fondevano animismo e insegnamenti cristiani: le cosiddette *free churches*. Nella cappella dedicata a San Carlo Borromeo, a Gorée, l'isola senegalese degli schiavi, possiamo vedere ancora oggi come i santi occidentali si siano africanizzati – annerendo i loro volti. Di regola però, il personale del Paradiso doveva restare bianco o rosa. In fondo quelli non erano solo i colori che mostrano la pace dell'anima, ma anche la ricchezza. Un dio in più, per giunta bianco, non poteva guastare.

Lo pensano anche quei fedeli che si ritrovano ogni domenica in una catapecchia di cemento a Port Hancourt. Sono ormai nel sud della Nigeria, al delta del fiume Niger. Una camera zeppa di gente. Aria viziata. Nel mezzo quattro luci al neon sistemate a mo' di croce. I ventilatori frullano nuvole di fumo azzurro. C'è un gesticolare violento, cicaleccio, il rumore interrotto dalle colleriche tirate del sacerdote. Il santissimo ordine dei cherubini e dei serafini celebra la messa solenne. La comunità dei fedeli, vestiti con lunghe tonache candide con orlature verde-smeraldo, sembra una legione di angeli precipitati nella grigia vita terrena. Il loro incontro, metà culto degli angeli, metà *soul happening*, porta un po' di dignità e di gioia nel triste quotidiano. "Possiamo solo pregare per la Nigeria", dice il primo apostolo Bartolomeo. Magari che un po' dei miliardi del petrolio che sprizza fuori dal delta del Niger restino qui. Sebbene proprio questo prete sia l'ultimo a poter fare la morale. Nella sagrestia raccoglie le collette. Con questa messa ha raccattato una discreta sommetta. Sulla costa occidentale dell'Africa si stanno moltiplicando centinaia fra chiese libere, sette, movimenti di risveglio spirituale e molti predicatori riescono a raccogliere più gente di quanto non faccia il Santo Padre a Roma oppure un cantante di successo. A una messa all'aperto tenuta da Reinhard Bonnke, leader tedesco di una setta cristologica, si raccolsero un milione e seicentomila nigeriani! Laddove c'è povertà i pescatori di anime diventano ricchi.

Le denominazioni cristiane e i loro risvolti salvifici nell'aldilà, l'intelaiatura teocratica dell'Islam e il misterioso dominio delle antiche divinità, hanno una cosa in comune: sono poteri conservatori. È nella loro natura cercare di bloccare ogni tentativo di modernizzazione. È vero che da qualche parte incontriamo anche frammenti della teologia della liberazione oppure, nell'altro campo, elementi dell'Islam liberale, ma di regola i leader religiosi si attengono alla vecchia massima che recita: il progresso è diabolico, danneggia l'ordine costituito, mette in discussione le posizioni di preti, imam e *feticheur*, e, alla fine, rende persino le donne recalcitranti. Poi finiscono con il comportarsi come le sorelle di Malicounda, un villaggio di 3000 anime in Senegal che ho visitato quattro anni fa. Costoro rifiutavano di far mutilare le loro figlie. Basta! Basta con le mutilazioni genitali. Mariam Traoré era una delle madri ribelli. Quando parlava del rituale si arrabbiava. "Distrugge la nostra salute". La figlia più grande era stata una delle ultime ragazze del posto a dover sopportare questo dolore. Era stata condotta da una vecchia mammana che aveva bagnato la lama del rasoio con uno sputo, reciso la clitoride e cucito la vagina – senza anestesia. "Quel brandello tagliato, sembrava l'aluccia ferita di un uccello". Molte culture fanno risalire la mutilazione genitale femminile ai miti creazionistici. I Dogon, ad esempio: il loro dio Amma creò la terra, la femmina. Per farla accoppiare dovette strappare una collina di termiti che faceva da impedimento: la clitoride appunto. Le ragazze che non sono sottoposte a questa pratica sono considerate *non pure*. Chi rifiuta la procedura è messo all'indice. Nel solo Senegal sono un milione le donne che hanno subito la mutilazione – detta anche infibulazione. La cifra complessiva a livello continentale è sconosciuta. Dopo l'operazione insorgono spesso complicazioni, forte perdita di sangue e infezioni mortali. È un costume barbaro che distrugge la sessualità della donna per proteggere la linea patrilineare. Come hanno reagito gli uomini di Malicounda, i tradizionalisti, i musulmani? "Infastiditi e arrabbiati. Alla fine però l'hanno capita", dice la donna e indica verso la moschea. "L'imam ha detto che nel Corano non si parla di mutilazioni genitali femminili, questo ci ha aiutato".

*

Dalla fede e dalle sue esasperazioni si arriva ad un altro potere della conservazione: la superstizione. È estremamente diffusa fra i popoli dell'Africa. La incontriamo in tutti gli strati sociali, ad ogni livello. Fra i Boscimani, che si spruzzano addosso acqua benedetta credendo così di diventare invulnerabili. In quel presidente la cui campagna elettorale viene guidata da Sagoma. Oppure in quella squadra di calcio che fa gettare il malocchio sulla palla e sulla porta degli avversari. Perfino il rivoluzionario Ernesto Che Guevara, che guidò dei guerriglieri anche in Congo, nel suo diario ha scritto scherzandoci su, del *dawa*, una pozione magica, lasciandosi assalire dai dubbi circa la sua missione: "Con truppe del genere è inconcepibile pensare di vincere una guerra".

Mi basta andare in un mercatino, ad esempio a Itoku nella nigeriana Abeokuta. Laggiù trovo qualsiasi tipo di sostanza ed elisir per scacciare la malasorte e attirare la fortuna: pelle di serpente e teschi di scimmia, code e zampe di lucertola, funghi velenosi e polvere di corteccia, umori di morti e urina di babbuino e inoltre ogni sorta di feticci, amuleti e talismani. Jim Olagunju, per qualche tempo uno dei miei coinquilini quando vivevo ad Amburgo, veniva da Abeokuta. Dovette molto rimpiangere la mancanza di uno di questi mezzi salvifici una volta che si era trovato in grosse difficoltà. Aveva sottratto a un connazionale la fidanzata tedesca e quello, dalla capitale, gli aveva mandato uno *juju*, una maledizione. Jim era inconsolabile, tremava in tutto il corpo e ci volle del buono per convincerlo a calmarsi. Solo quando mi riuscì di spiegargli che la maledizione non poteva arrivare attraverso il filo del telefono e che quindi non avrebbe avuto alcun effetto fino a quando il suo nemico non avesse avuto una sua unghia, un brandello di forfora o un capello, Jim tornò quello di sempre. Da alcuni di questi ritrovati gli africani si attendono veri e propri miracoli. In Zambia una particolare patata ebbe un boom di vendite fenomenale perché si diceva che avesse la capacità di immunizzare dal virus dell'Hiv. Queste sono tutte forme della magia tradizionale che spesso è tutt'uno con la stregoneria. Certo la fattucchieria è un'evoluzione di gran lunga più pericolosa, spesso mortale della superstizione.

Ad Accra cinque tipi massacrarono di botte un uomo. Un ladro? Uno stregone? Qui, da qualche parte fra le botteghe del mercato di Makola era nata la voce poi sparsasi per tutta la costa occidentale, verso il Togo, il Benin fino alla Costa d'Avorio, rapida e vorace come un fuoco nella foresta: stregoni maligni sono fra di noi! Fanno rimpicciolire peni e petti, rubano la fertilità e neppure le bamboline della fecondità riescono a respingere la loro maledizione. Una venditrice del mercato presso cui mi informai, in maniera discreta, sulla situazione, reagì in maniera davvero poco gentile come se si trovasse davanti al colpevole. Chi fa domande è sospetto.

Qualsiasi sventura provenga da una stregoneria, dappertutto ha un solo nome: *juju*. Si può essere bocciati a un esame. Muore la capra più grassa. I frutti del campo si seccano. L'auto si ribalta. Muore un bambino. Chi ha provocato queste sventure dev'essere distrutto. Nella maggior parte dei casi vengono incolpati poveracci, matti e storpi, tipi originali o solitari. Talvolta uomini particolarmente belli, di successo, gente sveglia, che si eleva al di sopra della massa e che in qualche modo non rispetta la mediocrità sociale. Oppure ancora stranieri, lavoratori ospiti dai paesi vicini, quegli stessi che ruberebbero le case, i lavori e le donne e che con occhiatacce o semplici strette di mano propagano i contagi. "Ora tocca a Kumasi", lessi nel *Daily Graphic* del 20 gennaio 1997. A Kumasi un uomo era stato linciato; una donna lo aveva accusato di averle serrato le grandi labbra con l'aiuto di formule demoniache. La successiva inchiesta della polizia aveva stabilito che tutto era stato inventato di sana pianta.

Quel gennaio del 1997 in Ghana la massa dei superstiziosi fece fuori dodici *penis shrinkers*, gente che faceva rimpicciolire i peni. A Dar es Salaam il Ministero della Famiglia ha calcolato che fra il 1994 e il 1998 nella sola Tanzania siano state uccise 5000 "streghe". In Sudafrica dei poveracci che erano stati accusati di essere stregoni diabolici dovettero scappare in villaggi protetti. Sono all'ordine del giorno notizie di cadaveri fatti a pezzi oppure di eccessi cannibalistici che ci fanno ribrezzo: mangiare parti di uomini forti, sani, ancor meglio di bambini terrebbe lontani i demoni. Spesso le accuse arbitrarie contro la gente sono guidate da gelosia o invidia – un metodo omicida per liberarsi da concorrenti, rivali o semplici nemici. La caccia alle streghe è uno strumento di terrore sociale. Alcuni etnologi arrivano a vedere in questa confusione "una metafora per la vampirizzazione della società africana". Si cerca una tribù, la si studia per un paio di mesi e si torna a casa con originalissime ipotesi sulla "economia della stregoneria". Si soffia sempre sulle stesse cose come la colpa primordiale dell'Africa e si ha già una prova provata del perché il continente non riesca ad andare avanti e qualsiasi aiuto debba necessariamente provenire dall'esterno. Ciascuno deve condividere, nessuno sa risparmiare. In fondo nessuno vuole davvero lavorare. Ovviamente nessuno concede nulla a nessuno. Tutti vogliono sempre tutto. E tutti credono alla stregoneria. Con i neri è così. Quelle forze interiori negative, un nuovo costrutto della dabbenaggine postmoderna, così naïve, così semplicistica, così monocausale come qualsiasi teoria cospiratrice che ascrive tutti i mali della miseria africana a forze malvagie provenienti dall'esterno. In quel caso non c'è nemmeno bisogno di prendersi il fastidio di riflettere sulla complessa realtà.

La stregoneria è una caratteristica delle società preindustriali. Un sistema di referenze attraverso cui comprendere fenomeni altrimenti inspiegabili. Alcuni studiosi parlano di un sintomo di crisi che si rafforza in quelle epoche di stravolgimento. L'Africa tradizionale si sfascia a causa di quello shock da modernizzazione. Esodo dalle campagne, sradicamento, inurbamento in quartieri-ghetto, paura di vivere. Così come un tempo l'Europa quando i roghi ancora bruciavano e l'oscuro Medioevo divampava di nuovo e sarebbe stato superato solo nel Rinascimento. Come possa accadere che una isteria di massa si propaghi dal giorno alla notte per centinaia di chilometri prendendo migliaia di villaggi, questo non sono in grado di spiegarlo nemmeno i dotti. In Ghana si è cercato attraverso campagne d'informazione pubblica di fermare l'onda di paura. Macché. Nei mercati continuarono i linciaggi ogniqualvolta la folla stigmatizzava qualche innocente.

*

Sono in viaggio da Kampala, la capitale dell'Uganda in direzione ovest, verso i leggendari monti della luna. Laggiù ho un appuntamento con un re, Sua maestà David Matthew Olimi Kaboyo II. Ma ho rischiato di non arrivarci. A mezza strada nei boschi di Kyanjojo era nascosta una banda di predoni. La presenza di spirito del mio autista che ha schiacciato a tavoletta il pedale del gas ha evitato il peggio. Il nostro fuoristrada poi, avrebbe rischiato di cappottarsi poiché, 150 chilometri dietro Kampala, la striscia d'asfalto finisce nel nulla come se l'asfaltatrice arrivata a quel punto fosse scomparsa in un buco. Nessun segnale di pericolo. Nessun cartello. Di nuovo un'altra di queste fratture. Dividono sentieri nella foresta e strade veloci. Città e campagna. Modernità e tradizione.

Il re mi riceve in una lussuosa villa da parvenu. Indossa pantaloni leggeri beige, una maglietta e scarpe da tennis che porta slacciate. Il suo tavolo da lavoro è ornato da una miniatura ignea il cui cannoncino, un'ampolla di grappa, è puntato sul visitatore. Voglio sapere com'è governare su di un regno povero. "*Big task*", risponde, "un lavoraccio, una grande sfida". Sua maestà si solleva dal suo trono. Sventola una bandiera. "Mi segua fuori". La vista sulla valle di Morene è meravigliosa. Kaboyo II si appoggia indeciso su di un masso. Ai suoi piedi si prostra il ciambellano. "Il mio popolo, il mio meraviglioso popolo". Il braccio del sovrano compie un semicerchio a indicare le piantagioni di tè all'orizzonte sino alle cime imbiancate dei monti Ruwenzori. Secondo le statistiche ufficiali, il monarca governa su 746.800 sudditi, 143.910 bovini, 13.490 maiali, 46.330 pecore e 80.500 capre. "Siamo poveri, molto poveri". La colpa è tutta di Milton Obote il sanguinario dittatore. Nel 1967 spodestò dal trono il giovane re, ma questi aveva continuato senza tregua la lotta contro il regime ai cocktail party di Londra e negli impianti di squash in America. Nel 1994 è ritornato in patria. Da allora può gustare gli stessi diritti che ha la regina Elisabetta in Inghilterra.

Non è che al suo popolo vada tanto meglio. Ogni 1000 nati ne muoiono 300. Solo un cittadino su due oltre i dieci anni sa leggere e scrivere. Solo uno ogni duecento ha acqua corrente. La cosa più importante però, dice il ciambellano, è che il palazzo reale dev'essere rinnovato. Mi porta, lamentandosi, attraverso la Carusica, una costruzione di cemento in rovina nello stile di un anfiteatro romano, danneggiata dagli sgherri di Obote, ricoperta dalle piante, spazzata dal vento e dalla pioggia. Non è che conosco un gentiluomo nella lontana Europa che potrebbe dare al sovrano qualche contributo a fondo perduto? Sua altezza sarà costretto a racimolare i mezzi necessari strizzando i ceti più poveri. La loro lealtà tuttavia, sembra perfino più grande della loro povertà. La monarchia è sopravvissuta a conquistatori bianchi e a tiranni neri, a confini coloniali e a flagelli biblici. L'amalgama della tradizione riunisce in modo più forte di quanto non facciano i paragrafi di una costituzione, le schede elettorali o le parole di un presidente. I sovrani non hanno potere politico in Uganda, ma possono, proprio perché affondano le proprie radici nel terreno materno delle etnie, colpire in maniera così violenta, da far saltare la fragile forma di stato.

Laddove i vincoli con la tradizione sono ancora forti e le società antiche ancora intatte, il rifiuto della modernità è ancora più possente. Per quale ragione bisognerebbe adattarsi ai tempi moderni? In fondo non c'era nulla di sbagliato in quelli antichi. Un atteggiamento simile in una cittadina come Djenné sembra venire fuori da qualsiasi viso, e da tutte le case. La porta della città non è altro che una specie di cancello attraverso cui mi addentro in un'altra era. Mi ritrovo in un labirinto di argilla, vedo vicoli che s'intersecano, orlati di costruzioni lussuose. Nell'aria si spande un profumo di mughetti dagli alberi del Nim in fiore. Non avrei nulla da meravigliarmi se mi venissero incontro gli araldi di Mansa Musa. L'imperatore del Mali governava su di un territorio che andava dalla costa atlantica sino alle steppe che oggi sono la Nigeria settentrionale. Era un impero del commercio che controllava gli scambi di merci fra i popoli delle foreste nel sud e le genti del deserto nel nord. Era diventato ricco e potente grazie alle gabelle che faceva pagare a chi passava sul proprio territorio. Quando Mansa Musa nel 1324 fece un pellegrinaggio alla Mecca accompagnato da un seguito di 60.000 persone e da un quintale e mezzo d'oro, i clienti del favoloso impero "dell'imperatore moro" arrivavano fino alla lontana Europa. Nel cuore dell'antico Mali c'era il Delta del Niger. Una terra ricca, sorvegliata dai due luoghi più importanti per cultura e peso economico: Timbuctù al nordest e Djienné al sudovest. Erano la meta finale delle flotte fluviali, dei convogli di mandrie, delle carovane transahariane, che si scambiavano quelle che allora, in quell'epoca, erano considerate ricchezze: sale e rame, oro e cereali, schiavi e armenti. Vedevano passare legioni di fedeli che studiavano nelle *madrasse*, le scuole coraniche, le opere del grande profeta e l'Islam, e rafforzavano la base spirituale dell'impero. Gli abitanti della città avevano da mangiare a volontà. La maggioranza sapeva leggere. Nessuno andava scalzo e ognuno sembrava essere preso da un'occupazione utile. Sono impressioni del XIX secolo, descritte dallo scopritore francese René Caillié. Ad oggi non c'è da aggiungere nulla.

Nel mezzo di Djienné si erge la più grande moschea d'argilla del mondo. Una costruzione immensa in stile Banko, un bastione, monumentale e possente come una montagna cotta per l'eternità dal sole del Sahel. Quei tronchi che si vedono a metà della costruzione sembrano cannoni che sbucano dalle pareti. Eppure, stranamente, malgrado la sua mole, la moschea appare leggera ed elegante, quasi un gioco. Le forme soavi, i pilastri che si lanciano nell'alto, la merlatura che dentella un cielo di porcellana – come si trattasse di plastilina modellata dalle mani di bambini. Nel cortile interno i fedeli mormorano le sure del corano. I loro Bournous luccicano come i colori delle uova di Pasqua, verde menta, rosso ciliegia e rosa shocking, giallo limone e blu elettrico. Immagini antichissime dipinte secoli fa, rivestite da un'aura di eternità. Come tutta la costruzione, come i minareti, i cornicioni e gli archi. Come tutta la città. Essa ha resistito illesa alle ingiustizie della storia. I suoi cittadini hanno semplicemente preso quello che poteva servire loro: armi da fuoco, la radio, il bidone di plastica per l'acqua e, naturalmente, il fuoribordo perché Djienné resta un centro commerciale sull'acqua. Quello che la città considerava superfluo, lo ha semplicemente rifiutato. A cosa sarebbe servito ad esempio il *toubatou ferey*? Il mattone laterizio dell'uomo bianco. C'erano state discussioni violente quando un paio di costruttori à la page avevano avuto l'idea di utilizzare questo materiale. Ci si può costruire una caserma, ma di certo non tutta una costruzione come la grande moschea.

Di cosa si sia realmente parlato dietro quelle mura non lo sappiamo. Djienné è un mondo ermetico e può anche darsi che ci si sia lasciati conquistare dalla sua bellezza. Che ci si sia lasciati irretire dalla retorica della sua élite, di quegli uomini potenti che spesso in Africa danno un'immagine completamente distorta delle relazioni.

*

Le autorità dell'Africa antica – sovrani, capitribù, capiclan, vecchi del villaggio – sono i custodi della tradizione; comunicano con gli avi, regolano liti, disciplinano problemi legati al possesso di territori, interpretano la tradizione orale: "Quando in Africa muore un anziano è come se scomparisse una biblioteca", dice il malese Amadou Hampâté Bâ, il più strenuo difensore dell'ordine precoloniale. Il sapere della tradizione, spesso, è un puntello essenziale del potere dei capi. Molte volte costoro si sentono intoccabili ovvero infallibili e rifiutano ogni innovazione per conservare i propri privilegi e prebende. Nell'epoca coloniale la loro credibilità aveva subito un duro colpo anche perché molti capi si erano lasciati corrompere dai conquistatori, lasciandosi inserire nei propri sistemi di controllo: i britannici introdussero quel principio già sperimentato in India detto *indirect rule*. Un concetto che risaliva a Edund Burke: "*Neither entirely nor at once depart from antiquity*". Non abbandonare la tradizione completamente e neppure farlo di colpo. Sfruttare i poteri delle istituzioni esistenti. Gli uomini moderni, nella fattispecie le loro conquiste politiche, la democrazia, vengono percepiti dalle antiche autorità come la minaccia più grande alla propria posizione. Un esempio lo abbiamo sotto gli occhi se consideriamo il conflitto in Sudafrica, la più giovane democrazia del continente. La democrazia nei villaggi non è ancora arrivata. Lì comandano ancora gli *induna*, signorotti locali la cui lealtà non è votata alla repubblica, ma all'*inkosi*, al leader. A Città del Capo di personaggi di questo tipo ce ne sono circa 750. Hanno costituito delle lobby e si oppongono, tutti assieme, a una costituzione che potrebbe mettere in discussione il loro potere e il loro diritto consuetudinario. "Lei parla di democrazia occidentale. Noi parliamo di democrazia africana", specifica Mtiyezintombi Nzimela, presidente della National House of Traditional Leaders. Questa democrazia precoloniale però è una finzione perché molti dei suoi rappresentanti hanno governato in maniera autoritaria, facendo solo i propri interessi. Non hanno avuto alcuno scrupolo a farsi cooptare e usare dal regime dell'apartheid. All'improvviso i signorotti locali avevano dovuto confrontarsi con sindaci e consigli comunali che disponevano della violenza politica e ottenenendo aiuto economico dalla provincia e dal governo centrale. Gli *inkosi* e i loro sottoposti si erano sentiti all'improvviso degradati al ruolo di figure folkloristiche, ma quel che più conta mancavano loro i mezzi per cementare il proprio potere. Non si daranno per vinti tanto facilmente. I consigli comunali non funzionano ancora come dovrebbero, gli amministratori sono giovani e inesperti, vengono indotti a sbagliare oppure aiutati col contagocce. I progetti allo sviluppo falliscono. La gente nel villaggio diventa nervosa perché quella vita migliore che era stata promessa non arriva mai. È allora che i leader tradizionali saltano in piedi a dire che la democrazia non è altro che una nuova forma di dittatura. La realtà è invece che sono i piccoli dittatori che rallentano qualsiasi progresso – richiamandosi al sacro e sempre valido ordinamento dei padri. E gli avi sussurrano nelle loro orecchie: così è giusto. Così sarà per sempre.

*

Il regno conchiuso del potere tradizionale più grande è lo Swaziland, un piccolo reame montagnoso fra Mozambico e Sudafrica con appena un milione di abitanti. Costoro sono governati da Mswati III, l'ultimo monarca assoluto del continente. Strangola il minimo accenno di opposizione. Scioperi e dimostrazioni li fa disperdere dalla polizia e dai suoi soldati. Sono vietati i sindacati e i partiti. Il parlamento bicamerale non è altro che un gruppo di *yesmen* che possono solo consigliare la guida suprema Mswati III. Se un qualche giornale, ogni tanto, si permette di esprimere una critica, il caporedattore viene immediatamente buttato giù dal letto e incriminato dal Kadi che è soggetto al re. Non c'è ragazza che, se scelta, possa rifiutarsi di entrare a far parte dell'harem del sovrano. È una prerogativa divina poter scegliere per sé, in occasione dell'annuale festa per l'ingresso nella maturità, le figlie più belle del proprio regno. Il re Sobhuza II, il vecchio lenone, aveva avuto settanta mogli che gli avevano dato 218 figli di sangue blu. Mswati III è un po' più discreto anche se il suo segretario particolare non si lascia sfuggire il numero preciso delle sue mogli. Mi permette pur sempre in forma scritta di partecipare al rituale che nella lingua siSwati si chiama *umhlanga*. Posso addirittura accompagnare una ragazza di diciotto anni. Si chiama Zandile Shongwe.

Ieri Zandile era uscita a cantare e a schiamazzare assieme a migliaia di coetanee nelle acque paludose del Lusushwana. Aveva camminato pesantemente nel fango e tagliato una mezza dozzina di canne. Una volta piegate sarebbero state trasformate in paravento intrecciati per la regina madre Ntombi, che porta anche il nome di *iNdlovukazi*, grande elefantessa. Gli alberi gettavano già lunghe ombre quando le ragazze arrivarono a Lobamba, un villaggio non lontano della residenza della regina madre. A sera Zandile mangiò *pap* e *seshebo*, polenta con tanta salsa. E raccontò le sue sensazioni discordanti. *Umhlanga*, la danza della maturità è una festa sontuosa a cui vogliono partecipare tutte le ragazze fra i dodici e i venti anni, queste però, corrono il rischio di diventare bottino del sovrano e questo Zandile non lo vuole nemmeno per sogno. "Io? Sposare il re? Naaaaaaaa!". Mai e poi mai. Dovrebbe pensare agli eterni doveri, alla rigida vita da reclusa, agli obblighi di abbigliamento. L'onnipotente sovrano che sorride ai suoi sudditi da tutte le banconote non è roba per lei. E poi vuole diventare infermiera o annunciatrice alla tv di stato. In fin dei conti la festa della maturità, malgrado il rischio di nozze forzate, è semplicemente irresistibile. Ci possono partecipare tutte quelle che non sono incinte o non hanno bambini. Il rituale in un certo qual modo ha la funzione di controllare le nascite e questo, in un'epoca in cui la piaga dell'Aids è molto forte, offre una certa funzione protettiva. Chi è casta non viene infettata. Nel senso più proprio del termine tuttavia, *umhlanga* è un'iniziazione di massa che introduce le ragazze, le *iNgabisa*, al loro preordinato ruolo di donne. Per la prima volta nella loro vita voltano le spalle alla casa dei genitori e sono affidate a sé stesse. Nella massa si esercitano a vivere in fratellanza e uguaglianza. Allo stesso tempo, nell'offrire fedeltà al sovrano imparano a sottomettersi a tramandati rapporti di forza. Le lunghe, faticose marce sino a ottanta, novanta chilometri, educano all'autodisciplina. *Umhlanga*, un viaggio nella maturità.

Il giorno del ballo inizia alle sei. I profili delle montagne gemelle, che le fantasie *machiste* dei colonialisti, avevano battezzato "i seni di Sheba", sorgono nella lattiginosa luce del mattino. Nella fitta bruma mattutina, che ricopre il fondo della vallata, si riconoscono spettrali presenze. Nude le *iNgabisa* si bagnano alle sorgenti del Manzana. Sguazzano, scherzano, ridono, giocano. Un sogno africano magico e insondabile come le impressioni di un Renoir. Inizia la cerimonia della vestizione. Prima viene indossata la *indlamu*, un gonnellino rivestito di perline che copre appena le vergogne. Poi è la volta della sciarpa e di quei colorati ciuffi di lana dal nome impronunciabile: *imijijimba*. Alla fine le *emafahlanwane*, le cavigliere fatte con i bozzoli grigi di alcuni bruchi. Le madri danno alle figlie gli ultimi consigli circa i vestiti *umhlanga*, sui monili, sui canti, sulle tecniche di ballo. Gli uomini stanno a guardare. In questa maniera si mantengono vivi nel rituale i ricordi collettivi della preistoria matriarcale. Zandile si mette sul capo le penne scure del Ligwalagwala, prende il machete, lo scudo di pelle di mucca, si mette sulle spalle il fagotto della maturità e si pone alla testa del suo gruppo. Lei per la precisione è una *induna*, una leader.

Le *iNgabisa* si dirigono al luogo della cerimonia, un gigantesco serpentone composto da 12.000 femmine che si dimenano, guidate da un motore invisibile. È come se un canneto avesse imparato a camminare. Migliaia di piedi sollevano nuvolette rosso scuro dalla terra polverosa. Sua altezza Mswati III troneggia su di una tribuna, circondato da cortigiani, da principi e principesse, che si riconoscono dal copricapo di penne rosso-fuoco. Dappertutto monta il fischiare e il gridare, il cantare e lo strepitare delle ballerine che si trasforma in un rumoroso concerto. Due passi avanti e uno indietro – *umhlalo*, il "ballo del movimento", così si chiama la danza. Le nuvole si diradano per qualche attimo e i coltellacci delle ragazze lampeggiano sotto i raggi del sole. Ora segue la *unmiso*, la "danza immobile" che possono compiere solo alcune *induna* in particolare. Zandile balla, salta, sbatte i piedi immersa nel ritmo selvaggio ed estasiato e poi, un momento dopo, agile e fluttuante come una piuma. Per il re è un piacere.

Se ha scelto una donna non lo fa capire. Il segretario di stato tace. Comunicazioni relative al monarca non sono permesse durante la corta udienza di ospiti stranieri. Non gli si può nemmeno fare domande di politica o circa la situazione della nazione. Allora chiacchieriamo del tempo e della dolorosa bellezza del suo regno. Mswati III è l'avversario della modernità per eccellenza. Si trincera dietro le tradizioni che gli assicurano per sempre potere assoluto e, detto per inciso, anche la possibilità di approfittare delle più belle fra le sue suddite. *Umhlanga* – un regale controllo carnale.

La notte, nel dormiveglia, ritorna alle mie orecchie il canto di migliaia di voci, un mondo di suoni irreale, arcaico, la musica, la danza, l'eros dell'Africa. O si tratta solo di esotismo bianco? Zandile sorride quando glielo racconto all'indomani. Adesso ha di nuovo varcato la soglia fra la tradizione e il moderno. Canticchia una canzone dei *backstreet boys*, come tutte le ragazzine del mondo va pazza per il suo complesso preferito e parla della Swasi Tv e di scarpe Nike. È contenta di essere stata risparmiata. Per questa volta il signore non ha allungato la mano.

*

Di come sia andata poi la vita di Zandile non ne so nulla, ma spero che i suoi desideri si siano realizzati. Forse lavora come infermiera nell'ospedale della capitale Mbabane. Ha uno stipendio mensile. È diligente e orgogliosa. Forse un giorno sarà caporeparto. Maggiore è il successo però, più stretti sentirà i lacci della tradizione: la famiglia allargata con le sue continue necessità. L'uniforme scolastica per la sorella più piccola, medicine per la nonna malata, le tasse scolastiche per il cugino, le rate della macchina dello zio. In fondo lei guadagna. Lei "deve" aiutare. Succede a chiunque riesca a fare un po' di strada. Non importa che sia un ministro, un maestro o un impiegato statale. Deve sostenere la *extended family*, il clan, i parenti, gli amici, il luogo d'origine. Se non è lui ad andare dai questuanti saranno loro a farsi vivi. Riempiranno il suo appartamento in città. Svuoteranno la sua dispensa. Si accamperanno nella sua camera da letto. Non riuscirà a liberarsene. L'usanza impone di aiutare tutti i membri in difficoltà della propria tribù. La famiglia allargata è una rete di mutuo soccorso. Una sostituzione del welfare che in generale non esiste e che, laddove esiste, nella maggior parte dei casi, non funziona.

Il mio amico Jim Olagunju, quel taglio di nigeriano di cui si è già parlato, dopo essere venuto in Germania per studiare medicina, si trasferì nel nostro appartamento di Amburgo, dove vivevo con altre persone. All'inizio si sarebbe dovuto trattare solo di un paio di giorni, ma poi prese a considerarci come la sua *extended family*. Ci rimase tre mesi. Per lui era una cosa normale. Il giovane collega sudafricano mi aveva elencato tutta una serie infinita di obblighi. Jim andò prima da Johannesburg a Città del Capo, ma i tentacoli del clan sono lunghi. Solo quando si trasferì a Londra fu a distanza di sicurezza. In Africa chi cerca di allontanarsi dalla mediocrità della povertà, viene ricacciato in essa – attraverso un obbligo non scritto di condivisione che nelle società tradizionali garantisce la sopravvivenza. Nelle società moderne invece, impedisce l'accumulo del risparmio, l'evoluzione dell'*homo economicus*, lo sviluppo di una dinamica classe media.

Sarà così per sempre, almeno fino a quando non cambierà la mentalità degli africani. E la loro mentalità non cambierà fino a quando le élite posporranno, oppure rifiuteranno, reali riforme delle infrastrutture economiche e politiche. Ma, *ceterum censeo*, come europei bisogna fare molta attenzione a dare consigli poiché la maggior parte delle nostre teorie sullo sviluppo sono rovinosamente naufragate nella prassi africana. Il continente gigantesco e indolente ha rifiutato, come fossero dei microbi, tutti quei tentativi animati da buone intenzioni e imposti dalla modernizzazione. Gli esperti la chiamano *negrisme*, e intendono dire sganciamento. "Forse i vostri concetti di modernizzazione semplicemente non possono essere applicati all'Africa", ribatteva un paio d'anni fa Wambui Mangi. La sociologa keniana che allora era vicedirettrice dell'istituto Gorée, un luogo in cui le migliori teste d'uovo del continente erano chiamate a partorire visioni per una "nuova Africa del XXI secolo". "Non dico che noi si abbia un'idea migliore. Soltanto che le realtà debbono essere considerate meglio. Mwangi metteva in guardia dal pericolo di trasferire in maniera cieca modelli stranieri. Esistevano già una serie di esempi del continente, di regioni, di gruppi o di singoli attori che avevano dimostrato come fosse possibile realizzare una sintesi fra modernità e tradizione. Bisognava solo guardare nella giusta direzione. In Africa occidentale ho incontrato le cosiddette *waBenzi*, sono commercianti, donne consapevoli, della "tribù", che guidano Mercedes. I Bamileké in Camerun hanno costruito veri e propri imperi economici. Ad una delle loro feste d'iniziazione, vidi il loro *medicine man* che sedeva fra i membri di un consiglio d'amministrazione. A Johannesburg ci sono Xhosa che lavorano come broker o banchieri e si comportano come quegli uomini consapevoli delle proprie tradizioni a cui questo viene riconosciuto. Gli Asanti in Ghana, il popolo più legato alla terra che ci sia, si muovono a loro agio nelle alte quote del mercato globale.

*

La notizia non ha bisogno di alcun giornale, di nessuna radio, di nessuna televisione. Viaggia sui mezzi di fortuna e su carretti trainati da asini. Vola sui villaggi e sui mercati. Si sposta sulle colline, giù fin nella savana nelle piane sabbiose del Ghana settentrionale. Mi coglie a 300 chilometri da Kumasi: l'Asantehene è morto.

Kumasi, in giorni normali, è un vivo, rapido centro commerciale nel cuore del Ghana. Oggi si fa fatica a riconoscerlo. La città sembra paralizzata. Nelle officine i martelli tacciono. Le risate nei bar, la gente che tira sul prezzo al mercato è come se avesse la sordina. Le strade sono uno specchio. Niente immondizia da nessuna parte.

Kumasi piange Otumfuo Opoku Ware II, sovrano di Asanti. Da ogni dove partono sterminate processioni che si dirigono al palazzo sulla collina. La gente indossa toghe di tessuti preziosi di Kente. Di colore antracite o viola. Attorno al capo fasce rosse oppure sciarpe. Sulle loro teste rullano i tamburi, panciuti come barili di birra, larghi ombrelli di un rosso scarlatto e baldacchini di seta. La corrente scura sfocia in un mare di gente davanti al palazzo Manhya. È il palazzo dove è composto nella bara l'Asantehene. I prìncipi dominano tutto da sotto ai loro parasoli. Hanno bei volti. Orgogliosi. Seri. Sono circondati dai capiclan con copricapo neri e dai notabili. Sono disposti a ferro di cavallo. A grappoli. Come sciami di api che si raccolgono attorno all'ape regina. Sul lato sinistro i tamburi e i corni. Su quello destro i portatori dello scettro con i simboli d'oro, della comunità corrispondente: pantere, arieti, ananassi, teste trigemini. Nel mezzo i custodi, che sparano con vecchie armi da fuoco oppure sguainano le loro sciabole.

Lo spiazzo davanti al palazzo è talmente gremito che non ci entrerebbe più neppure uno spillo. In un giorno e una notte sono arrivate qui 300.000 persone. Una rappresentanza dei popoli del Ghana: i Mole-Dagomba dal nord, i Gâ dalla costa e poi i Gondja, gli Ewe e intere etnie degli Akan, la più grossa delle quali forma la Asanti. È il loro signore quello andato a raggiungere gli avi. Gli Hauteng spingono sulla piazza. Corpi contro corpi, fusi in una sola unità. Un caos ammansito. Un panorama meraviglioso e spaventevole di massa e di rispetto.

Cinque anni prima della morte del sovrano mi era stato concesso di assistere a una riunione del suo gran consiglio e scambiare qualche parola con lui. Otumfuo Opoku Ware II era allora all'apice del suo potere. Avvocato di formazione – aveva studiato a Londra – rappresentava un'antica, ma ancora intatta democrazia africana che nella confusione della modernizzazione non si era trasformata in qualcosa di folkloristico. Il dominio dell'*asanthene* affonda le sue radici in una ben ramificata gerarchia di capitribù e di leader che veniva però controllata dallo *asantemanhyiamu*, il cosiddetto concilio degli anziani e determinato da scelte matrilineari della *asantehemaa*, la regina madre. Tutti i sudditi sono raccolti in una stretta organizzazione militare, ognuno segue il tramandato diritto consuetudinario. In occasione delle ricorrenze vengono rafforzate le bande fra distretti, villaggi, clan e individui. I primi signori Asanti erano riformisti dall'occhio lungo. Sin dagli inizi del XVIII secolo, sorsero strutture amministrative centralistiche e un intelligente sistema di tasse e tributi. Nelle miniere d'oro vennero sfruttati come schiavi i prigionieri di guerra. Con gli europei si prese a scambiare metalli preziosi, avorio, caffè, cacao e noccioline in cambio di armi da fuoco. Un esercito, tecnicamente superiore, sottomise le popolazioni vicine che vennero presto assimilate e poi, gradualmente, l'antico modo di pensare tribale, cedette il posto all'idea di stato. Gli Asanti diventarono ricchi, ricchi da fare invidia, grazie all'oro e ad una nuova fonte di profitto: gli schiavi. Quegli stessi schiavi che catturavano a migliaia e migliaia nell'entroterra per poi venderli ai mercanti bianchi. Eppure di questo commercio non c'è traccia nelle cronache della corte. Si preferisce sottolineare la sua importanza di oggi come *global player*. Il gruppo minerario Ashanti Goldfields, fa parte di quel ristretto numero di aziende africane le cui azioni possono essere trattate a Wall Street.

Un forte sibilo sulla mia testa. Mi volto – vengo violentemente percorso da un brivido freddo. Là, nero come la pece, sta piantato un gigante con in testa una parrucca ancor più nera. Salta infuriato da una parte all'altra. Dimena una sciabola, rotea gli occhi e si mette l'arma fra i denti per poi rinfoderarla rumorosamente. Devo essere rimasto così come il piccolo pupo bianco davanti al grande uomo nero. Una mano mi prende alla spalla: "Non deve mettersi sulla sua strada. Quello è un *abrafoo*", mi spiega una donna molto carina. "Sono quelli che fanno in modo che venga rispettata la legge. Nelle notti della veglia funebre decapitano giovani uomini della stirpe reale. L'Asantehene non deve ritornare da solo al villaggio". La donna si chiama Nana Yaa Ofori-Atta. È un'aristocratica e conosce la tradizione a menadito. La storia dei sacrifici umani nei tempi passati – si parla di 3000 sudditi che avrebbero dovuto accompagnare il sovrano nell'aldilà – riempie l'Asanti di grande paura. La stessa Nana Yaa non è sicura al cento per cento: "Questo culto è stato vietato tanti anni fa, ma non si sa mai..."

Beviamo dell'acqua tiepida venduta in buste di plastica mentre Nana Yaa decifra i segnali attorno a noi. Le collane intrecciate di pervinca portate dai consanguinei del re. Gli elmi dei capi, che si ornano con piccoli fucili, moschetti e sciabole – immagini di potenza in battaglia e di forza. I pomi delle spade, le punte degli elmi, i corni e i talismani di oro scintillante, sono simbolo di ricchezza. Fra i capi ci sono anche dei bianchi, perlopiù uomini d'affari europei che si sono conquistati i gradi aiutando lo sviluppo economico del paese. Dietro ogni dignitario c'è un aiuto. Addrizza la mantellina, sostiene il suo braccio, deterge il sudore, accompagna in giro. I camerieri particolari debbono essere invisibili. Sono strumenti del loro signore e non debbono gettare ombra. Qualche volta i capi si alzano in piedi e ballano alcune misteriose figure per poi risedersi nuovamente su minuscoli scranni. Sono riproduzioni del *sika gwa*, il primo trono d'oro. Quello che una volta cadde dal cielo. Simbolizza l'invincibilità della monarchia e quello spirito che unifica la nazione degli Asanti. Nel 1874 i britannici soppressero la ribellione degli Asanti, conquistarono Kumasi e saccheggiarono il palazzo reale. Il *Sika Gwa* però, quello che per gli Asanti rappresenta una specie di Graal, quello non l'hanno mai toccato. "I nostri antenati li fregarono con una copia da quattro soldi", racconta Nana Yaa. Il Ghana ottenne l'indipendenza nel 1957, e fu il primo paese africano a riuscirci. Certo al leggendario padre fondatore Kwame Nrumah andò come alla regina d'Inghilterra prima di lui e alle dittature militari e ai governi civili che seguirono: tutti si ruppero i denti con gli Asanti. Questi rimasero indipendenti in uno stato indipendente.

La fila di gente è cresciuta di molti chilometri. Arriva sino alle scale del palazzo, attraversa il portone d'ingresso sino al feretro. L'*asantehene* ricoperto di polvere d'oro nella pace eterna è adagiato in vesti preziose. È vietato fermarsi a fissare il volto di cera. Mi inchino dinanzi alle guardie che annuiscono in segno di assenso. Un uomo bianco che rende l'ultimo onore al loro sovrano.

*

Quando lasciai Kumasi, mi riprese quella tristezza che avevo trovato a Buipe. Era appoggiata alla balaustra di un ponte che attraversa il Volta.

Il Volta alimenta il lago artificiale che ha lo stesso nome. Con i suoi 8482 chilometri quadrati è il più grande bacino artificiale del mondo – uno dei giganteschi progetti del fondatore dello stato Kwame Nkrumah, che avrebbe dovuto catapultare il Ghana nel futuro. Il vecchio mi guarda fissamente con un'espressione folle. I suoi abiti sono ricoperti d'immondizia della civilizzazione: scatolette arrugginite di sardine, dadi e chiodi di ferro, cavi elettrici sfilacciati e spazzolini da denti consumati. La modernizzazione e quello che essa lascia in Africa: un uomo confuso, povero e anziano, fermo davanti ai cancelli del XXI secolo.

L'immortalità del coccodrillo
I grandi uomini dell'Africa e il potere

Non è possibile. Non può essere. Una gigantesca cupola sta lì, davanti a me. Sorge dalla foresta – deve essere un'illusione ottica. Mi stropiccio gli occhi, eppure la cupola diventa sempre più grande e adesso vedo anche la città. La zona-fiera, il cilindro dell'hotel alla cui sommità ruota un ristorante, la rigida geometria delle strade. L'autostrada da Abidjan sfocia in un largo stradone. Sono a Yamoussoukro, la capitale della Costa D'Avorio. Che razza di città è mai questa? Pedoni se ne incontrano raramente. Negozi, banche e uffici sono chiusi. Agli incroci passano velocemente solo un paio di auto. I giardini fioriti, i boschetti artificiali, il campo da golf – vuoti. La *Maison du Parti*, la vistosa casa del partito di stato, con i suoi paraventi di bronzo dorato, il centro congressi, la piazza di fronte alla grande moschea – nessuno. Come se fosse esplosa una bomba al neutrone che avesse fatto scomparire la vita.

Incontro qualche persona solo all'altro capo della città. Confluiscono tutti nella basilica dalla cupola gigantesca. La preziosa costruzione in stile neo-rinascimentale è più alta del duomo di San Pietro a Roma. Un'immagine surreale. Quasi mi fossi perso nel mondo di Giorgio de Chirico. Per fare un giro attorno ad uno dei mastodontici pilastri del suo colonnato sono necessari 24 passi. Il marmo di Carrara è stato importato dalle Alpi Apuane. I parchi pubblici, grandi come 64 campi di calcio messi assieme, sono stati realizzati seguendo il modello di Versailles. Mi accodo ai fedeli. La navata principale può accogliere 2000 persone. Fa fresco. È piacevole. Nei banchi sono stati inseriti dei condizionatori. La funzione ha inizio. Oggi è il giorno del Signore. Il rimbombo delle campane fa tremare le migliaia di ciondoli di cristallo sull'altare. Nuvole d'incenso e cori squillanti salgono sino alla volta immacolata della cupola. Attraverso le vetrate la forte luce tropicale assume un colore bluastro, rosso sangue e violaceo. Un mix di originalità e pacchianeria. Eppure i cattolici di Yamoussoukro fanno in modo che non accada nulla alla loro Notre Dame de la Paix. La basilica è il loro giochino misterico. Il loro teatro barocco. La televisione a colori della domenica dopo sei giorni in bianco e nero. È l'opera più vanagloriosa fatta costruire dal grande comunicatore Félix Houphouët-Boigny e Yamoussoukro è la capitale sognata dal primo presidente ivoriano, la sua visione del futuro fatta realtà. Una città costruita in laboratorio, tirata su nel mezzo del niente e costata miliardi di franchi. Qui nacque il presidente. Qui è morto. Qui vivrà per sempre nel suo faraonico lascito.

Al di fuori del centro cittadino, circondato da fossati d'acqua e da alte mura di difesa, come una cittadella spagnola, si erge il palazzo presidenziale. All'ombra delle sue mura un paio di persone fissano l'acqua torbida e scura. Lì dentro sguazzano coccodrilli. Grossi mostri grandi come draghi, che cercano in Africa i loro simili. Un esemplare su tutti fa paura. Sulla sua corazza crescono alghe. È lungo sette metri e si chiama Capitaine. Gli ospiti alla balaustra osservano raccapricciati quei pezzi di carne sanguinolenta scagliati nelle fauci dell'ignoto. Dar da mangiare ai coccodrilli è un rituale pubblico e Monsieur Diallo, il guardiano, mi spiega quello che significa: "Il presidente è immortale. Vivrà per sempre in Capitaine". Félix Houphouët-Boigny è andato all'altro mondo nel 1993. I rettili erano i suoi animali-feticcio. Simbolizzano l'eterno potere degli autocrati. Il loro legame con le forze segrete della natura. Il dominio oltre la morte. Sono strisciati sin dal fango primordiale dell'Africa nei tempi moderni per occupare i pensieri del popolo. Molti ivoriani sono inoltre convinti che gli avi si reincarnino nei coccodrilli.

Houphouët-Boigny era un uomo di cultura. Un individuo che conosceva il mondo. Chiacchierava in un francese ricercato e giocava sulla tastiera dei miti africani. Nessun padre fondatore dell'Africa postcoloniale lo comprendeva. Tradizione e progresso. Origine e futuro affratemati in maniera efficace. Il suo potere assoluto funzionava secondo una elementare equazione: magia + modernità = potere. Il leader ivoriano personificava quel genotipo che nell'Africa anglofona si definisce *Big Man*. Un capo politico talmente forte da lasciare spesso il proprio paese in ginocchio.

*

Il *Big Man* è onnipresente. Mi scruta attraverso migliaia di immagini: paterno e saggio, qualche volta benigno, più spesso severo, ma sempre virile e soprattutto giovane. Nella sala degli arrivi dell'aeroporto quando metto piede nel suo regno, il suo ritratto mi dà il benvenuto. Mi osserva alle spalle, alla reception dell'hotel, per vedere se ho riempito correttamente il formulario. Mi accompagna durante le mie odissee fra uffici e funzionari. Lo incontro negli ospedali, nelle botteghe del barbiere e nei negozi. Lo ascolto sempre alla radio. Le notizie principali in televisione non parlano che di lui. Gli vengono dedicate strade e piazze e talvolta persino monti e laghi. Il suo nome è impresso sui palazzi del governo, nei padiglioni delle fiere, negli stadi, nelle fabbriche e nei teatri. Il suo testone orna i francobolli, i quadranti degli orologi e le magliette dei ragazzi. Sorride da milioni di banconote che spesso non valgono neppure la carta su cui sono stampate. Occupa tutto l'immaginario che il popolo ha del potere.

Dappertutto compaiono simboli di quella forza davanti a cui i sudditi debbono inchinarsi. Per noi stranieri la cosa è un po' più complicata perché spesso non siamo in grado di riconoscerli. A Kisangani, una città nel bacino del Congo, inciampai in uno di questi simboli. Ero salito su di una piroga proprio di fronte a un giardino incolto al centro del quale c'era una villa che cadeva a pezzi. Volevo andare in canoa sul fiume Congo fino a Wagenia dove c'erano alcuni temerari pescatori. L'imbarcazione non aveva nemmeno lasciato il porticciolo che alcuni spari d'arma da fuoco lacerarono la pace mattutina. Provenivano dal kalashnikov di un soldato. La cintura rosso cinabro e le mostrine con la scritta "Commando de Choc", lo identificavano come membro di un gruppo d'élite. Era il guardiano di quella villa abbandonata, appartenuta a Mobutu Sese Seko, il presidente dello Zaire. Dietro pagamento di una dignitosa mancia, il soldato, alla fine, si lasciò calmare e si trasformò perfino in guardia del corpo offrendomi la sua protezione sino al calar del sole.

Il luogo di nascita del *Big Man* invece, è abbastanza facile da identificare anche se non si sa precisamente dove sia. Basta seguire la strada asfaltata tenuta meglio, quella che dalla capitale conduce nell'entroterra. La chiamano "la strada del potere" e la situazione può diventare pericolosa per quelli che non lo sanno e la utilizzano nel momento sbagliato. La guardia pretoriana del dittatore nigeriano Sani Abachi sparava alle persone che non si facevano da parte abbastanza in fretta quando passava il suo corteo di auto. Senza tante storie via dalla strada. Nella località nigeriana di Eldoret ero in un taxi che mi stava portando in Ghana quando, all'improvviso, il conduttore sterzò a casaccio nella giungla. Avevamo quasi rischiato di farci arrotare dal corteo presidenziale: auto della polizia e jeep militari ci sfrecciarono accanto e dietro ad esse un macchinone scuro, l'auto di stato. Era il presidente Daniel arap Moi in viaggio di lavoro. In quel momento mi venne in mente che non ero lontano dal villaggio natale del *bwana mkubwa*. Così si chiama il *Big Man* in lingua kisuaheli. Nel frattempo le probabilità di un tale incontro sono sensibilmente diminuite visto che Moi si è fatto costruire un aeroporto internazionale "privato" sulla porta di casa – il tutto con gli aiuti allo sviluppo dei paesi industrializzati.

E guai a chi si azzarda a dire una parola! Il *Big Man* non tollera critiche, obiezioni e men che meno opposizione. Si aspetta che i suoi sudditi gli permettano tutto, lo amino come un padre e lo temano come un dio. Se poi, come nel caso del despota liberiano Samuel Doe, il *Big Man* è disposto a mostrare il suo aspetto umano giocando a pallone con le sue guardie del corpo, queste sono dispostissime a fargli fare un paio di gol. Il vero grande uomo però, conosce anche questi trucchetti. Resta sempre sul chi vive e dubita di tutti. Perché l'essere umano è cattivo e di fronte al potere nasconde il suo vero Io. Roi Gbetkom di Bamoun nell'antico Camerun, era piccolo di statura e per questo faceva mozzare le gambe ai suoi rivali in modo che nessuno di loro potesse guardarlo dall'alto in basso. Il moderno *Big Man*, a dire la verità, non è più così terribile, anche lui però combatte i suoi avversari senza pietà. Li getta in prigione, li fa maltrattare e, se necessario, liquidare.

Di regola tuttavia, il *Big Man* utilizza metodi eleganti. Attraverso una rete ben diramata, distribuisce padronati, doni reali, posti e prebende, grandi proprietà terriere e licenze d'importazione. Compra concorrenti e ribelli e li trasforma in innocui vassalli. Perché il *Big Man*, com'è facile immaginare, non è solo il più grosso, ma anche il più ricco uomo del paese. Ha trasformato la politica in arte del ladrocinio. Lo stato, e tutto quello che ne fa parte, li considera cosa sua. Svuota le casse erariali. Riduce in brache di tela banche e grosse aziende. Se finisce il denaro ne fa fare dell'altro. Se il jet presidenziale è rotto, confisca il migliore aereo della compagnia di bandiera nazionale per volare, assieme alla sua cricca, a far compere nelle metropoli del nord del mondo: Parigi, New York, Lisbona, Londra. Se gli viene la voglia si prende mogli e figlie dei suoi ministri.

Il più grande fra tutti i "grandi uomini" ha perfino messo questa prerogativa nel suo nome: Mobutu Sese Seko Kuku Ngbendu Wa Za Banga, "il gallo che ricopre tutte le galline". Questa, fra le traduzioni possibili, è quella che più delle altre si avvicina al senso originale. Mobutu era il figlio di un semplice cuoco. Si sarebbe trasformato nel presidente dello Zaire e in un semidio. I pochi cittadini in possesso di un apparecchio televisivo lo vedevano apparire ogni sera su di una nuvoletta, nei titoli di testa dei telegiornali. Non c'era nessun altro che fosse in grado di controllare quel gioco a scacchi nepotistico bene come Mobutu. Si dice che in quarant'anni di potere abbia fatto fuori sessanta primi ministri. La cifra precisa non la conosce nessuno perché parecchi amici fidati sono stati eletti più volte. Nguz Karl i

Bond, ad esempio, fu capo del governo, poi cadde in disgrazia e fu gettato in prigione prima di essere di nuovo sollevato sugli altari. Il metodo della banda di Mobutu seguiva un intelligente sistema clientelare. Era organizzato in maniera concentrica come gli strati di un tubero. Il cuore era rappresentato da un grosso clan familiare, poi c'era un gruppo di potere più vicino e, infine, la comunità tribale allargata, in questo caso gli Ngbandi. Costoro ottennero le posizioni più importanti nell'esercito, nella polizia e nei servizi segreti, nella magistratura, nelle banche, nei media e nell'amministrazione, nei governatorati delle province e, naturalmente, nel governo.

In occasione del compleanno oppure di una qualche vittoria elettorale del loro generoso impresario, i favoriti si facevano sotto con pagine e pagine di richieste e lettere omaggianti sui giornali – un rituale di adorazione del potere. Ovviamente prima il *Big Man* le elezioni deve vincerle. Spedisce i suoi battaglioni in modo da assicurarsi il risultato. Nella maggior parte dei casi però, non ha bisogno né di manipolare, né di falsificare nulla perché alle elezioni si presenta solo un partito: il suo. Se serve prima della consultazione fonda un paio di altre liste elettorali, cavalli di Troia occupati con gente di fiducia. Se proprio non se ne può fare a meno il *Big Man* dichiara di colpo le elezioni non valide. Non appena però l'uomo forte ha esaurito le risorse dello stato e non ha nient'altro da distribuire viene buttato giù. Un vero e proprio tornado si porta via le sue immagini. Le sue icone scompaiono dal giorno alla notte. Immediatamente però alle pareti vengono appesi quadri freschi, immagini del nuovo *Big Man*. Dovunque egli appaia i suoi sudditi sprofondano nella polvere e lodano i suoi vestiti nuovi ed eleganti anche se costui viaggia nudo attraverso il paese. Dentro di loro tutti sanno però che il cambio di presidente non è altro che il cambio da un parassita a un altro. La nuova élite ruberà come la vecchia e cercherà di arraffare tutto per quanto più a lungo possibile.

A Yaoundé sull'Avenue de la Indépendance le tribune d'onore con la loggia presidenziale non sono più state smontate tali e tante sono le occasioni per onorare il capo di stato del Camerun, il grande Paul Biya. Oggi compie un bagno di folla e abbiamo l'opportunità di accompagnarlo sul grande schermo. Il presidente scende da una limousine. Cut. Il presidente vicino a un mezzo antincendio. Cut. Il presidente parla con una tipa bianca dai capelli rossi. Cut. Il presidente si fa mostrare un tavolo operatorio. Cut. Il presidente ascolta una banda militare. Cut. Il presidente sale su di un elicottero. Cut. Il presidente scende da un elicottero. Cut. Stacco. Sto vedendo un servizio della tv di stato. Due ore e cinque minuti d'immagini non commentate. Culto del leader allo stato puro.

*

A questo punto è d'obbligo una breve digressione nel mondo delle élite africane. Perché il *Big Man* è il loro modello di riferimento. Sognano di diventare ricchi e potenti come lui e, se non riescono ad arrivare a prender parte ai vertici più importanti con l'aristocrazia statale, sperano perlomeno di scalare i vertici della burocrazia. Perché in quei casi si ha diritto di sedere a una scrivania, di spaventare un paio di sottoposti e bearsi dei soliti status symbol: l'orologio d'oro, il fermacravatta d'argento, la penna stilografica e una batteria di timbri, biglietti da visita con la bandiera nazionale e un telefono cellulare. È molto importante anche l'aria condizionata. Porta la temperatura all'interno della stanza al livello di un frigorifero e sotto la camicia immacolata non bisogna più sudare come l'africano comune. Quando il *piccolo grande uomo* si avventura in città e villaggi nella sua fiammante quattro per quattro – in questo periodo e molto in voga il modello *pajero* – fa in modo di mostrare i suoi privilegi. Disprezza la primitività, la sporcizia e la povertà. Meglio che nessuno gli si avvicini troppo, altrimenti potrebbe capitargli qualcosa come a quel ragazzino affamato che a Cotonou, in Benin, vidi chiedere l'elemosina a un paio di funzionari di partito. Quei signori stavano pranzando e il ragazzo gli chiese un pezzo di pane. Lo minacciarono di buttargli in faccia del vino. "La classe politica ha cancellato dal proprio vocabolario la parola giustizia", dice Olatunij Dare, un collega nigeriano molto critico con il regime del suo paese. Un paio di settimane dopo il nostro incontro a Lagos dovette scappare oltremare. Era finito sulla lista nera della giunta militare.

Una volta sono andato sino ad Ota, all'allevamento avicolo di Olusegun Obasanjo. Il generale che nel 1976 aveva preso il potere con un colpo di stato per poi consegnarlo, tre anni dopo, a un governo civile. Questo non aveva fatto altro che rafforzare la sua fama di democratico africano e la sua personale amicizia con Helmut Schmidt[7]. Dovetti ringraziare il vecchio cancelliere tedesco se avevo potuto approfittare di due ore faccia a faccia con Obasanjo. Potei avvalermi di un'ottima analisi sull'incapacità degli africani a governare in maniera ragionevole e trattare bene la propria gente. "La mentalità delle élite deve cambiare radicalmente", disse l'uomo alla fine. Nel lasciare la fattoria mi ricordo di aver visto un operaio colpito con una frusta di gomma. Olusegun Obasanjo, di certo, non ne avrà saputo niente. Nel frattempo è ritornato al potere, questa volta come presidente eletto. La mentalità delle élite africane però, non è cambiata per niente.

Non trattano bene i loro fratelli e le loro sorelle. Per dirla tutta non gliene frega nulla di come vivono, di come sono attrezzati i loro ospedali oppure le scuole dei loro bambini. I propri pargoli invece, li spediscono a studiare nei collegi in America oppure in Europa. Se la signora di casa desidera un'operazione estetica se ne vola nella clinica specialistica di Città del Capo. Tutto questo mentre la gente semplice, in patria, non può permettersi nemmeno le medicine contro la malaria oppure deve crepare di colera come accade nei quartieri poveri di Luanda. La capitale dell'Angola fornisce tanti esempi che dimostrano quanto possa essere dolce la vita in Africa se si appartiene alla *Hautevolée,* al circolo giusto. Nei caldi pomeriggi vedo nella Piscina Alvalade, la piscina dei belli e dei ricchi, i figli dei funzionari del partito che vanno in giro con magliette della Ferrari. Gli alti papaveri si ritrovano ogni sera sulla Ilha, una lingua di terra davanti a Luanda, per gustare gamberi e aragoste al Farol Velho, un ristorante di proprietà del partito. La meglio gioventù invece, balla la samba nel vicino *Aperto* che fa da surrogato di Copacabana. A volte però, i ragazzi preferiscono l'originale e volano con la Varig per andare a passare il fine settimana a Rio. In queste amene località non mi verrebbe mai in testa che l'Angola si trovi in una sanguinosa guerra civile e che tre quarti della sua popolazione muoia di fame. Il satollo signore della guerra deve sentirsi come quell'ufficiale della Wehrmacht tedesca di nome Ernst Jünger nella Parigi conquistata: "Di questi tempi c'è cibo, ottimo e abbondante. È un senso di potere". La borghesia di stato angolana può soddisfare ogni suo desiderio perché ha il petrolio. Tanto petrolio. Se calcolassimo la quantità, teoricamente, a disposizione per ogni abitante, uno stato come il Gabon disporrebbe di un volume pro capite di oro nero persino più elevato. Ci sono stati anni in cui le 150.000 persone che componevano l'élite di un popolo di un milione e duecentomila persone bevevano più champagne che in qualsiasi altro posto al mondo. Lo chiamavano *jus d'okoumé* dal nome dell'albero del pane, nella foresta tropicale gabonese. Il succo del proprio paradiso.

La fame da lusso è discreta. Si sottrae al nostro sguardo. A Khartoum, la capitale di quel Sudan piagato dalla guerra, affitto una lancia per poter osservare i figli dei ricchi fare picnic su di un'isola sul Nilo. Indossano le marche di vestiti più care del mondo e bevono whisky come i loro padri, islamici timorati, quegli stessi che a Kinshasa predicano l'astinenza al proprio popolo. Non solo devo sapere dove si trova Nsele, il palazzo in stile pagoda che Mobutu si fece regalare da cinesi, ma anche quando si esibirà Koffi Olomidé, la stella del pop. È il sacerdote più importante dell'edonismo. In mezzo al suo pubblico scopro più monili d'oro e diamanti che a fare una passeggiata sugli Champs-Elysées. Ad Abidjan non ho bisogno di alcun invito speciale se voglio assistere ad una sfilata di moda delle signore ivoriane guidate dalla first lady, che se ne vanno in giro in tailleurini di Dior per farsi vedere. La manifestazione si svolge all'Ivoire, un hotel esclusivo in cui la gente normale non può entrare. Oltretutto non avrebbero nemmeno il denaro per pranzare o far compere. Il supermercato annesso mi trasporta a Parigi. Alcune signore nere fanno acquisti: formaggio fresco dei Pirenei, burro bretone, oca della Burgundia, fois gras, vino rosso di livello. Per finire potrei andare a fare ginnastica in acqua oppure al corso di tango. Mentre gli uomini giocano a golf i bambini invece smanettano ai computer oppure s'ingozzano al fast food, o magari scivolano sul ghiaccio liscio a fianco, sul patinoire dipinto verde artico e blu ghiaccio. Dentro un freddo polare, fiori ghiacciati e slitte. Fuori caldo tropicale, orchidee e la serenata metallica delle cicale. Nello scantinato fa una pausa la rotellina del contatore. È l'ora in cui nei ghetti di Treichville si accendono i lumi a petrolio e le candele.

*

Nel corso degli anni ho avuto il dubbio onore di conoscere, personalmente, una dozzina di *Big Men*. Hanno tutti una cosa in comune: rimanere ossessivamente attaccati al potere e la difesa della loro posizione alpha con tutti i metodi possibili. Gli Zulu dicono che nel recinto può esserci un solo toro[8]. Non c'è dubbio che questo fenomeno ci sia sempre stato. Dappertutto. Presso faraoni e cesari, califfi e mogol, Borboni e Asburgo. È un tratto distintivo del potere quello di aspirare all'assolutismo, all'immortalità. De Gaulle, Churchill, Adenauer, Nixon nessuno avrebbe mai ammesso che la storia sarebbe andata avanti anche senza di loro. Anche oggi non ci facciamo mancare niente. Il signore che resta al potere per tutta la vita è un fenomeno che si ripete ai nostri giorni, persino fra i popoli dell'America Latina o dell'Asia, dell'Arabia o della Corea del nord. La "malattia del potere" non è una patologia esclusivamente africana. Probabilmente però, nessun altro continente ne è stato divorato in maniera simile.

Soltanto delle terribili condizioni in cui versa il suo popolo il *Big Man* sa poco. È tagliato fuori dalla realtà, l'immagine perfetta che ha del proprio stato gli viene dipinta da una cerchia chiusa di consiglieri. Se dovessero intravedersi dubbi, questi vanno coperti da una robusta mano di colori. Dei più squillanti. Il *Big Man* considera reale, vero, solo quello che gli fa comodo. Il suo palazzo è popolato da spiriti devoti, da *yesman* e lustrascarpe, da leccapiedi e ipocriti. Fra i suoi più stretti collaboratori regna il basso profilo. Nessuno deve essere saggio come il *Big Man*. Persino i buffoni di corte sono mal tollerati poiché, nella loro immagine, il signore potrebbe rivedere i propri errori, ma soprattutto la propria mediocrità. Di fatto non è qualificato per quel ruolo, "non è abbastanza preparato da un punto di vista intellettuale, ideologico, politico e men che meno morale". A parlare così è il presidente ugandese Yoweri Museveni.

Gli aiutanti del *Big Man* spesso si preoccupano soprattutto che il visitatore rispetti l'etichetta e che *sua signoria illustrissima* non venga disturbato con domande fastidiose. Una volta, durante una conferenza stampa del presidente sudafricano Thabo Mbeki, ero stato costretto e cercare un determinato posticino. L'uomo alla porta mi impedì di uscire. "Fino a quando il presidente parla a nessuno è permesso lasciare la sala". La mia protesta non gli fece né caldo né freddo. "Si lamenti davanti alla corte costituzionale se non le sta bene!". Va detto, per amor di onestà, che Mbeki non è il classico *Big Man*, eppure i suoi sottoposti si comportano in maniera talmente umile che quell'uomo potrebbe credersi tale. Se riusciamo ad arrivare sino al loro signore, costui alle volte ci appare certo rilassato, ma anche pronto, e alle volte perfino furbo. Mbeki fumava tranquillamente la pipa e filosofeggiava sulla Renaissance africana. Nicéphore Soglo, capo di stato del Benin, regalava insegnamenti economici da due soldi. Il presidente dello Zimbabwe, Robert Mugabe, sfotteva i compagni che si scervellavano per comprendere quale fosse la via più giusta al comunismo. Sono state ascoltate diverse campane e accettate le offerte. Da qualsiasi parte provenissero è chiaro. Il solo Daniel arap

Moi, capo di stato del Kenia, si comportò in maniera arrogante e assente. A una mia breve domanda semplicemente si girò dall'altra parte come se non avesse sentito.

Il *Big Man* è circondato da un'aura di corte che sembra allo stesso tempo appiccicaticcia e strana, quando non ridicola. Kamuzu Banda, portava sempre panciotto e cilindro. Governava sul Malawi come un sovrano da operetta. Le cerimonie, gli abiti ufficiali, le parrucche d'argento, il divieto delle minigonne e dei pantaloni per le donne, una pruderie imposta, che aveva trasportato il paese indietro nel tempo, all'epoca vittoriana. Banda era presidente a vita e si era dato il nome di *Ngwazi*, il redentore. Il suo reame sulla terra divenne una parodia involontaria della dominazione coloniale britannica. Chi vuol fare carriera in certi regni deve ottenere la benevolenza di Sua Altezza. Come conseguenza si assiste al fiorire dei sicofanti, dei delatori. Intrighi, tradimenti, calunnie, infamie. Eppure questi bizantinismi non sono una prerogativa africana. È qualcosa che accompagna tutti i poteri che si considerano assoluti. In Germania un esempio si è avuto con la dinastia Hohenzollern, sotto Guglielmo II. Solo che il Kaiser doveva costantemente confrontarsi con la società borghese. Era legato alla dinamica di una potenza industriale che stava sbocciando. "La vita moderna è troppo complicata. Come quella che poteva condurre un principe o un capotribù nell'antichità", annotò la regina madre nel 1892.

In Africa la "vita moderna" è iniziata con un certo ritardo, e in molti posti non è proprio arrivata. È vero che nel continente esiste ancora un solo signore assoluto, Mswati III dello Swaziland, ma nella maggior parte dei paesi sopravvive quel principio che Norbert Elias chiama "Königsmechanismus", il meccanismo del sovrano. "Gli stati africani sono governati da capotribù", dice Margaret Dongo, una esponente politica dell'opposizione in Zimbabwe. Va detto però, che il ruolo dei leader tradizionali viene interpretato male. In passato questi erano i guardiani dell'unità del proprio popolo, regolavano problemi legati alla terra, spiegavano ciò che era necessario, comunicavano con gli antenati. I loro poteri però erano regolati dai consigli degli anziani, dalla comunità tutta, attraverso la legittimazione forzata della loro autorità. I candidati dovevano mortificarsi oppure superare esami difficili. In alcune culture costoro, al momento della presa di potere, venivano massacrati di botte. Quando oggi si parla della "sindrome da capotribù", s'intende quel sacro potere del capo in cui l'influsso terreno si lega a istanze superne con gli dei, gli spiriti e gli antenati. Sono loro che permettono al *Big Man* di guidare il destino dell'uomo, di giocare a fare il dio e perfino d'interferire nel corso degli eventi naturali. La tanto attesa pioggia dopo una lunga siccità, il fulmine che colpisce il villaggio che si rivolta, oppure la fine di una moria delle vacche, vengono considerate dai *praysingers*, i cantori ufficiali, come manifestazioni del potere del signore.

Quanto sia ancora grande questo potere, malgrado il suo proprietario vacilli o sia caduto, l'ho potuto sperimentare personalmente nel 1997 a Kinshasa, durante il crepuscolo di Mobutu Sese Seko. All'aeroporto di Njili stavo per imbarcarmi sull'ultimo volo per lasciare il paese quando ci fu qualcosa che non piacque al capo della sicurezza. I suoi gorilla cercarono di rimandarmi nella sala partenze. Nell'emergenza mi misi a frugare e tirai fuori dalla borsa un articolo che misi sotto il naso dell'ufficiale. Questi scorse la prima pagina, rimase sorpreso, si fece indietro e mi lasciò passare. Si trattava di un'intervista in forma scritta che il presidente Mobutu mi aveva dato. Poco dopo scappò via dallo Zaire. Nei bagagli a mano c'erano i *paraphernalia* del suo potere: il cappellino leopardato e il bastone da capotribù con il becco di un'aquila che sembrava una specie di apribottiglie per giganti. Il regno profano del dittatore stava crollando eppure il suo potere sacro restava intatto. Quei fogli con le sue parole rappresentavano una specie di difesa magica.

Di tanto in tanto il *Big Man* deve ricaricare le sue energie incantate. Per questo ci sono *medicine men*, stregoni o *feticheurs*, i tramiti fra il mondo dei vivi e quello dei morti. In Porto Novo, Benin, anni fa incontrai il sacerdote vudù, Tozé, sul cui orologio da polso era ritratto Omar Bongo. Mi raccontò di come viaggiasse regolarmente ad Haiti e in Africa Centrale per occuparsi dei potenti. Omar Bongo, presidente della Repubblica del Gabon, non prendeva nessuna decisione senza aver prima interrogato il *fâ*, l'oracolo, attento a non contrastare la volontà degli dei.

*

Niente e nessuno possono distruggere il potere del *Big Man*. Chi ha qualche dubbio vada a Sara-Kawa, una cittadina ai piedi del monte Kabyé in Togo. Laggiù c'è un monumento un po' particolare. Fu costruito in onore del dittatore Gnassingbé Eyadéma, perché qui, il 24 gennaio 1974, il suo aereo precipitò nella giungla. Eyadéma fu l'unico superstite dell'incidente. Un ovale di cemento, circondato da un chiostro, dà pace ai resti del DC3. Non si può toccare, né spostare nulla, i frammenti di metallo, i brandelli di lamiera e le viti sono reliquie. Davanti all'arena si erge un'immensa immagine del generale. Con la mano destra fa segno verso la terra: Guardate questo posto! Qui avrei dovuto essere distrutto. Ma il presidente Eyadéma, il signore più longevo di tutta l'Africa postcoloniale, è immortale. Solo quei poveri diavoli dell'opposizione continuano a non rassegnarsi all'idea.

Si può quasi dire che quelli che augurano al *Big Man* una morte lenta, lo precederanno. Oppure che, come Samuel Doe, vadano incontro a una fine terribile. Il tiranno della Liberia venne torturato a morte dagli sgherri del capo ribelle Prince Johnson che hanno filmato il tutto con una videocamera. Si vede un mucchietto di carne sanguinolenta, le ossa fatte a pezzi, le ginocchia perforate dai proiettili. Una creatura piagnucolosa e senza nome che una volta era stata un *Big Man*. "Che hai fatto con il denaro del popolo liberiano?", chiedono gli aguzzini. "Mi fa male! Mi fa male!", grida la vittima. Prince Johnson ordina che gli vengano mozzate le orecchie. Due ragazzi gliele staccano di netto con la baionetta. L'esecuzione viene portata a termine con piacere sadico. Va avanti per ore, segue l'impulso arcaico secondo cui il *Big Man* deve essere completamente annientato così da distruggere anche il suo potere magico.

Con Jean Bédel Bokassa il destino era stato invece magnanimo. Il despota della Repubblica Centrafricana fu spodestato, ma gli venne concesso di terminare la sua vita agli arresti domiciliari a Bangui. Si dice che si paragonasse al Cristo doloroso. Una visita a quel Cesare della foresta era stata respinta dalle autorità. Fu così che mi diressi nel suo palazzo di Berengo, lasciato aperto a settanta chilometri dalla capitale. Mi accompagnò un giovane di nome Mohammed che non volle però dirmi il suo nominativo completo. Pare avesse lavorato nell'ufficio stampa del presidente. Questo mi doveva bastare. Dopo un viaggio di un'ora ci fermammo ed io quasi non volevo credere ai miei occhi. C'erano dei semafori. Veri e propri impianti d'illuminazione, segni di civiltà nel bel mezzo di un'immensa foresta! Mohammed mi spiegò che erano i semafori dell'imperatore. Quando segnavano rosso significava: attenzione, l'imperatore adesso sta cavalcando attraverso il paese, oppure fermi tutti, l'imperatore sta pensando. Ci trovavamo davanti ai regolatori del potere assoluto. Il sovrano voleva perfino controllare i movimenti dei suoi sudditi.

Bokassa risiedette a Berengo fino al 1979, l'epoca della sua caduta. È probabile che a quell'anno memorabile sia rimasto fermo anche quel serpentone rosso dinanzi al suo palazzo. È divorato dalla ruggine così come il sole di latta con l'aquila imperiale al portale d'ingresso. Dietro di esso c'è un altro cortile quadrangolare incorniciato da alcune costruzioni, con al centro due statue di bronzo dell'onnipotente sovrano. Sulla veranda della costruzione principale, si lasciava cullare dalle serenate che suonava l'orchestra volata direttamente da Parigi. Bokassa ha amato la musica classica, dice Mohammed, il cicerone. Mi conduce attraverso la parte mediana, in una cucina dipinta verde menta e giallognolo, in una camera disadorna con gigantesche celle frigorifere: la dispensa di Bokassa. "Era qui che mangiava". Carne conservata, di animali e di uomini, i preferiti erano i bambini. Da qui la sua fama. Il re sole dell'Africa centrale un cannibale? Molti contemporanei ne sono fermamente convinti. La loro spiegazione è tanto semplice quanto illuminante: Bokassa ha mangiato alcuni esseri umani per impossessarsi della loro forza vitale. Questo lo ha condotto, assieme ad Idi Amin, alla più alta perversione di cui finora un *Big Man* in Africa sia stato capace.

Haile Mengistu Mariam, in Etiopia, Hissène Habré in Ciad, Sekou Touré in Guinea, Juvenal Habyarimana in Ruanda, Siad Barre in Somalia, la lista dei despoti nell'Africa postcoloniale è diventata sempre più lunga e bisogna ammettere che la grazia di una morte repentina di alcuni dei leggendari padri della patria, ha evitato loro di dover cadere nella follia del potere o di dover fare una guerra contro il proprio popolo. I loro nomi sono rimasti immacolati. La magia della loro grandezza è viva ancora oggi, conservata nei segni e nei prodigi che hanno creato, in sontuose costruzioni, nei palazzi del partito, nelle piazze per le parate o semplicemente nelle loro cantine. Quella magia dona al mausoleo di Jomo Kenyatta, che aveva condotto il Kenya all'indipendenza, l'aura della tomba di un titano. Solidifica il monumento che il primo presidente angolano ha posato a Luanda: una specie di razzo che sovrasta la città. Quasi una sorta di ultima erezione di Agostinho Nieto che punge il cielo tropicale.

*

Una volta al potere è per sempre. Non è successo molto spesso nella recente storia africana che un *Big Man* abbia volontariamente rinunciato oppure abbia accettato il responso negativo delle urne. Fra le note eccezioni appartiene il ghanese Jerry Rawlings, il generale Kérékou del Benin, Julius Nyerere della Tanzania, Abdou Doiuf, del Senegal, naturalmente il sudafricano Nelson Mandela, il caso più recente è stato, nella sorpresa generale, Daniel arap Moi. Di solito sono colpi di stato, rivolte di palazzo o ribellioni che provocano la fine di un dittatore, oppure la legge biologica. Al despota nigeriano

Abachi pare sia stata fatale una overdose di viagra che non avrebbe retto: ad ogni modo aveva avuto un infarto durante un convegno amoroso con tre prostitute. Sua moglie venne arrestata in fuga verso l'aeroporto di Lagos. Aveva con sé 43 valigie. Si dice che all'interno contenessero un miliardo di dollari.

Se il *Big Man* decide di lasciare, oppure si deve ritirare, inizia la lotta dei diadochi. Il popolo, per un paio di giorni, spera in un governo migliore. E noi cronisti con lui. Il Benin rappresentò un caso del genere. Lì era stato Nicéphore Soglo a spodestare il leader militare Mathieu Kérékou nelle prime elezioni libere del 1991. Una luce per il continente. Nell'ex Dahomey doveva cominciare la seconda decolonizzazione, questa volta interna, dell'Africa: la liberazione dai corrotti, delle élite parassitarie, per realizzare il cammino nella democrazia reale. Soglo fu considerato un simbolo del nuovo ed io, quando me lo trovai di fronte a Cotonou alla fine di quell'anno di svolta, ne rimasi colpito. Mi si parò dinanzi un politico perspicace, che sapeva argomentare, un intellettuale che aveva studiato diritto alla Sorbona francese e completato un corso di studi alla École Nationale d'Administration, la scuola per quadri della élite francese. Come direttore della Banca Mondiale a Washington era stato responsabile per l'Africa e aveva prodotto una lunga serie di studi sui problemi dello sviluppo. Al proprio paese però non avrebbe applicato, se non superficialmente, le sue conoscenze. Ben presto cominciò ad attraversare il Benin come un dandy, in abito chiaro e cappello panama bianco. Uno sbruffone dai modi vanitosi. La macchina statale sotto la sua guida sarebbe ben presto diventata un organismo enorme, intruppato da numerosi familiari, parenti e amici, felici dei posti ottenuti. Il Benin sarebbe ben presto arrivato alla bancarotta se la Francia, madrina protettrice, non fosse intervenuta per riequilibrare il deficit. Cinque anni più tardi le urne avrebbero condannato Soglo – e sarebbe tornato Kérékou, il camaleonte.

Ma con Frederick Chiluba in Zambia sarebbe stato tutto diverso… Credevo… Anche lì era stato fatto fuori un *Big Man*: Kenneth

Kaunda, uno degli architetti dell'Africa postcoloniale. Aveva governato per ventisette anni lasciando dietro di sé, sempre per restare nel figurato, un cantiere abbandonato. KK all'estero si mostrava come un rispettabile uomo di stato. Spesso e volentieri era ai vertici e veniva seriamente considerato come una voce del sud. Non voleva vedere quella decadenza che lui stesso aveva causato nel proprio paese. Il potere aveva offuscato il suo senso della realtà. Con l'aiuto degli invincibili soldati della propaganda, dell'agenzia di pubbliche relazioni Saatchi&Saatchi, nel 1991 affrontò le prime elezioni libere del paese. Ebbene in quell'anno avvenne qualcosa come descritto nella Bibbia. L'esile Frederick Chiluba, uno sconosciuto dell'entroterra, sconfisse il grande Kaunda così come una volta Davide aveva sconfitto Golia. Tutti i tentativi di neutralizzare lo sfidante, alla maniera africana, erano falliti – prima con la promessa di posti e prebende, poi con la prigione e le minacce di morte. Chiluba, il diligente e incorruttibile figlio di un operaio, che da semplice manovale era arrivato a diventare un boss dei sindacati, fu eletto presidente e il popolo lo esaltò come una volta aveva esaltato Kaunda. Il nuovo arrivato si presentò con un programma radicale di riforme: avrebbe smontato l'economia socialista e privatizzato le aziende di stato in rovina, ravvivato l'industria estrattiva del rame e incentivato l'agricoltura.

Otto anni dopo incontrai Chiluba nella State House di Lusaka. Sotto il suo patronato si stava tenendo una conferenza di pace sul Congo. Quando annunciò l'interruzione delle trattative: "Gli africani decidono i loro conflitti da soli". Il presidente non ha mai risolto i problemi del suo paese. Molte riforme sono morte a metà strada e la maggioranza degli abitanti dello Zambia è fermamente convinta che le cose non vadano meglio di quando c'era Kaunda. Alcuni sperano addirittura che questi ritorni. Chiluba, che si trovava alla fine del suo secondo e ultimo mandato, era preoccupato soprattutto di una cosa: come fare a cementare il suo dominio. La responsabilità per la miseria, per le cose che potrebbero andare diversamente, la dà tutta all'estero, nella fattispecie ai donatori degli stati industrializzati che avevano subordinato il loro aiuto a condizioni democratiche. "Vogliono in Zambia uno stato-fantoccio, che possano controllare dall'alba al tramonto... Dove siete cittadini? Difendete la vostra sovranità". Un metodo questo, molto amato soprattutto in campagna elettorale, per stimolare riflessi anticoloniali. Dalla provincia erano arrivate lettere di preghiera, compagni di partito che gli si inginocchiano di fronte: Non mollare capo! Sei insostituibile, nessuno governa così saggiamente come fai tu. In fondo il leader non fa che rispettare la costituzione, e sgombra la strada per un erede che, grazie anche all'aiuto di elezioni pesantemente manipolate, nel 2002 ne avrebbe assunto l'eredità. Quello stesso anno Chiluba sarebbe stato accusato di corruzione e malversazione in grande stile.

Ancora nel giugno del 1999 però, Chiluba, uomo minuscolo, diffidente e presuntuoso, la cui fame di potere era simile a quella dei suoi predecessori, è andato al governo. Come corrispondente non fa piacere ricordarsi di allora, quando, alla sua investitura, ci si era accodati agli elogi collettivi. Perché mai riporre attese così grandi in questo Chiluba? Davvero non si poteva prevedere quello che sarebbe successo? Eravamo talmente fiduciosi? A leggere i propri articoli, dieci anni più tardi, si prova una sensazione di estraneità. Come se li avesse scritti qualcun altro. Quella volta mi ero lasciato contagiare dalle aspettative della popolazione e avevo sperato nella grande svolta – ancora una volta, come spesso accade in Africa, ero rimasto deluso.

Quando nel vicino Zaire un certo Laurent Kabila tolse di mezzo l'ormai ammalato presidente Mobutu avocando a sé il potere, le aspettative erano talmente basse che non sarebbe stato possibile deluderle. Dopo appena cento giorni si vide chiaramente che Kabila non era altro che un *revenant*, un altro Mobutu. Nel novembre del 1998 a Kinshasa ho preso parte a una conferenza stampa di quattro membri del suo governo. La corrente elettrica, disse il capo del dicastero per l'Energia, era la cosa più importante del mondo e presto sarebbe stata appannaggio di ogni *citoyen*. Erano stati pianificati 21.000 chilometri di strade asfaltate, annunciò il Ministro per le Infrastrutture.

Inoltre sarebbero stati ordinati dei trattori, 2000 pezzi, adatti alle zone tropicali, con climatizzatore e aratro semovente. Ovviamente tutte le malattie sarebbero state debellate. La corruzione combattuta con decisione, aggiunse il Ministro della Salute. Le sue "considerazioni a margine", durarono 65 minuti e alla fine l'uditore ebbe l'impressione che sarebbe rinato l'uomo nuovo. Il paese che ieri si chiamava Zaire, ed oggi di nuovo Congo, sarebbe rifiorito! Quattro ministri di Kabila, quattro visionari nell'aurora. Solo che fino ad oggi il sole in Congo non è ancora spuntato...

Il cronista in Africa diventa scettico. Non se la sente più di escludere che la storia si ripeta ancora. Davanti agli occhi ha sempre lo sperpero delle élite politiche. In testa sempre la stessa domanda: com'è possibile che galantuomini che hanno condotto guerre di liberazione, abbattuto regimi coloniali spinti da grandi ideali, siano degenerati sino a diventare dei miserabili despoti? Com'è stato possibile che il panafricanista Kwame Nkrumah, una delle migliori teste d'uovo del continente, alla fine sia morto in amaro esilio lontano dalla madre Africa, nella grigia e fredda Romania del compagno Ceausescu? Il Ghana era stato il primo stato dell'Africa moderna. La sua data di nascita, 6 marzo 1957, aveva sancito la morte dell'era coloniale. Nkrumah avrebbe dovuto essere il primo a fiaccare una nazione che stava sbocciando, attraverso un'economia guidata con pugno di ferro, un mix fra tradizione e comunismo, trasformandosi in Messia. Marion Gräfin Donhoff, mi raccontò una volta di una delle uscite pubbliche del presidente. Era il 1960. L'adorazione rivolta al capo di stato le aveva ricordato il culto del Führer ai tempi di Hitler. Sei anni più tardi la dominazione di Nkrumah si sarebbe conclusa: con un colpo di stato.

*

Al momento in cui queste righe sono state scritte, Robert Mugabe è ancora al potere. La carriera di questo *Big Man* merita di essere analizzata a fondo perché quest'uomo è stato il regista della più assurda opera di indebitamento di uno stato africano. Sfogliamo allora di nuovo il libro della storia e torniamo a quegli anni in cui Mugabe non era altro che un contemporaneo in vista. Marzo 1988, visita di stato del presidente tedesco Richard von Weizsäcker in Zimbabwe. In quell'occasione Robert e Richard si videro mano nella mano e un coro di bimbi cantò: "*No good country*". Il giorno del ricevimento ebbi l'opportunità di compiere assieme a Richard von Weizsäcker una passeggiata alle cascate Victoria e chiedergli le impressioni sugli esponenti del governo locale. Nel frastuono provocato dall'acqua che cadeva non si sentiva quasi nulla. "Un politico intelligente, illuminato, che cerca la giustizia sociale". In quell'occasione fu come se Robert Mugabe fosse stato battezzato uomo di stato. Il sobillatore, il comunista, il terrorista, tutte le immagini della guerra fredda, erano state dimenticate. Anche io, la cosa va detta, all'epoca facevo parte dei fan di Mugabe. Ecco, finalmente un leader africano che avrebbe dimostrato a tutto il mondo come il decadimento postcoloniale non fosse una inevitabile regola naturale.

Nel 1980 il cinquantaseienne premier Mugabe aveva assunto il potere su di uno stato ricco. Intatto. Non si trattava di una di quelle rovine che avevano generalmente lasciato dietro di sé i colonialisti. Lo Zimbabwe è benedetto da ricchezze naturali, ci sono minerali preziosi e una terra generosa con un enorme potenziale turistico, infrastrutture ben curate e una forza lavoro preparata. Non sarebbe stato facile portare alla rovina questo paese. Mugabe e la sua banda ci sarebbero riusciti. All'inizio del XXI secolo lo Zimbabwe è sull'orlo della bancarotta. L'economia duramente provata, l'agricoltura industrializzata, una delle fonti più importanti di divisa straniera, pressoché distrutta. Il turismo inesistente l'iperinflazione ha superato il 200%. Centinaia di aziende dichiarano fallimento. Il capitale lascia il paese assieme alla forza-lavoro qualificata. Tre quarti della popolazione vivono al di sotto della soglia di povertà. Il 60% delle persone in grado di lavorare non lo fa. La maggioranza degli abitanti stanno peggio che sotto al giogo coloniale.

Il 20 febbraio 2002 sarebbe diventata una data storica. Fu il giorno in cui Titewo Sibbanda ricevette, nella cittadina di Gwanda, un sacco di farina di mais. L'ottantaseienne signora sarebbe dovuta arrivare a questa veneranda età per vivere questa esperienza. Per la prima volta nella storia del suo paese, le Nazioni Unite (Onu) avrebbero distribuito generi alimentari. In Zimbabwe, "il granaio d'Africa", che negli anni di buona raccolta era arrivato ad esportare mezzo miliardo di tonnellate di mais, sei milioni di persone morivano di fame! A causa della persistente siccità il presidente Mugabe fece fare un annuncio: l'ira degli dei della pioggia era aumentata. Non aveva tutti i torti e la cosa rappresentava anche una via d'uscita a buon mercato. In fondo era stato lui stesso, coadiuvato dal proprio partito lo *Zimbabwe African National Union – Patriotic Front (Zanu-Pf)* che aveva provocato quella miseria.

Il vecchio aveva avuto bisogno di venti anni per portare a termine la propria opera di distruzione. E tanto c'era voluto perché uscisse fuori uno sfidante politico degno di questo nome: Morgan Tsvangirai e il suo *Movement for Democratic Change (MDC)*. Mugabe fece appello all'arma finale per assicurarsi il potere: violenza ed espropri. I suoi riservisti – milizie del partito autonominatesi "veterani", assieme a bande di giovani assassini – occuparono fattorie, che, come in passato, erano in mano a proprietari bianchi, e scossero le province con una vera e propria campagna del terrore. Torturarono, saccheggiarono, violentarono, uccisero. Nel marzo del 2002 si sarebbero tenute le elezioni presidenziali. Lo MDC doveva essere distrutto. Prima. Fu in quei giorni che incontrai un esponente dello Zanu-Pf, che, evidentemente, non riusciva più a sopportare quei metodi di campagna elettorale. "È come con la gioventù hitleriana. Lei sa di cosa parlo". Si sbagliava. Parlando dei killer di Mugabe si riferiva invece alle SA, le camicie brune. Costoro però non indossavano camicie di quel colore. Piuttosto avevano giacche verdi. Fino al giorno del voto i *green bombers* e altri delinquenti uccisero 107 fra attivisti e simpatizzanti dell'opposizione.

Il mondo esterno reagì disturbato soprattutto perché fra i morti c'erano anche dei bianchi. Avevano dei nomi. Mentre i neri sono solo delle cifre. Ora anche il pacifico Zimbabwe offriva quell'immagine che uno si aspetta dell'Africa: orde di assassini, vittime della tortura e bambini affamati. E un dittatore che attizzava l'odio contro i bianchi e contro i critici del regime, contro gli "agenti" ai vertici di una "cospirazione globale". Costoro, secondo Mugabe, avrebbero voluto ricolonizzare lo Zimbabwe e ricostituire l'oscura Rhodesia. La teoria del complotto appartiene all'arsenale degli uomini forti d'Africa. Giustifica il loro fallimento: la colpa di quello che non va è sempre degli altri: dei coloni europei, dei neocolonialisti, dei britannici, della Banca Mondiale, della stampa straniera, degli omosessuali. I froci, anche loro hanno un posto nell'immaginario di Mugabe. Lui li paragona ai maiali. Il presidente si affida a *ghost writer* stranieri che gli ripetono come pappagalli storie di complotti basate sulla saga dei Nibelunghi. Il ricercatore responsabile dello Zimbabwe, assunto al rinomato Istituto di Studi africani ad Amburgo, ha rinfacciato a noi corrispondenti di condurre una vera e propria campagna denigratoria nei confronti di Mugabe e del suo governo. Ma non c'è bisogno di "scrivere male" dello Zimbabwe. Il paese è già distrutto per colpa di Robert Mugabe.

La fiaccola del sud, l'eroe anticoloniale, il grande redentore, onorato da cristiani impegnati, da gente di sinistra, da gruppi solidali di tutto il mondo, è quasi irriconoscibile. Sono sempre di più i connazionali che hanno cominciato a criticare Mugabe e anche io, nel frattempo, ho cominciato a vederlo con occhi diversi. Con i suoi baffetti ricorda tanto, *horribile dictu*, la parodia di Hitler fatta da Charlie Chaplin. È diventato una di quelle patetiche figure di leader africani che il mondo descrive con tanto piacere. A dirlo è nientemeno che l'arcivescovo Desmond Tutu, premio Nobel per la pace sudafricano. Robert Mugabe si è trasformato in un *Big Man*. Eppure questa metamorfosi resta un mistero. La strada che da A porta a B, da ciò che voleva essere a quello che è diventato.

*

È stato nel 1996 che ho parlato per la prima e ultima volta a quattr'occhi con Robert Mugabe. Il presidente mi fece aspettare nella sala d'attesa della State House ad Harare controllato con sospetto dal suo capo di gabinetto, mentre lui, probabilmente, si attardava di sopra nelle sue camere private. Fare attendere qualcuno in Africa significa mostrare a costui il proprio potere. C'erano voluti mesi prima che la mia richiesta d'intervista venisse evasa. Ora, quindi, non mi cambiava granché dover attendere un altro paio di minuti. Il nostro appuntamento era stato preso per le 13. Avrei dovuto aspettare due ore finché, finalmente, il capo di gabinetto mi condusse in una stanzetta. All'ingresso passammo davanti ad un punto dove si vedevano quattro quadri del presidente. Il calendario ufficiale lo mostrava con Bill Clinton davanti alla Casa Bianca. Le pareti erano spoglie. Le tende tirate in modo che la luce del sole non potesse entrare. Quella camera avrebbe potuto essere il ponte di comando di una macchina del tempo. Robert Mugabe entrò sorridente, strinse la mia mano e si sedette in una sedia a forma di trono. Il viaggio nel passato era cominciato. Sull'onda delle parole del presidente ritornammo a quell'epoca in cui lo Zimbabwe ancora non esisteva.

Gli ultimi giorni del colonialismo: fattorie di bianchi che bruciavano, donne e bambini neri che giacevano massacrati nella foresta. La guerriglia di Robert Mugabe contro le truppe dei coloni bianchi e i loro ascari neri. Nei lanci d'agenzia in Europa si raccontava di atti terribili. Da una parte e dall'altra. Nel 1979 "sebbene mai sconfitto sul campo", il regime rhodesiano capitolò. "Dissi loro già allora che ero stato io a guidare la lotta armata che aveva liberato il popolo. Fino ad oggi la gente non lo ha dimenticato". Mugabe sedeva simile al monumento di sé stesso. Era come se vivesse ancora in quella gloriosa epoca partigiana. Quasi il ricordo di quella battaglia fosse una fonte dell'eterna giovinezza e, allo stesso tempo, una eterna legittimazione del suo potere. Gli anziani, di questo ne era convinto, non avrebbero mai dimenticato il *chimurenga*, il liberatore. La maggioranza dei giovani però – la metà di quei dodici milioni che compongono la popolazione dello Zimbabwe, hanno meno di 18 anni – non era ancora nata quando Mugabe combatteva nella foresta. La sua vita la conoscono solo attraverso i libri di scuola. Nato nel 1924 a Kutama. Figlio di un misero lavoratore a giornata, venne allevato nelle scuole missionarie dei cattolici di sinistra, i gesuiti. Studiò legge all'Università di Fort Harare in Sudafrica. Formazione ideologica sulle opere di Marx e Lenin. Insegnante ad Accra, oggi Ghana, venne fortemente influenzato dal pensiero di Nkrumah. Dal 1960 attiva opposizione in patria. Prigionia, tortura, fuga, esilio in Inghilterra, ritorno in Rhodesia. Dieci anni di galera. Lotta armata. Liberazione. Conquista del potere. Riconciliazione dei sottomessi con i vecchi padroni. Una giusta riforma della terra. Protezione sociale per tutti. Una politica della formazione senza uguali nel continente – cominciata benissimo era poi continuata in maniera passabile. Se Mugabe si fosse dimesso alla vigilia delle elezioni presidenziali del 1996, avrebbe potuto uscire di scena considerato come un *elder statesman*. Invece si lasciò di nuovo votare. Il potere lo aveva reso dipendente.

Al centro dell'ideologia di Mugabe c'è la questione della terra. La restituzione del suolo patrio, rubato oppure indebitamente sottratto nell'ambito di una rivoluzione agraria di stampo maoista. Questo problema non è riuscito a risolverlo in oltre venti anni. Lo ha sempre usato come asso, da calare ogni volta che c'erano elezioni, sempre compreso nel suo ruolo di *chimurenga*, di liberatore. I migliori latifondi, che lo stato iniziò con il comprare per poi espropriare con la forza, finirono nelle grinfie di alcuni caporioni del partito. Altri signorotti neri distribuirono i campi fra i senza terra a prezzo d'usura. "Siamo ancora gli eroi della guerra di liberazione". Durante l'intervista Mugabe ha ripetuto questa frase come un disco rotto, snocciolandola come si fa con i grani di un rosario. Era prigioniero di quell'epoca. I suoi critici gli rinfacciavano di aver perduto il contatto con la realtà. "No!", disse risolutamente Mugabe. "Io so quello che accade in ogni angolo del paese". Di nuovo la macchina del tempo lo aveva riportato indietro a quell'epoca eroica. "Ho combattuto contro il colonialismo e per la libertà".

Per comprendere il presidente Mugabe, bisogna parlare con il veterano Mugabe. Il suo popolo ha sofferto sotto l'oppressione dei bianchi. Lui stesso venne perseguitato dai bianchi, gettato in galera, brutalmente malmenato e, si dice, violentato. Mugabe vide alcuni compagni di lotta piegati dalla galera. Non gli fu permesso di prendere parte al funerale del figlio. Dovrebbe tacere quando proprio i britannici, i cui cugini rhodesiani avevano rubato la terra e commesso crimini, quando proprio loro si permettevano di rinfacciare al suo governo di "comportarsi in maniera incivile"? Doveva sentirsi la predica di Tony Blair come un qualsiasi ragazzetto in quei maledetti giorni coloniali? No, quest'uomo non sarebbe mai più stato umiliato dai bianchi: costoro gli avevano contestato il fatto di essere un essere umano e nel profondo del suo cuore lui, probabilmente, li odiava. Eppure Mugabe sapeva quali fossero i pregi della loro cultura. È vero che i bianchi hanno sottomesso e derubato il suo popolo, eppure sono stati quelli che gli hanno dato una formazione gesuita, quell'armamentario spirituale che portava alla liberazione, l'umanesimo, il comandamento cristiano di amare il prossimo, l'insopprimibile pulsione all'uguaglianza. La doppia natura della dominazione straniera si riflette nella persona di Robert Gabriel Mugabe – lui è un prodotto del colonialismo.

Dopo la liberazione cercò di difendere con ogni mezzo l'autodeterminazione dello Zimbabwe – anche se per far questo avrebbe dovuto passare sopra la democrazia, anche se avrebbe dovuto soffrirne il suo stesso popolo. Tutto era dovuto al regime. Le sovvenzioni arrivate da Londra per la riforma agraria, vennero considerate compensazioni per il saccheggio colonialista. I regali degli stati comunisti furono accettati come aiuti fraterni. Mentre i rapporti con l'Occidente rimasero freddini vennero rinsaldati quelli con l'est. Quando Nicolae Ceausescu in Romania venne spodestato e condannato a morte Mugabe pianse la perdita di un caro amico. Al suo compagno Mengistu, il massacratore d'Etiopia, venne concesso asilo per anni. Ammirò sempre i nord coreani. Furono loro ad addestrargli la famigerata Quinta Brigata, quelle truppe d'élite che il presidente, all'inizio degli anni '80, inviò nella regione detta Matabele, per piegare il suo nemico giurato Joshua Nkomo e finirla una volta per tutte con la resistenza armata degli Ndebele.

Gli Ndebele sono, dopo gli Shoma, la seconda maggiore etnia del paese. A migliaia e migliaia vennero torturati, rapiti e uccisi. Eppure, anche allora, quando il pacifico Mugabe mostrò per la prima volta il suo vero volto, i testimoni non vollero vedere. Ancora oggi è incerta la cifra esatta delle persone uccise. Si va da 3000 a 20.000 esseri umani. Si suppone che le vittime siano state raccolte in qualche miniera abbandonata. Se queste fosse comuni dovessero mai venire scoperte, a Mugabe potrebbe accadere quanto successo a Slobodan Milosevic. Sarebbe portato dinanzi al Tribunale Penale Internazionale per crimini contro l'umanità. "Questo è già un motivo sufficiente per non uscire di scena", ritiene lo scrittore Chenjerai Howe. "Mugabe è un despota disperato. Nella sua cantina ci sono troppi cadaveri".

E noi? I bravi cronisti che non abbiamo voluto vedere dietro la maschera del democratico il vero volto del dittatore. Noi, che accecati dalla solidarietà non lo abbiamo voluto ammettere? Mugabe è rimasto sempre uguale a sé stesso, quel vecchio accigliato davanti a me, che pensa di avere sempre ragione, non fa che ripeterlo. Eppure, anche per ritrovare quest'altra persona, è necessario un viaggio con la macchina del tempo. Immaginiamo che essa atterri allo stadio di rugby di Harare. Facciamo finta che il tempo si sia fermato fra il 1965 e il 1970. Il vecchio siede in tribuna, sbiadito e diritto come una statua di cera. Segue quello che accade sul campo di gioco come fosse qualcosa di lontano, di irreale. Camerieri neri in livrea rossa servono del gin su vassoi d'argento, come prima, ai bei tempi delle colonie. "All'epoca qui si potevano vedere i visi neri più felici di tutta l'Africa", dice l'uomo dai capelli grigi. Si chiama Ian Smith e una volta era la persona più potente del paese. All'epoca in cui questo posto si chiamava ancora Rhodesia. All'ex premier non sono rimasti altro che una fattoria, un domicilio nella capitale e i suoi ricordi. Smith ama vedersi ancora come combattente d'avanguardia della guerra fredda. Del dolore che il suo regime ha apportato alla popolazione nera non vuole sentir parlare. Era un paese benedetto, per i bianchi, per i coloni, per i latifondisti; e adesso ci sono solo comunisti neri al potere. Il gran capo, il partito unico, il politbureau. Smith evita di pronunciare la parola Zimbabwe, i partigiani, lui, li chiama *terrs*, terroristi. Nel suo stato, dice, governano ancora la cattiva amministrazione, la corruzione e la repressione.

A dirlo è la persona giusta. Ian Smith fu quello che fece passare il *Law and Order Act*, una legge draconiana d'emergenza per soffocare la rivolta di quei neri che non sembra poi fossero così felici. E adesso Mugabe rivolge le sua attenzione contro l'opposizione pacifica del suo stesso popolo. Ironia della sorte si è trasformato nel suo predecessore. Esercito, polizia, servizi segreti, banche, associazioni, in ogni meandro dello stato, della società e dell'economia prolifera lo Zanu-Pf, una formazione politica nata dalla violenza, che vive nella violenza. Ha militarizzato lo stato e la società e dispone di un'oleata macchina della propaganda, della radio del partito e della televisione. La stampa libera, la magistratura indipendente, i diritti civili, vengono smontati pezzo per pezzo. Alla sommità, oltre il partito, armato da un arsenale di leggi speciali, troneggia Robert Mugabe. Certo per far questo aveva dovuto un po' arrabattarsi attorno al trattato di Lancaster House, quella costituzione provvisoria di stampo liberale emanata a Londra nel 1979. Gli aggiustamenti – in totale sedici *amendments* – avevano avuto successo. Mugabe, in precedenza capo del Governo sotto un presidente sostanzialmente neutrale, era diventato nel frattempo presidente esecutivo. Avrebbe potuto ribaltare decisioni del parlamento, proclamare lo stato di emergenza, dichiarare guerra, abrogare leggi scomode ed emanarne di nuove per decreto oltre a poter occupare 30 dei 150 scranni del parlamento con persone scelte personalmente. "Quest'uomo ha compiuto un colpo di stato al rallentatore", dice il politologo John Makumbe. "È al di sopra della legge". Mugabe è la legge.

Gli Shona, il gruppo maggioritario dello Zimbabwe, di cui fa parte anche lo stesso presidente, sono gente pacifica, ma anche sottomessa e tollerante. Questo è una garanzia per il dittatore. È una cosa che manda in bestia un politico come Margaret Dongo. "Noi dello Zimbabwe siamo responsabili dei nostri mali. Siamo stati noi a creare un nuovo dio in terra: il compagno Bob". Dongo era stata la prima funzionaria di rilievo nel partito. L'unica donna nel comitato centrale, e, come se non bastasse, la più giovane componente ad accusare Mugabe e la sua banda di aver tradito i propri principi. "All'inizio quell'uomo aveva ancora autorità. Era come una figura paterna. Oggi per lui conta una cosa sola: potere, potere e potere". Dongo, la dissidente, era stata coperta d'insulti e chiamata puttana e lurida cagna in parlamento. Il motivo principale era la paura del *Big Man*. Il perché non ci sia mai stata una rivolta interna lo racconta un deputato dello Zanu-Pf. Ci sono stati un paio di valorosi che ci hanno provato. "Ovviamente quando si sono alzati in piedi per criticare e si sono voltati, dietro di loro non c'era rimasto nessuno". Mugabe, un tatticista istintivo, ha capito come dividere oppure isolare i suoi nemici. Il dissenso viene soffocato nella culla, gli avversari messi fuori combattimento oppure comprati con prebende, in modo da renderli ricattabili. C'è solo un successore al presidente Mugabe: il capo di partito Mugabe.

Quest'uomo è davvero uno psicopatico malato di potere? "Sono in molti a crederlo, ma semplificano un po' troppo le cose", è la convinzione di Mike Auret un difensore ante litteram dei diritti umani nel suo paese. "Mugabe ha il complesso del Messia. Si sente chiamato alla salvezza del suo popolo". È come un Mosè nero guidato da un millenarismo a metà fra Vecchio Testamento e marxismo. Si considera un esecutore della storia. Fra l'altro non è che si sia arricchito oltremisura, questo lo differenzia dagli altri *Big Men.* Mugabe è un asceta che mangia poco, non beve e rifugge dai piaceri della carne. Un moralista conservatore, austero e, a volte, proprio per questo efficacemente inserito. L'unico passo falso nella vita privata è stato la relazione con la segretaria Grace che più tardi sarebbe diventata sua moglie. Una first lady amante del lusso, il pendant femminile di un *Big Man.*

"Lo sviluppo storico si è interrotto. C'è solo un inamovibile presente in cui il partito ha sempre ragione". Sono parole scritte in *1984* il romanzo utopico di George Orwell. In Zimbabwe la storia si è fermata all'anno 2000, in occasione della ventesima commemorazione dell'indipendenza. Robert Mugabe stava sull'*Heroe's Acre*, il monumento nazionale che commemora gli eroi del *chimurenga.* Quell'anno il presidente era solo, niente compagni, niente claque, niente popolo. Non c'era nulla da festeggiare. Depose dei fiori ai piedi della grande scultura in bronzo che raffigura un gigantesco partigiano che brandisce un kalashnikov e un lanciarazzi. Un'immagine marziale, di stampo staliniano, come se fosse stata versata in acciaio e ferro da Vera Muchina. Dietro di essa un fregio di bronzo, l'apoteosi del *Big Man*: tutto comincia con una madre e con un bimbo indifeso legato ad una catena per cani dalla polizia coloniale e termina con Robert Mugabe. La lingua totalitaria delle immagini viene rafforzata attraverso l'uccello originario dello Zimbabwe che guarda come una sfinge dall'ombra di un gigantesco obelisco. In semicerchio ruotano i veterani morti. Probabilmente si staranno rivoltando nella tomba visto che i loro compagni ancora in vita si sono pappati, tutti da soli, i frutti della libertà: fra i morti c'è Sally, la prima moglie di Mugabe. Se fosse ancora viva, così credono quelli che ne onorano la memoria, le cose sarebbero andate in maniera tutta diversa. Era una persona giusta, fedele ai suoi principi, piena di premure una "madre della nazione", l'elemento correttivo al lato di Mugabe. Il presidente, assieme ai propri ideali, aveva tradito anche lei.

Il giorno dopo quella commemorazione visitai l'*Heroe's Acre* e strappai tre fiorellini dal bouquet che Mugabe aveva deposto. Adesso stanno sulla mia libreria. Tre piantine secche, dai colori smorti. Appassite, come la breve stagione della democrazia in Zimbabwe, diventate come paglia nel giardino dei sogni rivoluzionari.

*

Nell'autunno dello stesso anno m'incontrai con Morgan Tsvangirai, il capo dell'opposizione, anche lui un leader sindacalista senza paura, un uomo del popolo, incorruttibile, con una visione democratica. I parallelismi con Chiluba erano evidenti. Lo Zambia – una premonizione per lo Zimbabwe? Forse anche Tsvangirai, un giorno lontano, avrebbe potuto finire come il suo predecessore Mugabe? Tsvangirai reagì piccato al quesito. "È fuori questione. La sua domanda è tipica. Lei ha in testa i vecchi pregiudizi contro l'Africa".

Quasi le stesse parole le avevo già udite una volta, nel novembre 1997, in un cortile di Abidjan. Venivano dalla bocca di un insegnante di storia che era già stato arrestato più volte. Allora quest'uomo era il capo del *Front Populaire Ivorien* (FPI) all'opposizione e dettava al mio blocchetto degli appunti quello che non andava in Costa d'Avorio e perché: la corruzione, la cattiva amministrazione e il nepotismo. Quella rapida analisi culminò con un paragone storico: "I nostri leader costruiscono palazzi come il vostro sovrano bavarese Ludovico II". Seguì poi una lista di quelle che erano le necessità della Costa d'Avorio: "Vera democrazia, uguaglianza sociale, radicali riforme economiche, una politica che la facesse finita con la polarizzazioni etniche per evitare una guerra civile come invece accaduto in altri paese africani". Tutto questo sarebbe successo una volta diventato presidente, disse l'ex insegnante di storia nel congedarsi. Era stata una lezione molto interessante. Solo una cosa mi aveva irritato: il tono di voce violento con cui si era rivolto a un operaio che stava spingendo piano piano una bicicletta attraverso il cortile.

Esattamente 13 mesi dopo l'esercito si ammutinò ed esplose la rivolta. Fu il colpo di stato. Il presidente Henry Konan Bédié fuggì e al suo posto andò il generale Robert Guéi, il capo dell'esercito. Dopo una fase confusa di scontri di potere si tornò a votare e il nostro insegnante di storia si candidò come presidente. Eppure sembrava che Laurent Gbagbo, già durante la campagna elettorale, avesse dimenticato la maggior parte delle sue migliori idee. Cercò di screditare Alassane Ouattara, il più autorevole fra i suoi avversari, con i soliti trucchi del vecchio regime: disse che la madre del candidato era originaria del Burkina Faso, che non si trattava di un vero ivoriano e che per questo motivo non poteva essere eletto. Gbagbo vinse. Il cambio di potere iniziò con un massacro. Il giorno dell'insediamento alcuni fanatici sostenitori del suo partito ammazzarono oltre cento di persone, per la maggioranza lavoratori immigrati, arrivati dai paesi vicini. I toni sciovinisti del nuovo presidente avrebbero disgregato ancora di più un paese già diviso. Noi, i veri ivoriani. Loro, i lavoratori stranieri. Qui il sud cristiano, lì il nord musulmano. I militari si ribellarono di nuovo e questa volta fu la guerra civile. La Costa d'Avorio, una volta paese esemplare dell'Africa, sprofondò nella violenza e nell'anarchia. E ad Abidjan, nel palazzo del governo, siede un insegnante di storia che non ha più nessun rapporto con il suo paese. Proprio come Ludovico II.

*

Migliaia di chilometri a nord di Abidjan, nel settore 29 di Ouagadougou, capitale del Burkina Faso, su di un campo pietroso, senza erba, circondata da case fatiscenti, si trova una tomba solitaria. Le pietre sono dipinte di fresco: rosso, verde e giallo, i colori primari dell'Africa. Sulla lapide tre simboli: una zappa, un libro e un fucile. Sotto un'iscrizione: *capitaine Thomas Sankara*. Non è stato facile trovare qualcuno che ci accompagnasse a questa tomba. Perché questo morto brucia. Chi ne onora il nome viene considerato un nemico dello stato.

L'ufficiale Thomas Sankara nel 1983 prese il potere nell'ex Alto Volta con un colpo di stato. Aveva 33 anni. Giovane, istruito, sapeva quel che faceva. Un vero rivoluzionario che voleva rivoltare i rapporti africani dalla testa ai piedi. "Riusciremo a inventare il futuro". Andò di vittoria in vittoria. Nel 1984, in appena quindici giorni, furono vaccinati in massa due milioni e mezzo di bambini. Nel 1985, con un programma di rimboschimento, vennero piantati dieci milioni di alberi. Nel 1987 venne lanciata una campagna per l'alfabetizzazione. Sankara iscrisse l'insignificante Alto Volta sugli atlanti del mondo. Da allora il paese si chiama Burkina Faso, la Repubblica degli uomini giusti. Il capo di stato fece sapere che gli aiuti allo sviluppo provenienti dall'estero scoraggiavano il popolo. Quel paese poverissimo avrebbe dovuto realizzare con le proprie forze il salto nella modernità. Culto della personalità, privilegi, prebende – finito. Venne tolto il potere agli avidi capi villaggio. Vennero eliminati l'obbligo di tributo e le regalie. Le limousine dei ministri furono confiscate e sostituite con più modeste Renault 5. Gli impiegati statali corrotti furono obbligati a sobrietà e onestà e, due volte la settimana, a esercizi fisici! Si trattò di una trasformazione di stampo prussiano con intelaiatura marxista. Il popolino, i giovani, i contadini le donne, esultarono. Ai ricevimenti della élite cittadina germinò l'odio contro "l'amato despota". Fu proprio Blaise Campaoré, il suo compagno di lotta più fidato, che avrebbe tradito Sankara e provocato la sua caduta il 15 ottobre 1987. Il suo amico intimo lo avrebbe ucciso alle porte di Ouagadougou. Il cadavere sarebbe stato sotterrato nel settore 29 della capitale e i cani sarebbero andati a pisciare su quella tomba. Campaoré avrebbe seguito l'esempio del suocero ivoriano Houphouët-Boigny. È rimasto sino ad oggi presidente del Burkina Faso, ma non passa giorno senza che sia inseguito dall'ombra del suo predecessore.

Una notiziola breve su Thomas Sankara. Un episodio insignificante? Un bel contraltare al *Big Man*? "Nemmeno per sogno", dice il diplomatico Harald Ganns, uno dei più profondi conoscitori tedeschi dell'Africa. "Sankara è uno dei maggiori talenti politici che l'Africa e il terzo mondo abbiano mai prodotto. Eppure anche lui annunciava la verità con le armi. Era questo il suo destino". L'altra Africa, quella ribelle, democratica, in quegli anni aveva guardato con tanta speranza al Burkina Faso. All'improvviso era comparso un nuovo tipo di leader che disprezzava le seduzioni materiali del potere e preferiva strimpellare la sua chitarra. Uno che sognava e cercava di fare in modo che i suoi sogni diventassero fatti. Uno che aveva infuso consapevolezza alla gioventù del continente. Sankara, messo a tacere dai potenti, santificato da quelli che non contavano nulla, arrivò al livello degli eroi tragici del continente, di gente come Robert Sobukwe e Patrice Lumumba. Forse però, quella fine tragica lo ha preservato dall'intraprendere la strada sbagliata del *Big Man*. Ogni anno la sua tomba rifulge di nuovi colori. Rosso, verde e giallo, dipinti da mani invisibili.

Tre pasti o tre partiti?
La lunga strada verso la democrazia

La democrazia è di casa all'Hilton. Lassù, sui bollenti tetti di lamiera di Addis Abeba, suite dalla 701 fino alla 705 e dalla 801 alla 805. I costi pro camera al giorno dovrebbero corrispondere, grosso modo, al prezzo del vestito blu cobalto che la democrazia indossa quest'oggi. Lei è americana, di mestiere fa l'avvocato e in questi giorni è in giro come missionaria politica per le Nazioni Unite. Fa parte di un piccolo team incaricato di osservare le prime elezioni distrettuali e regionali libere nella storia dell'Etiopia. Quando scrivo è il 1992. I telefoni squillano, i computer ronzano, i fax frusciano. Qualche volta l'avvocatessa, persa dietro ai suoi pensieri, scruta dabbasso, verso le capanne che arrivano a premere sino alle mura del giardino dell'hotel. È lì che dovrebbe arrivare la democrazia. Il problema è soltanto che la maggioranza delle persone che in quelle baracche ci abitano non sa bene cosa attendersi.

Già un primo sondaggio nel quartiere povero dietro all'hotel è abbastanza chiaro. Una ragazza che sta strizzando i panni commenta: "Io voterei pure, ma per chi? E quale partito? Non ci capisco niente". Per strada incontro un uomo dai capelli brizzolati con in testa un Borsalino ammaccato: "Le elezioni? Certo, male non ce ne faranno". Il successivo interlocutore mi trascina nella sua baracca. Non è che tutti debbano ascoltare quello che ha da dire. "Nessuno conosce i candidati, nessuno ne capisce il senso". Caccia via un paio di bambinetti curiosi che spiano attraverso le fessure della porta. "Non sono vere elezioni". L'uomo ha ventitré anni ed è disoccupato. Parla come se già avesse il proprio futuro dietro di sé.

Non sono vere elezioni, ma un gruppetto di osservatori sono stati chiamati a benedirle.

Io ero uno di questi *election observers*, uno dei duecento, perduto in un paese grande tre volte la Germania. Il territorio di mia competenza era la capitale. Assieme a svedesi, russi, tanzaniani e brasiliani mi aggiravo per i *Kebele*, le circoscrizioni di Addis Abeba. Intervistavo i cittadini, ispezionavo locali elettorali, parlavo con ufficiali, collezionavo dati e fatti. Ci avevano fornito una specie di uniforme: magliette bianche con su stampate delle colombe della pace dietro le cui piume spuntava un grosso occhio: l'occhio della democrazia. I nostri rapporti quotidiani atterravano in una cassetta nera in albergo. Le relazioni non promettevano nulla di buono per le elezioni, tutte del genere: i cittadini erano scarsamente informati, nelle commissioni elettorali andava tutto a scatafascio, c'erano pochissimi certificati elettorali, molti seggi stavano ancora attendendo le urne sigillate. I capibastone locali stavano "ripulendo" il proprio territorio, dando alle fiamme gli uffici degli avversari e promettendo alla gente brutte sorprese se avessero dovuto votare "male". Nessuno era in grado di dire quanti fossero i candidati indipendenti chiusi nelle prigioni provinciali e quanti fossero stati malmenati o addirittura uccisi.

Più gente interrogavamo maggiore diventava lo scetticismo. Dovevamo, però, pur sempre tenere a mente le condizioni di contorno in Etiopia: 33 milioni di aventi diritto al voto, parcellizzati in ottanta fra popoli ed etnie diverse; 33.000 locali elettorali, 120 partiti e gruppetti con programmi diversi che la maggior parte degli elettori non era in grado di leggere a causa dell'analfabetismo. Infrastrutture distrutte da anni di guerra civile; una rudimentale rete telefonica; in nove case su dieci nessun televisore; nessun giornale; la radio diretta da commissari governativi; interi territori governati da signorotti oppure da *shiftas,* bande di predoni; le persone disinformate, intimorite, insomma terrorizzate. Come avrebbero potuto, in condizioni simili, esserci elezioni libere e giuste? Non ci furono.

"Lei è arrivato troppo tardi", mi spiegò Leenco Lata, "la corsa è già stata decisa da settimane". Lata parlava per conto della Oromo Liberation Front (OLF) che rappresentava appunto gli Oromo, il più grosso popolo dell'Etiopia. Aveva boicottato le elezioni e adesso, durante lo spoglio, nel suo quartier generale regnava uno stato d'animo esplosivo. Centinaia di sostenitori riempivano il cortile interno. Alcuni armeggiavano con fucili e si mostravano minacciosi. Che cosa sta cercando qua lo straniero con il grande occhio bianco? Non ha visto che le elezioni sono state una gigantesca truffa? Non ha visto come l'onnipotente EPRDF, il Partito del Fronte Rivoluzionario-Democratico del Popolo Etiopico, ha eliminato violentemente la concorrenza? Non è forse vero che osservatori come lui erano stati pagati proprio dal governo?

L'esecutivo aveva ben poco di cui lamentarsi. Quell'uomo che al tramonto dell'ultima sera di voto si era mischiato in incognito al popolo, avrebbe perfino detto che quei momenti passati nella fila d'attesa alle urne erano stati fra "gli attimi più felici" della sua vita. Quell'uomo era Meles Zenawi, il capo del governo. Non sarebbe rimasto scontento neppure dei risultati elettorali. Alla fine, per la mancanza di concorrenza, i suoi battaglioni della EPRDF avrebbero fatto man bassa di voti. Certo, poi c'era anche questa rogna degli osservatori con un occhio solo. Costoro avevano parlato di brogli, trucchi sporchi, intimidazione sistematica e, nel loro rapporto finale, c'era l'antipatica conclusione secondo cui "si era trattato di elezioni monopartitiche, senza competizione". Questo aveva indispettito il trionfatore che però in conferenza stampa non lo aveva dato a vedere. Solo una volta l'espressione di Meles Zenawi si era un po' rabbuiata – fu quando gli chiesi perché uno degli colleghi americani del team di osservatori fosse stato espulso dal paese. Il capo del governo rispose che lo statunitense aveva preso parte a un incontro dell'OLF e, così facendo, aveva mancato alla consegna della neutralità. Dopo la conferenza una collega etiope mi rivolse la parola: "Di quanto tempo avete avuto bisogno per la vostra democrazia? Duecento anni, vero? Noi invece ci dobbiamo riuscire in un anno…".

*

Addis Abeba un anno prima. L'immagine di Lenin veniva tolta dal piedistallo, la sua figura d'acciaio si specchiava in una pozzanghera. I bambini giocavano su carri armati T-24 bruciati. Dappertutto in città ci venivano incontro soldati affamati con indosso uniformi stropicciate. Dal 4 luglio 1991, alle 16,43 in punto, le armi avevano taciuto. La guerra civile era finita. La dittatura di Hangistu Haile Mariam era stata abbattuta. Visitai lo Yekatit 66, una ex scuola per quadri in cui erano stati internati circa 300 fra i più fedeli esecutori del despota fuggito. La moglie di Gebre Behran mi aveva fatto passare clandestinamente per aiutare suo marito. L'uomo era un signore anziano e simpatico, membro dell'ufficio politico e capo traduttore di Mengistu. "Sì", ammise in un tedesco privo d'accento, "c'erano stati degli eccessi". C'era stato il "terrore rosso", costato la vita a centinaia di avversari del regime. In un angolo della sala sedeva uno degli sgherri di Mengistu: il colonnello Tesfaye, capo della Sicurezza Statale, realizzata con il fraterno supporto della STASI, la polizia segreta della Germania orientale. "Noi però, abbiamo soltanto servito il popolo", disse Gebre Berhan. Il regime che aveva servito, aveva trasformato l'Etiopia nel paese più povero del mondo. Erano state uccise milioni di persone: mutilati di guerra, gente sradicata, mezza morta di fame, disperata. Un anno dopo l'ora zero c'era stata la chiamata alle urne. Davvero una bella pretesa. Come se i tedeschi già nel 1946 avessero dovuto eleggere il loro primo Bundestag...

*

Nel 1989, dopo la caduta del muro di Berlino, iniziò anche in Africa una svolta. All'est, al sud, dappertutto dove ci fossero delle dittature, iniziò a riecheggiare la richiesta di libertà. E di nuovo sul continente "nero" iniziò a spirare quel *wind of change* di cui aveva parlato il primo ministro britannico Harold Macmillan quando, agli inizi degli anni Sessanta, le potenze coloniali si ritirarono concedendo l'indipendenza agli stati africani. A Dakar, Abidjan, Porto Novo, Niamey, Lusaka, Libreville, Bangui o Nairobi, dappertutto la gente era scesa in strada. Prima gli scolari e gli studenti, poi gli operai, e alla fine gli insegnanti e perfino i funzionari. Le masse avevano preteso pane e lavoro, libertà di pensiero e di stampa, diritti umani e democrazia. Avevano reclamato una seconda decolonizzazione, questa volta interna, la liberazione da autocrati autonominati, da signorotti militari e da regimi monopartitici. Preteso di liberarsi da quelle bande di potere nere che avevano sottomesso e saccheggiato così come, una volta, avevano fatto i colonialisti bianchi. Molti capi di stato reagirono inizialmente con la violenza, ma ben presto dovettero riconoscere che la montante indignazione non si poteva più fermare con manganelli, carri armati e armi.

"Ladro sparisci!". Félix Houphouët-Boigny il vecchio presidente della Costa d'Avorio non aveva ancora mai sentito toni del genere uscire dalla bocca dei suoi sudditi. Governava su di loro dal 1960. I primi dieci anni lo trattarono come un dio. Nel secondo decennio lo onorarono. Nel terzo se lo sarebbero levato con piacere dai piedi. Il vecchio aveva cominciato a farsela sotto. Pare che, pieno di disperazione, rivedesse più e più volte il video in cui veniva ucciso il despota rumeno Nicolae Ceauscescu. Gli stava succedendo quello che era capitato a tanti padri fondatori dell'Africa postcoloniale. Quando nel gennaio del 1993 mi trasferì in Africa, il mondo fra il Cairo e Città del Capo si trovava in una turbolenta fase di cambiamento. La Namibia era appena diventata indipendente, in Sudafrica andava scomparendo l'apartheid. L'onda della democratizzazione aveva investito circa la metà dei 48 stati subsahariani. Rapporti pietrificati si rimettevano in movimento e accadevano cose straordinarie. In Benin il presidente Mathieu Kérékou si lasciò deporre dal responso delle urne dopo diciassette anni ininterrotti di dominio marxista-leninista. Il presidente della Zambia, Kenneth Kaunda, introdusse il multipartitismo, proprio come fece il suo omologo Paul Biya in Camerun. Le prigioni africane si aprirono, sorsero partiti politici, attorno a tavole rotonde vennero scritte nuove costituzioni, conferenze nazionali prepararono le svolte. Seguirono poi elezioni in serie. Spesso si trattò delle prime, nelle rispettive storie nazionali, che potessero davvero essere considerate tali. I diplomatici occidentali nei loro rapporti parlarono di "Perestroika nera".

In quel periodo di rottura, quando il Congo si chiamava ancora Zaire, nella città di Kisangani mi capitò di scoprire una lapide con queste parole:

Une seule Nation
Un seul Peuple
Un seul Parti

La quarta riga era illeggibile, ma io la completai alla maniera tedesca, meccanicamente: un Popolo, un Reich... e Mobutu Sese Seko, il Führer. Era il presidente del Mouvement Populaire de la Révolution (MPR) l'unico e solo partito, a fianco del quale non ce ne poteva essere nessun altro. Adesso però sembrava che il più furbo fra tutti i potentati africani stesse riconsiderando le cose. La trasformazione ideologica venne accelerata perché gli sponsor di Parigi, Bruxelles e Washington, che durante la guerra fredda erano stati tanto generosi nella battaglia contro il comunismo, avevano chiuso il rubinetto dei soldi. Fu allora che il "leopardo" parlò: "Adesso siamo democratici! Ogni *citoyen* si potrà interessare di politica, liberamente e senza essere costretto!". I partiti cominciarono immediatamente a spuntare come funghi. Furono 417. A meglio guardare però, si poteva notare come ogni due formazioni politiche una fosse da far risalire a un capocorrente dei vecchi potentati – si trattava di cavalli di Troia, occupati da gente sicura, oppure di veri e propri partiti-fantasma. L'MPR aveva d'improvviso tante teste. Era nato il multi-Mobutismo. Kengo wa Dondo, l'ultimo premier sotto Mobutu, una volta mi disse con fare confidenziale: "In fin dei conti siamo tutti usciti fuori dalla pancia della madre Zaire".

Dalla mascherata attuata da Mobutu si poteva già comprendere quello che sarebbe accaduto un paio d'anni più tardi. Il "vento del cambiamento", che avrebbe dovuto essere un uragano, non fu altro che una brezza leggera. Alla partenza democratica mancarono le fondamenta, le ancore istituzionali, la società civile, la stampa libera e lo scambio d'idee, ma soprattutto, mancò il soggetto storico: una borghesia consapevole, emancipata, cittadina. Le vecchie élite sopravvissero alla tempesta e iniziò la fase della restaurazione.

*

Il partito era di nuovo onnipotente. Persino l'architettura mi portava a crederlo. Prendiamo ad esempio il quartier generale del Kenya African National Union (Kanu), una delle costruzioni più impressionanti di Nairobi: una torre rotonda di 25 piani. Tutt'attorno baracche e tamburi. Io, il partito infallibile, sono nato dal popolo. Certo non era nelle intenzioni del costruttore l'idea che quel cilindro, con quella corona di lamelle alla sua sommità, facesse pensare ad un virus incancrenito nella capitale[9]. Certo la rappresentazione del potere del Kanu non avrebbe dovuto essere in cemento: Partito=Parlamento=Governo=Stato, o ancora più diretto Kanu=Kenia. Un'altra costruzione da vedere era poi la dépendance del partito togolese di stato a Kara: ipermoderna, futurista, impressionante, come un ufo atterrato di fianco al palazzo dei congressi maoista. Oppure il bunker di cemento dello Zanu-Pf ad Harare, Zimbabwe: un monumento al dominio solitario. Sulla facciata c'è un simbolo che abbiamo incontrato spesso a sud del Sahara: il gallo. Il Kanu, il partito statale del Benin Madep, il Malawi Congress Party, i ribelli angolani dell'Unita, tutti lo portano sulle loro insegne. Un cortile pieno di galline e un gallo. Uno stato e un partito.

Le camere dei deputati africane invece, sono di regola estremamente discrete, come il parlamento di Ouagadougou: lo si potrebbe scambiare per una piscina. Oppure si tratta di immagini che rimandano ai film di Eisenstein. Palazzi giganteschi, vuoti, addormentati, come la Maison du Peuple a Kinshasa che ospita una delle più grosse assemblee popolari del mondo: 782 deputati che benedicono i saggi consigli che provengono dall'esecutivo. Va anche detto che diversi deputati la sala plenaria non l'hanno mai vista da dentro, perché non ci sono mai andati. In fondo il potere legislativo in Africa non ha grande importanza. È solo una facciata dietro cui chiacchierano una teoria di baciapile e di *yesmen*. Prendiamo ad esempio l'esterno della Casa del Popolo, un regalo dei cinesi, eretta nella capitale della Guinea, Conacry. Entro nel piccolo ufficio, intonacato verde muschio e ascolto quello che ha da dirmi il dottor Ibrahim Sow sulla vita di un deputato dell'opposizione. "Da quando siamo stati eletti all'Assemblée Nationale non abbiamo ancora mai fatto passare una legge. Qualche volta c'è la sensazione di stare lì a fare tappezzeria. La cosa tuttavia, pare faccia una buona impressione agli stranieri: guardate, abbiamo tanti partiti". Nella testa della gente però, è sempre e solo una persona quella che conta: l'autocrate Landsana Conté. "Il popolo la pensa tutta come quel vecchio che una volta mi disse: Dottor Sow, io ti voto, ma solo quando sarai presidente". Il popolo diffida persino dei deputati dell'opposizione spesso perché si trasformano: diventano dei sinecura, possessori di una carica facile e remunerativa. Ogni volta che mi viene permesso di assistere alla riunione plenaria di un parlamento africano c'è sempre una cosa che balza agli occhi: i deputati sono ben pasciuti mentre chi ascolta è, generalmente, secco come un chiodo.

*

"Di che cosa abbiamo bisogno, di tre partiti oppure di tre pasti al giorno?". È una frase nota, ascritta a Nicolas Mayugi, un politico del Burundi formatosi alla scuola dei gesuiti, ex presidente del partito unico Uprona. L'ho ascoltata nelle occasioni più diverse, in molti capitali africane, ai cocktail, nelle centrali di partito, all'università.

In tutte queste versioni il concetto era sempre lo stesso: democrazia e pluralismo possono funzionare nelle opulente società occidentali, per i paesi poveri invece, sono indigeste. Laggiù al popolo interessa sostanzialmente una cosa sola: avere la pancia piena. Ora, si potrebbero liquidare argomenti del genere come dogmi di un giustificazionismo dei potenti, se solo non fossero in voga anche presso gli africanisti europei. La democrazia, un prodotto della modernità occidentale, sarebbe sconosciuta alla cultura comunitaria africana, sarebbe, per l'appunto, non-africana. Non può essere esportata come un vaccino oppure un sistema telefonico. Spesso si rimanda ai rapporti nell'Africa precoloniale, alla democrazia della chiacchiera, a società acefale, prive di "un capo", che discutevano fino a che non si era raggiunto un consenso. In soldoni vuol dire che l'Africa non ha bisogno di un sistema di valori che le è estraneo, dovrebbe invece ritornare alle doti primordiali della sua polis. Certo, spesso e volentieri in queste reminiscenze si dimentica che le donne nell'antica Africa non avevano diritto di parola e che gruppi e minoranze erano fuori dai meccanismi decisionali. Il passato romanticizzato non offre nessuna strategia per i conflitti di potere e di distribuzione dello stesso che ci sono oggi. Alla fine si è d'accordo con il politologo Rainer Tezlaff secondo cui la struttura tribale potrebbe funzionare, come sistema, con un limitato numero di partecipanti, ma, come procedimento decisionale, è di un'utilità limitata nelle complesse società postcoloniali.

D'altro canto come potrebbe essere usata la democrazia che tutto risolve in stati che non esistono, che sono piagati da guerre civili, su cui regnano i signori della guerra (*warlords*) e dove non esistono più regole? Come è possibile che in regolari territori di crisi si svolgano regolari elezioni? Che avvengano consultazioni elettorali senza infrastrutture, senza che esista un'amministrazione locale o registri elettorali? Le campagne elettorali senza mezzi di comunicazione di massa e reti telefoniche? Gli europei, quando pretendono la democratizzazione, spesso reprimono alcune domande. Anche il fatto che l'utilizzo del pluralismo potrebbe risvegliare lo spirito tribale tende a non essere considerato. Lo si considera un argomento portato avanti dalle élite politiche che, in realtà, vogliono solo impedire le riforme. Non è che questo sospetto sia così peregrino. Ci sono però politici come Yoweri Museveni che portano anche buoni argomenti contrari. Gli africani, secondo il presidente dell'Uganda, non sarebbero ancora maturi per la democrazia moderna. I partiti finirebbero per attrarre i popoli su linee divisorie etniche; lui rimanda volentieri all'organizzazione clanica degli Acholi oppure alle forze centrifughe nel regno del Buganda. E anche alcuni esempi in Europa orientale e Africa possono insegnare quanto rapidamente la liberalizzazione possa condurre alla destabilizzazione perché società fortemente caratterizzate da un'anima autoritaria non sono preparate a gestire le forze che mettono in movimento.

Visto che le istituzioni sono solo delle chimere, la lealtà della persona appartiene alla propria cultura, al gruppo linguistico, al comune spazio territoriale, al clan allargato, alle autorità della propria etnia che nella capitale magari lo hanno aiutato a raggiungere qualcosa. Su questi ci si può far conto mentre non c'è granché da attendersi dallo stato. E poi ci sono i conflitti a cui siamo stati abituati, le "guerre tribali", tanto per citare, che quasi sempre sono di natura politica e socioeconomica. Vengono etnicizzate da politici e capipopolo in modo da trasformare una vaga condizione di appartenenza nella coscienza di un gruppo che condivide il proprio destino, con una tendenza sempre maggiore all'aggressione. Prima o poi il popolino finisce col credere alla forza identitaria della tribù.

Il vaccino di Museveni è un sistema chiamato "democrazia senza partiti", di fatto una *contradictio in adiecto* che però ha funzionato in maniera sorprendente. Almeno all'inizio. I diritti umani non sono esistiti solo sulla carta, le violenze sono state suddivise, i cittadini non hanno potuto più votare segretamente ed è stato loro impedito di raggrupparsi come in passato dietro un candidato di loro fiducia, di fatto sono stati messi in condizione di compiere una sola scelta: essere pro o contro il grande Movement, quel movimento che voleva catapultare l'Uganda in un futuro migliore. Non bisogna spingersi così lontano come hanno fatto alcuni osservatori che hanno glorificato Museveni a causa della sua lungimiranza strategica, definendolo un "Bismarck d'Africa", ma anche il suo bilancio fin qui è sotto gli occhi di tutti. Costui ha superato quel dispotismo del terrore di Idi Amin, riconciliando il popolo e portando il paese su di un corso riformatore. Ha rinunciato a un eccessivo culto della personalità e governato in maniera dura, ma pragmatica. Negli anni '90 l'Uganda visse un rifiorire economico da favola per il continente, una crescita del 10% annua lo trasformò in qualcosa portato ad esempio dalla Banca Mondiale. Nella capitale Kampala nel 1995 si costruiva dappertutto, si lavorava di martello, di sega, si cementificava, gli orologi erano precisi, c'era la corrente, il traffico era fermo e il PIL cresceva. E, vero evento in Africa, lo scellino ugandese guadagnava sul dollaro americano.

Museveni aveva fondato l'Uganda SPA, una sana dittatura dello sviluppo. Sembrava quasi che volesse fornire la prova di una tesi ai teorici della modernizzazione in Europa: prima il benessere, poi la democrazia. Con gli anni però, le riforme politiche furono sempre più subordinate a quelle economiche, la forbice sociale fra ricchi e poveri rese le differenze sempre più eclatanti e il popolo cominciò a gridare: *Change! Change!* "Acc!, il popolo bue", diceva l'élite piena di speranza, "non sa quello che vuole, in fondo non è altro che *democrazy*" – una storpiatura della parola *democracy* nell'Africa anglofona. Una traduzione libera poteva essere: plebaglia impazzita. In questo cinismo però, si poteva intravedere la paura dei potenti. Costoro, minacciati dal dominio del popolo, facevano sempre cenno alle sue debolezze e alle malattie infantili che stavano comparendo nei paesi in via di sviluppo. La democrazia parlamentare però, la storia lo ha mostrato da tanto tempo – è la forma di governo più giusta – almeno fino a quando non se ne inventerà una migliore. Una mezza democrazia non esiste e lo sanno anche in Uganda.

Museveni volle lasciare il segno e nel 1996, in occasione della campagna elettorale, mobilitò mezzo milione di collaboratori. Fu una campagna in cui governo e opposizione si ricoprirono di fango a vicenda, risvegliando nelle masse sentimenti pericolosi. Il candidato dell'opposizione sarebbe stato, come affermarono in maniera velenosa le coorti di Museveni, un traditore della patria, avrebbe diviso il popolo e minato l'unità nazionale. Il presidente non sarebbe stato un vero ugandese, bensì un bastardo d'origine ruandese si sfogò l'opposizione. Un'offesa xenofoba che, fra l'altro, sia Kenneth Kaunda in Zambia, che Alassane Ouattara in Costa d'Avorio, si erano sentiti rivolgere: volete un mezzosangue come presidente? Addirittura uno straniero? Ad un vero *Big Man* però, invettive del genere non facevano un baffo. Ho visto Museveni in corteo trionfante attraverso la capitale. Stava come un papa sul trono, sventolando un ramoscello d'eucalipto. Uno studente mi sussurrò all'orecchio: "Ha preso il potere con le armi. Non lo lascerà alle urne".

*

"Abbiamo aspettato e aspettato. Sono già dieci anni e non è successo nulla… solo vuote promesse… ma i portafogli dei ministri sono pieni". Fortissimo applauso. Chi parla in questa maniera battendo poi, con fare dimostrativo sulla propria tasca dei pantaloni, non è un oratore qualsiasi. Si tratta di Ben Ulenga, il proscritto. Aveva combattuto nella resistenza armata contro l'occupazione sudafricana nel Sudafrica occidentale, nell'ex territorio sotto mandato fiduciario Onu. Era stato in galera con Nelson Mandela e, dopo la liberazione, era arrivato a far parte del più esclusivo circolo direttivo del South West Africa People's Organisation (Swapo), quel movimento che aveva preso il potere assoluto nella Namibia indipendente. Al culmine della sua carriera però, Ben Ulenga si era macchiato di una colpa mortale: aveva criticato la cupola della Swapo e accusato i suoi *mammasantissima* di cupidigia, corruzione e nepotismo. Peggio ancora:

aveva dato le spalle al partito, abbracciato il Congress of Democrats e si era presentato come candidato dell'opposizione contro l'infallibile presidente Sam Nujoma. Proprio contro quel *Big Man* che aveva guidato la guerra di liberazione. Ben Ulenga era diventato un eretico. Gente del genere, di solito, in Africa non campa tanto.

Lo conobbi nell'autunno del 1998, durante un'uscita elettorale a Kuisebmond. È la *township* al margine della città portuale di Walvis Bay: casette piccole, povere, nemmeno un po' di verde, strade polverose. Su tutto questo dominavano gli alti pali della luce che erano stati piantati una volta dal regime militare sudafricano per illuminare i ghetti dei neri, come si fa con i cortili delle prigioni. All'orizzonte c'erano le gigantesche dune di sabbia del deserto Namib: l'immutabilità, il niente. La gente borbottava, ma accettava il proprio destino. Erano poveri come prima dell'indipendenza. Solo quelle cinquecento persone che oggi avevano avuto il fegato di venire qui, al municipio di Kuisebmond, semplicemente non volevano smettere di sperare in una vita migliore. Ci voleva un sacco di coraggio per farsi vedere ad una riunione dell'odiato Ulenga. Alcuni fra il pubblico scrutavano impauriti verso la porta dove si potevano notare gli sguardi e i gesti di minaccia di alcuni attivisti della Swapo. Erano giovani. Davano fastidio ed erano ubriachi. Stavano in grossi grappoli nell'androne, venendo respinti con poca convinzione dai poliziotti. Chi sedeva qui si rendeva colpevole di sostegno a un traditore della patria. "Il governo della Swapo negli ultimi dieci anni ha completamente fallito!", diceva Ulenga. "Il suo tempo è finito!".

Due giorni dopo Hage Geingob, il capo di quell'esecutivo, mi ricevette in un palazzone della capitale Windhuk. "Ulenga dice una grave calunnia!", aveva tuonato, rispedendo tutte le accuse al mittente. "In Namibia non esiste corruzione sistematica". Geingob stava facendo quello che ci si aspettava da un buon Primo Ministro: dipingeva un bel quadretto del proprio paese, parlava di pace interna, di democrazia stabile, di libertà di stampa, di una magistratura indipendente e anche dell'economia che non sarebbe andata per niente male. Sì, certo, la disoccupazione… e poi le tensioni sociali, la ribellione lassù a Punta Caprivi? La guerra in Congo in cui era coinvolta proprio la povera Namibia? Geingob cercò di depotenziare le domande scomode facendo paragoni: "Voi stranieri siete sempre alla ricerca di errori perché non riuscite a immaginare che un paese africano possa fare qualcosa di giusto".

Alcuni di questi errori tuttavia, vengono fatti notare anche da persone nelle proprie fila, in maniera molto discreta, ma si sentono. Ad esempio da Michaela Hübschle, ministro responsabile per le carceri. Nel suo ufficio c'è appesa un'immagine di Che Guevara e al visitatore è subito chiara una cosa: di avere davanti un appassionato difensore della guerra di liberazione. È probabile che proprio per questo quella figlia bianca di un agricoltore sia stata considerata un'eretica. Addirittura un'eretica doppia. I latifondisti di origine tedesca, i cui antenati avevano in passato saccheggiato il paese, la chiamavano "troia della Swapo", e i compagni neri non volevano più averla fra i piedi. Perché la combattiva *signora ministro*, in un attimo di grande coraggio, aveva utilizzato un'allegoria da *La fattoria degli animali* di George Orwell, ovvero quella scena chiave in cui le bestie liberate, una volta nella casa dei padroni, si rendono rapidamente conto che i loro leader – i maiali – sono diventati come i vecchi oppressori e si comportano come gli esseri umani. "Questa cosa il partito l'ha presa davvero male". Michaela Hübschle è ancora membro del governo, ma nell'attuale lista elettorale della Swapo il suo nome non c'è più.

In ogni critica il partito fiuta qualcosa di distruttivo, di usurpatorio, di antinazionale. Ai suoi occhi non esiste un'opposizione, ma solo nemici, avversari giurati, i cui rimproveri sono paragonati a dichiarazioni di guerra. E se, in più, questi provengono dalle sue stesse fila, allora non si tratta di altro che di traditori che commettono una specie di incesto. Ulenga è un Ovambo, un appartenente all'etnia numericamente più rilevante e dominante dal punto di vista politico. Costui era stato dichiarato fuorilegge. Nella sua regione d'origine lo offendevano come nemico del popolo. Non lo invitavano più alle feste iniziatiche e neppure ai matrimoni. Uno dei suoi cugini aveva suggerito di farlo fuori. Quando incontro oppositori come Ulenga mi pervade una certa angoscia – è la sensazione che forse è l'ultima volta che li vedo vivi. Morgan Tsvangirai, l'uomo che in Zimbabwe ha avuto il coraggio di sfidare quel presidente ossessionato dal potere che è Robert Mugabe, rise quando gli raccontai queste sensazioni: "Certo che sono nel mirino". La lunga cicatrice sopra l'occhio destro di Tsvangirai ricordava l'ultimo tentativo di attentato. Durante un tour di propaganda nell'entroterra spararono contro il suo convoglio di auto. Il suo autista c'è rimasto. Un'altra volta un gruppo di tipi avrebbe voluto farlo volare dal decimo piano di un palazzo. Durante l'ultima campagna elettorale oltre un centinaio di suoi attivisti e simpatizzanti erano stati massacrati dalle orde di Mugabe. Tsvangirai è sopravvissuto a tutti gli attacchi. Finora.

Qualche volta non funzionano i freni dell'auto. Magari il cibo è insaporito con qualche veleno, oppure dal cielo piovono pietre. Quando a un oppositore del regime capitano tali disgrazie è perché un cane nero gli ha attraversato la strada. Lo dice un proverbio popolare in Zimbabwe. Richard Leakey cofondatore del partito di opposizione Safina, mi raccontò un incidente tipico. Aveva tenuto un discorso a Nakuru, una roccaforte del presidente Daniel arap Moi. Nel tragitto dalla tribuna all'automobile cominciarono a crepitare proiettili e colpi di frusta contro di lui e i suoi assistenti. "Sapevo una cosa: se cadi ti beccano". Leakey, da quando il suo aereo è precipitato, porta due protesi alle gambe. Fosse cascato sarebbe stato calpestato a morte dalla folla sobillata dai *Moi's Boys*. Un "parapiglia", questo sarebbe stato scritto nel rapporto della polizia. In questi casi non si può fare nulla...

*

L'omicidio politico è l'ultimo mezzo al quale ricorrono i potenti. In casi normali non sono costretti ad arrivare a tanto perché dispongono di un ricco arsenale per neutralizzare oppure rendere innocui i propri avversari. Restiamo all'esempio dello Zimbabwe. Per prima cosa ci sono gli strumenti dell'apparato statale, il parco auto, la flotta elicotteri, il sistema di comunicazione, i mezzi finanziari, i fondi straordinari. La ben oleata macchina della propaganda, le televisioni controllate dagli sgherri del partito, le stazioni radio e i giornali. Nessun redattore si azzarda ad aprire bocca. Perfino la cultura popolare viene censurata. La canzone dal titolo *Corruption*, scritta da Thomas Mapfumo, il musicista più noto del paese, non può essere trasmessa nell'etere. C'è una grossa e fitta rete di uffici del partito e di funzionari, di spie che segnalano ogni idea divergente, ogni persona che la pensa in maniera differente. Quando, per esempio, mi sono ritrovato ad Harare sulla terrazza dell'Hotel Bronte a scambiare due chiacchiere con un critico del regime, al tavolo vicino al nostro sedevano, in maniera da farsi notare, due tipi insignificanti.

Non appena l'opposizione raggiunge una massa critica, allora entrano in azione gli organi della sicurezza dello stato: la polizia, l'esercito, i paramilitari, i servizi segreti, i miliziani. Costoro seguono un procedimento già utilizzato sotto il Kaiser Guglielmo I: contro i democratici servono solo i soldati. Naturalmente ci sono anche tecniche più raffinate per non dover arrivare a tanto. Si mette la sordina alle critiche dei capi dell'opposizione semplicemente attraverso regali generosi: una bella villa, un'automobile fiammante, una licenza di import-export, posti lucrativi nel governo, in un ufficio, un'ambasciata. Si comprano i voti dell'opposizione con dollari americani oppure con euro, perché la propria moneta non vale nulla. Si semina la zizzania nel campo avversario, che spesso è già frastagliato di suo. Si gioca la carta etnica e si sobillano l'uno contro l'altro i gruppi rivali. Se nonostante tutto la concorrenza non si lascia smontare si possono sempre cambiare le leggi elettorali, manipolare i risultati delle urne, cancellare interi collegi, falsificare o addirittura annullare completamente il risultato.

Con i brontoloni più giovani nella maggior parte dei casi bastano i "consigli". A L'Unité, noto locale di Yaoundé, un collega mi ha raccontato la sua esperienza. Lavorava da *stringer,* come collaboratore della BBC, e inviava continuamente a Londra dei lanci di agenzia estremamente fastidiosi sulle attività presidenziali in Camerun. Un giorno due tipi molto paterni bussarono alla porta di casa sua: "Ragazzo, tu lavori troppo", spiegò uno, e l'altro aggiunse: "Dovresti goderti un po' di tempo libero, capisci?". Il collega capì. Non è una vera e propria censura. Certo, se avesse dovuto continuare ad essere così diligente, avrebbe potuto capitargli quanto occorso a quel letterato impertinente di Mongo Beti che una notte fu conciato molto male da un paio di tipi.

Il livello seguente è già un po' più robusto: ancora una volta lo si può studiare in Zimbabwe. Laggiù i magistrati i cui verdetti non corrispondono ai desideri del governo vengono forzatamente messi a riposo. I trasgressori rischiano una forma molto differente di "diritto", di fatto la giustizia della forca da parte di una folla aizzata a dovere. Ovviamente lo stato non ha nulla a che fare con tali eccessi, esattamente come non ha nulla a che vedere con la bomba esplosa nell'ultimo giornale indipendente, il *Daily News*, un ordigno che ha distrutto il torchio per la stampa. Il fatto che soltanto le forze armate disponessero dell'esplosivo utilizzato è solo una maldicenza. E poi c'è l'*ultima ratio*, il livello dell'annichilimento fisico: la tortura e la gattabuia, il finto incidente, il tribunale segreto, l'eliminazione dell'avversario. Basta solo sfogliare i rapporti annuali di Amnesty International, l'Africa in essi ha molto spazio e lo Zimbabwe, oggigiorno, anche.

"Il popolo deve aver paura del potere dello stato", dice lo scrittore Chenjerai Howe. La gente deve rimanere nelle capanne e abbassare la cresta. Avverto questa cultura della paura ad Abidjan, Brazzaville, Luanda, Harare, Monrovia, Bujumbura, quando attraverso piazze gigantesche, vuote di gente, quando dopo la discesa delle tenebre sono solo in strada. Il potere tiene in gran conto il silenzio, la quiete. Poi però ecco che all'improvviso le masse sono di nuovo là. Attraversano le metropoli, battono sui tamburi, canticchiano, danzano e non smettono di chiedere democrazia e libere elezioni. Perché prima o poi arriverà il giorno in cui il governo cederà e dovrà permettere al popolo di andare alle urne.

Ed è allora che si fanno sotto le persone scrupolose. Quelle che dicono che "una rondine non fa primavera", che "un'elezione non porta la democrazia". E poi bisogna anche ricordarsi quello che dicono politologi come l'africano Claude Ake: le consultazioni elettorali nel continente potrebbero portare, al massimo, ad una "democratizzazione dell'impotenza del popolo". La cosa andrebbe decisa caso per caso e poi non può impedire agli africani di pretendere ciò che ogni cittadino europeo considera, giustamente, un diritto civile inalienabile. Gli africani celebrano le elezioni come un giorno di festa. È successo praticamente in occasione di ogni elezione che ho coperto negli ultimi 15 anni. E chi se le dimentica le persone di quella cittadina nigeriana, a Ikot-Otu, che avevano trasformato la loro scuola in seggio elettorale? Di come avevano cacciato le capre dalla classe ed erano riuscite a creare una cabina con le imposte e i battenti delle porte. Di come avevano preparato tutto per bene: l'urna trasparente, le schede elettorali e la boccetta con l'inchiostro indelebile in modo che nessuno votasse due volte. E poi quei visi felici dopo aver fatto la crocetta. Finalmente possiamo dire la nostra! I tempi bui sotto il dittatore militare Abacha sono finiti! Oppure nel 1995 in Mozambico, le prime libere elezioni dopo vent'anni di guerra civile, Matias Mabasso, un contadino che alla stazione ferroviaria di Impala, stava vicino a un cartello su cui c'era raffigurato un teschio – "Alto! Minas!", Stop! Mine! – era talmente eccitato da non riuscire ad articolare una singola frase: "Nel mio cuore... le elezioni!". E poi verso Kempala, verso la grande stazione di bus, in quello spoglio all'aperto che sembrava una festa popolare. Ogni croce, ogni scheda era seguita da migliaia d'occhi e, a seconda del risultato, cori di giubilo che provenivano dai militanti delle diverse formazioni. E ancora, di ritorno ad Addis Abeba, nel Kebele 56. L'orgoglio di quella nonnina rimasta quattordici ore nel caldo soffocante e che ora, sorridente, riceveva la scheda elettorale con i simboli *kulf* (chiave), *kerar* (chitarra) e *masero* (brocca). Non aveva idea di quali fossero i partiti dietro quei segni, ma aveva la possibilità di decidere da sola. Per la prima volta nella sua vita.

Stupidaggini occidentali che non servono nella povera Africa? Tre pasti oppure tre partiti? Se solo il politico che ha pronunciato queste furbate avesse vissuto le elezioni in Sudafrica, le code di attesa lunghe chilometri, la felicità, l'infinita pazienza. Avrebbe potuto vedere quanto gli uomini siano affamati di democrazia. *One man, one vote.* Una persona, un voto. Fu questo lo slogan che decise la fine dell'apartheid. Non si trattò soltanto di poter votare Nelson Mandela, ma di restaurare un diritto fondamentale che ripristinò un pezzetto di umana dignità, una conquista della rivoluzione borghese di cui gli africani erano stato defraudati.

P.S. quasi mi scordavo del miracolo occorso in Kenia. Chi avrebbe mai immaginato in questi anni di piombo ciò che accadde laggiù nel 2002/2003, l'anno della svolta? Quel Kanu che sembrava invincibile – ininterrottamente al potere dall'indipendenza nel 1963 – alle elezioni presidenziali venne praticamente spazzato via. Il popolo sovrano dopo 24 anni di servizio mandò a casa, con un bel calcio dove non batte il sole, il presidente Daniel arap Moi e Uhruru Kenyatta, da lui designato come erede al trono, venne davvero mortificato. Gli aruspici avevano profetizzato caos e confusione dopo la partenza del *Big Man*, lo sgretolamento del panorama partitico nelle parrocchie tribali, una fase di instabilità. E invece al vertice di un'alleanza multietnica con il nome di Allianz Rainbow Coalition arrivò il vecchio Mwai Kibaki e ottenne una vittoria travolgente che non avevano osato sperare nemmeno i suoi sostenitori. I keniani possono essere orgogliosi di questo risultato. Hanno dimostrato che anche in Africa è possibile realizzare l'impossibile – elezioni democratiche senza eccessi di violenza in cui vinca l'opposizione. Riuscirà a Mwai Kibaki, il famoso economista, dopo il cambio al comando anche la svolta di uno stato sviluppato economicamente? Un settantunenne, un rinnegato del Kanu e allo stesso tempo una vecchia volpe dell'antica élite che era già stato ministro sotto ai presidenti Kenyatta e Moi e che era già stato vicepresidente riuscirà a smantellare la corruzione? Riuscirà a mantenere unita la sua fragile coalizione sotto all'arcobaleno? *Pole, pole*, dicono i keniani. Piano, piano. Prima si festeggia. Poi vedremo.

Guerra e pace
Circa la sanguinosa storia dell'Africa postcoloniale

Scrivo 1993: diciottesimo anno di guerra. Oppure è il trentaduesimo? Dipende da come contiamo. Potremmo cominciare dal 1961, quando gli angolani si sollevarono contro il regime coloniale portoghese. O magari dal 1975, l'anno dell'indipendenza, quando esplose la guerra civile. Alla gente dell'Angola però, non interessa come calcoliamo. Conosce solo la guerra. Una guerra che non finisce mai. A un certo punto il tempo nel paese si è fermato, così come si sono fermate le lancette dell'orologio della dogana al porto di Luanda. Continuano a segnare sempre le 7,44. Ogni giorno guardo la torre dell'orologio. Me la trovo davanti agli occhi. Sta proprio di fronte alla mia camera all'Hotel Presidente. Quando il sole sprofonda nell'Atlantico e il caldo dei Tropici cede il posto al fresco della notte, quando le strade si svuotano e diventano silenziose, è allora che cominciano le migliori ore di lavoro. Ordino i miei appunti e quelle lancette immobili mi mettono tranquillità. Sono come i bracci di un compasso in una tempesta d'immagini.

Ero ritornato da Malanje nel tardo pomeriggio, da una città chiusa, 400 chilometri a nord-est della capitale Luanda. Mi ci aveva portato un vecchio Iljuschin 76, uno di quegli aerei da trasporto, avanzati da quell'era eroica di fratellanza militare angolano-sovietica e che adesso avevano solo un'utilità: realizzare un ponte aereo di generi alimentari per quelle centinaia di uomini affamati nell'entroterra del paese. Il giorno prima il velivolo era stato attaccato. Un paio di fori di proiettile nel timone posteriore sinistro stavano a testimoniarlo. Quel giorno avemmo fortuna. Il pilota russo aveva avvitato quel vecchio uccello malandato in una stretta spirale, da un'altezza di 5000 metri giù sino alla pista d'atterraggio, per offrire ai cannoni antiaerei degli assedianti un obiettivo quanto minore possibile. Il decollo era stato come quando si stappa una bottiglia. Dritti nelle nuvole. Nel mezzo sette ore nella sacca di Malanje.

Da questa città non partono strade. Sono tutte minate. I treni sono ormai anni che non vanno più. Solo i suicidi si arrischiano a forzare quell'anello che i ribelli hanno organizzato attorno al centro, in un cerchio che va dagli otto ai dieci chilometri. Di notte Malanje è sottoposta ad uno sporadico fuoco di artiglieria. Qualche volta truppe d'assalto penetrano nelle *muceques*, i quartieri poveri delle periferie. 350.000 abitanti, fra cui 40.000 profughi interni che provengono dall'entroterra – circondati, affamati, terrorizzati. La città è sotto il controllo delle truppe governative. Gli assedianti appartengono alla Uniâo Naçional para a Independência Total de Angola. In breve l'UNITA. Combattono dal giorno in cui il paese è diventato indipendente e continueranno a farlo perché nessuno dei due contendenti può sconfiggere l'altro e perché entrambi dispongono di infinite materie prime per finanziare la guerra: gas naturale e diamanti.

Ora sono di nuovo seduto al mio tavolo traballante e, mentre guardo le lancette in disordine lascio venire alla luce le impressioni di Malanje: quel bambino ricoperto di sangue che due sanitari trasportano su di una barella sotto al pallido ritratto di Agostinho Nieto, il fondatore dello stato, nell'unico ospedale della città. Quelle donne ricoverate, a cui le mine avevano portato via braccia e gambe. Milagre Pascoal, una madre di trentanni, che racconta di come l'abbiano beccata mentre stava dissotterrando radici di *kassawa*. Solleva il lenzuolo e mi mostra il moncherino, quanto è rimasto della sua gamba destra. Il medico Jeovete Sapateiro che si lamenta di come nel suo nosocomio siano finiti gli antibiotici. I bambini davanti ai magazzini vuoti, con loro gambette da cicogna e i pancioni gonfi di fame. Un giovane secco secco che raschia chicchi di riso dalla pista d'atterraggio e li raccoglie in una busta di plastica su cui c'è scritto *O futuro certo*, il futuro è sicuro – uno slogan elettorale del presidente Eduardo dos Santos. Quei singoli destini umani che solo i dolori di un conflitto possono far comprendere. Quei nomi che nel taccuino di un giornalista vengono strappati all'anonimato di un ingranaggio distruttivo.

Quante vite umane è costata questa guerra? Quante, ancora, seguiranno la stessa sorte? Nessuno lo sa. Il numero di mine antiuomo in Angola – circa dieci milioni – supera la cifra dei suoi abitanti. Scuole e ospedali, strade, ponti, ferrovie, reti elettriche, le infrastrutture sono distrutte dappertutto. Nelle fabbriche tacciono le catene di montaggio. Le piantagioni di caffè sono ricoperte dalla vegetazione tropicale. La maggior parte delle persone sono troppo giovani per aver vissuto l'inizio di questa guerra. Non sanno cosa significhi vivere in pace. Perché la pace è durata poco. Il primo cessate-il-fuoco nel 1988 aveva resistito circa un anno. Il trattato di Gbadolite, discusso nel 1989, era stato strappato dopo un paio di giorni. Quello di Bicesse, firmato nel maggio del 1991, dopo 16 mesi non era altro che carta straccia. Poi, nel 1994 un nuovo tentativo a Lusaka. Di nuovo inutile. Nel mezzo tre commissioni di pace delle Nazioni Unite. Tutte fallite. La storia di un fiasco.

Che cosa potrebbe dire di nuovo il corrispondente alla sua finestra sul porto, rispetto ai soliti resoconti su violenza, povertà e disperazione che la guerra partorisce? Ovviamente alla fine della storia scribacchierà che "la speranza non muore". Uscirà magari dall'hotel e si recherà a passeggiare sulla Avenida 4 de Fevereiro, fiancheggiata da palme. Vedrà i pezzi grossi del partito di governo, l'MPLA sfrecciare nei loro fuoristrada fiammanti per andare a mangiare i gamberi sulla Ilha. Incontrerà un soldato con la gamba amputata che fruga in un bidone dell'immondizia alla ricerca di qualcosa da mettere sotto i denti. Entrerà nella penombra della chiesetta di Nossa Senhora da Nazarené osservando quelle piastrelle saltate, di un blu profondo, Azulejo, e le immagini sacre di gesso a cui mancano braccia e nasi. Ascolterà le anziane mormorare: Santa Maria! Aiuta l'Angola! Scriverà e continuerà a sperare. E poi di nuovo scriverà e tornerà a sperare ancora e ancora. I suoi scritti, con il tempo, saranno sempre più distaccati e il tono sempre più pessimista.

Quando ho incontrato per la prima volta un personaggio famoso dell'Angola non avevo ancora idea di come questo paese potesse scuotere l'attenzione di un corrispondente. Era un giorno di maggio del 1991 a Monaco di Baviera. Stavo seduto di fronte a un uomo corpulento che indossava un vestito fatto su misura. Reggeva un bastone da capotribù degli Ovimbundu, fatto di legno pregiato e avorio. Sul suo anello scintillava una maschera d'oro Yoruba grande come un coleottero. Sui gemelli era inciso il gallo nero, il simbolo dell'UNITA. Quest'uomo, un'immagine di incredibile forza e di dignità, era il leader dei ribelli che combattevano da sedici anni contro il governo dell'Angola. Sousa Jamba, un fuoriuscito dell'UNITA, lo ha definito un "macellaio con la laurea" le cui mani sono intrise di sangue. Il Parlamento Europeo ha inserito le sue truppe nell'elenco dei gruppi terroristici a causa di innumerevoli attentati, massacri, esecuzioni e torture. Eppure gli amici della CSU[10], che l'uomo stava visitando qui a Monaco di Baviera, lo consideravano un eroico partigiano della libertà. Si chiamava Jonas Savimbi e la sua vita si poteva raccontare in breve. Era nato figlio di un casellante nel 1934. Era andato a scuola in una missione protestante, poi una borsa di studio della chiesa a Lisbona e all'Università di Friburgo. Aveva discusso la tesi su John Locke, mentre i rudimenti della guerra li aveva appresi in Cina, all'Accademia della guerra di Nanchino. Il resto della sua esistenza era stata lotta, contro gli oppressori bianchi e poi contro i liberatori neri.

La rivoluzione dei garofani aveva deposto la dittatura di Caetano in Portogallo e messo fine alla dominazione coloniale in Angola. Nel 1975 il paese aveva ottenuto l'indipendenza. Da allora laggiù comandava l'MPLA, un corrotto regime marxista sostenuto dalle armi dell'Unione Sovietica con mercenari cubani. L'UNITA, di orientamento conservatore, continuava ad essere foraggiato dagli Stati Uniti e, in segreto, dal Sudafrica. Nell'emisfero meridionale era esplosa una delle classiche guerre per procura di quelle che trasportano violentemente con sé conflitti ideologici fra Oriente e Occidente. Sebbene poi si fossero verificate situazioni assurde con gruppi americani che estraevano petrolio nell'exclave di Cabinda e con i comunisti a Luanda che guadagnavano miliardi dall'oro nero. Compravano armi dai sovietici pagando con dollari sonanti – anche per proteggere gli impianti di trivellazione statunitensi che i ribelli attaccavano con armi americane. Nessuno sapeva giocare con le ideologie come Jonas Savimbi, unendo la geopolitica al pensiero tribale. Prima si era mostrato amico della Cina e antimperialista, poi pro-occidente e antisovietico. Un Machiavelli della foresta le cui distorsioni ideologiche erano servite a un solo scopo: il potere assoluto.

Quattro guardie del corpo si erano sistemate attorno alla sua sedia. Si poteva intuire che avrebbero tirato fuori la pistola se il loro padrone fosse stato infastidito da domande sconvenienti. In fin dei conti questa non era un'intervista. Era un'udienza. "Il passato è passato". Savimbi strozzò con questa frase ogni tentativo di parlare degli anni di guerra. Dopo la caduta del muro di Berlino sarebbe cominciata una nuova era, un'epoca di pace, di redenzione, di ricostruzione. Savimbi, dal quattordicesimo piano dell'Arabella Hotel, scrutava il cielo di maggio di Monaco di Baviera, fino al Maximilianeum. "Il dottor Strauß era un nostro amico". Il *Ministerpräsident*, il Primo Ministro della Baviera, purtroppo, non aveva potuto vedere Savimbi eletto presidente. "Arrivederci a Luanda", mi disse nel prendere congedo. Del nostro arrivederci al palazzo del governo non se ne fece nulla. Un anno dopo Savimbi avrebbe perso le prime elezioni presidenziali libere e relativamente corrette, avrebbe parlato di brogli e chiamato tutti i suoi compagni a riprendere le armi. "Non c'era da attendersi nient'altro", mi chiarì a suo tempo Arlindo Barbeitos. "Savimbi è uno psicopatico ammalato di potere". Barbeitos, poeta, sociologo, allievo di Adorno, in passato convinto della missione politica dell'MPLA, come molti altri intellettuali ha lasciato il suo paese. Non ce la faceva più a sopportare quella follia.

Era l'epoca in cui cominciava la fase più sanguinosa della guerra civile. Gli angolani avrebbero ricominciato a poter sperare nella pace solo nel 2002. Nel febbraio dello stesso anno sarebbe stato ritrovato un corpo crivellato di colpi – il cadavere del dottor Jonas Savimbi. Era nella foresta, ricoperto di mosche. La fine di un uomo entrato negli annali come il più terribile leader ribelle dell'Africa postcoloniale. Le sue truppe avevano rubato, ucciso e violentato per quasi trent'anni. La morte di Savimbi è anche il momento per ricordare i suoi complici e impresari: Ronald Reagan e la CIA, Maggie Thatcher e il regime dell'apartheid in Sudafrica – ma anche la CSU tedesca che gli ha fatto la corte considerandolo un combattente contro il pericolo rosso. A tutti costoro deve essere ascritta la responsabilità della tragedia dell'Angola, così come ai commissari politici di Mosca e ai mercenari cubani: mezzo milione di morti, quattro milioni di profughi, fame, miseria diffusa e uno stato in rovina.

*

I disordini in Congo. Il Biafra e la terribile guerra di secessione nigeriana. Le eterne guerre civili in Sudan, Angola, Mozambico, Etiopia. Le dittature del terrore di Bokassa e Idi Amin. I massacri in Sierra Leone e Liberia. Il genocidio in Ruanda. L'autodissoluzione della Somalia. Rivolte militari, scontri etnici, in Chad, in Burundi, in Togo e, da ultimo, in Madagascar e Costa d'Avorio. I periodici eccessi di violenza che ritornano, hanno costruito la nota percezione che il mondo esterno ha di questo territorio: l'Africa, il continente sanguinoso. Un luogo da sempre senza pace. Un posto di guerra eterna dove è in atto un conflitto senza fine. Dal 1945 a sud del Sahara ci sono stati 54 fra conflitti e guerre civili – nessun altro continente, nello stesso periodo ha avuto un bilancio anche solo paragonabile a questo. Sebbene il numero di campi di battaglia fra gli stati fosse relativamente basso e il numero di conflitti non interessasse più di tre, quattro territori di crisi, sarebbe dovuta nascere per forza di cose l'immagine di una guerra onnipresente. Quel devastante *bellum africanum* divenne lo stato di aggregazione di un continente.

Di quando in quando si ascolta l'obiezione secondo cui quella situazione di guerra cronica sia da ascrivere al conquistatore europeo come se l'Africa precoloniale fosse stata un'isola di pace. A memoria d'uomo ci sono state sempre guerre, scontri sanguinosi fra tribù, clan, comunità di villaggi, popoli, nazioni e forme di stati. I cavalieri dell'impero Bornu erano temutissimi. Nell'antico Ghana si scatenò una violentissima guerra di caste. Gli Zulu, sotto il grande Difaqane, assoggettarono i popoli vicini. Il loro leggendario leader si scelse persino il titolo di "Napoleone nero". L'origine di forme di stato fortemente organizzate era spesso correlata a guerre di annessione e a forti sommovimenti interni: l'ascesa dell'Abissinia oppure la creazione in Africa occidentale del regno costiero degli Asanti, costò un numero altissimo di vite umane e provocò gigantesche devastazioni.

Sono rimaste impressionanti testimonianze della vecchia cultura. Basta visitare il palazzo dei re in Dahomey e guardare le incredibili, e orribili, scene sugli affreschi policromi che corrono attorno ai portici della scuderia. Si vedono alcuni guerrieri cavalcare capovolti e schiavi massacrati o torturati nelle maniere più spaventose. La forza suggestiva delle immagini è talmente grande che non ci sarebbe di che meravigliarsi se sulla piazza d'armi dietro di me le donne-fucilieri e le arciere cominciassero a fare esercizio. L'esercito delle amazzoni, fondato nel 1727, andava a fare la guerra quando la mia bisbis nonna era ancora un angelo del focolare. Il loro motto era: "Gli uomini nei campi e le donne in battaglia". Dovevano essere tempi davvero tosti e marziali. Re Guézo, dalla forza di un bufalo, regnò dal 1815 al 1858 quando il regno del Dahomey era al massimo della sua fioritura: il suo trono era poggiato su quattro teschi, il suo scacciamosche ornato dal cranio di un bambino. Un arazzo mostra il suo successore, lo scellerato Roi Glélé (1858-1889) che, dopo avergli strappato una gamba, infierisce sulla propria vittima. Le pareti sono ornate da massacri, colorati e spietati, rastrelli che si abbattono su dei cadaveri, teste e mani che ciondolano come trofei da collane. La guerra come madre dell'arte: se hai l'immagine del nemico, allora possiedi la sua anima, la sua furbizia, la sua forza. La vecchia Africa non era certo un luogo idilliaco eppure, rispetto alle guerre moderne della seconda metà del XX secolo, i conflitti precedenti oggi appaiono quasi innocui.

*

Ohhhh, e adesso, il nostro uomo in Africa! Ecco come i colleghi si preoccupano di salutarmi ogni anno, alla riunione dei corrispondenti. Ho circa cinque minuti di tempo per fare un rapporto su di un continente composto da cinquanta stati. Naturalmente mi concentro sui conflitti principali. In fondo sono quelli considerati degni di essere raccontati. E alla fine del mio *tour d'horizon* vale sempre il buon vecchio modo di dire: in Africa niente di nuovo. Un importante redattore una volta, per fare lo splendido, usò un'altra frase: "Lotta di negri nel tunnel". Che cosa dimostra tutto questo? Nulla. Solo che nessuno vuol davvero sapere cosa succede in Africa. In questo non c'è molta differenza fra il cittadino normale e il giornalista. In fondo la mancanza di interesse di fronte alla natura delle cose è abbastanza comprensibile – persino come cronista è spesso difficile seguire il corso degli eventi. Vale soprattutto per un conflitto esploso alla fine del secolo.

Questa volta però, non si tratta di ignorare la solita scaramuccia a cui ci siamo già abituati da qualche parte nel terzo mondo. Stiamo parlando di una grande guerra, una delle più grosse e devastanti che in questi anni si siano avute nel mondo. Un conflitto che ha investito con la forza di un ciclone il cuore del continente, dalla foce del Congo sino alle sorgenti del Nilo. Uno scontro che, finora, ha strappato alle loro case ben oltre due milioni fra uomini, donne e bambini e che si calcola abbia fatto tre milioni di morti. Se la cosa si fosse verificata in luoghi conosciuti, sull'Amsel ad esempio, oppure nel Sinai, avremmo potuto seguirne ogni sera gli sviluppi sui telegiornali. Invece si tratta del Congo, laggiù, nell'Africa profonda, e non si può fare a pezzettini nei soliti servizi telegiornalistici da un minuto e mezzo. Si tratta di un avvenimento oltremodo complesso in cui si sovrappongono crisi e conflitti di una grande regione: le guerre civili in Sudan, in Uganda, in Burundi, Angola e nella Repubblica Centrafricana, le dolorose conseguenze del genocidio in Ruanda, le guerre ereditate dal Congo. Sette stati e sette eserciti ribelli sono coinvolti e si sparano fra di loro. 200.000 combattenti o forse di più. La cifra esatta non la conoscono neppure gli esperti militari. A questi vanno aggiunti mercenari belgi, sudafricani, serbi e 400 effettivi di un reparto speciale nordcoreano. Oltre agli scontri ufficiali si sono consumati un numero infinito di conflitti minori, di massacri e rappresaglie. È sorprendente. Precisi come un orologio dai paesi del nord del mondo sono arrivati gli inviati speciali che descrivono una guerra medioevale. Leggiamo di faide tribali, di rituali di sangue e, (caspita!) del ritorno del cannibalismo. Non c'è un solo lancio d'agenzia che non abbia tirato fuori l'obbligatoria citazione sul *Cuore di tenebra* di Conrad, il meraviglioso racconto della follia e della crudeltà dell'uomo bianco, il cui titolo è diventato il più classico dei cliché sull'Africa: violenta, primitiva, oscura – ecco come conosciamo i negri del Congo sin dai tempi dell'imperatore Guglielmo!

Generalmente i disordini che vengono analizzati dai reporter di guerra per spiegare la situazione sono spontanei. La guerra in Africa centrale può apparire arcaica, viene combattuta con machete, coltelli, lance frecce ed archi, ma, allo stesso tempo, entrano in gioco le apparecchiature più moderne: armi teleguidate da computer, sensori a infrarossi, telefoni satellitari. Si tratta di un conflitto politico per ridisegnare il nuovo ordine dell'Africa centrale e, allo stesso tempo, di una battaglia per il controllo delle risorse economiche. Tutto questo nell'epoca della globalizzazione. Perché dietro le linee di rifornimento operano mercanti d'armi, speculatori di borsa, pirati della finanza, magnati delle materie prime. Probabilmente l'ex segretario di stato americano Madeleine Albright pensava alle implicazioni internazionali quando definì come una "prima guerra mondiale africana" i combattimenti nel bacino del Congo. All'epoca venne presa in giro.

Per capire la crisi nella regione dei Grandi Laghi dobbiamo ritornare al 1994, a quell'estate in cui il resto del mondo stava festeggiando la fine dell'apartheid in Sudafrica, proprio mentre fra le mille colline del Ruanda si stava svolgendo uno dei più terribili genocidi della storia dell'umanità. Il regime del terrore degli Hutu assassinò 800.000 persone, appartenenti in massima parte alla minoranza Tutsi, ma anche oppositori della propria etnia, prima di venire sconfitto dai ribelli provenienti dall'Uganda. I massacratori fuggirono, protetti da una gigantesca corrente di profughi, fino allo Zaire orientale, "esportando" così il conflitto. Laggiù, nell'anonimato dei campi profughi, vennero nutriti dalla Nazioni Unite e si poterono riorganizzare militarmente per potere così compiere le proprie vendette in Ruanda. Nell'ottobre del 1996 si sollevò la *Alliance des forces démocratiques pour la libération du Congo*, un gruppo di rivoltosi zairesi. Fra di essi c'erano molti Banyamulenge, i discendenti di quell'etnia Tutsi che, generazioni prima, era emigrata in Congo ed era stata discriminata dal regime di Mobutu. Il capo dei ribelli era un certo Laurent Désiré Kabila, un viveur e affarista di dubbia fama. Le sue truppe attaccarono i campi profughi e in sette mesi conquistarono lo Zaire. La campagna militare contro il dittatore Mobutu era stata spalleggiata da una superpotenza – gli USA – e da altri sette stati confinanti – Ruanda, Uganda, Burundi, Eritrea, Etiopia, Tanzania, Angola – una novità nella storia del continente. Per la prima volta una coalizione africana combatteva per scacciare un despota. All'epoca, era l'aprile del 1997, raccontai da Kinshasa l'ultima partita del leggendario Mobutu Sese Seko.

Un'insopportabile umidità, viali vuoti, la capitale immersa in uno stupore tropicale, aspettando Kabila. Il ribelli penetrarono inarrestabili attraverso il bacino del Congo verso Kinshasa. Il presidente aveva dichiarato lo stato d'emergenza. Si era ritirato nella caserma di Tsha Tshi e aveva scatenato contro il suo nemico le truppe d'élite, la Division Spéciale Présidentielle. Fu il suo ultimo ordine. Ero seduto per uno spuntino serale nella residenza dell'ambasciatore tedesco e seguivo sulla CNN gli ultimi servizi dal fronte. A Lubumbashi, la metropoli ricca di rame nella provincia di Shaba, si combatteva duramente. La cameriera che ci serviva teneva in mano una scodella con dell'insalata di patate quando si fermò, immobile come una statua di sale, davanti allo schermo tv. L'uomo che stava urlando nel microfono chiamava il paese della donna "Repubblica Democratica del Congo" e chiedeva la testa di Mobutu. Quella signora stava guardando il volto rubicondo del capo ribelle Kabila.

Il giorno successivo, mercoledì 9 aprile, avrebbe portato notizie terribili: la cricca militare di Mobutu aveva massacrato di botte i civili, c'erano stati scontri nelle strade, il tutto arricchito da un leggero scambio d'artiglieria e perfino da attacchi alle ambasciate dei paesi occidentali. Almeno questo è quanto era scritto nei lanci mattutini dell'agenzia di stampa tedesca DPA[11]. Notizie prodotte nell'ufficio di Nairobi. A 4000 chilometri di distanza (!). Noi però, seduti sulla veranda dell'ambasciata, delle detonazioni della DPA avvertivamo poco. Sese e Seko, i due pavoni regalati da Mobutu all'ambasciatore Klaus Bönnemann, stavano fermi, zitti e muti come i galletti segnatempo sui tetti. Da Brazzaville, il porto fluviale di fronte a noi, giunsero un paio di colpi. La vita a Kinshasa scorreva indolente come le ninfee sul fiume Congo. Accompagnai una pattuglia dei GSG 9, i corpi speciali che erano arrivati per difendere la missione tedesca. Nessun evento particolare. Alle 14.07 la radio annunciò che il ministro della difesa Likulia Bolongo era stato nominato nuovo capo del governo per decreto presidenziale. Così lo Zaire, che stava sprofondando, ora aveva tre primi ministri: Kengo Wa Dondo, quello ufficiale, Etienne Tshisekedi, autonominato, e Likulia, che lì c'era stato messo. Ancora una volta il grande inquisitore aveva piazzato un suo pupazzo. Il suo ultimo, freddo colpo di stato.

Alle due e mezza squillò il telefono. Lubumbashi era caduta. La popolazione danzava per strada. Le immagini di Mobutu bruciavano. *Le début de la fin* – era l'inizio della fine.

Nel tardo pomeriggio l'ambasciatore riunì i suoi collaboratori rimasti a Kinshasa. Donne e bambini erano già volati via due settimane prima oppure evacuati a Brazzaville. Si discusse il piano di crisi. Si decisero le parole in codice da usare nelle trasmissioni via radio e i luoghi di raccolta per i cittadini tedeschi. Sullo spiazzo della missione c'erano due canotti pronti, nel caso le cose si fossero messe male. Un attacco di malaria aveva costretto a letto il capomissione; oltre a me nella residenza non c'era più nessuno per prendersi cura di lui. Mi venne dato il titolo onorifico di Florence Nightingale. Fu come se tutta la città avesse la febbre. Un diplomatico francese visitò l'ambasciata e parlò di "complotto anglosassone" contro l'Africa francofona.

Giovedì 10 aprile. Kabila ripropose il suo ultimatum: abdicazione del dittatore entro tre giorni oppure guerra sino alla fine. L'annunciato colloquio con Mobutu saltò. Un corriere mi portò le risposte scritte alle domande che avevo inviato al presidente chiuso a Camp Tsha Tshi. È stata probabilmente l'ultima intervista data a un corrispondente e conteneva una sola frase importante: "Non me ne vado". Nzanga Mobutu, suo figlio, cancellò l'impegno preso a pranzo. Fece riferire di essere con i nervi a pezzi. A sera feci visita a Fréderic Kibassa, il presidente del partito d'opposizione UDPS. Temeva che una volta piombata l'oscurità la luce non sarebbe più tornata. "Tanto più Kabila spinge, tanto più pericoloso diventa Mobutu". Si rischiava una notte dei lunghi coltelli. Il segretario mi sussurrò: "Il Leopardo è stato colpito. Vuole portarci all'inferno con sé".

Anche Kenko Wa Dondo, il premier deposto, mi ricevette la sera dopo, ancora una volta alla *Maison Blanche*. Parlò di un *Coup d'État*. L'indomani avrebbe annunciato le proprie dimissioni. Il giovedì successivo, di buon mattino, Kengo Wa Dondo, il probo mediatore, l'uomo che rappresentava la speranza, tagliò la corda – nel fine settimana però, non aveva dimenticato di fare un rapido salto alla Banca Centrale per alleggerirla di un paio di milioncini. Le casseforti vuote tuttavia, sarebbero state scoperte solo nel tardo pomeriggio.

L'atmosfera che si respirava in città era una strana miscela di fatalismo e paura, di tensione e indifferenza. *L'État zairois asphyxié*, titolò un quotidiano: lo stato zairese soffoca.

Il sabato12 aprile il presidente si mostrò in uniforme blu cobalto davanti alle telecamere della tv di stato. Ultimatum? Dimissioni? Mai! "Lo Zaire è la mia patria". Il *Big Man* si guardava ancora attorno disperato. Due giorni dopo sarebbe fuggito dal paese. Era malato terminale. Un cancro alla prostata. Morirà a Rabat il 7 settembre 1997. I suoi soldati disertarono in massa, i funzionari si tolsero il grigio abacost, la versione zairese dei camicioni di Mao, e salutarono con grida di giubilo Laurent Kabila, *le Grand Libérateur*.

Un anno più tardi, in occasione della mia successiva visita, Kabila e il nocciolo delle sue truppe dominate dai Tutsi non erano più percepite come liberatori, ma come invasori. "Sono incompetenti, brutali e corrotti come i mobutisti", imprecava un venditore d'auto. Eppure il suo business andava alla grande. La richiesta di auto di lusso era aumentata. Restava da vedere per quanto tempo sarebbe riuscito a mantenere la sua nuova clientela. L'alleanza bellica di Kabila in tempo di pace era diventata fragile, il malcontento covava nelle periferie. Nelle province del sud, ricche di materie prime, crescevano le spinte secessioniste. All'est si erano sollevati i Fusero, i Rega, i Bembe e gli Hunde. Il Congo si andava disintegrando in territori governati da gruppi ribelli e da signori della guerra e il più infame fra loro sedeva nel palazzo presidenziale di Kinshasa: Laurent Desiré Kabila. Si era rivelato un *revenant*, un altro Mobutu. Il suo sforzo maggiore era stato quello di cambiare di nome al paese: ora lo Zaire si chiamava di nuovo Congo.

Appena sei mesi dopo il cambio di poteri iniziò il crepuscolo dei kabilisti. E di nuovo ci furono sollevazioni nella provincia di Kivu. Ormai gli ex fratelli in armi dell'Uganda e del Ruanda si erano rivoltati contro lo sleale e avido Kabila, che, a sua volta, aveva chiesto il soccorso straniero di Namibia, Angola e Zimbabwe. Le potenze interventrici, guidate da calcoli politici, da desideri economici o da fissazioni etniche, cercarono i rispettivi alleati fra le fazioni ribelli congolesi. L'Angola, la potenza militare più forte della regione, penetrò nel paese per distruggere le basi operative extraterritoriali dell'UNITA. I camerati dello Zimbabwe, davanti a tutti il generale di corpo d'armata Vitalis Zvinavashe, si fecero disobbligare l'aiuto militare con diritti di sfruttamento e partecipazioni aziendali. Anche gli invasori dall'Uganda, con la scusa di stanare ribelli del proprio paese, fecero affari con legnami pregiati, oro e diamanti e armi. James Kazini, il comandante in capo, assieme a parecchi alti ufficiali prese parte ad alcune lucrative joint venture. Per concludere il Ruanda. Nel minuscolo e sovrappopolato paese vicino, il suo esercito diede la caccia ai 30.000 *génocidaires* rimasti, che, dopo i massacri del 1994, erano fuggiti nelle foreste congolesi. Si dice che anche la minoranza al potere, i Tutsi, cercasse adesso il suo spazio vitale nell'est scarsamente popolato del Congo per ricostruire il gran regno degli Hima. Quella che era cominciata come una rivolta nazionale, tracimò di nuovo in conflitto continentale.

*

Lusaka, giugno 1999. Summit per la pace in Congo. Un nuovo tentativo di sedare le fiamme del conflitto. Eppure c'era qualche cosa che non andava. Dove erano gli occhi delle telecamere, i microfoni e i taccuini? Dov'era la stampa mondiale? Semplicemente nessuno ci credeva. Qui erano in corso consultazioni per cercare di porre fine alla più grossa guerra nella storia dell'Africa e nessuno se ne interessava. C'erano solo due giornalisti europei e nessun americano. I colleghi africani restavano fra di loro. Nel vestibolo della sala conferenze dell'hotel incontrai un vecchio conoscente: Aldo Ajello, l'inviato dell'Unione Europea, che si era guadagnato una buona fama fra gli africani come pacificatore Onu in Mozambico. "Purtroppo è vero", chiarì subito Ajello, "l'interesse dell'estero è estremamente limitato". Erano falliti sei vertici di pace. Il mondo esterno aveva perso ogni fiducia in una soluzione positiva. Appariva sempre più difficile orientarsi nel cangiante mosaico delle alleanze militari e delle affinità politiche. Le uniche certezze offrivano un desolato panorama della regione: centinaia di migliaia di profughi che vagavano fra innumerevoli fronti; un confuso guazzabuglio etnico e altamente esplosivo, avvelenato da diffidenza e odio, una spaventevole quantità d'armi che provenivano da USA, Francia, Sudafrica e Cina, solo per citare i fornitori più grossi.

Sesto giorno di conferenza a Lusaka. Noi cronisti siamo abituati ad attendere di fronte all'ostinato silenzio dei negoziatori di sedici nazioni, all'ostinato mercanteggiare dietro le porte chiuse. Secondo quanto si mormorava in città però, la breccia era vicina. Eppure i congolesi non sembravano essere così interessati a un immediato cessate-il-fuoco. Per puro caso alloggiavano al mio hotel, sullo stesso piano. Erano persone arroganti con costosi abiti italiani. Non si toglievano gli occhiali da sole neppure di notte e si facevano portare ettolitri di champagne nelle loro suite. Erano guidati dal Ministro degli esteri Abdoulayi Yerodia che si distingueva dagli altri soprattutto per i suoi sigari extralarge marca Valdez Emperador e per le sue battute fuori luogo. Una sera, ero seduto a cena assieme al Ministro degli esteri Mosiuao Lekota, quando passarono strafottenti Yerodia e i suoi gorilla. "Questi asini", borbottò Lekota, "Non vogliono nessuna pace. Ecco con chi dobbiamo discutere. *What a bad joke*". Che brutto scherzo. C'era da giurarci.

Eppure Yerodia e le sue comparse nel prossimo atto sarebbero state fatte fuori dal palcoscenico del conflitto – assieme a Kabila, l'interprete principale. Perché ai nuovi signori della guerra mancava quella machiavellica capacità di Mobutu di assicurarsi il potere all'interno. Nel gennaio del 2001 Laurent Kabila fu assassinato – da una delle sue guardie del corpo. Quasi fosse una monarchia ereditaria la carica presidenziale passò dal padre al figlio. Joseph Kabila ereditò uno stato monco, di fatto diviso in tre. A est c'erano i ribelli del Rassemblement Congolais pour la Démocratie, alimentati dal Ruanda.

A nordest, sostenuto dall'Uganda, premeva il Mouvement de Libération du Congo. La capitale, il porto di Matadi e le province del sud, ricche di materie prime, erano sotto il controllo delle truppe governative e dei loro alleati di Angola, Zimbabwe e Namibia. Kabila junior però sembrava avere qualcos'altro in mente rispetto a suo padre. Sentimmo parlare di un piano di pace, di libere elezioni e di una vera democrazia. I congolesi però, hanno ascoltato troppo spesso queste chiacchiere per darci eccessivo credito. In Lingala, la loro lingua principale, la parola che esprime *oggi*, significa anche *ieri* e *domani*. La storia non è altro che l'eterno ritorno di qualcosa di sempre uguale: aguzzini bianchi, sfruttatori neri, Leopoldo II e il regime belga del terrore coloniale, il dispotismo di Mobutu, Kabila I, Kabila II. Il tempo scorre placido come il fiume Congo e gli uomini sulle sue sponde non sanno da dove viene né dove vada.

*

Lo spargimento di sangue continua, mentre nel nord del mondo si hanno solo alcuni commenti brevi e contraddittori. La grande guerra africana diventa soltanto un affare per gli esperti che scrivono lunghi trattati sulla *somalizzazione* dell'Africa centrale, sulle forze del caos e sullo sgretolamento di uno stato che una volta si chiamava Zaire. Certo il postulato iniziale che si trattasse di uno stato funzionante, uno stato come lo conosciamo noi europei, è ingannevole. L'indipendenza per i congolesi era stata un cavallo di Troia: il territorio di questo paese era nato sui tavoli da disegno dei signori bianchi, organizzato secondo il sistema coloniale del XIX secolo. Non si trattava di uno stato, ma di qualcosa che ci assomigliava soltanto, composto da un territorio etnico estremamente eterogeneo e tenuto insieme secondo il modello dei conquistatori: un apparato di potere repressivo. Il monopolio della violenza statale, esercitato soprattutto sull'esercito e sui paramilitari, generalmente non andava molto oltre i confini della capitale, dei grossi centri minerari e delle maggiori città.

Mancavano strutture e leggi tributarie per amministrare un territorio gigantesco (2.334.885 chilometri quadrati ovvero ottanta volte la superficie dell'ex potenza coloniale belga) e per assicurare le necessità basiche della popolazione. Le istituzioni di questo debole stato – legislativa, amministrativa, fiscale, investigativa e giudiziaria – erano strutture di cartapesta. Si potrebbe anche dire, rifacendosi alla moderna scienza politica di Thomas Hobbes: che il grande Leviatano non era arrivato in Africa. Quello che i dominatori coloniali considerarono uno stato, non era altro che uno strumento per arricchirsi. Al popolo, preso in giro con lo specchietto per le allodole del *Nation Building*, andò sempre peggio, mentre l'uomo forte e le élite parassitarie riuscirono a mettere da parte incredibili ricchezze. *L'État c'est moi*: il presidente Mobutu poteva comandare, governare e saccheggiare come una volta aveva fatto il Re Sole. In fin dei conti era dalla parte giusta, dal lato anticomunista della barricata, ed era regolarmente lodato dai padrini bianchi a Washington e Parigi – in maniera generosa con regalie che avrebbero dovuto servire allo sviluppo. "È un figlio di puttana", erano soliti dire geostrateghi come Henry Kissinger, "ma è il nostro figlio di puttana". Indimenticabile fu anche quella occasione in cui il maresciallo Mobutu andò nella foresta dove, circondato da tecnici bellici tedeschi, assistette allo spettacolo di un razzo che precipitava. Un razzo che queste persone avevano costruito per lui.

Alla fine della guerra fredda il nord del mondo abbandonò i satrapi del sud al loro destino. Il mio amico Nuruddin Farah, uno scrittore somalo, mi citò una favola: "I due grossi gatti se n'erano andati. Fu allora che cominciò l'ora dei topi". Non erano passati neppure cinque anni che quella creazione artistica che corrispondeva al nome di Zaire implose – come se all'improvviso al "busto" dello stato fossero state improvvisamente tolte tutte le stecche. E nessuno corse in soccorso di Mobutu Sese Seko, neppure i francesi. "Uno stabile sistema bipolare divenne un malfermo sistema multipolare che ignorava i conflitti locali e che condusse al caos", ad affermarlo con sicurezza è lo storico Alexander Demandt. Oramai non interessa più a nessuno se nel cosiddetto terzo mondo i popoli si scannano fra di loro. Per l'Africa significa invece che il continente, sotto la doppia pressione di forze centrifughe e di conflitti che travalicano i confini nazionali, rischia di spaccare una propria struttura politica, ereditata dall'epoca coloniale. Nel continente, ogni quattro stati, c'è n'è uno che cade a pezzi oppure ha cessato di esistere. In Somalia, Sudan, Burundi, Angola, Liberia, Sierra Leone, come nei due paesi che hanno il nome di Congo, regnano arbitrio e anarchia. "Si pensa solo che l'Africa sia sprofondata talmente che le cose d'ora in avanti possano solo migliorare", ritiene Mwayila Tshiyembé, docente di politica – un congolese. Jean-François Bayart, il decano degli africanisti francesi, ha paragonato la situazione in Africa con lo stato dell'Europa all'epoca della guerra dei Trentanni. Ma una pace di Vestfalia è lontana. Per la nascita di un nuovo ordine di stati, capaci di sopravvivere, con confini stabili, potrebbero volerci ancora decenni.

Anche per noi corrispondenti la situazione è profondamente mutata. È diventata confusa – e di una pericolosità sconosciuta in passato. Quando, alla fine degli anni Ottanta cominciai a inviare i miei primi reportage di guerra dall'Africa, bene o male ci si poteva orientare su chi fosse contro chi. Si sceglieva di mettersi sotto la custodia delle truppe governative oppure dei ribelli e si era abbastanza sicuri, almeno fino a quando non ci si abbandonava alla balzana idea di cambiare i fronti. L'unica minaccia contro cui si era completamente indifesi veniva dalle nuvole. Nel 1988 durante la guerra civile in Etiopia, accompagnai un convoglio del movimento di liberazione TPLF dal Sudan fino agli altopiani del Tigray. Erano camion carichi di miglio, riso e olio alimentare per salvare la popolazione, che viveva in regioni sperdute e soggette alla siccità, dalla morte d'inedia. Viaggiavamo solo di notte, poco prima dell'alba il convoglio si arrestava e i mezzi venivano nascosti fra gli alberi e coperti di rami, per rendere più complicati gli attacchi mirati dell'aviazione etiopica. Sulla via del ritorno, in Sudan, facemmo una pausa in un paesino fra le montagne quando, all'improvviso, eccoli. Nessuno li aveva visti arrivare. Erano tre MIG 27, jet da combattimento di fabbricazione sovietica, sbucati improvvisamente dai monti all'orizzonte che cominciarono a tuonare sui tetti ad una altezza di circa cinquanta metri. Nelle strade scoppiò il panico. La gente si rifugiò terrorizzata nelle proprie case. Capre e galline si scontravano fra di loro. Rimasi come piantato per terra. Le ombre di quegli uccelli d'acciaio, il frastuono infernale, la paura paralizzante. Avrebbero sganciato delle bombe? Quel giorno la cittadina venne risparmiata. Si trattò di uno dei soliti finti attacchi per terrorizzare la popolazione. Nonostante questa imponderabilità il rischio era limitato: bastava solo attenersi alle regole della guerra.

Dopo la svolta del 1989 queste regole non valsero più. Dalle rovine di stati che si erano dissolti, erano fuoriuscite forze ataviche, signori della guerra, milizie claniche, orde tribali, società segrete, commando di bambini-soldato. In quell'anarchico vuoto di potere poterono svilupparsi velocemente. E veniva spiegato bene di non incrociare la loro strada, una cosa che non sempre era possibile evitare.

"Che stai ficcanasando qua in giro?".

"Ecco... posso parlare al vostro comandante?".

"Che vuoi da lui?".

"Parlare. Della vostra missione".

La situazione era estremamente spiacevole. Davanti all'Hotel Brook, a Freetown in Sierra Leone, venni circondato da una banda di ragazzini aggressivi. Sembrava di stare alla corte dei miracoli. Fuochi che scoppiettavano, armi arrugginite, brandelli di bandiere fra gli alberi, là sotto alcune vivandiere erano dedite a cure estetiche. Quei tipi sembravano eccitati, un po' fuori di testa. Alcuni apparivano chiaramente sotto l'effetto di droghe. Una violenza giovane, naif, imponderabile. Portavano occhiali da sole Ray-Ban e machete. Giacche kung-fu e collanine, elmetti americani di hockey su ghiaccio e piume di faraona, Nike *sneakers* e passamontagna, e poi borse foderate di pelliccia. Ad alcune di queste "uniformi" erano fissate delle federe, coccarde fatte di buste di plastica, bombe a mano, talismani – una bizzarra combinazione di tradizione arcaica, feticismo delle armi e culto del consumismo. Mi trovavo davanti quei Rambo descritti in quello che resta il più malinconico saggio di Hans Magnus Enzensberger *Impressioni sulla guerra civile*. I prodotti di una modernità perversa, ripiombata allo stato naturale, quello della violenza pura. Si facevano chiamare *kamajor*, cacciatori, ed appartenevano ad una di quelle milizie che combattevano contro i terribili ribelli commettendo atti non meno orribili. Mentre guardavo nelle canne delle carabine puntate alla mia testa Nelson Mandela, che in tutta l'Africa viene venerato come un santo, ancora una volta venne in mio soccorso. Distribuì a quei ragazzi degli sticker di latta con il suo ritratto e la loro inimicizia si trasformò in curiosa indolenza. Finalmente uscì SS, il leader, "Benvenuto nell'esercito dei poveri". Mi confidò il segreto delle sue truppe. "Siamo immuni alle pallottole del nemico". Invulnerabilità – ma come? "Ci cospargiamo di acqua santa". Alcuni ragazzi avevano delle fasce bianche attorno alla testa. "Sono i nostri *invisibles*. Puoi vederli solo perché adesso non stanno combattendo".

Anche nella parte orientale del Congo nelle foreste vanno in giro guerrieri invulnerabili, laggiù li chiamano Mai Mai. Io però ho evitato i loro distretti. Altrimenti bisognava mettere in conto di poter fare incontri mortali. I fronti erano diventati indistinguibili. I partiti in lotta innumerevoli. C'erano forze regolari delle Force Armées Zairoises, alcuni corpi d'assalto e fazioni ribelli, signori della guerra, sbandati delle truppe governative, assassini in fuga, milizie claniche e orde di predoni che continuavano a cambiare alleanze. Era come se il *bellum omnium contra omnes* avesse raggiunto il suo zenit. La guerra di tutti contro tutti. Durante le mie indagini rimasi fisso a Goma e nelle sue immediate vicinanze, l'entroterra era diventato una zona di morte. Goma è una città sulle sponde del lago Kivu. Un luogo su cui, nel giro di otto anni, si sono scaricate tutte le catastrofi dell'Africa: due guerre civili, un'epidemia di colera, un esercito di un milione di profughi e, come se la sfortuna non fosse stata sufficiente, un'eruzione vulcanica. Goma sembrava un cumulo di macerie, a turno controllata dai ribelli o dalle truppe governative. Mentre gli insorti si vestivano quasi come civili, bisognava guardarsi dai soldati – avevano preso l'indole da rapinatore di Mobutu. Stranieri, bianchi, collaboratori dell'Onu, giornalisti, erano facili prede. Avevano addosso dollari, telefonini, macchine fotografiche, registratori, computer portatili, attrezzi ed equipaggiamento, latte di benzina, fuoristrada.

Alla fine del 1996 inizio 1997, mi trovavo a Goma con mia moglie Antje, per consegnare un'offerta a un orfanotrofio. Fummo costretti a restare la notte di San Silvestro perché tutti i voli di ritorno per Nairobi erano stati inspiegabilmente cancellati. Come unici ospiti nel fatiscente Hotel du Lac ci venne offerto uno speciale spettacolo pirotecnico: soldati ubriachi, presero a sparare dalla veranda contro il cielo notturno. Il giorno di Capodanno, mentre eravamo sulla strada che conduceva alle fosse comuni delle vittime di colera che si trovavano ai margini della città, cademmo fra le braccia di un tipo armato che indossava una stracciatissima uniforme dell'esercito. "L'offerta" per visitare il luogo gli parve troppo modesta. Ci puntò contro il kalashnikov. Ci mettemmo a contrattare. Mi minaccio di prenderci in ostaggio. Continuammo a contrattare. Cominciò a gridare: "*J'arrêt la Madame!*". Gli diedi dieci dollari e dissi energico: "Basta! Adesso, basta!". Girammo i tacchi e ci allontanammo lentamente. Sono quei momenti in cui bisogna mettere in conto di poterci restare. Una vita non vale nulla e, dopo anni di eccessi di violenza, la soglia di rispetto per i morti è bassina.

Il soldato africano è la creatura più semplice e pericolosa del continente. Fai indossare un'uniforme a uomini giovani, senza lavoro, mettigli in mano un'arma da fuoco e mandali in mezzo alla gente. Se non gli paghi il soldo pattuito puoi stare sicuro che si trasformeranno in predoni di strada per istillare nel popolo quella stessa paura che li mantiene al potere. Ancora più utili in questo senso sono i bambini-soldato perché non hanno coscienza e considerano la guerra come un gioco. Devi reclutarli a forza e riempirli di droghe. Basta questo per farli diventare privi di scrupoli come vecchi combattenti. D'altro canto però, se metti firma nell'esercito sei qualcuno. Hai cibo. Ha il tetto di una caserma sulla testa, un'uniforme elegante, stivali lustri e abbastanza denaro per ubriacarti. E hai un'arma che ti dà potere. Devi tagliare la gola a chiunque cerchi di portartela via. Perché in quel caso torneresti ad essere solo un nulla affamato. Saresti costretto a ritornare nella moltitudine di quei milioni senza importanza.

Ogni potere di uno stato debole viene dalle canne dei fucili. Nel caso questo potere non dovesse più occuparsi dei propri soldati-bambini, questi diverrebbero il suo pericolo più grande: girerebbero le canne dei fucili e inizierebbero a sparare contro tutto e tutti. Alla fine l'esercito si sgretola diventando un Lumpenmilitariat. Orde di *Sobels*. Ecco come sono stati battezzati questi ibridi in Sierra Leone. Sono allo stesso tempo soldati (*soldiers*) e insorti (*rebels*). Li incontriamo fra le rovine di quelli che una volta erano stati, in Liberia, in Congo, oppure nella Repubblica Centrafricana.

*

Che fare per mettere fine alla follia in Congo? La comunità internazionale ha mandato un paio di ambasciatori straordinari nella giungla che a parte slogan a effetto – "Soluzioni africane per problemi africani!" – non è che abbiano offerto granché. Dietro a espressioni di comodo la sostanza è: lasciamo che questa guerra si esaurisca da sola quando finirà il sangue. Eppure nello spirito di umanità universale bisognerebbe fare qualcosa. È l'esortazione degli amici dell'Africa. Attaccare! Frapporsi! Sostenere la pace! Intanto la richiesta di un intervento militare di questi tempi diventa sempre più forte e spesso, come corrispondente dall'Africa, si tende a sottoscriverla. Si confida in una potenza militare neutrale che risolva gli scontri etnici in Burundi. Ci si augura una forte truppa d'intervento che fermi il sangue versato in Sudan o che possa mettere fuori causa un delinquente come Charles Taylor in Liberia. Eppure la fama delle missioni militari che dovrebbero spingere alla pace è tanto onorata quanto lontana dalla realtà. Uno degli ultimi esempi in ordine di tempo è l'operazione Onu "Restore Hope", che avrebbe dovuto salvare la Somalia da sé stessa.

Tutto cominciò nel dicembre del 1992 con uno sbarco hollywoodiano a Mogadiscio e terminò, nel febbraio del 1995, con una vergognosa ritirata. La celebrata forza di pace, che dopo la fine della guerra fredda avrebbe dovuto testare il "nuovo ordine mondiale", sul campo di manovra della Somalia si trasformò in una dannata guerra partigiana. Quando giunsi a Mogadiscio, il 13 luglio 1993, non conoscevo ancora quel video amatoriale girato un giorno prima del mio arrivo. Mostrava un attacco aereo di elicotteri da combattimento Onu. Tre Blackhawk neri sorvolavano un edificio in fiamme sparando con i loro cannoni di bordo da 22 millimetri su tutto ciò che si muoveva fra le rovine. Si vedevano persone ricoperte di sangue, dei mutilati che strisciavano fra le fiamme. In quella operazione morirono 73 persone. Il supposto "covo di rivoltosi" altro non era che un Consiglio di Pace in cui vecchi dei clan e leader religiosi avevano dibattuto una proposta di discussione all'Onu. Fra le varie ipotesi si parlò persino di crimine di guerra.

"Onu=assassini!", lo leggo sul muro di una casa lungo la strada che portava al quartier generale delle Nazioni Unite. Sembrava l'accampamento militare di una potenza occupante. Mi iscrissi nella lista degli accrediti. Due righe prima del mio nome c'era: Kraus Hansjoerg, Presscard No. 076109. Il fotografo tedesco della AP era corso alcuni giorni prima sul luogo del massacro assieme ad altri tre colleghi. La folla adirata aveva circondato gli uomini e ne aveva linciato tre. Mogadiscio nell'estate del 1993 – era per i giornalisti il posto di lavoro più pericoloso del mondo. Dalla caduta del regime di Siad Barre alla fine del 1991 inizio '92, la Somalia non aveva un vero governo. Non esisteva più un ordine costituito, niente forze armate poliziotti o giudici. La capitale era divisa in territori controllati da signori della guerra e Mohammed Farah Aidid, il peggiore di tutti, aveva dichiarato gli stranieri possibili obiettivi.

Alloggiavo in un luogo che aveva un nome davvero indicato: al Sahafi, "giornalista". Ogni sera la stampa mondiale si riuniva qui sulla terrazza dell'albergo per osservare gli scambi di artiglieria fra le milizie di Aidid e le truppe dell'Onu. Quella sera la prima granata esplose alle 22,15 e un attimo dopo un fuoco spettrale divampò sulle rovine della città. I colpi di mortaio risuonavano cupi. Le mitragliatrici crepitavano. I traccianti disegnavano percorsi rossi nella notte. Dall'aeroporto si sollevavano elicotteri pronti per il combattimento. All'improvviso un collega urlò: "Attenzione, ci sparano addosso!". Mi nascosi dietro un muricciolo mentre sulla mia testa sibilavano i proiettili. Un sibilo leggero, letale. Dolce come una brezza di vento. È in momenti del genere che viene da chiedersi: Che diavolo ci faccio qui?

Per poter compiere le mie ricerche nella città durante il giorno fui costretto ad assumere un gruppo di "assistenti": un autista, un traduttore che conoscesse il posto, e tre tipi armati che svolgessero il compito di guardie del corpo. I loro kalashnikov facevano capolino dai finestrini mentre sfrecciavamo sulle strade a bordo di una scassatissima jeep. Se il convoglio si fermava era perché una mandria di cammelli oppure un assembramento di persone bloccavano la strada. Bisognava sempre essere preparati al peggio: un'imboscata, il fuoco dei cecchini, la giustizia sommaria, i rapimenti. I bianchi che avevano il coraggio di avventurarsi nel labirinto di Mogadiscio, erano considerati americani e ritenuti spie. Nelle strade circolavano dei volantini: "Ci vogliono colonizzare, cristianizzare, commercializzare".

La missione militare umanitaria, concepita per proteggere dalla morte per inedia e difendere dalle bande di predoni centinaia di migliaia di persone, aveva creato un clima d'odio e questo era soprattutto dovuto alla maniera con cui veniva esercitato l'alto comando degli americani. Gli US Marines si comportavano come John Wayne. Da una parte i bravi cittadini, dall'altra i fuorilegge. In mezzo uno sceriffo che metteva le cose a posto. "Wanted: General Mohammed Farah Aidid, 25.000 dollari di taglia, *dead or alive*". Purtroppo il signore della guerra, che adesso era il nemico pubblico numero uno, era amato da una parte non trascurabile della popolazione. Oltretutto i samaritani armati della Unosom, avrebbero dovuto ben presto accorgersi che le relazioni in Somalia erano un po' più complicate di quelle che si possono avere in un paesino dell'Arizona. Erano sbarcati su di un territorio che conoscevano quanto il pianeta Marte. Non avevano la benché minima idea della struttura sociale, delle loro usanze, della loro religione. Chi si fosse preso la briga di studiare attentamente il *Restore Hope Soldiers Handbook*, avrebbe imparato a riconoscere 21 tipi di mine diverse, ma non sarebbe stato capace di distinguere un clan dall'altro. Issa oppure Issak? Era la stessa cosa. Si trattava solo di cammellieri sperduti da qualche parte nel deserto. Alla fine erano tutti uguali. "I somali tendono a risolvere in maniera violenta, le questioni che considerano un problema". A dirlo era una guida turistica. Attenzione! Violenza africana, arcaica e animalesca! Forse che questi stereotipi non venivano confermati attraverso l'esperienza quotidiana? I soldati della Unosom vedevano i signori della guerra alla testa di orde che sparavano e probabilmente successe loro la stessa cosa accaduta allo scopritore austriaco Haggenmatter che già 120 anni prima aveva scritto: "Il somalo ruba e uccide quando ne ha l'occasione". Con la stessa predisposizione si muovevano i caschi blu nei confronti dei soggetti della loro azione di salvataggio. Attivisti dei diritti umani documentarono numerosi casi di gravi maltrattamenti, perfino di torture e uccisioni, in cui belgi e canadesi si contraddistinsero particolarmente.

Le cose erano state rappresentate con una certa faciloneria: per un paese debole una forte potenza d'intervento = soluzione rapida. E per Natale tutti a casa dalle mamme. La missione in Somalia sarebbe naufragata per forza, perché gli obiettivi politici erano naif e generici e si pensò solo di usare la forza militare. L'Onu se ne andò. La povertà e il terrore rimasero. Da allora ad oggi le cose non sono cambiate.

*

All'inizio del 1995 attraversai il bacino del Congo assieme al fotografo Pascal Maître. 2000 chilometri su fuoristrada, piroghe, battelli fluviali e carri trainati da asini. Per tre settimane. Passammo da villaggi dove da anni non erano stati più visti degli europei. Attendemmo in riva a fiumi senza nome perché i battelli non funzionavano più. Ci affaticammo su sentieri senza fine, fangosi, ricoperti di vegetazione senza vedere il cielo per giorni interi. Qualche volta ci sentivamo come il vecchio Tacito in Germania: *Terra sylvestris horribile*, un terribile territorio selvaggio. Dieci metri, cento miglia, migliaia di miglia – uno sconfinato mare verde, niente informazioni, nessuna infrastruttura, strade che terminavano nel nulla. I binocoli, secondo un ispettore dell'Onu che in precedenza aveva ispezionato il territorio, non servivano a niente. Si trattava di un territorio pari alla superficie dell'Europa. Su di essa erano sparsi i luoghi di conflitto. Una linea del fronte lunga 2400 chilometri in una vegetazione selvaggia tagliata da fiumi, un clima estremo, paludi impraticabili, una soldataglia abbrutita, milizie claniche e orde di predoni. Chi abbia visitato questa zona del mondo si toglie subito dalla testa l'idea di un intervento militare – sarebbe una specie di *mission impossible*. Il problema dell'intervento tuttavia, dopo lo smacco della Somalia, si è risolto da solo. A Washington, Londra o Parigi a finanziare una simile avventura in Congo non ci pensa proprio nessuno, per non parlare del mettere a repentaglio la vita dei propri soldati. Il repubblicano Jesse Helms ha tuonato che i soldi dei contribuenti americani non debbono più "scomparire in una trappola per topi". Una frase che mette in chiaro il punto di vista della parte ricca e potente della terra. L'Africa è stata cancellata: geostrategicamente non conta nulla, dal punto di vista economico è marginale e, politicamente, rappresenta un caso senza speranza.

Una pressione importante sulle fazioni in lotta? Una persistente diplomazia di crisi? Iniziative di pace di governi influenti? Misure preventive per contenere conflitti? Addirittura un embargo delle armi? Tutto molto bello. Giustissimo. Ma che cosa possono fare degli intermediari stranieri, si dice nelle centrali di comando del nord del mondo, quando persino gli uomini di stato più in vista dell'Africa debbono capitolare? Oltretutto è già stato compiuto quel minimo per scaricarsi la coscienza: sono stati spediti 5500 osservatori dell'Onu in Congo. *Ceterum censeo*: lasciamo che si scannino.

I caschi blu che stazionano a Bunia, sul lago Alberto, si sono comportati in ogni caso di conseguenza. Nell'aprile del 2003 non hanno mosso un dito, osservando un massacro in cui sono morte 966 persone. Alcune di esse sono state massacrate come bestie nell'ospedale cittadino. I cronisti hanno fatto un paragone con Srebrenica, con quel massacro avvenuto in Bosnia sotto gli occhi dei caschi blu olandesi. Qui la maggioranza dei 600 soldati Onu proviene dall'Uruguay; non conosceva né il linguaggio comune Kisuaheli, né il francese. Per non parlare dei dialetti locali. E anche se avessero voluto frapporsi, non avrebbero potuto farlo – mancava loro un robusto mandato e professionalità militare. Quello che gli accadeva attorno doveva apparire come l'immagine che si ha dappertutto dell'Africa: una primitiva guerra tribale in un punto del mondo senza importanza. Hema contro Lendu. Agricoltori stanziali contro allevatori nomadi, Caino e Abele, l'eterna lotta per la terra, suona così chiaramente biblico, ma spiega poco. Non ci sono dubbi, si tratta di diritti di pascolo e di terra, si lotta, anche con "pulizie etniche", per la supremazia, tuttavia si dimentica volentieri che i gruppi etnici sono estremamente mischiati fra di loro. Come dappertutto nelle potenzialmente ricche province del Congo i motivi sono anche altri. Si tratta di quanto c'è, o perlomeno si suppone ci sia, sottoterra: gas naturale, oro e coltan. La richiesta materia prima utilizzata nella produzione dei nostri telefonini, dei microprocessori, dei videoregistratori o delle playstation. Il vero motore della guerra non è la follia etnica bensì la cupidigia economica. Visto da questa prospettiva, il "conflitto tribale" nel distretto di Ituri in Congo orientale, altro non era che una guerra per procura fra due potenze estere che sfruttavano le energie tribali per i propri scopi. Le milizie in lotta dopo il ritiro militare erano state utilizzate dal Ruanda e dall'Uganda come luogotenenti economici – i due paesi continuavano a fare affari convenienti. I guerrieri dei Lendu sono addestrati e armati dall'Uganda. La minoranza degli Hema può invece contare su di un aiuto fraterno dal Ruanda; condivide con il governo di laggiù, in mano alla minoranza Tutsi, i timori di un genocidio. I pessimisti della regione vedono nell'ultima escalation in Congo orientale, le avvisaglie della prossima grande guerra. Da un lato il Ruanda sovrappopolato e la sua spinta espansionistica, dall'altro la superba forza regionale dell'Uganda, entrambe bene attrezzate, entrambe spinte da interessi economici e volontà di potenza.

In realtà anche il conflitto fra gli Hema e i Lendu è molto più complicato, ma una cosa è sicura: ha assunto dimensioni genocidarie. Adesso è il caso che le Nazioni Unite si sentano obbligate a intervenire – che lo vogliano oppure no. Esiste infatti una convenzione datata 1948, che la comunità internazionale ha sottoscritto dopo la catastrofe di Auschwitz per evitare il ripetersi di tragedie del genere. Bisognerebbe ricordare agli stati firmatari che essa vale anche per l'Africa. Perché per il genocidio in Ruanda che affronteremo nel prossimo capitolo, non hanno mosso un dito.

*

Forse il ragazzo pensava al campo di riso a casa oppure a come doveva apparire verde il suo villaggio in quei giorni, se solo qualcuno potesse piantare le piante di kassava. Forse stava contando le stagioni delle piogge trascorse dalla sua fuga. In ogni caso sembrava assente, immerso nei suoi pensieri. Si aggrappava ad essi come ad uno di quei grossi tronchi rimasti nelle foreste tropicali che attraverso i rami guardano le nuvole grigio piombo. All'inizio non l'avevo notato. Stavo parlando con sua sorella, Siam Bayoh, che teneva fra le braccia il suo piccolo di sei mesi. Mi raccontava di come fossero fuggiti una prima volta nel 1991, quando era esplosa la guerra civile in Sierra Leone e di come avessero trovato un rifugio oltre i confini, in Guinea. Di come si fossero creduti al sicuro e fossero stati di nuovo scoperti dagli insorti. E di come la loro odissea fosse continuata. Un'altra volta in fuga. Un'altra volta in un campo di raccolta. Un'altra volta l'attesa. E ancora una stagione delle piogge in una terra che non era la loro. L'undicesima. Tornare a casa? Sì, certo. Ma l'incertezza, i ribelli. "Chieda a mio fratello", Siam Bayoh mi portò da un ragazzo, un uomo poco appariscente, seduto sotto un albero gigantesco. Aveva la testa pelata. Gli occhi erano da vecchio. Lo sguardo incerto. "Non potrò mai tornare a casa", disse Fala Bayoh indicando le due stampelle di legno e poi la gamba destra mutilata. "Te l'hanno tagliata i ribelli?". Quando? Dove? "L'anno scorso a Guéckédou". Sarebbe stato in grado di riconoscere chi è stato? Quel ragazzo si comportava come se non capisse la domanda, oppure non volesse rispondere. Si lamentava della farina di mais distribuita nel campo, quando loro, da sempre, in patria mangiavano il riso. Fala Bayoh sembrava sconvolto, agitato. Smisi di fare domande perché mi riscoprii a rovistare senza vergogna nel trauma di questo povero diavolo. Qualche volta il giornalismo è uno schifo di mestiere.

I fratelli Bayo: due fra 11.300 persone che vivevano a Telikoro, un campo profughi nel sud della Guinea. Due dei 644.400 sfollati di Sierra Leone e Liberia. Raccontavano tutti le stesse storie di sofferenza. Cambiavano soltanto i luoghi e i nomi dei protagonisti. Questa volta mi trovavo a Languette, una striscia di terra ricca di frutti che dalla Guinea si ficca come il becco di un pappagallo verso la Sierra Leone. Il Revolutionary United Front (RUF), ribelli della Sierra Leone, terrorizzano la parte orientale del loro paese e, nella loro infinita avidità alla ricerca di diamanti, arrivano a sconfinare sino al limitrofo territorio guineano. Rivoltosi liberiani, riuniti sotto le insegne di Ulim K, attaccano dai loro nascondigli in Guinea il nord della Liberia. Dietro ai ribelli operano gli eserciti regolari; si accusano a vicenda per alimentare i sovversivi nelle fila del partito avversario e portano avanti una guerra non dichiarata. Un déjà-vu per il cronista. I conflitti di tre paesi profondamente concatenati l'uno con l'altro, attizzati da presidenti-ladri, da una mezza dozzina di partiti in lotta, da mercenari, da regolari e truppe ribelli, da orde di sciacalli e da milizie claniche. Molti dei combattenti sono ancora dei ragazzini, giovani assassini non ancora cresciuti, tossicodipendenti. In mezzo ci sono i profughi e i civili di Languette. Migliaia e migliaia, circondati dalle forze del caos, una sinergia mortale che ancora nessuno capisce appieno. Ogni bambino però, potrebbe elencare gli elementi del bottino: schiavi, corpi di donne, armenti e generi alimentari, legnami tropicali e, soprattutto, diamanti. Il politologo Stefan Mair per descrivere questo stato di cose ha trovato una definizione calzante: brigantaggio postmoderno.

La ricchezza delle regioni di crisi è la loro dannazione. Le materie prime strategiche del bacino del Congo, l'oro nero e le pietre preziose in Angola, i giacimenti di petrolio nel Sudan meridionale – sono queste che permettono ai combattenti di prolungare la loro guerra all'infinito. Uno studio delle Nazioni Unite ha calcolato in 140 milioni di dollari il giro d'affari annuale derivante dalle miniere illegali di diamanti in Sierra Leone. Le pietre rozze vengono contrabbandate dai ribelli del Ruf in Liberia e, da lì, esportate. I più importanti paesi di destinazione sono Belgio e Svizzera. Con i profitti vengono acquistate armi, soprattutto in Ucraina, che arrivano nella zona di conflitto attraverso Burkina Faso e Liberia. L'intermediario più noto per il commercio di armi e dei cosiddetti diamanti insanguinati è Charles Taylor, già presidente della Liberia. Anche l'impero estrattivo sudafricano della De Beers sino al febbraio 2000 aveva una holding a Monrovia, come si legge nel *Diamond Intelligence Briefs*, la rivista di riferimento del settore. In Liberia si potrebbe parafrasare così lo slogan pubblicitario dell'azienda: *A diamond is a killer best friend*[12].

Una pattuglia militare mi scorta nel sud di Languette verso Guéckédou. La testa mozzata di un ribelle infilzata su di una lancia che gli abitanti hanno messo a mo' di monito all'ingresso della località era stata rosicchiata dagli avvoltoi. Il centro era dilaniato da granate, resti di palazzi, rottami di automobili carbonizzate, muri crivellati di colpi. L'ospedale completamente distrutto. Le nuove officine ai margini della città, in parte finanziate con aiuti allo sviluppo tedeschi, saccheggiate sino all'ultimo chiodo. Guédéckou, lo snodo commerciale nel triangolo fra Sierra Leone-Liberia-Guinea: un esempio del *furor africanus*. Uno dei soldati della mia scorta imbraccia il suo kalashnikov e imita sorridendo il crepitare di una sventagliata di mitra. Trrrrrr! Trrrrrr! Mi metto a rovistare fra i documenti che sono rimasti nel locale ufficio saccheggiato dell'Onu: documenti per i profughi, foto per il passaporto, buste da lettera vuote. "Mi mancano le parole", dice un addetto allo sviluppo liberiano che a Guédéckou aveva formato alcuni artigiani. "Non riesci a toglierti dalla testa il pensiero che la nostra vita non tornerà mai più ad essere normale". E tu che cosa puoi rispondere? Mi siedo su di un mucchietto di macerie nel cortile degli uffici dell'Onu e fumo, senza dire una parola, nel calore di mezzogiorno. Eccolo di nuovo quel pessimismo trasmissibile, quella schiacciante sensazione d'inutilità a cui non riuscirò mai più a sottrarmi. Sudan, Angola, Congo, le immagini mi precipitano contro. È come se si guardasse attraverso un caleidoscopio dell'orrore.

*

"Anche a noi dispiace non poter continuare il nostro lavoro di sviluppo, essere costretti a comprare armi, dispiace dover mandare tanti ragazzi in guerra". Negasso Gidada è a corto di argomenti. Neppure per l'ex direttore della *Dritte-Welt-Haus* di Francoforte è una cosa facile giustificare la guerra nel suo povero paese, ma non può fare altro. Perché Negasso nel frattempo è diventato presidente. Mi riceve nella sede ufficiale, l'antico palazzo dell'imperatore ad Addis Abeba. La nostra conversazione ogni tanto viene interrotta da ruggiti poco rassicuranti – sono i leoni affamati dabbasso, nel giardino. Gli animali-feticcio del signore dell'Etiopia.

"Senza questa guerra avremmo potuto evitare la catastrofe umanitaria", dice il presidente.

"Questa guerra avrebbe potuto essere evitata", ribatto.

"No, non era possibile. Siamo stati attaccati. Il diritto all'autodifesa non è una prerogativa dei paesi ricchi".

Etiopia nell'anno 2000 – è come un viaggio in un'altra epoca, un'epoca patriottica, quando la guerra era ancora un ovvio strumento politico. Quando i soldati, ben scaglionati, cantando marcette militari caricavano le trincee dei nemici cadendo come pezzi di domino di fronte alle mitragliatrici. Quando si combatteva ancora uomo contro uomo, con la baionetta. I resoconti dal campo di battaglia rimandano alle battaglie di popoli della Prima guerra mondiale e nella capitale etiopica di Addis Abeba si avverte quella convinzione che una volta sospinse la gioventù europea in quella tempesta di piombo. "Una splendente vittoria del nostro coraggioso esercito", scrivono in coro i giornali con sciovinistica unanimità. Nelle strade danzano migliaia di persone, c'è gioia per la più recente grande offensiva che ha provocato all'Eritrea, l'aggressore, una cocente sconfitta. La donna al mercato, il lustrascarpe, i preti, il presidente – tutti salutano la campagna militare. Ancora a mezzanotte i bollettini di giubilo del governo vengono fatti scivolare sotto la porta della mia camera d'albergo. Non si legge nulla però dei giovani e delle donne che hanno lasciato la loro vita fra le montagne. La cifra dei caduti è stimata in centomila persone.

Non c'è dubbio. Gli eritrei, nel maggio del 1998, avevano provocato la guerra e invaso, in spregio al diritto internazionale, il territorio etiopico. Ma si trattava davvero "solo" del triangolo dell'Yrga, di una striscia di confine di 412 chilometri quadrati? Da una parte l'aggressore, l'Eritrea, dall'altra la vittima, l'Etiopia – è davvero così semplice? Torniamo a una decina di anni fa, quando l'epoca della dittatura di Mengistu stava terminando. Allora furono il Fronte eritreo di Liberazione Popolare EPLF e i ribelli tigrini del TPLF a spodestare il tiranno congiungendo le forze. Due anni dopo gli eritrei votarono per la loro indipendenza. Da allora quel Movimento di liberazione governò uno stato, i fratelli in armi divennero ben presto acerrimi rivali che lottavano per l'egemonia nel corno d'Africa. La questione del confine rimase aperta. Asmara diede per scontata l'intangibilità dei confini coloniali del 1908 che l'allora sovrano Menelik II aveva concordato con gli italiani. Basta! Addis Abeba si rifaceva al diritto amministrativo consuetudinario dell'epoca dell'imperatore Haile Selassié. Ironia della sorte: Badme, quella località così duramente contesa, all'epoca non esisteva ancora. E persino sulla carta geografica ufficiale del 1994 che ho comprato alla Ethiopian Mapping Authority non si trova. Adesso non c'è più bisogno di segnare Badme sulla mappa. A meno che non si voglia segnare un cimitero.

Baruffe di politica monetaria, la lite sul porto di Assab, reciproche espulsioni di cittadini, caparbietà, vanità, diffidenza – se si ricostruisce il corso degli eventi, sembra di trovarsi di fronte a una cipolla: c'è sempre un nuovo strato, una provocazione, un confine spostato, una pugnalata, un'astrusa teoria complottarda. E poi l'incidente del 6 maggio 1998 sulla pianura di Badme, dove ognuna delle parti crede di sapere dove, quando e quale linea di confine sia stata tracciata. Quel giorno maledetto vennero ammazzati quattro ispettori eritrei, uno, si dice, alle spalle. Una settimana dopo i carri armati erano in movimento – l'attacco militare, che l'Eritrea aveva preparato bene da tempo, che colse l'Etiopia impreparata. Da allora è guerra. E secondo Samo Ibok: "La pace è lontana, dannatamente lontana". Il nigeriano dirige il dipartimento di *management conflict* presso l'Organizzazione per l'Unità Africana. È uno di quegli invidiabili africani che non perdono la speranza di fronte ad alcuna catastrofe. Questa volta però, persino lui non sa più come andare avanti. "I nostri massicci sforzi di mediazione non sono serviti a niente. A volte penso che a quelli là manchi la cultura per poter risolvere un conflitto".

Forse quei galletti da battaglia sono troppo simili. Parlano la stessa lingua, curano un orgoglio nazionalistico parimenti montante e conservano la tradizione combattente della guerra di liberazione. Ciascuno nel viso del nemico rivede le proprie mosse. I leader Meles Zenawi e Isayas Afewerki, entrambi capaci, entrambi inflessibili, pare siano addirittura cugini. La loro eterna rivalità, la loro lite dogmatica, su chi fosse il depositario del più puro insegnamento comunista, condusse già in passato a scontri sanguinosi. Come se non bastasse infuriano gli scontri fra i due movimenti di liberazione nella guerra di un secondo stato. Gli eserciti sono ben equipaggiati, dall'una e dall'altra parte, le società militarizzate, i capi di stato implacabili – chi potrebbe cedere? Mettersi d'accordo in maniera giusta? Fare compromessi? Probabilmente nessuno. In Eritrea ci sono 250.000 cittadini sotto le armi. In Etiopia sono 350.000. Dell'embargo imposto dal consiglio di sicurezza dell'Onu gli stati maggiori possono solo riderne. Perché entrambe queste nazioni sono state rifornite militarmente proprio dagli americani che le consideravano d'importanza strategica – nella guerra contro il regime islamico sudanese. Ed entrambe si sono recate al momento giusto a fare acquisti al mercato mondiale. In Russia, Bulgaria, Cina, Corea del Nord, Italia e Belgio comprarono armi, carri armati T-55, caccia MIG 29, elicotteri da combattimento MI24, l'armamentario migliore e più moderno, e oltre a questo munizioni a volontà. "Abbiamo più pallottole che obiettivi", si vantava il capo del governo, Meles per gli acquisti di armi e i costi del conflitto – il Londoner Institute for Strategic Studies ha calcolato una spesa di due milioni di euro al giorno – gli etiopi avrebbero potuto procurarsi abbastanza cereali da debellare la fame nel loro paese. Invece: centinaia di migliaia di morti, città e villaggi rasi al suolo, miliardi di risorse per la ricostruzione polverizzati, movimenti biblici di profughi. Questo è il prezzo da pagare per un paese a pezzi. "La guerra è una necessità nazionale", ha spiegato un diplomatico, funge da collante nella fragile e sovrappopolata Etiopia. E la fame? Per questo siamo responsabili noi, la comunità internazionale degli stati donatori. È questa che deve venire a occuparsi degli urgenti bisogni di un paese che fa parte di un potenziale granaio d'Africa. Tradotto in cifre: due anni prima dell'inizio della guerra l'Etiopia aveva ottenuto una raccolta record ed esportava 450.000 tonnellate di cereali.

"Non avevamo scelta", ripete il presidente.

Guarda dalla finestra del palazzo dell'imperatore. I leoni tacciono. Stanno divorando il cadavere di un bovino.

Il genocidio negato
Ruanda, l'invenzione della crudeltà

Non un altro passo. Non un movimento. Sto lì immobile, paralizzato da quella paura che ti scatena il babau. Arriva con l'oscurità, subito dopo che si sono dette le preghiere. Afferra quel ragazzino lento rimasto fuori a gironzolare! Ora il babau viene a prenderti, ammonisce la nonna. La terra è sotto tensione. È come se in pieno giorno, nel cortile della chiesa di Ntarama, mi avesse ripreso il demone dell'infanzia. All'inizio quegli oggetti sparsi per terra mi sembrano sassolini, pezzetti di rami, fogliame avvizzito. Poi vedo meglio di cosa si tratti: sono dita, mascelle, vertebre. Di esseri umani. La terra è sotto tensione.

A fianco, nella navata della chiesa, fra le fila dei banchi, ci sono dei cadaveri fatti a pezzi. Mani mozzate, vestiti inzuppati di sangue, brandelli di pelle secca, cosce all'ultimo stadio di decomposizione. Neonati morti nelle fasce delle proprie madri, grida pietrificate, rughe come drappeggiate da una mano invisibile. In mezzo a tutto questo, oggetti di uso quotidiano: cucchiai, pentole di latta, cestini. La scena ha qualcosa d'irreale, come se fosse stata preparata artisticamente – *stilleben*, una natura morta della crudeltà. Mi rifugio in categorie estetiche perché la realtà è insopportabile. Semplicemente perché tutto questo non può essere vero. Ciò che vedo nella chiesa di Ntarama non è vero. Poi però c'è quell'indescrivibile puzzo di cadavere. E il silenzio. Quel silenzio di morte che segue ogni sterminio.

Il massacro avvenne il 15 aprile 1994. Gli assassini bloccarono gli ingressi della chiesa dove si erano rifugiati gli abitanti del villaggio, poi cominciarono a massacrare quelli che cercavano riparo. Con machete, coltelli, asce. Fila per fila. A turni. "Quel giorno morirono almeno 4000 persone", racconta il sacrestano. Ntarama fu uno degli innumerevoli luoghi del genocidio ruandese – il più terribile crimine contro l'umanità dall'olocausto e dai *Killing Fields* in Cambogia. In cento giorni il regime degli Hutu e dei suoi accoliti uccise fra le 500.000 e le 800.000 persone. Cinque al minuto. Il mondo esterno non udì le loro grida. Quando era stato davvero costretto a rivolgere il proprio sguardo all'Africa si era trattato di un evento totalmente differente.

Erano giorni meravigliosi allora, a inizio estate del 1994, quando scomparve l'apartheid. Il Sudafrica versava in una ebbra felicità collettiva. Neri e bianchi festeggiavano Nelson Mandela e il trionfo della democrazia. Noi corrispondenti a Johannesburg, contagiati dal giubilo generale, sulle prime non demmo peso alle notizie che arrivavano dal Ruanda. Quando cominciarono ad affiorare i primi reportage dell'orrore, io mandai in Europa un breve articolo. Venne pubblicato il 15 aprile 1994, il giorno del massacro a Ntarama, con il titolo *Terribile guerra tribale in Ruanda*. Quando oggi rileggo quelle righe me ne vergogno. Contengono inesattezze ingiustificabili. Gli errori più marchiani di tutto il mio periodo di corrispondente dall'Africa. La maggior parte dei miei colleghi commise gli stessi fatali sbagli. Per questo ci sono due semplici cause: avevamo dato dei giudizi basandoci su lanci di agenzia contraddittori, confusi e superficiali e ci abbandonammo immediatamente a semplificazioni di comodo: il Ruanda, il paese delle mille colline, appartato, invisibile, fuori del tempo, le cui tribù si mozzavano le teste dalla notte dei tempi.

Le prime immagini televisive dei massacri furono talmente colossali, talmente inconcepibili che i commentatori parlarono di un "traviamento della natura", di un accesso sanguinario, di una *maladie de tuer*, una malattia dell'uccidere – come se il genocidio fosse un virus propagatosi in Ruanda. Io, a 3000 chilometri dal luogo dell'accaduto, ricorsi a un'insulsa formuletta latina *bellum omnium contra omnes*. La guerra di tutti contro tutti. È qualcosa che funziona sempre, soprattutto quando non si conoscono i fatti. Oggi sappiamo che il genocidio non fu l'opera di forze caotiche, bensì il progetto di una élite acculturata e moderna che si servì di tutti gli strumenti di uno stato altamente organizzato: dell'esercito e della polizia, dei servizi segreti e delle milizie, degli apparati amministrativi e dei mezzi di comunicazione di massa. Gli artefici non erano dei demoni, bensì gli esecutori di un sistema dittatoriale che voleva distruggere la minoranza etnica dei Tutsi e, allo stesso tempo – questo spesso e volentieri viene sottaciuto – tutti gli Hutu critici con il regime. Venne seguito un piano ben definito. Cominciò con la mobilitazione degli squadroni della morte e con il mettere a disposizione armi e mezzi. Terminò con lo smaltimento delle montagne di cadaveri e con la distribuzione delle terre e dei beni rubati.

In ogni fase del genocidio si può riconoscere un impegno assassino e un freddo perfezionismo che ha mosso gli organizzatori dell'olocausto. Lo spirito degli esecutori, lo schema, l'obiettivo – fu come se i nazisti si fossero risvegliati nel cuore dell'Africa. Théoneste Bagosora assunse il ruolo di "Heydrich nero"; in casa sua venne rinvenuto un calendario in cui erano state schizzate le mosse fondamentali della "soluzione finale" ruandese. Il colonnello Bagosora era al vertice di un gruppo di ufficiali che avevano assunto il controllo dell'esercito e dell'amministrazione civile dopo l'attentato del 6 aprile 1994 contro il presidente Juvénal Habyarimana. Numerosi documenti dimostrano come i compiti assassini siano stati espletati con una precisione burocratica quasi prussiana. Un propagandista sarebbe stato contento di avere appreso così bene le lezioni di Joseph Goebbels. Questi insegnamenti vennero utilizzati soprattutto nelle trasmissioni che incitavano all'odio dalle onde di Radio Milles Collines: Noi o loro! Difendetevi dal parassita! Tagliate il ramo malato! Che non sopravviva nemmeno un Tutsi! Gli incitatori trovarono un aiuto sufficiente e bendisposto fra i contadini poveri e ignoranti, nella cui coscienza venne incitato il modello Tutsi-Hutu. Invidia e avidità, la guerra per la poca terra in un paese agricolo sovrappopolato, montò sino all'odio assassino. Uccidete! Uccidete! Uccidete!, gridarono i prefetti, i questori e i sindaci, i funzionari di partito e i professori, i cantanti pop e i preti cattolici. E tanti Hutu, tirati su nel rispetto dell'autorità tradizionale, ubbidirono ciecamente a quegli ordini. Uccisero credendo di eseguire il volere della storia.

*

Del Ruanda precoloniale non sappiamo molto. Ci sono pochi documenti scritti. Si trattava di una società tradizionale composta da agricoltori e allevatori che vivevano in clan e in piccole forme di stato. Nel XVIII secolo sorse un regno che raggiunse la sua massima fioritura sotto Rwabugiri. La forza del signore si misurava dalla grandezza delle sue mandrie di bovini. La parola *Tutsi*, nella sua accezione originale, sta a indicare una persona con molte greggi. Divenne un termine per definire l'élite al potere. Per la massa il termine Hutu, significava qualcosa come seguace, subalterno. Ma la regola linguistica non coincideva con la struttura sociale. C'erano anche ricchi signori Hutu e Tutsi poveri in canna. E poi c'era quella discordia biblica attorno alla poca terra: Caino contro Abele, agricoltori stanziali contro allevatori nomadi. La differenza etnica invece, non contava granché. I gruppi convivevano pacificamente gli uni con gli altri. Condividevano costumi e bisogni, l'animismo e i miti, le tradizioni e il territorio. Ballavano le stesse danze e declamavano gli stessi eroi. Si comprendevano in una lingua comune – il Kinyarwanda – ed erano mischiati fra di loro con incroci. In Alison Des Forges, senza dubbio la più profonda conoscitrice della storia ruandese, leggiamo fra l'altro: "La maggior parte delle unioni matrimoniali venivano strette all'interno del gruppo in cui la coppia era cresciuta. Questa prassi sviluppò, nell'ambito di ogni gruppo, un patrimonio genetico comune, questo significò che nel corso delle generazioni gli allevatori presero ad assomigliare sempre più ad altri allevatori – alti, magri e dal viso scavato – e i contadini ad altri contadini – piccoli, tozzi e con tratti somatici più larghi". Gli opposti fra potere e debolezza, ricchezza e povertà però, di regola non erano caratterizzati dall'etnia, ma da motivi economici. Oggi si parlerebbe di strati sociali e di classi.

I rapporti rimasero immutati per circa cinquanta anni, poi vennero gli europei e dichiararono la differenza uno stato di natura. Da una parte la minoranza dei Watutsi, la razza dominante, superiore, dalla pelle chiara e dal sangue blu. Una razza hamish, emigrata dalla valle del Nilo. Dall'altra parte la maggioranza autoctona dei sottomessi, negroidi, servili, i contadini Bahutu della famiglia dei Bantu. Nel mezzo gli Twa, i selvaggi, il piccolo gruppo degli abitanti originari, i cacciatori e gli accumulatori, "i sub-uomini". Fu un inglese, di nome John Speke, che nel 1863, per la prima volta, suddivise i ruandesi fra di loro. Alla ricerca delle sorgenti del Nilo s'inventò en passant la cosiddetta "ipotesi hamish". Nel 1898 il medico ed etnologo tedesco Richard Kandt rafforzò questa teoria e da gruppi radi, più volte mischiati fra di loro, uscirono tribù biologicamente differenziate. L'ipotesi hamish ha precorso le dottrine razziste tanto di moda che non soltanto volevano consolidare scientificamente l'inferiorità degli africani, ma dovevano anche dimostrare che tutte le forme di sviluppo più alto nel loro continente sarebbero state da ascriversi a influssi caucasici. Allo stesso tempo la postulata mancanza di uguaglianza – l'etnologo Claude Meilassoux parla di "etnografia immaginaria" – appartiene a un calcolo di potere del conquistatore bianco: siccome la dominazione straniera non aveva fatto abbastanza danni, i Tutsi furono trattati in modo selettivo e privilegiato; ad esempio sotto l'amministrazione coloniale tedesca poterono frequentare le scuole delle missioni e rivestire posti di rilievo. Divennero in sostanza dei bianchi dalla pelle nera. Nello stesso modo si capisce anche perché l'élite intellettuale dei Tutsi, si sia religiosamente attenuta al mito del ricercatore coloniale – ciò avrebbe fornito la base storica della loro superiorità, ma anche legittimato la dominazione dei bianchi. I ruandesi rimasero di fatto mischiati, ma i dislivelli economici e sociali fra i gruppi etnici crebbero. E gradualmente "l'ipotesi hamish" questo prodotto sociale europeo-africano, questa balla storica, penetrò come stereotipo nella memoria collettiva.

Dopo la Prima guerra mondiale i belgi assunsero il controllo coloniale del paese e cementarono l'egemonia dei Tutsi. Dal 1934 arrivarono addirittura a scrivere l'annotazione dell'appartenenza etnica sulla carta d'identità. Soltanto quando le istanze di indipendenza dell'élite Tutsi divennero più forti, i padroni bianchi cambiarono opinione – perché dietro queste aspirazioni fiutarono, siamo ai primordi della guerra fredda, degli intrighi comunisti. I belgi, davanti a tutti alcuni missionari cattolici delle Fiandre, da allora sostennero gli Hutu e predicarono una "rivoluzione sociale" contro la dominazione feudale dei Tutsi. Il movimento radicale Parmen-Hutu, fece proprio il "discorso razzista" dei colonialisti. Scrive l'etnologa Heike Barendt: "I Tutsi presero a combattere con ogni mezzo questi usurpatori stranieri. Nel 1959 migliaia di essi furono fatti a pezzi. La "rivoluzione sociale" aveva preso il suo sanguinoso avvio".

Quando al Ruanda, tre anni dopo, venne concessa l'indipendenza, al potere si era già instaurata l'oligarchia degli Hutu che mutò la segregazione etnica introdotta dagli europei in una specie di "apartheid nero". Ai Tutsi venne negata la carriera militare e l'ingresso nella polizia. Non potevano avere alcun incarico nell'amministrazione. I loro figli potevano frequentare scuole e università soltanto in quote predefinite. Interi villaggi vennero trasferiti a forza nelle riserve. A intervalli regolari si giunse ai massacri contro la minoranza. Nel 1973 il generale Juvénal Habyarimana prese il potere con un colpo di stato. La sua dittatura, sostenuta dal patronato della Francia, sarebbe durata 21 anni. La dinastia degli Habyarimana, ramificata in modo bizantino, in questo periodo avrebbe potuto mettere le mani su enormi ricchezze. Un ruolo particolarmente importante in tutto questo l'assunse la cosiddetta *akazu* (piccola casa), una rete clandestina di persone influenti della regione natale del presidente. Al centro di questa rete c'era la sua sposa, Agathe Habyarimana, una Lady Macbeth senza scrupoli, posseduta dal potere e dall'amore per il denaro nella corte degli autocrati. Con gli anni però crebbe anche la resistenza contro questo clan di predoni. I profughi che erano emigrati negli stati vicini, dopo i regolari periodi di violenza, si unirono assieme per formare un esercito di liberazione dando vita così a un nuovo cliché: i ribelli Tutsi contro le forze armate Hutu. In realtà nel comitato esecutivo del Fronte Patriottico Ruandese (RPF), sedevano quindici Hutu e undici Tutsi! La loro prima ondata di attacchi, nell'ottobre del 1990, grazie all'aiuto delle truppe d'intervento francesi, poté ancora essere respinta.

A poco a poco tuttavia, la pressione esterna aumentò. La Banca Mondiale e alcuni stati donatori minacciarono addirittura di ridurre i generosi aiuti allo sviluppo. Il governo, si vide quindi costretto a introdurre riforme democratiche e ad addolcire il proprio corso bellicista. Il presidente Habyarimana sottoscrisse addirittura, pro forma, il trattato di pace di Arusha – una manovra tattica che però, agli occhi dei falchi del regime, venne considerata un tradimento. Il 6 aprile 1994, verso le otto di sera, quando il presidente stava ritornando da una conferenza a Dar es Salaam con il suo omologo del Burundi, il suo aereo, durante l'atterraggio a Kigali, venne abbattuto. Ancora oggi quei fatti non sono stati chiariti. L'attentato segnò l'inizio del massacro. Già la prima notte e la mattina seguente, i burattinai di Kigali fecero eliminare sia i concorrenti al potere più pericolosi che i dissidenti. Il Primo Ministro, la signora Agathe Uwilingiyiamana, un simbolo della democratizzazione, venne ritrovata morta nel suo nascondiglio: era nuda, un colpo d'arma da fuoco le aveva spappolato la metà del viso e nella sua vagina era infilata una bottiglia di birra. In una settimana la follia attecchì in tutto il paese. La "soluzione finale" stava per essere attuata.

L'escalation di eccessi di violenza, la dinamica propria della massa liberata, le cause di questa follia collettiva sono state ben studiate. Persino l'attenuante secondo cui dei teppistelli, se incitati come i ragazzi della gioventù hitleriana e stimolati da alcol e droghe possano trasformarsi in bestie, funziona sino a un certo punto. Come possiamo spiegarci la metamorfosi da uomini a macchine per uccidere?

Com'è possibile che un dottore ammazzi i suoi pazienti in un letto di ospedale? Che alcuni studenti facciano a pezzi i propri compagni di classe? Che dei parroci versino sui loro parrocchiani della benzina e gli diano fuoco? Che padri di famiglia strappino degli embrioni dai corpi delle madri? Che degli sposi massacrino le proprie mogli? Che normali cittadini recidano i tendini delle loro vittime per impedirgli di scappare e poterli macellare con comodo il giorno dopo? Che cosa succede nella mente di quel professore di fisica che compila una lista di proscrizione dei colleghi? Come hanno fatto le due suore cattoliche Gertrude e Maria a espellere dal convento di Sovu 5000 Tutsi per gettarli, come precedentemente concordato, nelle fauci dei loro assassini? Alcuni mettono le mani avanti e danno la spiegazione che ci attendiamo: queste sono manifestazioni di una violenza primigenia, conservate in un continente oscuro. Una terra rimasta indietro.

"Ha già letto Richburg?". Era la domanda standard di diplomatici, operatori umanitari e colleghi che io, nel periodo successivo alla catastrofe, ho spesso sentito. La risposta non era difficile da sbagliare: Sensazionale! Brillante! Questa volontà di dire senza riguardi le cose come stanno! Finalmente qualcuno che scrive quello che davvero succede in Africa! Ciò che tutti pensano, ma che non possono dire, ancor meno se sono bianchi. L'autore però non deve sacrificare la verità sull'altare della *political correctness*, perché il colore della sua pelle è uguale a quello dei suoi soggetti. Il cittadino statunitense nero Keith B. Richburg, spedito dal *Washington Post* in Africa, ha scritto il bestseller *Aldilà dell'America*. La sua verità si può leggere così: "Non mi interessa l'ipocrisia e la doppia morale con cui ci si deve scontrare ogni volta che si parla di Africa. Molta di questa roba viene da persone che non sono mai state laggiù a passeggiare in mezzo ai cadaveri". Tre anni fra i cadaveri! L'Africa come fossa comune. Il Ruanda ricordava a Richburg una "versione malata dell'età della pietra". Quella "odissea surreale" attraverso l'Africa, gli avrebbe strappato le illusioni, riassume il reporter. Ha sostituito un'illusione con un'altra: all'inizio di quel viaggio folle c'era l'immagine sognata della "madre Africa", con cui gli afroamericani spiegano volentieri la loro preistoria. Alla fine ciò che rimane è invece il quadro lacerato di un "inferno africano" e Richburg è contento di essere un americano i cui avi erano stati trasportati nella civiltà a bordo di una nave negriera. Ecco come, da uno dei peggiori crimini della storia dell'umanità si sia ottenuta una fortunata coincidenza – da un atto di barbarie, si è raggiunto qualcosa che ha dissolto la barbarie medesima. In Richburg tuttavia, non si parla di fatti, bensì di proiezioni che rendiamo fatti. Si parla di tessere di un mosaico dell'orrore che messe insieme formano il quadro spaventevole di un intero continente. Tuttavia bisogna essergli debitori per aver svelato, da solo, i modelli della propria percezione. L'Africa gli appariva come una "collezione di Somalie"; questo paese (la Somalia) era diventato una specie di prisma "attraverso cui guardavo il resto del continente". Immaginiamoci a quali conclusioni sullo stato dell'Europa sarebbe potuto giungere un cronista se avesse operato nella stessa maniera trovandosi a Belfast, in Irlanda del Nord, oppure alle fosse comuni in Bosnia... *sancta simplicitas*! Beata innocenza.

Questa semplificazione tuttavia è stata efficace. Ha favorito una maniera di pensare che potremmo chiamare "sindrome di Richburg". È compito difficile scriverci contro. Gli africani non sono diversi. Non esiste una speciale forma "negroide" di crudeltà. Alla fine ci si stanca di ripeterlo. Il ventesimo secolo non ci ha forse insegnato quanto sottile sia la membrana della civilizzazione? Forse che sotto la pelle del serpente non riluce la barbarie? Dobbiamo per forza leggere prima Wolfgang Sofsky e il suo *trattato sulla violenza* per riconoscere che il massacro è un topos universale? Qualcosa che in ogni epoca, in tutte le culture, ha seguito una sua logica dello sterminio, a Srebrenica come a Bogotà, a My Lai come ad Auschwitz o Ntarama.

Ti capita in mano il quotidiano *Kangura* e puoi leggere dell'avido Tutsi, di come "l'eterno giudeo" si sia infiltrato nelle banche e negli istituti di credito per approfittarsi dell'Hutu. Ti sintonizzi su Radio Milles Collines, e ascolti come "quelli" non siano altro che *inyenzi*, scarafaggi da eliminare prima che eliminino te. Ascolti il successo di Simon Bikindis *Odio i Tutsi!* – Tutsi, l'altro, Tutsi da disprezzare e da non starci assieme. Pensi al vicino, un Tutsi diligente che ha tanto più di te. Invidi il suo campo così rigoglioso, la sua bella casa, quella moglie carina. Esci dalla tua povera capanna, accetti quel machete nuovo di zecca ed entri a far parte degli *Interahamwe*, le milizie, che "colpiscono assieme". Ti dirigi dal vicino, ma non ce la fai ad ammazzarlo. I tuoi "fratelli di sangue" però, gridano: "Se non lo fai sei un traditore! Se non uccidi, ti ammazziamo noi!". E tu uccidi. Apri la pancia del tuo vicino. Decapiti i suoi figli. Violenti sua moglie. Anche gli altri uccidono. Tutti uccidono. Non stai facendo nulla di male. Stai solo difendendo te e il tuo popolo. Devi togliere la vita ai figli e ai nipoti, non deve rimanere nessun testimone. Nessuno di loro deve raggiungere l'età adulta. Un giorno potrebbero volersi vendicare. A sera poi, torni a casa distrutto e alla radio ascolti ancora la voce di Kantano Habimana: continuate! Le fosse non sono ancora piene! Il giorno seguente esci di nuovo. Il lavoro deve essere fatto. Oramai non hai più inibizioni, il massacro ti ha tolto ogni limite. Provi piacere. Piacere a uccidere. Scuoia il tuo nemico, dividi le sue braccia dal corpo, cavagli gli occhi, amputagli i suoi organi genitali, distruggi quelli che gli danno la possibilità di realizzare qualcosa, di percepire e di procreare. Hai il potere. Un potere assoluto sulla vita e la morte. Le leggi, la morale, i tabù, non esistono più. Celebri quell'orgia di sangue. Quel violento carnevale di morte. Il tuo *Io* si è sciolto nell'unità e nella libertà del collettivo assassino, in una comunità utopica che ha cancellato il male una volta per tutte. Stai ripulendo il tuo paese in modo che la sua nuova storia inizi.

Alle influenti superpotenze – al Belgio, agli USA, alla Francia e alle Nazioni Unite – la serietà della situazione fu chiara già nelle prime 24 ore del massacro. La loro preoccupazione principale tuttavia, fu quella di evacuare i propri cittadini. Il governo di Washington arrivò a ordinare in forma scritta ai propri rappresentanti di non utilizzare la *parola-G*. G come genocidio. Perché la comunità internazionale, nello spirito della convenzione per la prevenzione dei massacri etnici decisa dopo l'olocausto, si era impegnata a intervenire. Gli americani però, temevano un nuovo smacco – era ancora fresca la fallita missione militare in Somalia. Quando si trattò dei Balcani non ci furono remore a parlare di genocidio. Ma il Ruanda? In questo caso si trattava di "scontri a sfondo tribale" (*tribal resentment*), come disse il presidente Bill Clinton. Il suo omologo francese François Mitterand disse che: "Un genocidio in Africa non è così terribile come altrove". A questa frase si può cucire addosso una terribile colpa: non si è fatto nulla perché si trattava "solo" di africani, di gente che dalla notte dei tempi non fa altro che tagliarsi la testa a vicenda. Solo una cosa potrebbe lenire questa colpa: anche gli africani tacquero. Nemmeno gli influenti sudafricani che stavano uscendo dall'apartheid ricordarono alla comunità internazionale il pronunciato: "Mai più!".

La Francia rimase sino alla fine molto legata al regime assassino. I Mitterrand erano pappa e ciccia con Habyarimana. Quando la signora si recava a Parigi in jet per fare shopping, ritornava spesso a casa carica di generosi regali in denaro. Furono esperti francesi a formare le forze armate ruandesi, li accompagnarono sul campo di battaglia contro i ribelli e li aiutarono nella costituzione di truppe d'élite: un progetto in particolare, prese il caratteristico nome in codice di *Opération Insecticide* – il moderno soldato venne allenato nel campo della lotta antiparassitaria[13]. L'esercito venne ampiamente sostenuto con armamenti. Fra il 1990 e il 1994 dalla Francia giunsero in Ruanda 36 carichi d'armi. Perfino il 3 maggio 1994 (!) Mitterrand ricevette il ministro degli esteri ruandese Jérôme Bicamumpaka. Due giorni dopo un inviato militare da Kigali, ordinò all'agenzia statale degli armamenti Sofremas, un ulteriore quantitativo di armi per otto milioni di dollari. Il vacillante regime degli Hutu doveva essere sostenuto, si trattava in fondo di un bastione francofono da difendere contro gli aggressori anglofoni che a Parigi venivano chiamati "khmer neri". Il vecchio complesso di Faschoda fece di nuovo capolino. A Faschoda, una minuscola località in Sudan, alla fine del XIX secolo si erano scontrati i desideri delle potenze coloniali più forti. I francesi avevano pianificato un'ininterrotta sfera d'influenza attraverso l'Africa, dal Senegal sino a Djbuti. I britannici aspiravano ad una zona di controllo chiusa, che dal Cairo andasse fino a Città del Capo, il punto di cesura degli assi egemonici era a Faschoda. Il confronto sul Nilo rischiò quasi di provocare la Prima guerra mondiale, ma alla fine i francesi cedettero. Lo smacco li perseguita da un centinaio d'anni. I territori d'oltremare sono, assieme alla Force de Frappe e al seggio permanente al Consiglio di Sicurezza Onu, le tre colonne della *grandeur* francese. Alla fine del XX secolo avrebbero dovuto perdere anche la loro *chasse gardé* in Ruanda, e questo non sarebbe riuscito ad evitarlo neppure l'*Opération Turquoise*. Si trattò di un'operazione militare in cui i piromani si atteggiarono a vigili del fuoco: i francesi crearono un *cordon sanitaire* attraverso cui i genocidari poterono scappare – un ultimo atto di cortesia verso il dispotismo degli Hutu. Non avevano fatto nulla per evitare i pogrom dei Tutsi.

Il vero scandalo, non fu però quell'aiuto fornito alla fine della tragedia. Bensì nei mesi in cui la stessa cominciò, per poi svilupparsi come un Malmstrom. Il genocidio avrebbe potuto essere evitato – con una truppa d'intervento dotata di forza d'urto. "Avrei avuto soltanto bisogno di 5000 soldati e di un chiaro mandato", dice Roméo Dallaire, allora comandante in capo delle forze Onu di stanza in Ruanda per la missione di pace chiamata Unomir I. Già l'11 aprile 1994 inviò un telegramma in codice a New York. Conteneva dettagliate informazioni sul genocidio pianificato che avrebbero dovuto mettere in allarme le Nazioni Unite. Ma le persone responsabili, fra esse Kofi Annan, allora capo del dipartimento per gli interventi di pace, non fiutarono il pericolo – oppure non vollero vederlo. Non successe nulla, malgrado le richieste d'aiuto di Dallaire, prima insistenti, poi, alla fine, disperate. Al rappresentante del Ruanda venne addirittura concesso di continuare a sedere nel Consiglio di Sicurezza delle Nazioni Unite e minimizzare gli eccessi di violenza. Con efficacia. I componenti del Consiglio, aggrottarono la fronte e utilizzarono concetti tratti fuori dal vocabolario dell'indifferenza. Si parlò di "atti di violenza", di "salasso" oppure di "carneficina", di "situazioni fatali" o ancora di "dramma umanitario". Il 21 aprile 1994, il genocidio raggiunse il suo apice e l'Onu reagì: seguendo il consiglio di Kofi Annan ritirò i caschi blu, lasciandone solo 270 e abbandonando centinaia di migliaia di persone ai loro carnefici. Fu la decisione più vergognosa nella storia delle Nazioni Unite.

Esistono riprese video che documentano il ritiro dal Ruanda. In una di esse si vedono dei caschi blu belgi che stanno evacuando alcune suore vestite di bianco da una sala comune. Vengono circondate da persone supplicanti. "Per favore, non ci lasciate! Proteggeteci, saremo tutti uccisi!" I soldati accompagnano le suore agli elicotteri pronti a decollare. Alle spalle della costruzione già premono gli squadroni della morte che cominciano a fare il loro "lavoro". "Almeno lasciateci le armi, così che ci possiamo difendere!", pregano quelle persone inermi. Gli elicotteri si sollevano. In quella sala, che lentamente scompare dalla vista, nelle prossime ore, nei giorni successivi, saranno assassinate 2000 persone. I caschi blu che erano stati richiamati sul campo d'aviazione di Kigali si strapparono le mostrine dall'uniforme. Come soldati avevano perso l'onore. Kofi Annan, l'africano, il segretario generale delle Nazioni Unite, un nero, più tardi si sarebbe scusato per il fallimento dell'Onu. Il generale Roméo Dallaire è un uomo divorato dalla pena. Inghiotte una dozzina di pillole al giorno per reprimere gli attacchi di panico. È in terapia, perché l'orrore continua a ritornare nei suoi sogni. "Sono in una valle al tramonto. Attorno a me ci sono piccoli tumuli, le mie braccia sono ricoperte di sangue e io grido. Affondo fino ai fianchi in corpi umani... i corpi si contorcono e si lamentano... qualche volta dei bambini fissano il mio berretto blu. Nei loro occhi c'è tutto l'orrore del mondo". La vergogna non abbandonerà mai più quel generale. "Con la nostra inerzia abbiamo reso possibile un genocidio". Eppure, *horribile dictu*, si trattava soltanto di una faida tribale nel cuore di tenebra...

"La fame di massacri è saziata", mi disse nel marzo del 1995 un diplomatico tedesco a Kigali. In quello stesso mese l'ambasciata aveva cablato uno scritto riservato all'ufficio estero di Bonn. Nel miglior politichese possibile c'era scritto: "I gravi fatti occorsi in Ruanda fra l'aprile e il luglio del 1994, sono stati provocati da differenti movimenti popolari". Nel periodo successivo venivano citati i "massacri e le azioni militari" così come "gli eventi apocalittici". Poi seguivano le cifre.

Popolazione del Ruanda	
Marzo 1994	7,8 milioni
Novembre 1994	5,7 milioni

In questo rapporto non compariva la parola genocidio.

Hutu contro Tutsi. Il cliché è sopravvissuto alla catastrofe. Avvelena l'immagine che i ruandesi hanno del mondo. Prendiamo ad esempio Emmanuel Karemera, uno studente di 17 anni che vuole andare a Kigali in autostop. Lo carico a un posto di blocco prima della cittadina di Gabiro. Qua, si dice ci sia stata una di quelle mattanze degli *Interahamwe*. I miliziani avevano messo un'asta su due paletti. Chi ci passava sotto era un Hutu. Perché quelli sono piccolini. Chi ci batteva contro doveva essere un Tutsi e perciò veniva ridotto alla giusta misura a colpi di coltellaccio o di scure – gli venivano mozzate le gambe. Emmanuel siede un po' timido sul sedile posteriore. Dopo un paio di chilometri mette da parte l'imbarazzo. Racconta di aver passato il fine settimana in visita da suo fratello. Se il fratello è un soldato? No. È un partigiano. "Gli Hutu hanno ammazzato mio padre, mia madre e cinque fratelli. Ho ancora uno zio e un fratello". Piove a dirotto, dietro ai finestrini chiusi il panorama appare come un dipinto divisionista di Paul Signac: un tappeto di pennellate verdi, in mezzo a macchie di un blu oscillante, un blu-Onu. Il colore della certezza. Sono le tende dei profughi, naufragate in questo pezzetto di terra.

Sale un altro autostoppista, un uomo scontroso, che sembra non abbia riposato abbastanza e che si appisola subito. Emmanuel lo squadra diffidente. Hutu o Tutsi? Carnefice o vittima?

"È molto probabile che sia un Hutu", dice Emmanuel.

"E da cosa lo vedi?".

"I Tutsi hanno nasi più piccoli. Abbiamo studiato che un Hutu può infilarsi tre dita nella narice. Chi non ci riesce è un Tutsi".

Nel corso del viaggio si scopre che anche il secondo passeggero è un Tutsi. Anche lui ha perso alcuni parenti.

Ci sono Hutu che sembrano Tutsi e Tutsi che sembrano Hutu. Ci sono persone che in sé stesse presentano le caratteristiche di tutti e due. Siccome, spesso, loro stessi non sono in grado di dire chi è cosa, la definizione più precisa sarebbe *Hutsi* oppure *Tutu*. Le assurdità etniche sono state una delle cose che ho dovuto imparare durante la mia prima visita in Burundi e in ogni caso non hanno limiti. Il Burundi è lo specchio del Ruanda. È popolato per la maggior parte da Hutu e governato da una etnocrazia Tutsi. Da anni infuria la guerra civile. Da anni ci sono massacri e rappresaglie.

Divieto di uscita dalla capitale Bujumbura. Nessuno può lasciare l'albergo.

"Che cosa sta leggendo?".

L'uomo al bancone è già un po' che mi osserva. All'improvviso si avvicina al tavolo – "Permette?, Gilbert Rukiye" – e chiede se può dare uno sguardo alla mia lettura. Una piccola guida geografica del Burundi. Nomi, fatti, cifre. Sfoglia il libricino, s'imbatte in una lista di ministri e consiglia di correggere i nomi a penna: Sébastien Ntahuga (Tutsi); Libère Bararunyerets (Hutu); Astere Girukwigomba (Tutsi); Gérard Niyibigira (Hutu)?! "Sciocchezze! Questo è un Tutsi". Tre minuti dopo la squadra è al completo. Dietro ad ogni ministro adesso c'è un segnetto rosso: H oppure T. Queste, agli occhi di Monsieur Rukiye non sono solo due lettere che dividono i buoni e i cattivi. Sono anche segni manichei, attraverso cui si può interpretare la storia, il mondo intero. Perciò orna il partito Tutsi di Uprona (all'interno del quale, sfortunatamente, militano ancora degli Hutu) di una grossa T. Al contrario dietro al partito Hutu detto Frodebu (a cui sono iscritti anche alcuni Tutsi traditori), c'è una grande H. Nelson Mandela, il Messia sudafricano, è circondato da una T, come un'aureola. Il suo avversario, il leader zulu Mangosuthu Buthelezi invece, ha l'H della vergogna. I francesi, "quei diavoli", sono messi dal lato delle H, i tedeschi sul conto delle T.

La lettera H è come un bacio mortale.

Gilbert Rukyie, 32 anni, sposato, due figli, di professione odontotecnico è un Tutsi. Lo avrei detto Hutu, ma questo, ovviamente, non era proprio possibile, nell'albergo possono circolare solo Tutsi. Dopo la terza birra Rukiye dice: "Con gli Hutu siamo in guerra. Ci nutriremo delle loro carni". Solo quando scompare il cadavere del nemico la sua anima è distrutta. Domando: "E questo *à la longue* deve accadere in tutto il paese?". Certamente. Non permetteremo mai che ci massacrino come hanno fatto in Ruanda. Ad ascoltare quest'uomo si crede quasi che abbia la rabbia. I suoi occhi fiammeggiano. I pugni fendono l'aria. Solo il suo viso giovane e privo di rughe rimane immobile e liscio come una maschera. "Li ammazzeremo prima che lo facciano loro". La pensano in tanti così. L'ultima domanda: lei la farebbe una protesi dentaria per un Hutu? "Perché no… se può pagare. Oltretutto…", Rukiye fa cenno che la protesi si può sempre riprendere nottetempo.

La successiva lezione in materia di *tipologie generali* la ricevo a colazione con un missionario italiano. Parla di arbusti. Arbusti? "Certo, lei sa cosa intendo, voglio dire i piccoli". I piccoli Hutu sono arbusti. I lunghi Tutsi sono alberi. Persino i bianchi che sono venuti qui ad aiutare non riescono a sottrarsi alle dicotomie pomodoro/carota oppure olandesi/tunisini. Hanno lanciato una lingua mimetica, un codice.

A sinistra la pompa di benzina di Kamenge. I distributori erano stati sradicati. A destra una postazione militare. Tre soldati che dormicchiano. Il taxi sferraglia nel quartiere proibito di Bujumbura. Rovine fiancheggiano le strade. Resti di capanne sotto tetti di lamiera fatti a pezzi, mura crivellate di colpi, pali della luce storti, dai cui isolatori pendono fili. Un quartiere cittadino ripulito, sistemato, trasformato in un cimitero. Kamenge è *Hutu-free*, libero dagli Hutu. I tropici pietosi ricoprono la zona in rovina. Su di uno spiazzo, che una volta potrebbe essere stato una specie di rimessa, pascolano dei bovini *ankole*. I pastori, secondo l'autista, sono Tutsi. Mucche Tutsi su pascoli Hutu. La follia si è realizzata.

Dietrofront. Nel frattempo i soldati sono aumentati e hanno bloccato la strada. "Che cosa state ficcanasando qua in giro?", ringhia un ufficiale mentre ci punta contro il suo fucile d'assalto. Balbetto qualcosa... Turista... *mzungu*... uomo bianco, e che ci siamo perduti. Dieci minuti di balle. Per necessità. Il soldato ci lascia passare. "Santoddio, sono ancora vivo!". L'autista trema come una foglia. "Io sono un Hutu". Non sembra proprio.

Villaggi vuoti. Capanne ridotte in cenere. Le porte sono spalancate. I vetri delle finestre sono rotti. Nei giardini cresce l'erbaccia. Gli abitanti sono fuggiti o morti. Potremmo essere ancora in Kamenge, ma questa è di nuovo Ntarama. La scomparsa degli esseri umani rende tutti i posti uguali.

Il capitano MacMahon viene veloce verso di noi. "Ci aiuti, non vogliono farci entrare". La sua unità di caschi blu attende davanti alla recinzione metallica che cinge la chiesa di Ntarama. Quei giovani uomini guardano verso la piramide di teschi accatastati nel cimitero. Alcuni fotografano quel monito con le loro minicamere. Di entrare nel memoriale però non se ne parla. "Sono solo turisti, non soldati", impreca il custode. "Quando iniziò la mattanza alzarono i tacchi. Adesso sono tornati. Adesso è troppo tardi. Non ne abbiamo più bisogno". Soltanto quando i caschi blu sono andati via ho il permesso di visitare la chiesa. I gendarmi del mondo stanno alla recinzione, sperduti. Senza sapere che fare. Riesco a convincere il capitano

McMahon e la sua truppa ad andare via. La vista di militari fifoni – un simbolo del ruolo dell'Onu in Africa. Subito dopo il genocidio sarebbero stati di nuovo chiamati in causa.

Fino al 6 luglio 1994 i doganieri zairesi ai confini, che da Gisenyi portano a Goma, registrarono 4881 profughi dal Ruanda. Dieci giorni dopo furono in grado di calcolare la cifra di quelli che passavano solo in modo grossolano: circa 1,1 milioni. Una delle fughe di massa più grandi dalla fine della Seconda guerra mondiale. Ai confini di Goma esiste una "grande città" che con il tempo è cresciuta sino a raggiungere l'entità della popolazione di Monaco di Baviera. La città non ha un nome. Non ha infrastrutture. Non è segnata su nessuna carta geografica. Giunsi a Goma il 29 luglio. Era venerdì. Poté passare la notte su di un letto da campo nell'accampamento dei paracadutisti francesi della *Opération Turquoise*. Il sabato, con il fotografo, mi recai per la prima volta nel campo profughi sulla strada che da Goma porta a Katala. Fra queste due località ci sono cinquanta chilometri. Cinquanta chilometri di agonia.

Migliaia di cadaveri orlavano la strada. Alcuni erano avvolti in stuoie di rafia. Altri erano scoperti. Molti erano stati ammucchiati perché le squadre di raccolta non erano più ritornate. In mezzo ai morti c'erano anche i moribondi. Il fotografo fece il suo lavoro. Andò molto vicino a una donna che giaceva nel fosso al lato della strada. Lei implorò: "Acqua! Acqua! Sto morendo!". Più tardi sulle foto si sarebbero viste solo le sue mani che si afferravano alla terra e il vestito cencioso con i fiori rossi e gialli. Un ragazzino moccioso le si aggrappava piagnucolando. A cinque metri dalla madre e dal bambino giaceva un uomo nudo, ricoperto da una crosta di sangue che si rotolava dal dolore: "La mia pancia!", urlava. Il colera lo stava divorando. Non sarebbe vissuto ancora a lungo. Il fotografo si deterse il sudore freddo dalla fronte. Venne fuori dal fosso sul ciglio della strada e disse: "Dio prima o poi ci punirà per questo voyeurismo".

Continuammo. A destra e sinistra campi profughi a perdita d'occhio, tende, capanne, rifugi di fortuna, un mare di miseria fino all'orizzonte. Prendevo appunti. Scattavamo foto. Visitavamo ambulanze. Interrogavo profughi, medici, tecnici. Osservavo i bulldozer che scavavano buchi profondi nel suolo vulcanico. Ascoltavo il tonfo sordo quando i cadaveri scivolavano dagli autocarri nelle fosse comuni. Come tutti i giornalisti, trasmisi in Germania il mio rapporto sull'orrore e in qualche lettore posso avere instillato la sensazione che l'epidemia fosse peggio del genocidio. Un redattore francofilo si sarebbe infastidito del seguente periodo: "All'inizio dell'anno prossimo nei bar di Parigi si berrà quel caffè che cresce a Goma. Le piante, sul ciglio della strada che porta a Katala, sono mature. I chicchi sono già di un colore rosso leggero. In mezzo ci stanno i morti". Queste frasi sarebbero state percepite come un disgustoso affronto contro la Francia. Col senno di poi potrei dire che allora ci sono andato molto leggero.

Anche quel vecchio ha ucciso o è semplicemente un compagno di viaggio? Perché è fuggito? Che cosa sa degli orrori in patria? Ovviamente è innocente e di genocidio non ha mai saputo nulla. Quel vecchio si chiama Mathieu Kinovori e parla solo della vendetta dei vincitori. "Tornare in Ruanda? Dio ha detto di no! Abbiamo paura dei ribelli. Quelli ci squartano la pancia e ci tirano fuori le viscere". Forse però Dio, se esiste, dirà qualcos'altro: "A voi, al popolo degli Hutu ho mandato il colera. Questa è la mia punizione!". L'epidemia si portava via 3000 persone al giorno.

In posti come questo si lavora come in trance. Si tratta di una sorta di meccanismo di difesa che protegge uno da quello che vede. Qualcosa che non fa impazzire. Le domande tornano la notte, quando in branda non si riesce a dormire: i dubbi sul proprio lavoro, quel disagio di appartenere alla stampa mondiale, di essere uno di quei giornalisti che coprono le catastrofi, uno di quelli che si aggirano fra le montagne di cadaveri per soddisfare la voglia globale di disgrazie. Sono un fallimento come essere umano perché funziono come giornalista? Non dovrei dimenticare il mio compito, che è quello di descrivere questo inferno, per dare una mano? Non avrei dovuto prendere quel ragazzino con me per portarlo all'orfanotrofio di Ndosho? Quell'esserino che il mattino si era arrampicato sulla madre morente e che il pomeriggio, quando ripassammo per tornare a Goma, non aveva più la forza di gridare? La madre non si muoveva più. L'uomo lì a fianco – il padre? – era morto. Non ci fermammo. L'immagine di quel piccolino che scompare dietro la curva non mi abbandonerà mai più.

Il Natale del 1994 mi portò per la seconda volta a Goma, per consegnare un'offerta in denaro all'orfanotrofio di Ndosho. Nel frattempo, i profughi nel campo si erano organizzati molto bene. C'erano cucine da campo, cisterne d'acqua, latrine, magazzini, ospedali. Per questo le organizzazioni umanitarie ci si erano insediate. "Landscape Project", ecco come si dice nella lingua delle Nazioni Unite.

"Per gli standard africani alla gente di qua non va per niente male", nota sarcastico un assistente austriaco. Nei campi la percentuale di medici è sensibilmente più alta che nell'entroterra, l'acqua è più pura e c'è talmente tanto cibo che alcuni profughi vendono i beni alimentari che avanzano, ai mercati locali. Perché dovrebbero ritornare all'incognito?

Nel campo di Mugunga scopriamo negozietti, bar, discoteche, botteghe del barbiere e sartorie. Mi fermo davanti al night club Exotica e c'informiamo del programma serale al cinema Ambiance. Passa un corteo nuziale. La sposa indossa un abito bianco di organza, l'uomo un doppiopetto antracite. Camminano con compostezza, in mezzo ad una teoria di esseri stracciati. Sullo sfondo, fuma il vulcano Nyiragongo. Un'immagine curiosa. Nessuna domanda, nessuna foto! Toglietevi dai piedi! Le guardie del corpo ci allontanano. I due colombi ostentano ricchezza e non dicono i loro nomi. Lo sposo pare che in Ruanda fosse un alto papavero del governo. Un corresponsabile, a detta di quelli che ci camminano assieme. A Mugunga vive una buona parte dei circa 30.000 ex soldati e una cifra sconosciuta di miliziani Hutu che avevano condotto il genocidio in Ruanda. Il campo è suddiviso in zone amministrative, in prefetture e subprefetture, come in patria, al di là del lago Kivu. I "funzionari" amministrano e minacciano i profughi che a nessuno venga l'idea di tornare a casa. Gli assassini a difesa della massa. Si sono soltanto tolti le uniformi. Alcuni, tuttavia, possono ancora riconoscersi dagli stivali neri da cavallerizzo oppure dai fischietti con cui aizzano la folla contro vittime innocenti. Nei campi più grandi gli sgherri del decaduto regime possono pianificare in tutta calma la riscossa. "Hanno in mente di riconquistare il Ruanda. Si sono riarmati in segreto e già attuano rappresaglie", dice un funzionario dell'Onu. "La cosa tragica in tutto questo è che noi li stiamo sfamando in modo che possano tornare a uccidere".

"Colpiremo di nuovo e stavolta vinceremo", dice in maniera roboante Jérôme Bicamumpaka. L'ex Ministro degli Esteri si può vedere mentre cena all'Hotel des Masques. Anche i suoi colleghi dell'ex governo in esilio abitano in posti migliori. In fin dei conti i campi sono quelli che sono. Stanislas Mbonampeka, già Ministro della Giustizia, mi riceve nell'ostello evangelico di Goma. Che cos'era? Genocidio? Né visto né sentito niente. Mbonampeka parla di "guerra convenzionale". E i massacri di massa al di fuori dei campi di battaglia? "Se qualcuno ha pianificato un genocidio deve essere stato Paul Kagame[14] e le sue orde". Nessuna colpa, nessun pentimento. Niente di niente.

Gereza Ya Kigali spicca sull'arco del portone. Una roccaforte del colonialismo, belga. Freddi mattoni senza finestre, ornati di merli: la prigione centrale. Su di una lavagna leggo la statistica attuale. Capacità della prigione: 2000 reclusi. Prigionieri: 7941. *Nombre des décès: 0.* Nessun decesso. Il detenuto che aiuta i secondini apre il pesante portone d'acciaio. Entro attraverso una strettoia, dietro di me si richiude un cancello d'acciaio. Mi riceve un esercito di uomini. Sono stipati su di uno spazio grande quanto un campo di pallamano. Su quelle magre figure penzolano le stracciate uniformi rosa dei prigionieri. Gli uomini ci fissano silenziosi. Sono solo assieme a circa 8000 reclusi. Stanno nei cortili interni, esposti al calore del giorno e alle fredde notti dei tropici. Non c'è spazio per sdraiarsi – a parte per i malati terminali e per i moribondi. È fortunato chi è riuscito a procurarsi un materasso nelle baracche. Lo deve condividere con ragni, scarafaggi e pidocchi. L'aria sotto quei tetti di lamiera bollenti è appiccicosa e pestilenziale: puzza di urina, sudore, cancrena. Gli stanzoni sono pieni di una cacofonia di colpi di tosse, piagnucolare, respiri affannosi, mormorio e gemiti. "Hanno le mani sporche di sangue", mi dice un funzionario del Ministero della Giustizia. Tutti? "Sì, tutti".

Quelle donne rasate a zero di lato – delle assassine? Quella madre implorante che tiene in grembo un bimbo rachitico e una Bibbia a brandelli – un mostro con il machete? "Ci ammazzeranno tutti". I cowboy della Marlboro sogghignano dal muro divorato dalla muffa. "Ci colpiscono con barre d'acciaio e manganelli. Ci fanno morire di fame". Emmanuel M., anni 38, è qui da cinque mesi. "Non so perché. Sono innocente", asserisce. Come potrebbe essere, lui, pastore battista, un assassino? John M., anni 27, era un insegnante. "Hanno detto che avrei ucciso a Kibuye. Come potevo uccidere a Kibuye se stavo qua a Kigali? Com'è possibile che un uomo intelligente faccia una cosa del genere?". Qua nessuno a niente a che fare con il genocidio. Sono tutti vittime della giustizia dei vincitori. Imprigionati senza scelta dai ribelli che hanno abbattuto la tirannia degli Hutu. L'inferno, dice Sartre, sono sempre gli altri. Tutte queste pietose figure, possibile che siano tutti assassini? Chi era solo simpatizzante? Chi è arrivato qui a causa di una perfida calunnia? I nuovi signori al potere queste domande non vogliono sentirle, soprattutto se a porle sono degli stranieri oppure se a rinfacciargli queste brutali rappresaglie sono degli esperti in diritti umani. Costoro pensano che a causa di queste azioni di ritorsione siano stati uccisi fino a 50.000 Hutu. Occhio per occhio, dente per dente.

Sette anni dopo incontro di nuovo il silenzio di Ntarama. Risiede nel mutismo degli imputati, nelle parole indugianti e paurose dei testimoni, nelle pause dei discorsi, quelle pause provocate dalla traduzione delle testimonianze dal kinyarwanda all'inglese. Sono nella città tanzaniana di Arusha, 700 chilometri a est di Ntarama, al Tribunal Pénal International pour le Rwanda. Il tribunale penale delle Nazioni Unite cerca di chiarire i retroscena del massacro del 1994 e punire i responsabili. Uno dei sospetti colpevoli siede ora sul banco degli imputati nell'aula II del tribunale. È un uomo corpulento, ben curato, con occhiali dalle montature d'oro e una cicatrice sulla guancia destra. È Juvénal Kajelijeli, ex sindaco di Mukingo nella prefettura di Ruhengeri, arrestato il 5 giugno 1998 in Benin. Procedimento ICTR-98-44. È accusato di aver organizzato, nell'ambito delle sue funzioni, lo sterminio dei Tutsi e di aver personalmente preso parte alla sua realizzazione.

Kajelijeli sembra sia stato fra i primissimi *génocidaires* che, dopo l'attentato del 6 aprile 1994 al presidente Hayarimana, diedero l'ordine dell'immediato inizio dei massacri. Ad ogni modo, all'indomani, sarebbe stato visto alle sette di mattina sulla piazza del mercato di Mukingo, alla testa di un corpo di circa 200 massacratori armati di tutto punto – iniziarono il loro lavoro prima di quanto previsto. Un vetro antiproiettile divide le fila del pubblico dalla sala del processo. Al momento sta testimoniando un testimone oculare con il nome in codice JAO; una tendina verde scuro lo ripara dagli sguardi dell'imputato. Kajelijeli tace. Lascia parlare i suoi difensori, eloquenti avvocati francesi e americani. Stanno trascinando e rinviando un processo che va avanti già da dieci mesi. Troppo per le vittime laggiù in Ruanda. Pretendono giudizi sommari che si concludano con la pena di morte. In molti hanno perso la fiducia nel tribunale e non c'è settimana senza che la sua inutilità non venga attestata. "La fame passa, l'ingiustizia mai", dice un proverbio ruandese.

"Effettivamente i nostri risultati sono stati sinora davvero scarsi", ammette il russo Jacow Ostrovski. È uno dei sedici giudici del tribunale. "Il nostro compito però, dimostra che la comunità internazionale non è più disposta a tollerare massicce violazioni dei diritti umani", si potrebbe aggiungere: visto che non ha fatto nulla per evitarle. Tuttavia questo tribunale mostra che nessun criminale di stato può più nascondersi dentro ai confini del proprio paese. Chi si considera intoccabile, almeno dal 4 settembre 1998, ha dovuto cambiare idea. Quel giorno il tribunale condannò all'ergastolo Jean Kambanda; era stato possibile provare come l'ex Primo Ministro ruandese avesse svolto un ruolo attivo nel genocidio. Fu una sentenza storica. Per la prima volta nella storia del diritto internazionale un capo di governo veniva condannato per i suoi crimini.

"Se le vittime vedono che i colpevoli debbono pagare, depotenziamo il loro spirito di vendetta. Per questo il nostro tribunale è anche una forza motrice del perdono", così crede il giudice tanzaniano William Sekule. Va detto anche che, prima di ogni perdono, c'è il dolore del ricordo. Esso è talmente insostenibile che i testimoni crollano. Come sarebbe possibile sostenere la smorfia sardonica con cui l'imputato Hassan Ngeze commenta una testimonianza nella I camera penale? Era caporedattore di *Kangura*, la pubblicazione che incitava all'odio. L'elegante signore vicino a lui è Ferdinand Nahimana, dirigeva Radio Milles Collines. Gli imputati siedono con un'espressione fredda e imperturbabile nella luce del neon. Davanti a loro la squadra di difensori, *barrister* inglesi con parrucche grigio argento, legulei francesi, un americano dalla lingua tagliente che in un contro-interrogatorio sta facendo vacillare la credibilità di una testimone. Un difensore pretende che siano messe agli atti come prova le registrazioni di Radio Milles Collines – si tratta di 270 ore registrate di trasmissione. L'analisi può durare settimane e mesi.

Silenzio in aula. Si ode soltanto il ronzio dei condizionatori. Avverto di nuovo questo silenzio spettrale, quel *silence complet*, di cui racconta Eugénie Musayidire, la cui madre il fratello e i parenti furono assassinati nel 1994. Allora Dio avrebbe vissuto in Ruanda, lavorando di giorno in altri paesi. Ha scritto in una poesia:

La notte del 6 aprile 1994
Dio non è più tornato!

La nona immagine
L'Aids e le sue conseguenze per l'Africa

L'uomo s'affanna sulla sua bici arrugginita dirigendosi verso il lago. Sul sedile del passeggero c'è fissato uno splendido pesce. Peserà perlomeno venti libbre. Chiedo al ciclista da dove provenga visto che sta andando verso il lago con il pesce e non, come ci si aspetterebbe, il contrario. Continua a sgambettare come se non avesse sentito la mia domanda. Gliela ripeto. Tace. Quell'individuo è diretto a un piccolo villaggio di pescatori sulla sponda destra dell'Ukerewe. Gli stranieri il lago lo chiamano Vittoria. È così che lo battezzarono una volta i colonialisti britannici in onore della loro mai sazia Regina. Un pesce che sta andando verso il luogo da dove proviene. Che strano, penso. È quell'ombra di assurdo che qualche volta provo in Africa quando qualcosa non vuole proprio saperne d'esser chiara. Quando il quotidiano, il banale, i fatti di ogni giorno, mi appaiono come diretti da una forza invisibile. Questa sensazione mi si è spesso avvicinata di soppiatto. È per questo che non do a questo incontro fortuito un significato particolarmente profondo. È solo una giornata chiara e serena nei tropici. Una domenica ugandese. Non ho nemmeno il sospetto che questo giorno dell'anno 1995 avrebbe reso oscura la mia immagine dell'Africa. È il giorno in cui, per la prima volta, avrei visto un essere umano che sarebbe morto per le conseguenze dell'Aids. Uno di quei milioni di africani che si è preso o si prenderà quel flagello mortale. L'episodio del pesce sulla bicicletta, oggi, mi appare come un cattivo presagio.

Golo Mwila[15] è morta poco prima dell'alba. Giace nel suo negozietto circondata da sacchi di detersivo in polvere, taniche di olio alimentare, scatolette di sardine, pacchetti di zucchero e ogni sorta di prodotti per la casa. Sul ciglio del materasso il padre è in ginocchio e prega. Vicino a lui la madre della defunta, i figli e un paio di vicini. Il cadavere è secco come un chiodo, la pelle sgualcita come una pergamena. I parenti hanno fissato il mento della morta con una fascia di garza. Golo Mwila aveva 34 anni. Lascia quattro bambini. "Che faccio ora?", si lamenta il padre. "Suo marito se n'era già andato e adesso lei. Sono troppo vecchio per occuparmi dei nipoti". La morte era attesa da mesi. La bara è davanti allo spaccio, all'ombra di un albero di mango. Un frutto maturo cade sul coperchio di legno.

Anche il villaggio successivo, a tre chilometri dal primo, è in lutto. Quel giovane non aveva neppure trentanni. È morto l'altro ieri. Sua madre mi offre una scodella di *matoke*, una specialità a base di banane. Sulla sua maglietta fa bella mostra la cattedrale della capitale Kampala. Sotto c'è scritto: "Febbraio 1993, Papa Giovanni Paolo II visita l'Uganda". Il pontefice non nominò la piaga. I credenti parlano di *slim disease*, di una malattia che fa diventare magri. Al margine delle persone a lutto incontro un assistente sociale che assiste quelli che sono rimasti. "In Uganda la percentuale d'infezione è molto alta". Quanto alta? "Alta... estremamente alta".

Dati vaghi, supposizioni, grossolane valutazioni. Prima di quella scappata a Ugerewe, ero stato a Kampala dove avevo incontrato Marble Magezi, la portavoce dell'organizzazione sanitaria Taso. "Il trenta per cento degli ugandesi è infetto. In questo paese ogni famiglia è toccata, in un modo o nell'altro", spiega. 30%. Scarabocchio la cifra nel mio blocchetto per gli appunti e di fianco ci metto un punto interrogativo. Allora, era il marzo 1995, appartenevo ancora a quei corrispondenti che consideravano le statistiche esagerate. Di molto. Il mio scetticismo era una specie di riflesso di difesa contro la formula da cui erano distillate le storie degli orrori: Aids=Africa=Apocalisse. Era così semplice, ma non poteva essere così catastrofico. Il silenzio e la vacuità di quei villaggi dove vivevano ancora solo vecchi e bambini all'epoca li ascrissi a fattori completamente diversi. Soprattutto all'abbandono del paese, ma anche alla malaria. Perché questa malattia era stata, sino ad allora, senza dubbio la peggiore piaga dei tropici – ogni anno arrivava a costare la vita di due milioni di persone.

Eppure il fascicolo con su la scritta "Hiv/Aids in Africa" diventava grosso, sempre più grosso. I rapporti parlavano di obitori pieni e di eserciti di orfani, di funerali infiniti e di cimiteri che esplodevano e tutti si aggregavano in una specie di spettrale canto funerario. La morte nera dall'Africa. Un continente muore. Africa in agonia. Qualche analisi arrivò persino alla conclusione che, in futuro, si sarebbe risolto anche il problema dell'esplosione demografica – come se l'attacco virale fosse stato liberato da un programma biologico con cui il pianeta si difendeva dal peggiore dei parassiti: l'uomo.

*

Parlare? Della piaga? No, nemmeno per sogno. Non ha niente da dire. Circa sei mesi fa, durante l'ultima visita a Lusaka, Herbert Maka[16] mi servì del tè in casa di un industriale. Era un uomo alto, magro, in livrea, simpatico, timido, servizievole. Dei dodici nipoti di cui lui e sua moglie si erano occupati dal 1994, solo cinque erano ancora in vita. L'anno dopo a Maka è rimasto soltanto un nipote. Figli, figlie, nipoti, discendenti, il suo albero genealogico si è quasi estinto. Maka parla di una maledizione. Il vecchio maggiordomo si vergogna, ma non ha parole per dirlo. Il flagello è incomprensibile, enigmatico.

Sfoglio i giornali e negli annunci funebri e leggo sempre la stessa frase: *Died of an illness*. Morte per malattia. Si può morire per la malaria, per la tubercolosi oppure per un incidente, ma mai per le conseguenze dell'immunodeficienza acquisita. L'Aids è qualcosa che lega la morte alla sessualità e di essa in Africa non si parla, ad ogni modo non si fa come da noi in Europa. "Questo tema è tabù" dice l'attivista Wingston Zulu. Si è infettato nel 1990. Quando ammise pubblicamente la sua malattia, ricevette in cambio paura e rifiuto. "Stringi la mano a qualcuno e le persone s'irrigidiscono. Cammini con un marchio addosso". Chi si è infettato è in qualche maniera colpevole. Allo stesso tempo alcuni fanno come se l'*Acquired Immune Deficiency Sindrome* non esistesse. In Zambia però, è diventato impossibile negare la pandemia. Secondo dati ufficiali la percentuale alla fine del 1999 era già del 19,7%. Uno zambese su cinque era Hiv-positivo. Per questo suona abbastanza macabra la controanalisi dell'allora ministro della Salute Nkandu Luo, secondo la quale, malgrado tutto, l'80% della popolazione adulta era Hiv-negativa. Probabilmente lei conosceva quel motivo che cantano le studentesse del sud del paese: *Aids, ti odiamo!/Hai ucciso i nostri genitori/Hai ucciso i nostri fratelli/Hai ucciso le nostre sorelle/Adesso vuoi uccidere noi/Vuoi far scomparire il genere umano/Aids, noi ti odiamo/Va via!*

Lo Zambia appartiene a quegli stati che più di altri sono stati colpiti dalla piaga. Si trovano quasi tutti nel Sud dell'Africa: lo Zimbabwe con una percentuale d'infezione del 33,7%; il Botswana, dove, secondo quel che si dice, l'Aids ha ridotto l'attesa di vita di 25 anni – da 65 a 40; il Sudafrica con la percentuale in aumento maggiore del mondo: ogni giorno dai 1500 ai 1700 nuovi casi. Le Nazioni Unite hanno stimato il numero degli africani infettati a quasi trenta milioni. Nel 1998 gli africani morti a causa di guerre o di conflitti armati furono 200.000. Di Aids ne sarebbero deceduti una cifra dodici volte superiore. Questi, detto per inciso, sono solo calcoli approssimativi, stime parziali o estrapolazioni. In Africa con le statistiche bisogna andarci piano. Spesso sono distorte, esagerate, "aggiustate" o semplicemente campate in aria. Ma anche se la cifra degli infetti corrispondesse solo alla metà, sarebbe comunque ben oltre i livelli di guardia dell'emergenza medica.

Il Consiglio di Sicurezza delle Nazioni Unite, nel gennaio del 2000, mise nella sua agenda, per la prima volta nella sua storia, un tema legato alla salute: Hiv/Aids in Africa. Il servizio segreto americano, la CIA, aveva sviluppato uno scenario talmente nero da sembrare fosse stato partorito all'epoca della guerra fredda. Ciò che prima era stato il comunismo, oggi è l'Aids: "la grande minaccia" per la democrazia, la sicurezza e la stabilità del continente. Fino al 2010 il flagello avrebbe ridotto il prodotto interno lordo africano del 20%. Dall'11 settembre 2001 la grande minaccia è un'altra: il terrorismo globale. L'Aids era ridiventato un tema secondario, un tema africano. Qualcosa che smuove i media mondiali solo quando non c'è nient'altro di cui parlare. Per gli africani però, è la più devastante catastrofe che sia apparsa sul loro continente dall'epoca del mercato degli schiavi e della dominazione coloniale.

*

Uno, due, tre, quattro... e cinque: il signore con il vestito grigio-azzurro che ora si affretta nel vestibolo – un condannato a morte? È difficile da immaginarsi nella pomposa sala d'ingresso della Anglo American Corporation: ornamenti art déco, leoni, antilopi, calici, la natura originaria dell'Africa, immagini smerigliate oppure su vetro – i simboli di un gruppo mondiale che incastonato, come un palazzo mediceo, sulla Main Street 44 di Johannesburg. Eppure questo gruppo non riesce a liberarsi di queste cifre forzate. Uno, due... un lavoratore su cinque è Hiv-positivo. C'era scritto ultimamente sul settimanale domenicale *Sunday Times*, in grande, in prima pagina. Il consiglio d'amministrazione del più potente conglomerato sudafricano di materie prime e industriale rifiuta di tradurre in cifre questa percentuale. Perché in quel caso di circa 160.000 impiegati in Africa meridionale, 32.000 sarebbero vittime del virus. Anche a Clem Sunter, il capo della comunicazione dell'Anglo, non piacciono certi giochi con le cifre – il suo bestseller *Aids. Challenge for South Africa* gli è valso la fama di Cassandra. In questo libro mette in guardia dalle conseguenze economiche di questa pandemia. La produttività precipita. La forza lavoro si restringe. Il gettito fiscale e il potere d'acquisto diminuiscono. Le spese sanitarie esplodono. "Potrebbe accadere se non interveniamo. Ogni direttore finanziario che ignora l'Aids dovrebbe essere licenziato". Ad ascoltare Sunter una persona si sente a disagio perché l'Aids diventa un'astrazione, un parametro in un calcolo economico, ma in un impero commerciale che ha sfidato recessioni, sanzioni economiche, piccole crisi e scioperi di massa, si parla così. Ora, quello stesso gigante, è minacciato, nelle sue fondamenta, da un pericolo del tutto nuovo, imponderabile. "La situazione è brutta", dice con forza Clem. "Il Sudafrica però, è un paese che ha già vissuto tutta una serie di fatti anomali". Adesso ha bisogno di qualcosa di eccezionale.

Già da tempo le cifre superano la nostra capacità di immaginazione. Amalgamated Beverage Industries, azienda leader nel campo dei soft drinks, i cui bilanci valgono come barometro dello sviluppo del potere d'acquisto in Sudafrica, registra massicci cali in Kwa-Zulu-Natal – è la provincia con la più alta percentuale di infetti da Hiv. Il 36,2%. In questo stato federale, non lontano dalla città mineraria di Newcastle, c'è anche il famigerato luogo di sosta sulla strada statale R23. Un prelievo di campioni effettuato dalla Medical Research Council, ha dimostrato che il 56% degli automobilisti testati portava in sé il virus. Nell'azienda zambiana Chilanga Cement, la cifra di ore perse solo a causa della partecipazione ai funerali, negli ultimi tre anni è aumentata di quindici volte. Ad essere colpito è soprattutto il segmento più attivo della popolazione in grado di lavorare: giovani uomini e donne sotto i quaranta. Nelle grandi città il flagello si porta via personale altamente qualificato, esperti, ingegneri, tecnici informatici, contabili e infermiere. "Per ognuno dei posti di quadro superiore, formiamo tre persone", dice un manager della Barclay's Bank a Lusaka. Nel 2001 in Zambia sono morti per sindrome da immunodeficienza acquisita 1967 insegnanti, l'anno prima erano stati 2000 – una triste notizia per il già esausto corpo docente, perché ogni anno fanno gli esami di abilitazione appena 1000 insegnanti circa. Nel paese manca la forza lavoro per occupare i posti. Allo stesso tempo l'assistenza domestica dei malati riduce il reddito necessario. L'Aids rende la fame più acuta, divora la crescita, impedisce lo sviluppo.

*

Dov'è che vuole andare? Alla *Casa di Madre Teresa*? Il tassista conosce bene il mio obiettivo a Mutendere, un quartiere di Lusaka. "Lì ci portiamo le persone quando sono alla fine. Quattro settimane fa ci ho condotto mia sorella. Ne aveva passate troppe, Lei capisce...". Ne parla così, *en passant*, come se si trattasse di un destino ineludibile. Sono dei casermoni bianchi, senza fronzoli. Nel giardino bouganville rosso-porpora, asteracee e alcune aiole. All'ingresso una figura di gesso, la Regina dei Cieli con un mantello azzurro. Un ospizio per morire. Prega per noi... Da qualche parte si leva un mormorio di rosario... Madre Vincenza apre la porta che dà sull'ala maschile. La morte ci guarda attraverso un centinaio di visi. Sguardi vitrei, silenziosi, corpi ricurvi, scheletrici su brandine di ferro, colpi di tosse, ventilatori che ronzano nell'aria malata. "Ogni mese abbiamo 90 nuovi ricoveri", fa il conto la suora. "E ogni mese muoiono da 45 a 50 persone". Secondo le statistiche ufficiali, nei prossimi dieci anni seguiranno questa sorte oltre un milione di persone.

La morte fa la sua raccolta nelle camere ardenti, negli ospizi, negli orfanotrofi, nei cortili, nelle rimesse, nelle capanne di fango. Non la vediamo, perciò le cose accessorie sembrano talmente insostenibili: un triciclo inutilizzato in un angolo, un cerchione di latta che non gira più, le immagini alla parete: Paperino, Bambi, Cenerentola, scene dal mondo infantile globalizzato. Sono nell'orfanotrofio di Kabwata. Fra le ante di metallo è bloccato il braccio di una bambola per evitare che la porta faccia rumore sbattendo. Quasi non passa giorno che dei bambini bussino alla porta. Alcuni, dopo la morte dei loro genitori, hanno mesi di odissea dietro di sé. Otto *madri* si occupano dei piccoli, volontariamente, senza rimborso. Fanno da mangiare su di una vecchia cucina elettrica e lavano a mano. "Abbiamo pensato che dovevamo fare qualcosa". Sono tantissimi... Si calcola che soltanto a Lusaka vivano 200.000 bimbi senza genitori. In tutta l'Africa la cifra degli orfani da Aids nel frattempo è schizzata a undici milioni: un esercito di bambini sradicati, disperati, senza speranza e spesso violenti, che formano bande criminali, si uniscono alle milizie in guerra o semplicemente vagano affamati e senza meta nel continente.

Il nemico è sfuggente. Veste l'abito della diceria oppure è abbellito di misticismo, si traveste di dogmi e divieti, di tabù e tradizioni. La guerra che Clement Mfusi e un pugno di attivisti portano avanti a Lusaka, a volte sembra senza speranza, come la lotta contro i mulini a vento. "I nostri problemi più grossi sono l'ignoranza e la superstizione", racconta Mfusi, "soprattutto in campagna, dove la maggior parte delle persone sono analfabete". Uno zambese su tre crede che l'agente patogeno si trasmetta attraverso stregoneria, sguardi maligni oppure zanzare. Nel villaggio di Chiawa, non lontano da Lusaka, un capotribù aveva voluto provare la colpevolezza di alcuni sospetti che, a suo dire, attraverso alcune magie avevano diffuso l'Aids. Aveva fatto bere loro un intruglio velenoso. Sedici persone non erano sopravvissute all'ordalia, a questo giudizio di dio. I superstiti continuarono ad essere guardati con sospetto. Presso i Tonga, i Kaonde, i Lunda, i Lala e altri popoli, è molto il voga il *dry sex*. Le donne asciugano la propria vagina con corteccia d'albero, erbe, carta oppure con una mistura fatta di terra e urina di pavone. Gli uomini amano molto una cosa del genere perché, durante il rapporto, avvertono di più la propria erezione. La poligamia è molto diffusa e in molti posti anche l'ereditarietà della vedova: un fratello oppure un cugino del morto, può dormire con la moglie del defunto per purificarla dai demoni della morte. Quando mi metto a fare domande ricevo risposte infastidite: si tratta di tradizioni che si sono conservate, diritti consuetudinari che sempre ci sono stati e sempre ci saranno. L'uso è una cosa del tutto normale. Normale come, ad esempio, la mutilazione genitale femminile delle ragazzine dell'Africa occidentale, oppure il cavare gli occhi dei bambini in alcuni villaggi di pescatori sulla costa del Mozambico. È in uso ancora oggi. I bulbi oculari vengono poi fissati alle reti in modo che queste possano meglio "vedere" la preda. Voi europei non potrete mai capire, mi dicono i custodi della tradizione. Non vogliamo capire proprio per niente. Si tratta di barbarie.

È raro che in Africa si chieda il parere delle donne. Di regola non hanno né diritti né proprietà. Nei problemi che riguardano ambiti economici, sociali e sessuali sono solo gli uomini a decidere. In fin dei conti hanno pagato la *lobola*, qualcosa a mezza strada fra una dote e un prezzo d'acquisto per la donna. E poi si attengono al motto di Fela Kuti, leggenda pop nigeriana: "Le donne esistono per far felici gli uomini". Quello che i maschi non ottengono volontariamente, spesso se lo prendono con la forza; le cifre ufficiali della violenza sessuale in Africa sono estremamente elevate, sulle cifre "reali" si possono fare soltanto supposizioni. Le donne che rifiutano il dominio sessuale vengono scacciate. A Gladice accadde qualcosa del genere. "Arrivai in città dalla campagna e andai a abitare da una zia. Non avevamo nulla", racconta. "Che dovevo fare?". La donna iniziò a battere. Per otto anni. Oggi è assistente sociale presso Tasintha, un gruppo di auto-aiuto. Il fine settimana fa visita ai bordelli Adam's Apple, oppure Cockpit, per parlare con le ragazze. La maggior parte di loro le dicono "Togliti dai piedi", oppure chiedono: "Come dobbiamo sopravvivere?". La povertà costringe alla prostituzione molte donne, fra di loro tante vedove dell'Aids con uno sciame di bambini. Alcune vendono il loro corpo anche per 5000 *kwacha*, due dollari. Sesso senza preservativo. Alla selvaggia. "Meglio crepare domani di Aids che oggi di fame". È questa la loro filosofia.

La colpa di questa sciagura è perlopiù delle ragazze carine, le seduttrici, spiega Dawson Lupunga. Era Ministro per le Politiche Sociali dello Zambia, un uomo dell'età dei *sugar daddies*[17], quei vecchi uomini benestanti che tengono per sé una ragazzina che va a scuola, una "pulita". Quelli che ogni tanto hanno bisogno di una vergine. Questo li dovrebbe proteggere dall'infezione e perfino curare dall'Aids.

Le chiese, in verità, maledicono queste pratiche, esse stesse però si scontrano con la propria dottrina. Il preservativo? Un oggetto diabolico. L'epidemia? Una punizione divina. Siate casti! Non peccate! Una visione senza tempo. Già nel XVI secolo il vecchio Paracelso insegnava che l'Onnipotente aveva scagliato sull'umanità gaudente la sifilide. Quattrocento anni dopo il fondamentalismo cristiano distribuisce la stessa saggezza: l'Aids è "flagello della lussuria". In un continente in cui l'attività sessuale, spesso, inizia a dodici anni, gli inviti alla castità suonano ingenui e ridicoli. Ci sono – grazie a Dio! – tante persone di chiesa che non parlano troppo, ma che invece fanno qualcosa e che, considerando la pandemia, ignorano i criminali divieti del Vaticano. "È il nostro obbligo di cristiani quello di proteggere la vita", dice un prete irlandese. La sua macchina è piena di preservativi, li distribuisce dopo la messa. Ma le suore dell'Ospizio di Madre Teresa tacciono quando chiedo loro qualcosa circa i metodi contraccettivi.

*

Il silenzio lo incontro anche ai livelli più alti, nella sede vescovile, nell'ufficio del ministero, negli ambienti presidenziali. Prendiamo quel giorno di ottobre del 2001 in cui, al Parlamento sudafricano, è stata stabilita un'ora di discussione sul tema Hiv/Aids. Thabo Mbeki, il capo di stato e di governo, deve annunciare le misure del suo gabinetto, ma non risponde alle domande dei parlamentari. Legge un testo preconfezionato, monotono, infallibile, con una punta di quell'arroganza che regala il potere. Il presidente si mostra scettico sull'alta cifra di infetti in Sudafrica e presenta vecchie statistiche dell'Organizzazione Mondiale della Sanità (OMS). Gli osservatori internazionali in tribuna stampa scuotono il capo. Come può il presidente del paese con il numero più alto al mondo di infetti – allora erano già 4,7 milioni di persone! – minimizzare così la situazione? Che cosa lo spinge a mettere in dubbio il rapporto causale fra Hiv e Aids? I commentatori hanno a disposizione spiegazioni di comodo. Mbeki si comporta in maniera tipicamente africana – incorreggibile e ottuso.

Lui è, come troppi altri politici di questo continente, un sostenitore della "scienza-vudù".

Ma è davvero così semplice? Per comprendere l'atteggiamento di Mbeki dobbiamo ancora una volta confrontarci su come venga percepita, a livello mondiale, la pandemia dell'Aids. Si tratta di un flagello "nero" che alla fine del XX secolo strisciò fuori da un'Africa oscura, ancora medioevale. Fu qui che il virus balzò dagli animali agli uomini, qui iniziò il suo viaggio mortale che l'avrebbe condotto attorno al globo. Gli untori del male erano, secondo un convincimento generalizzato, uomini primitivi delle foreste che si nutrono di carne di scimmia. Al *common sense* appartiene anche il fatto che gli africani abbiano diffuso il virus con la loro dissennata condotta sessuale. "Lo fanno volentieri", dice Gloria von Thurm und Taxis, la ciarliera principessa bavarese – come se fare più sesso fosse un'attività riprovevole. "Ha ragione", rutta la tavolata. Questi cliché sono comuni negli strati istruiti, vanno bene per quella visione preordinata dell'Africa.

Un uomo come Thabo Mbeki, che ha sviluppato la visione di un *African Renaissance*, di un rinascimento africano con le proprie forze, deve percepire i vecchi stereotipi come profonda offesa. Che cosa deve rispondere quando un ingegnere bianco gli comunica per e-mail che l'Aids non può essere così veloce da far crepare "gli ignoranti"? Mbeki appartiene a quella generazione che ha consacrato la propria esistenza alla lotta contro l'apartheid, contro un sistema che ha coltivato questo pensiero malato. Adesso che l'apartheid è stato superato, gli affrancati muoiono. Si è alla ricerca disperata di spiegazioni sul perché questo accada. E poi si scoprono le ipotesi di un David Rasnick oppure di un Peter Duesberg, due dei cosiddetti "dissidenti" americani, che hanno parlato di una "menzogna dell'Aids". Non credono che l'Hiv venga trasmesso per via sessuale e conduca all'Aids. Sono invece convinti che sia la povertà, la vera causa delle morti di massa. La nuova élite al potere in Sudafrica sfrutta volentieri queste eresie, perché attraverso di esse la pandemia si lascia ricondurre alle miserabili condizioni di vita e queste sono un'eredità dell'apartheid.

In Africa circolano le più incredibili speculazioni sull'anamnesi della malattia. C'è chi dice che sia stata diffusa da medici bianchi nel corso di una campagna di vaccinazione antipolio in Congo. Oppure che il Pentagono l'abbia creata per obiettivi militari e sperimentata sui neri. O ancora che l'Aids sia un mostro della perversa cultura del nord del mondo, un flagello degli omosessuali, diffuso da alcuni uomini californiani che lo fanno come i cani. Fra l'altro questa sciocchezza è estremamente diffusa anche al di fuori dell'Africa e come prova viene portato a sostegno che il virus è stato isolato per la prima volta nel 1982 nel sangue di alcuni gay. Il comune denominatore di tutte queste proiezioni e teorie revisioniste suona più o meno così: il pericolo mortale proviene dalla Florida, da quel mondo che ha anche portato la schiavitù e il terrore coloniale. L'inferno sono sempre gli altri – un classico gesto di difesa dell'Africa.

Se però cerchiamo di guardare un po' oltre le cervellotiche teorie cospiratrici sul perché l'epidemia abbia assunto dimensioni così drammatiche proprio al sud del Sahara, ci scontriamo con fatti scomodi. Possiamo determinare che il violento tentativo di modernizzare il continente ha determinato quel campo dove gli HI-Virus trovano condizioni ideali. L'Africa precoloniale non poté opporsi alle potenze europee, venne scoperta, conquistata, saccheggiata e, dopo la fine di quell'era, "sviluppata" dalle proprie élite secondo un modello capitalistico, oppure di socialismo reale. Questo processo ha distrutto forme economiche, tradizioni culturali e religiose, l'ordine sociale e sistemi di sicurezza vecchi di secoli. I mondi della vecchia Africa sprofondarono. L'Hiv/Aids si nutre delle devastazioni di un intero secolo, secondo il sociologo Reimer Gronemeyer che vede nella globalizzazione l'ultimo atto di una tragedia iniziata con la colonizzazione. "La decadenza economica e l'ascesa dell'epidemia sono due facce della stessa medaglia". Così come il virus distrugge il sistema immunitario delle cellule umane, così dissolve le ultime resistenze della società africana.

Non è un caso che le cifre dell'infezione siano talmente esorbitanti proprio dove la modernizzazione è stata portata avanti in maniera particolarmente violenta: nella cintura del rame in Zambia, nelle piantagioni di tè in Malawi, nelle miniere di diamanti del Botswana, e nelle aziende agricole che producono tabacco in Zimbabwe. Soprattutto però nei centri minerari e industriali del Sudafrica, il paese del razzismo istituzionalizzato. Lì l'apartheid creò riserve di esseri umani, le cosiddette *bantustans*, per dividere il mondo abitativo e lavorativo della popolazione nera. Questa modalità coercitiva sradicò milioni di persone. Gli uomini dovettero abbandonare le loro *homelands* e lavorare per salari da fame nelle miniere d'oro e nelle fabbriche dove, ordinati per bene secondo "tribù", vennero accasermati in ostelli oppure stipati in *township*. Il sistema del lavoro migrante distrusse famiglie, villaggi, comunità, l'intero corpo sociale. Lasciò dietro di sé un campo di macerie dove prosperarono malattia e bisogno, aggressività e alcolismo, prostituzione e violenza. La maggior parte delle persone vegetano con il minimo per sopravvivere, lo stato di salute è pessimo. Oltre a ciò vanno aggiunti ignoranza e superstizione, il potere degli uomini sulle donne, i traviamenti della sessualità, l'indifferenza propria della povertà, la grande menzogna e il silenzio. E così il flagello è una specie di caleidoscopio in cui sono riuniti assieme tutti i malanni dell'Africa.

*

L'Aids è un fenomeno globale. Unisce la parte povera e quella ricca del mondo e, allo stesso tempo, divide i due emisferi. Perché esiste una gigantesca differenza se qualcuno è colto dal virus a Gottinga in Germania oppure a Guguletu. A Gottinga ci sono una clinica universitaria, dottori esperti, medicine davvero efficaci, eccellenti consultori, cibo sano, acqua pulita. A Guguletu no. Qui scopro solo un Community Health Center, una di quelle postazioni di pronto soccorso che lo stato ha messo nei ghetti di Città del Capo. Non lo trovo subito perché sulle prime scambio quel container divorato dalla ruggine, per la rimessa di un cantiere edile. Ma lì c'è una coda di ben oltre cento pazienti che resistono, da prima dell'alba, davanti al deposito di medicine. Tutt'attorno a loro è desolazione: capanne di lamiera, strade fangose, cloache velenose, montagne d'immondizia. Le cause di morte più frequenti fra i giovani sono Aids e omicidio. In questo ambiente persino i fiori a calice delle piante di ibiscus rosso cinabro sembrano tristi. "I nostri problemi non si possono risolvere con delle pillole", dice l'infermiera alla distribuzione. "Abbiamo bisogno di posti di lavoro. Scuole. Abbiamo bisogno di una migliore educazione alla salute e alla sessualità. Abbiamo bisogno d'informazione. Se le persone si lavassero le mani una volta al giorno, le malattie infettive si ridurrebbero drasticamente".

Ma nelle *township* si ha fiducia nella forza curativa del medico bianco e si prendono le "magic pills", quando se ne ricevono, in maniera talmente smodata, che si costruiscono resistenze (virali) sempre più insidiose. Spesso a parte il *panado* (aspirina) e lo sciroppo per la tosse non ci sono altre medicine, per non parlare dei tanto celebrati Aids cocktail. Gli infetti di Guguletu non sanno neppure che esistono questi preparati che allungano la vita. Per saperlo basterebbe che facessero solo un paio di chilometri, sino al Groote Schur Hospital, ai piedi del Devil's Peak, la cui cima si può vedere bene anche da qui. È il famoso ospedale in cui Christiaan Barnard, il chirurgo star, nel 1967, per la prima volta nella storia della medicina, trapiantò il cuore di un uomo. Dista dal Community Health Center tanto quanto il primo dal terzo mondo. Oppure quanto Guguletu dista da Gottinga. È un nosocomio di epoca coloniale con medici altamente specializzati, apparecchiature modernissime e medicine estremamente costose. Qui non c'è nulla che non si possa chiedere. Se lo si può pagare.

Città del Capo è una specie di microcosmo. Le perverse sperequazioni qui le vedi alla distanza di un quartiere dall'altro. Riflettono l'apartheid globale in ambito sanitario. I giganti del farmaco devolvono ogni anno un miliardo di dollari per la ricerca. Solo un decimo di questa somma viene dedicato alle "malattie della povertà" come la malaria. Il livello di conoscenza della tubercolosi, per le cui conseguenze muoiono ogni anno tre milioni di persone, in decenni non è cambiato granché – questa malattia è quasi scomparsa dalle società del benessere e oggi minaccia nuovamente di diffondersi nei paesi della ex Unione Sovietica. Chi sa che nei *Cape Flats* è registrata la più alta percentuale di tubercolotici al mondo? A chi interessa la diffusione della bilharziosi in Congo? A chi della malattia del sonno in Gabon? Si spende di più per lo studio della calvizie maschile oppure per gli elisir contro l'obesità o ancora contro l'alzheimer dei cani e si guadagna meglio che con pillole o sieri per persone che non hanno denaro. Gli africani, che in fondo sono sempre il 13% della popolazione mondiale, acquistano solo l'1% della produzione globale di medicinali. Al contrario, per quanto riguarda il campo della ricerca farmacologica, sono richiesti come materiale umano. Il gigante newyorkese Pfizer ad esempio, è stato accusato di aver condotto in Nigeria test su bambini malati di meningite. Forse che nel campo dell'Hiv/Aids non vengono portati avanti grandi sforzi per la ricerca? E i risultati di queste ricerche non potrebbero, già oggi, essere sfruttati a vantaggio dei paesi in via di sviluppo? Le obiezioni sono giustissime. Dimenticano però quello che è il problema principale: la povertà.

*

Alla parete della mensa sono appesi otto ritratti. Sotto di essi i nomi: Asive, Sweetness, Siphanathi, Johannes, visi gioiosi, sorridenti. Istantanee di una vita breve. Nessuno di quei bambini è arrivato ad avere oltre i quattro anni d'età. Sono morti per le conseguenze dell'Aids. Il prossimo condannato si chiama Sikelela: ha 13 mesi ed è un esserino pelle e ossa. Nel naso ha un tubo per l'alimentazione artificiale. È venuto al mondo Hiv-positivo. "Sikelela avrebbe vissuto più a lungo e sofferto di meno se avesse ricevuto quelle medicine che ci sono in America e da voi in Europa", dice l'assistente sociale Francis Herbert. "Per noi però, sono semplicemente troppo care". Mi conduce attraverso un ospedale infantile a Township Crossroads. Si trova sotto al corridoio aereo dell'aeroporto internazionale di Città del Capo e si chiama *beautiful gate*, il portone meraviglioso, una citazione dagli Atti degli Apostoli. Una volta che i bimbi lo attraverseranno, dovrà essere loro dato un po' di amore e dignità umana. Sono stati respinti oppure abbandonati. Lasciati in ostetricia da puerpere disperate oppure, semplicemente buttati nell'immondizia come carne andata a male. I cocktail anti-Aids del nord del mondo costerebbero 750 dollari per ognuno di questi orfani – al mese. "Non ce lo possiamo permettere", ripete Francis Herbert. "Forse però, presto, qualcosa potrebbe cambiare. Speriamo nei nostri giudici".

Pretoria High Court, Aula 2D, marzo 2001. Non sono solo i collaboratori di *Beautiful Gate* a seguire ansiosi il processo nella capitale. La sentenza ha un significato mondiale. Il ricco nord e il sud povero sono in questo caso uno di fronte all'altro. Tre dozzine di gruppi farmaceutici dei paesi industrializzati, fra loro Boheringer, Ingelheim, Merck, Rhone-Poulenc, Hoffmann-La Roche e, in rappresentanza dei paesi in via di sviluppo, il governo del Sudafrica. Insomma Davide contro Golia. Il gigante difende il brevetto internazionale per poter continuare a guadagnare in esclusiva sui suoi prodotti. Il nano si richiama alla sua costituzione dove c'è assicurato il diritto basico alla vita, e pretende l'approccio ai medicinali a prezzi ridotti. Perché proprio lì, dove i cocktail anti-Aids sono necessari con maggiore urgenza, questi sono troppo cari. Il 95% degli infetti da Hiv vivono nelle zone povere della terra. In questo caso la legge del mercato si traduce così: chi non può pagare, muore. L'industria del farmaco giustifica i propri prezzi stratosferici con gli alti costi di ricerca e sviluppo. Bisognerebbe pensare anche ai mercati di punta, tradisce un oratore del consorzio franco-tedesco Aventis. "Abbiamo un obbligo davanti ai nostri azionisti".

I governi del sud del mondo hanno invece un obbligo di fronte ai propri cittadini. Il Sudafrica vorrebbe trarsi d'impaccio attraverso l'importazione parallela da paesi emergenti come l'India, dove le medicine sono reperibili a un prezzo irrisorio rispetto a quello del nord del mondo. Oppure attraverso i farmaci generici che possono essere prodotti a un prezzo vantaggioso nello stesso paese di fruizione. I brasiliani hanno mostrato come fare: si analizza un prodotto di marca, si ruba la formula brevettata, si crea una copia con un nome diverso e la si distribuisce gratuitamente fra la gente. Così, in Brasile, la percentuale di morti per Aids pare sia precipitata di un 50% – un risultato difficilmente dimostrabile. Per l'industria del farmaco questa è pirateria e si richiama ad un accordo di protezione del WTO, l'Organizzazione Mondiale per il Commercio, che vincola assieme il diritto di brevetto internazionale e il commercio globale. Il Sudafrica ha ignorato tutte le diffide – in fin dei conti non si sta parlando di software per computer o di canzonette piratate, ma della vita umana. Quello che è successo in seguito, lo ha descritto John Le Carré nel libro *Il giardiniere tenace*, un thriller sulle macchinazioni della categoria: "Big Pharma ha costretto il Ministero degli Esteri statunitense a minacciare i paesi poveri di sanzioni economiche... perché questi cercano di rendere più sopportabile l'agonia di migliaia di persone infettate dall'Hiv". Una fiction letteraria? Affatto. Il Sudafrica infatti è atterrato immediatamente sulla *watchlist 301* dei delinquenti economici. Washington avrebbe addirittura pensato di stornare 30 milioni di dollari destinati ad aiuti allo sviluppo.

Davanti al palazzo di giustizia di Pretoria circolano volantini. Accusano il capitalismo sfrenato, il diktat del libero mercato dei ricchi, il disprezzo delle persone da parte delle multinazionali. "Cosa ci interessa della vostra proprietà intellettuale? La nostra gente crepa!", grida un attivista. Gli avvocati ritengono che questo processo possa trasformarsi in una Waterloo e danneggiare moltissimo il credito dell'industria farmaceutica – e ritirano la denuncia. Di comune accordo viene messo l'accento su misure eccezionali del WTO che possano essere messe in atto in caso di una emergenza farmaceutica nazionale. In Sudafrica quest'emergenza esiste. La via per l'importazione e la libera produzione di questi medicinali è sgombra.

La seconda parte della storia inizia una mezz'ora scarsa dopo la sconfitta di Golia. Davide, per conto del Ministro per la Salute (un medico!) Manto Tshabalala-Msimang afferma che la distribuzione di medicinali antivirus, non sia in nessun caso la prima priorità del governo. Troppo poco si saprebbe delle loro controindicazioni e non sarebbe possibile permettersele anche in offerta speciale. A parte questo, il suo paese dispone di medicinali adeguati nella lotta contro infezioni "opportuniste" di cui sono vittime i malati di Aids. Tradotto: le vostre medicine magiche non sono un così buon affare e noi non possiamo darvele. Le prese di posizione del Ministro hanno mandato in collera quelle organizzazioni umanitarie che attraverso una campagna telematica globale estremamente efficiente avevano sostenuto il governo sudafricano. Qualcuno l'ha definita una "coltellata alla schiena".

Forse Sikelela si sarebbe ripreso. Forse avrebbe potuto vivere ancora molti anni se l'orfanotrofio Beautiful Gate avesse avuto a disposizione i preparati antiretrovirali. Il bambino è morto il 16 marzo 2001, alle 12,20. Un paio di giorni dopo la mia visita. Presto la sua immagine verrà appesa alla parete della mensa. La nona immagine.

*

Un gruppo farmaceutico americano ha scoperto il proprio amore per l'Africa e comunica di aver ridotto drasticamente il prezzo dei medicinali anti-Aids che vengono esportati laggiù. Il produttore tedesco Boehringer addirittura si offre di dare per cinque anni a titolo gratuito la Nevirapine, un preparato terapeutico di base. Questo ridurrebbe sensibilmente la possibilità che il virus si trasmetta da madre a figlio. Il governo di Pretoria però, non reagisce all'offerta. Tace, fa il gradasso, batte il tempo e gli esperti sanitari nelle sue fila ripetono quello che il noto parlamentare Peter Mokaba ha affermato. "Questi metodi anti-Aids sono veleno... potrebbero condurre a un genocidio". Bisognerebbe evitare: "Che la nostra gente venga sfruttata come cavie da laboratorio". Frasi del genere in Sudafrica fanno comodo. Perché qui gli scienziati bianchi hanno allevato agenti patogeni nello spirito dell'apartheid, per rendere la popolazione nera sterile oppure mettere in ginocchio le *township*. "*Hiv? It does not exist!*", aveva affermato Mokaba. Il virus non sarebbe stato altro che una finzione e l'Aids un'invenzione delle multinazionali farmaceutiche dei bianchi, che spinte soltanto dalla nuda voglia di profitto, avrebbero voluto costringere i paesi poveri ad acquistare i loro prodotti. Peter Mokaba è morto per le conseguenze dell'Aids. Parks Mankahlana, portavoce del presidente, ha condiviso il suo destino. Ogni compagno di partito lo sa. Nessuno lo dice.

Ci è voluta una sentenza della corte costituzionale per costringere il governo a un cambio di rotta. Il suo rifiuto di permettere i discussi metodi anti-Aids resta uno scandalo. Certo lo sdegno per questa vergogna restringe la visione d'insieme. Si potrebbe ritenere che il problema dell'Aids in Africa possa essere risolto in modo medico. Questa è un'ossessione della medicina occidentale che ha dichiarato guerra all'epidemia e che nella battaglia contro i virus killer le ha scatenato contro i propri *Aids warriors*. Ancora una volta siamo testimoni di un attacco della modernità e ancora le armi del Samaritano – cocktail e preservativi – sono smussate. Un cacciatore tanzaniano una volta mi ha spiegato a che cosa servano i preservativi: per tenere asciutta la canna della sua arma da fuoco nel caso in cui debba guadare un fiume. Quest'uomo ingegnoso non è un caso sporadico. A molti africani non viene nemmeno in testa il perché e il per come della profilassi. Le nostre usanze igieniche sono loro sconosciute. Inghiottono le medicine con acqua infetta. Vomitano il medicinale perché il loro corpo sottoalimentato non è in grado di reggerlo. Lo assumono in maniera irregolare o sbagliata perché vivono in condizioni terribili. Non c'è nessuno che li guidi o che possa controllare come seguano la terapia. Alcuni pazienti rivendono quei medicinali molto cari per limitare la propria povertà. I guerrieri della salute possono, nel migliore dei casi, mitigare gli effetti della pandemia. Davanti alle cause però, non possono fare altro che capitolare. Quando si rendono conto che l'Aids non è solo un problema medicinale, ma anche qualcosa di economico, sociale e culturale, solo allora sono arrivati in Africa. Solo allora sanno che non esiste una soluzione rapida e veloce da attuare con la clava chimica e solo più tardi le tesi del presidente Thabo Mbeki appaiono loro sotto una luce più tenue: il vero nemico è la povertà endemica. Non è effettivamente la causa dell'epidemia, ma prepara il suolo su cui la malattia germoglia.

Ai miei reportage è stato finora rinfacciato di guardare l'Hiv e l'Aids solo attraverso uno sguardo africano, e di ridimensionare l'epidemia in altre zone del mondo. Naturalmente la pandemia minaccia anche gli esseri umani nei paesi benestanti ed è chiaro che l'attenzione in Europa stia di nuovo calando se dalla parte orientale del continente si va verso il centro. In alcune regioni dell'Africa tuttavia, già oggi si è stabilizzata su unità di grandezza che minacciano l'esistenza di intere nazioni. Certo, è vero che il punto di vista di noi cronisti è afrocentrico, e ogni giorno, ogni statistica, ogni studio sul campo non fa che confermarcelo. È possibile però, avere ottimi motivi per dubitare delle statistiche. Molti casi di morte vengono ascritti automaticamente alla categoria dell'Aids, sebbene abbiamo altre cause. Siamo di fronte a un complesso quadro della malattia, davanti ad una sindrome la nostra conoscenza circa le immunodeficienze e le loro modalità interne è ancora, come in passato, lacunosa. La critica allo stato di conoscenza provvisorio e alle opinioni delle scuole di medicina riempie intere biblioteche. Potremmo rileggere lunghi trattati sul "mito Hiv" oppure "sull'isterismo da Aids" e sulla "più grande bugia del secolo". Poi però ritorniamo nella realtà, per esempio a Edenzale, in uno di quelle centinaia di cimiteri che sorgono come funghi nel KwaZulu-Natal. Laggiù un becchino dice che ormai lavora anche di domenica perché altrimenti non ce la fa con lo scavo delle tombe. Un impiegato della sanità potrebbe spiegare come i tantissimi campisanti minaccino di inquinare le falde acquifere. Una vecchia ci chiarirebbe come nessuno riesca a ricordare così tanti morti in un periodo talmente breve. Una spiegazione per questa strage però, la signora non ce l'ha.

Il mondo esterno si comporta così come si è sempre comportato quando si è trattato dell'Africa: con una certa sufficienza. Che devo pensare quando, nel competente dossier sui medicinali contro l'Aids pubblicato dalla *Franfurter Allgemeine Zeitung*, non viene citata neppure in un solo paragrafo la tragedia sudsahariana? Cosa me ne faccio se mi vengono illustrate le complicazioni legate alla terapia HAART? Ho appreso tutto del nuovo superprincipio T-20 che in Africa si possono permettere solo i ricchi e i potenti. Che cosa devo pensare però se paragono le cifre? 600 morti per Aids in Germania nel 2002 – è terribile. Ma quale parola di circostanza dovrei allora adoperare davanti ai 6300 ammalati di Aids che muoiono ogni giorno in Africa? Non me ne viene in mente nessuna. Stephen Lewis incaricato speciale dal segretario generale dell'Onu Kofi Annan per questioni riguardanti l'Hiv/Aids in Africa, durante la presentazione del suo ultimo rapporto annuale ha detto: "L'11 settembre 2001, per un terribile atto di terrorismo, sono morte 3000 persone e, in un paio di giorni, il mondo ha parlato di centinaia di miliardi per la lotta contro il terrorismo… nel 2001 sono morti 2,3 milioni di africani di Aids e c'è bisogno di chiedere l'elemosina di un paio di centinaia di milioni di dollari". Quando l'ex diplomatico canadese è ritornato a New York dopo il suo ultimo tour attraverso Lesotho, Zimbabwe, Malawi e Zambia ha messo da parte ogni ritegno parlando di una specie di "imperturbabilità patologica" e accusando la parte ricca del mondo di *mass murder for complacency*. Liberamente tradotta l'accusa suonerebbe come: genocidio di compiacenza.

*

L'Africa grida, soffre, è indifesa. Le immagini dell'epidemia buttano talmente giù che a volte credo non ci sia più niente da fare. In Sudafrica si sta svolgendo sotto il nome LoveLife la più dispendiosa campagna di prevenzione del mondo. Il governo ha triplicato il budget dedicato all'Aids. In nessun altro paese vengono distribuiti così tanti preservativi. Alla radio, alla tv e nei giornali ascolto e leggo quotidianamente esortazioni insistenti. Sui tetti di lamiere delle *township* vedo immensi cartelloni informativi. Decine di migliaia di cittadini portano il fiocchetto rosso contro l'Aids. Sventola addirittura sulle facciate degli edifici pubblici. Un numero infinito di persone cerca di arginare l'epidemia con mezzi di fortuna. Raccolgono donazioni, si occupano di orfani, curano ammalati, costruiscono reti di aiuto, si sostengono gli uni con gli altri. A Città del Capo, nel sud dell'Africa, in tutto il continente, l'Africa si ribella.

Conoscete persone malate di Aids? Sìììììììììì!!!, risuona dalle gole di trecento bambini. Due ali di edificio, aule aperte e un mobilio da schifo – l'istituto scolastico di Lulama a Soweto. Nel cortile si tiene uno spettacolo. Il pezzo s'intitola *Abangani*, amici. Parla di Aids. Thabo, l'eroe con il nome del presidente, spiega, infrange tabù, smaschera pregiudizi. I bambini sono stupiti. Dopo la rappresentazione discutono con i personaggi di sesso e dell'epidemia in una maniera talmente sfacciata da far arrossire i loro insegnanti. Nyanga Tshabalala, il regista, ha studiato al *muppets show* di New York. Vuole spedire le sue marionette in ogni scuola del paese. "Non c'è scritto da nessuna parte che noi africani ci dobbiamo arrendere di fronte al destino".

Ritorno ancora una volta in Uganda, all'anno 1995, a una piccola capanna di un marrone cannella. Appartiene a Margaret Nalumansi. "La settimana scorsa alcune persone si sono riunite per darmi l'estremo saluto", racconta. "Ho scoperto di essere malata sette anni fa – ma sono ancora qui!". Margaret vive a Kitende. Possiede una mucca, qualche gallina, un boschetto di banani e tanti che l'aiutano: i suoi bambini, gli amici più stretti, un paio di vicini e la consulente sanitaria dell'organizzazione anti-Aids, Taso. Le due donne siedono sulla stuoia di rafia e chiacchierano: della nuova lampada a petrolio, del prezzo del mangime per i polli, della brutta diarrea che sta indebolendo Margaret. Non lo so se quella donna sia ancora in vita, ma quella volta non me ne sono andato sconfitto dalla sua capanna color cannella. Me ne sono andato fiducioso. Dall'epicentro della catastrofe sta crescendo una nuova cultura dell'auto-aiuto, in cui si risveglia la vecchia Africa. Il mondo però percepisce solo il lamento funebre. Anche questa è una maniera di mettere una croce sopra al continente. I primi casi di Aids in Africa vennero registrati in un villaggio di pescatori sull'Ukerewe. Il governo ugandese ha iniziato la sua campagna contro l'epidemia quando gli stati vicini ancora mentivano. Gradualmente l'intera società si è sentita coinvolta, principi della chiesa e leader sindacali, medici classici e guaritori, vecchi dei villaggi e contadine, maestri e la gioventù delle città. Nel frattempo il paese ha cominciato a inviare in tutto il mondo consiglieri sul tema dell'Aids. "Chi siede vicino al fuoco sa quanto esso sia caldo", dice il proverbio. In Uganda il fuoco è stato contenuto. È il primo paese dell'Africa in cui la cifra dei contagi è diminuita in maniera significativa.

La grande speranza nera
Sudafrica: un modello futuro per il continente?

Il paese nel profondo sud. Quello che cogli immediatamente sono i suoi estremi: la sua larghezza e l'estensione ridotta. La vacuità e la pienezza. Il suo essere rigido e la sua inquietudine. La mancanza e il superfluo, l'antico e il moderno. Viaggio attraverso una nazione silenziosa, desolata e all'improvviso mi ritrovo in zone rumorose, disperatamente sovrappopolate. Vedo parchi ricreativi dove non giocano bambini, piscine in cui non nuota nessuno, strade dove non transitano auto e un momento dopo mi sfrecciano accanto minibus talmente carichi che dovrebbe essere loro impedito di circolare. Scopro meravigliosi palazzi con vigne bucoliche e non lontano un mare di tetti di lamiera. Mi ritrovo a fare il paragone fra due scuole non tanto distanti l'una dall'altra: una esplode di alunni, nell'altra ci si perde una manciata di scolari. È un mondo diviso a metà e quando chiacchiero con gli abitanti di una delle due parti, ho l'impressione che parlino di due luoghi distinti, che non s'incontreranno mai, uno nero e l'altro bianco, qualche volta anche di un paese marrone che si trova da qualche parte nel mezzo e non mi meraviglio più se considerano la loro storia attraverso questo filtro cromatico. I bianchi raccontano che tutto è cominciato nel 1652 con lo sbarco di un marinaio olandese di nome Jan van Riebeeck. I neri sottolineano di essere arrivati qui migliaia di anni prima, all'epoca in cui crollò l'Impero Romano e gli europei non avevano ancora nessuna idea dell'Africa. I Khoikoi e i San, gli ultimi indigeni del paese, si possono vedere nelle antichissime pitture parietali che documentano la loro cultura. Quelle pitture hanno 26.000 anni.

Il paese si chiama Sudafrica e le contraddizioni con cui mi scontro dovunque e dappertutto portano la firma dell'apartheid. È una parola che deriva dall'afrikaans, la lingua dei primi colonialisti bianchi, ed è entrata a far parte del vocabolario del mondo. Definisce un immaginario folle, che divide gli esseri umani e il loro spazio vitale secondo criteri razziali.

Il Sudafrica ha 43 milioni di abitanti: 34 milioni di neri, 3,8 milioni di *coloureds*, meticci, 1,1 milioni di cittadini di origine asiatica e 4,5 milioni di bianchi. La loro nazione è una delle più belle e multiformi d'Africa. È sicuramente la più ricca, la più contraddittoria e la più complicata del continente e qualche volta ho l'impressione che diventi tanto più difficile comprendere questo paese e la sua gente, quanto più a lungo ci si viva. Probabilmente tutto questo dipende anche dal fatto che, con il passare degli anni, si perde la distanza perché si diventa parte della società. "Nessuno passeggia impunemente sotto le palme e le opinioni certo cambiano in un paese dove elefanti e tigri sono di casa", postulava Goethe che, è risaputo, non è mai andato oltre la Sicilia. Non so se devo considerare i dieci anni passati sotto le palme sudafricane come una condanna, qui di tigri feroci non ce ne sono e se la mia opinione è cambiata, questo devono essere gli altri a dirlo. Questo paese tuttavia mi ha senza dubbio lasciato delle tracce. Qui sono diventato un bianco. Il colore della pelle è, che lo si voglia o no, un fattore di definizione e di divisione sociale. Come bianco sei parte di una minoranza, sei ritenuto ricco e privilegiato. Come bianco hai paure da bianco. Come bianco, alle volte, ti vergogni e poi, naturalmente, sei anche straniero. Eppure, senza che tu possa farci nulla, sei catturato da quello stato d'animo collettivo che lo scrittore Alan Paton una volta ha così descritto: oggi profondamente pessimista, domani pieno di speranze. Questo dipende da quello stato di sospensione in cui si trova questo paese. Nulla è più com'era, e nessuno sa come sarà. Il Sudafrica è una nazione in divenire, che non ha ancora trovato il suo posto in Africa.

*

La conquista coloniale del territorio alla punta sud del continente, inizia il 6 aprile 1652. Quel giorno viene ricordato negli annali come quello in cui, davanti a Città del Capo, mise l'ancora il *Drommedaris* una nave mercantile della Vereenigde Oostindische Compagnie. L'olandese Jan van Riebeeck avrebbe dovuto costruire sul Capo delle Tempeste, come allora veniva ancora chiamato, una stazione di rifornimento a mezza strada verso Batavia nell'odierna Indonesia. All'inizio non si pensò ad una colonizzazione. Sull'imbarcazione tuttavia, c'erano entrambi i più importanti strumenti del colonialismo: il cannone e la Bibbia. Ai commercianti e ai marinai nel corso dei decenni e dei secoli, seguirono coloni e soldati, amministratori e missionari, avventurieri ed esuli religiosi, cercatori d'oro e di diamanti. Il XIX secolo portò con sé una infinita serie di guerre per il dominio del paese e delle sue ricchezze: gli Zulu contro gli Ndebele, i boeri contro gli Zulu, i britannici contro gli Xhosa, i boeri contro i britannici. Nel 1910, con la creazione dell'Unione Sudafricana, la battaglia per la spartizione si risolse a vantaggio dei signori bianchi. Una generazione dopo questi codificheranno e istituzionalizzeranno ciò che, *de facto*, era già compiuto: la sottomissione dei "nativi", il furto della terra, il saccheggio organizzato e la limitazione di tutti i non-bianchi.

Fu la nascita dell'apartheid, nel 1948. La più terribile oscenità che il colonialismo abbia mai prodotto. Derubò la maggioranza dei neri dei meticci e degli indiani, di ogni diritto, del lavoro, dell'esistenza e del posto in cui vivere, dell'amore, delle scuole e degli ospedali, dei mezzi di trasporto, delle spiagge; le panchine, da allora in poi, furono rigidamente suddivise secondo il colore della pelle. Neppure i morti dovevano mischiarsi fra loro, persino i cimiteri vennero separati. Tutti i popoli sono uguali, ognuno può essere felice a modo suo, proclamarono gli architetti dell'apartheid e riservarono la terra migliore e più fertile per quel popolo che era più uguale degli altri – gli europei. Fra il 1960 e il 1982 nell'ambito del "design etnico", il regime fece deportare 3,5 milioni di persone da territori "bianchi" nelle cosiddette *homelands*, oppure Bantustans; non erano altro che riserve, solo che al loro interno non ci vivevano animali, ma esseri umani. Ogni resistenza alla politica dello sviluppo separato venne eliminata, i "sobillatori" e i loro accoliti, che alla fine decisero per la lotta armata, furono perseguitati, torturati oppure messi in galera a vita. Questo sistema repressivo, doveva resistere sin quasi alla fine del XX secolo.

I singoli segmenti della popolazione non erano, secondo natura, talmente omogenei e "monorazziali" come avrebbero preferito i sostenitori della divisione cromatica. La categoria dei *kleurlinge*, dei meticci, era formata da numerosi sottogruppi. Gli africani appartenevano ad etnie estremamente differenti, ed anche i bianchi erano divisi. C'erano gli anglosassoni e i boeri, dei quali si dice siano un popolo misto: 70% olandesi, 20% franco-ugonotti, 10% tedeschi. I loro discendenti all'inizio del XX secolo condussero una guerra violentissima per l'egemonia in Sudafrica e se ne possono vedere ancora le cicatrici. "Il nero non era un problema, lo avevamo già sotto controllo", mi racconta un collega boero parlando di quando andava a scuola. "Il nostro nemico giurato era il britannico. Non era un vero *burgher*, un vero cittadino, ma una specie di pirlacchione marino". Pirlacchione marino? "Sta con un piede in mare, l'altro sulla terraferma e il suo 'coso', nel mezzo, che ciondola nell'acqua". I veri boeri si vedono come afrikaaner, come membri della "tribù dei bianchi" nel continente nero, mentre gli anglosassoni, ai loro occhi, sono rimasti degli *uitlander* – 750.000 hanno ottenuto sino ad oggi un passaporto britannico e io ancora ascolto nei circoli liberal che l'apartheid è stata un'invenzione di boeri fanatici. Però, non parliamone più, si è vissuto benone e saccheggiato alla grande. Il fatto che Lord Milner, un anglosassone, nella sua funzione di alto commissario della colonia del Sudafrica fra il 1903 e il 1905 abbia fornito ai boeri l'esempio per la segregazione razziale, questo, nei loro libri di storia, non c'è.

I coloni boeri avevano portato la vecchia Europa in Africa. Vivevano in un mondo preindustriale, riempito di una fede salvifica di stampo arcaico cristiano, tagliati fuori dagli sviluppi dell'Europa capitalistica. Solo quando questa Europa fu portata qui sotto forma di imperialismo britannico, quando gli inglesi contesero loro il paese e suoi tesori – oro e diamanti – quando condussero una guerra partigiana contro "quelli dal gonnellino rosso", iniziò la modernizzazione della loro società. Tutte le opere che il nazionalismo boero ha creato nel XX secolo, sono animate dal desiderio di progresso. Le città sono fantasie in cemento armato, i monumenti sono simili a immagini futuristiche, le chiese ricordano rampe missilistiche. Gli ingegneri avrebbero dovuto non solo dare al mondo la migliore tecnologia mineraria, ma perfino lo sviluppo e la produzione della bomba atomica. L'ordinamento politico dei boeri rimase però prigioniero di un sistema razzista che, come all'epoca feudale, divideva i signori dai servi.

D'ora in poi si sarebbe trattato di questo: signori e schiavi, ricchi e poveri, bianchi e neri. È ovviamente una semplificazione di comodo. La realtà sociale naturalmente non si manifesta in modo così manicheo. Non tutti i neri sono poveri e non tutti i bianchi ricchi, oltretutto le relazioni stanno cambiando. Dopo un concerto pop ad esempio, vedo bambini bianchi, scalzi che elemosinano le sciccherie dei neri. Un quartiere della *township* di Soweto, è chiamato Beverly Hills per le sue villone vistose. A Johannesburg e altrove trovo posti come Vrededorp, in cui bianchi impoveriti e disperati, si mangiano l'anima. È sempre esistita una élite delle missioni, nera e colta. Erano maestri, letterati, oppure avvocati come Nelson Mandela. Così come dall'altro lato c'erano bianchi che non sapevano né leggere né scrivere. Oggi incontriamo sconfitti e vittoriosi di quel capovolgimento oltre i confini del colore. Quella parte della popolazione "coltiva" i propri stereotipi razzisti. In mezzo scopriamo tanti toni di grigio. I neri ad esempio, amano citare la frase: "Una volta la nostra pelle era troppo scura. Adesso è troppo chiara". In breve utilizziamo come segni tipici convenzionali quelle descrizioni fatte con l'accetta: "nero" e "bianco".

*

"*Voetsak!*", dice un deputato nel Parlamento di Città del Capo e indica Frederik Willem de Klerk. Fottiti! Generalmente i boeri parlano così con i loro cani. Oppure con i neri. In questo caso s'intende il presidente. Ora lo deve sentire ancora una volta, questo "traditore" che ha liberato Mandela e svenduto la terra promessa ai comunisti. "Per questo ha ottenuto la sua ricompensa di Giuda: il Nobel per la pace!", sibila il deputato. Parla del trionfo dei farisei, di come i bianchi siano finiti in catene e di come il paese sprofondi nelle tenebre. Nelle pause per riprendere il fiato, quando l'oratore si prepara alla prossima frase velenosa, si sente mormorare come un soffio di vento attraverso le fessure dei rivestimenti di mogano. Quasi fosse diventata reale quella parabola che il premier britannico Harold MacMillan annunciò nello stesso posto, nel 1960, quando gli stati africani si avviarono verso l'indipendenza e il "vento del cambiamento" spazzò il continente. Tre decenni più tardi questo vento ha raggiunto anche il Capo di Buona Speranza. Ora cade l'ultimo bastione della dominazione bianca sull'Africa nera e ciò che io vivo in questo giorno di assemblea del dicembre 1993 alla Camera dei Deputati di Città del Capo, è soltanto il canto del cigno di alcuni dinosauri politici che cercano di fermare il corso della storia. Ancora una volta il vecchio, esclusivo duello: *vekrampte* contro *verligte*, reazionari contro riformisti, boeri fra loro. Tutti sanno però che l'apartheid finirà. Il nuovo Sudafrica non si può più fermare.

Allora il mondo parlò di un miracolo. Questo termine viene utilizzato sempre, ogni qual volta ci si attende qualcosa di totalmente diverso: disordini sanguinosi, deportazioni di massa, se non addirittura una guerra civile, seguita da una "balcanizzazione" del Sudafrica. Oppure quando proprio non si riesce a spiegare le cose. Gli storici ancora oggi si scannano sulle cause del cambiamento epocale a Città del Capo. Spesso, ho ascoltato, come tutto ciò sia da ascrivere al deciso operare di due figure politiche fuori dal comune: nella fattispecie, Willem de Klerk, e Nelson Mandela, l'ultimo presidente bianco e il primo presidente nero. Non c'è dubbio che entrambi questi uomini avessero una visione e che si trovarono al posto giusto al momento giusto. La storia però, è qualcosa di più del benefico oppure pernicioso operato di uomini forti. Ci furono una serie di cause concomitanti, di fattori endogeni e influssi esogeni, di correnti collettive e ammissioni individuali, di costrizioni economiche unite a un capovolgimento storico.

Anche se non si trattò di un miracolo, fu comunque un momento magico. Sebbene questo "attimo" per la verità, fosse iniziato con un colpo apoplettico che, nel febbraio del 1989, aveva messo fuori combattimento il vecchio e cocciuto presidente Pieter Willem Botha. Le forze più giovani all'interno del National Party al governo, sfruttarono la debolezza del "vecchio coccodrillo", com'era chiamato nella vulgata popolare, per una rivolta di palazzo. Il pragmatico riformista Frederik de Klerk assunse prima l'incarico di presidente del partito, e solo in seguito quello di capo di stato. Rappresentava una generazione che aveva intrattenuto a lungo contatti segreti con il nemico di sempre: il movimento di liberazione African National Congress, l'ANC. Già sin dal 1985, degli industriali liberal, ebbero dei colloqui con i leader dell'opposizione. Avevano compreso come un capitalismo moderno non potesse funzionare in una società strutturata su base razziale. Quel Sudafrica autarchico che sognava il regime boero, alla lunga non avrebbe potuto sopravvivere ai margini della collegata economia mondiale. Oltre a questo gli anni dello stato di emergenza avevano dimostrato che la divisione razziale non poteva più essere salvata, neppure da un rafforzato terrore di stato. L'apartheid venne confutato dalla forza normativa della demografia: milioni di uomini non accettarono più di essere rinchiusi in recinti e confinati. Presto o tardi i costi della segregazione avrebbero rovinato l'economia. Non si trattò dunque, com'è stato comunemente affermato, del risveglio dell'umanità che avrebbe spinto l'élite bianca al potere a tornare sui suoi passi, bensì le necessità economiche.

Queste necessità vennero velocizzate attraverso una doppia pressione che gravava sul regime: all'esterno con le sanzioni commerciali e politico-finanziarie, le cui conseguenze vengono volentieri banalizzate, ma che invece colpirono duramente il governo. All'interno, dalla ostinata opposizione dei movimenti di liberazione, dalle sollevazioni popolari e dai boicottaggi di massa nelle *township* ormai divenute ingovernabili. Il Sudafrica divenne un reietto della comunità mondiale, completamente isolato, bandito e, quello che maggiormente prostrò i sudafricani, che erano malati di sport, fu l'esclusione dai campionati mondiali e dai giochi olimpici. Alla fine persino gli amici clandestini e i sostenitori non poterono più permettersi di restare al fianco del regime. "Allora il ruolo di Ronald Reagan e Margaret Thatcher venne sottostimato", mi ha raccontato anni dopo Rolf Meyer. "Sono stati loro a convincere de Klerk che così non poteva continuare". Meyer, una volta considerato l'erede di de Klerk, un uomo con conoscenze intime della vita interna del National Party, disse questo a margine di una celebrazione per il giorno della riunificazione, all'ambasciata tedesca di Pretoria – una causa che rimanda a costellazioni geopolitiche che favorirono il cambiamento a Città del Capo.

Dopo la caduta del muro di Berlino e l'implosione dell'impero sovietico, anche la guerra fredda era alla fine e con essa le guerre per procura nel cosiddetto terzo mondo. All'improvviso il nemico giurato, l'eterno comunista e la sua rivoluzione mondiale, era andato smarrito. I cubani si ritirarono dall'Angola. In Mozambico, dopo un'eterna guerra civile, si avviava un processo di pace e anche il movimento di liberazione alla punta meridionale del continente dovette ripensarsi, il crollo del socialismo gli tolse letteralmente la terra da sotto i piedi. Come avrebbe potuto, senza l'aiuto fraterno dall'est, condurre fino alla vittoria una lotta armata, che, a ben guardare, non era stata particolarmente fruttuosa? I radicali di Umkhonto We Sizwe "Lancia della nazione", l'ala militare dell'ANC, volevano continuare a combattere, ma i quadri di Nelson Mandela, pronti al compromesso, ebbero la meglio. Nel dicembre del 1989 uscì un documento pionieristico dal titolo: "*Has Socialism failed?* – Il socialismo è fallito?". Autore: Joe Slovo, il suo ruolo era quello di leader del vietato partito comunista di Città del Capo. Condannò lo stalinismo e si riconobbe in un socialismo moderato che portava in sé evidenti tracce socialdemocratiche.

La caduta del comunismo significò la fine dell'apartheid, dalla Perestroika alla Pretoriastroika: ottantasette giorni dopo la caduta del muro, il presidente De Klerk varcò il Rubicone e fece, letteralmente, saltare le mura della prigione di Nelson Mandela. Lui e i suoi compagni di lotta dovevano essere liberati, il divieto contro i movimenti di liberazione venne tolto. Nove giorni dopo lo storico discorso di De Klerk in Parlamento, Nelson Mandela lasciò la prigione di Victor Fester a Paarl. I tempi bianchi di magra erano finiti.

*

Alcuni cronisti parlarono di una "rivoluzione silenziosa" in Sudafrica. Questo è due volte sbagliato, perché il passaggio di poteri venne discusso a tavolino. Il regime e il movimento di liberazione, rispettivamente la vecchia élite bianca e la nuova dirigenza nera, si trovarono uniti nel riconoscere che nessuno doveva sconfiggere l'altro. Un compromesso storico. La forza popolare dell'ANC e il potere statale del National Party, costruirono assieme il differenziale del capovolgimento. Nelson Mandela e Frederik de Klerk conclusero la loro opera di una vita alla sommità di entrambe queste forze. Loro e i propri partiti dettarono la direzione, il tempo e l'obiettivo del cambio di potere. Non fu un processo rivoluzionario ma riformatore, e non avvenne certamente in maniera indolore. All'esterno della sala conferenze, dove risuonavano le voci della ragione, fui testimone di un interregno sanguinoso. Fra il 2 febbraio 1990, giorno del discorso del Rubicone, e il 27 aprile 1994, quando ebbero luogo le prime elezioni libere, morirono oltre 15.000 persone per il terrore politico. Il

Sudafrica in questa fase di passaggio fu uno dei paesi più violenti della terra; segnato da forti sommovimenti sociali, dai timori del futuro, da visioni catastrofiche, da immense speranze e timori, da atti di pace e da bagni di sangue.

Una legge della politica recita: quando il centro si restringe, si sbriciola ai lati. L'ululato demagogico degli ultras per cui il cambiamento era insignificante oppure eccessivo, scatenò reazioni psicotiche di massa. In molte *township* a farla da padrone furono il terrore e l'anarchia. Molti bianchi lasciarono il paese, perché temevano per la propria vita. Radicali neri di sinistra andavano gridando il motto "Un colono, una pallottola". Sulla *plattenland*, gli estremisti di destra bianchi incitavano alla guerra santa contro comunisti, negri e anticristi.

C'era odore di fieno. Mi passavano davanti sacchi di mais e infiniti campi di girasoli. All'orizzonte crescevano possenti profili di silos: ecco il Transvaal, paese agricolo bianco, cuore dello stato boero. Su di un cartello spiccava in afrikaans: *Hierdie is ons Volkstaat*. Questo è il nostro paese, una creazione autonoma in cui quell'apartheid voluto da Dio doveva continuare. Sui villaggi sventolava la vecchia bandiera di guerra dei boeri. Durante le riunioni dell'Afrikaaner Weerstandbeweging (AWB) si gridavano slogan come "terra o morte!". In molti luoghi i commando boeri si erano uniti a formare una "milizia popolare" per l'ultima battaglia. Come capitale del loro "Stato Popolare" venne scelta Akasia, una città-giardino, carina e spaziosa al margine dei monti Magalies. La cellula locale di resistenza con dei sacchi di sabbia organizzò delle trincee di fronte al municipio. "Il giorno della verità arriverà", dettò al mio taccuino Louis Meynhardt, direttore amministrativo di Akasia. "Siamo pronti a morire per il nostro Sudafrica". Le truppe d'assalto militanti parlavano sul serio. Fecero saltare linee ferroviarie e pali della luce. Bruciarono auto dell'ANC, terrorizzarono avversari politici e intimidirono i riformisti fra le proprie fila. La destra bianca apparteneva alle forze centrifughe fra le più pericolose. Questo lo affermò lo stesso Nelson Mandela in un'intervista che ebbi con lui due anni dopo.

"Avevano piani per gettare il paese nel caos ed evitare così le prime elezioni libere. Non è un segreto per nessuno che disponessero di uomini militarmente meglio addestrati e di armi pesanti. Conoscevano il paese meglio di noi. Avevano costruito le infrastrutture, le strade e i ponti. Controllavano la distribuzione di corrente elettrica e i media, l'esercito, la polizia e le prigioni. Potevano mettere questo paese in ginocchio. Dovevamo assolutamente evitare che provocassero una guerra civile".

Nel KwaZulu-Natal la *reconquista* era davvero riuscita a provocare situazioni prossime allo scontro civile. Gli organi di propaganda degli estremisti trasformarono il conflitto da politico a etnico. Sebbene in questa provincia combattessero Zulu contro Zulu, gli uni al lato dell'ANC di sinistra, gli altri sotto le insegne conservatrici del partito Inkatha, avrebbero rappresentato i loro scontri come "guerre tribali". Fu però la cosiddetta "terza forza" a fomentare le operazioni di questa guerra. Oggi sappiamo che gli squadroni della morte in segreto furono armati e finanziati dall'establishment reazionario nell'apparato dello stato e dell'esercito. Mangosuthu Buthelezi, capo dell'Homeland e del partito Inkatha, inizialmente si oppose a elezioni democratiche. Temeva di perdere la "riserva tribale" che il regime dell'apartheid gli aveva regalato, e, per salvarla, non ebbe remore ad allearsi perfino con gli estremisti di destra. I complotti di questo guerrafondaio tribale non sono mai stati chiariti. Né lo saranno mai più visto che oggi Buthelezi è ministro dell'Interno e presso la fondazione Konrad Adenauer, che lo ha sostenuto per anni perché non era un radicale di sinistra, ma un nero per bene, non si vuol sapere più nulla dei suoi intrighi criminali. Tuttavia non mi sento di escludere che, proprio l'influsso tedesco abbia moderato questo capo tribù Zulu ossessionato dal potere.

Di ritorno da Tokoza, la zona mortale di una *township* dove ogni giorno venivano ammazzate persone innocenti, si raccontava di uno dei più terribili massacri compiuti a bordo di un treno pendolari nel quartiere povero. A KwaZulu di fronte a sei bare di bambini, mi fermai fra coloro che piangevano, molti dei quali erano armati e giuravano vendetta. Com'era possibile restare fiduciosi? In questi anni ho spesso dubitato della riuscita del grande esperimento. Spessissimo però, mi sono imbattuto in persone che allontanavano ogni scetticismo. Persone come Jan Combrinck e George Mokgatle, un agricoltore bianco e un profugo nero. Li ho incontrati a Boon durante il ritorno di una tribù di Bakubung che da qui erano stati trasferiti a forza nella riserva indigena di Boputhatswana. "In questa terra sono sepolti i nostri avi", disse Mokgatle, "i boeri ce l'hanno rubata". Lui e la sua gente avrebbero dovuto attendere 28 anni prima di poterci ritornare e i contadini bianchi avevano fatto sapere che li avrebbero ricevuti con le pallottole. Perché questo era territorio dello "Stato Popolare". Alla fine però, comparve il solo Jan Combrinck a cui apparteneva la tenuta di fianco, che aiutò quelle persone ritornate a casa a costruire strade, scavare pozzi, riparare recinti, c'era molto da fare. "Come Cristo", diceva, "faccio la mia parte per rimettere a posto quanto di sbagliato abbiamo fatto". Di notte gli ultrà gridavano al suo telefono: "Ti facciamo fuori se non passi con noi". Combrinck però era fatto della stessa pasta di cui erano composti quelli che lo chiamavano. Un boero non si fa condurre fuori dalla strada che ha deciso di percorrere – è questo che lo rende tanto simpatico e così insopportabile.

Alla fine l'opposizione degli estremisti di destra si dissolse da sola. Senza un rumore, perché la maggioranza dei bianchi avevano deciso di seguire il loro presidente De Klerk sul cammino della democrazia. L'Afrikaaner Weerstandsbeweging lanciò di nuovo un attacco frontale al World Trade Center di Johannesburg, dove si stavano tenendo i negoziati democratici. Noi cronisti allora, eravamo davanti ai carri armati con cui costoro si erano disposti di fronte alla porta a vetri dell'ingresso e ridevamo – era la caricatura di un colpo di stato. Poi, nel marzo del 1994, ci fu l'ultimo tentativo: 4000 teste di cuoio dell'AWB entrarono nell'*homeland* Boputhatswana per salvare il regime-fantoccio di Lucas Magone da un ammutinamento dei propri soldati; anche questo despota al soldo dell'Occidente, voleva che il suo Banthustan continuasse a esistere poiché questo gli assicurava potere e prebende, ma i soldati in rivolta ebbero la meglio sui mercenari bianchi. Durante la loro fuga nella città di Mafikeng vennero girate immagini televisive che hanno fatto il giro del mondo. Tre boeri in uniforme kaki, feriti gravi davanti ad una mercedes blu, che supplicavano terrorizzati aiuto. "Per favore, santoddìo aiutateci, chiamate un dottore", piagnucolava uno. Saranno le sue ultime parole. Un poliziotto nero arrivò gridando, prese il suo fucile d'assalto R4 e fece fuori quei tre indifesi sul posto. Quella brutale "esecuzione" davanti alle telecamere, fu una scena simbolica della fine dell'apartheid: fu come se essa scaricasse tutto l'odio della gente di colore e fece crollare il mito dell'invincibilità dell'uomo bianco.

Poi, dal 26 al 28 aprile 1994, venne la "madre di tutte le elezioni". – "Vota amato paese!", titolò un quotidiano. E il paese votò – eccome! Le file chilometriche davanti alle urne, la pazienza con cui milioni di persone attesero nel caldo torrido, l'instancabile impegno degli scrutatori di tutti i colori, la serenità della gente – nessuno avrebbe creduto i sudafricani capaci di una tale festa della democrazia. C'erano Madams e Maids, signori e servi, neri e bianchi, meticci e indiani, mischiati assieme in modo talmente colorato e tranquillo come se fosse stato sempre così. In questi tre giorni di elezioni, i sudafricani probabilmente sono stati più vicini fra loro di quanto non lo fossero stati nei trecento anni passati. A Johannesburg, esattamente 22 minuti dopo l'apertura dei seggi si udì un colpo lontano. Fu la prima bomba che in quella soleggiata mattina di aprile esplose all'aeroporto Jan Smuts – e sarà anche l'ultima. Con le elezioni terminarono gli eccessi di violenza e, in questo caso, non si ebbe timore a utilizzare la parola "miracolo".

*

Johannesburg. Avenue Louis Botha. Ore 9,30 del mattino. "Fateci andare a lavorare!". Nell'autoradio sta venendo trasmesso il primo discorso parlamentare di Nelson Mandela: allacciamenti elettrici, titoli di studio, case, lavoro. Il presidente annuncia un imponente programma di ricostruzione. Tutti devono avere il meglio nel nuovo Sudafrica. All'estremo nord della Louis Botha m'inoltro nei meandri del vecchio Sudafrica. A sinistra si va a Sandton City, a destra ad Alexandra. Fra i due quartieri ci sono circa cinque minuti d'automobile. Oppure una mezz'oretta a piedi. O ancora otto semafori. A dire la verità però, distano l'uno dall'altro come le favelas di Rio dalle ville di Amburgo Blankenese[18]. Sandton appartiene di fatto alle più ricche comunità sudafricane. Alexandra alle più povere. A Sandton abitano i bianchi, ad Alexandra i neri, così era stato previsto dalla geometria dell'apartheid. Un fiume asciutto, l'autostrada a sei corsie M1, la zona industriale di Wynberg e quaranta anni di apartheid dividono i nuclei abitativi. La zona-cuscinetto di Wyberg è grigia; qui s'incontrano bianchi e neri. Come sempre, come in quella fredda mattina di autunno. I signori scendevano da Sandton nelle loro Bmw, i servi giungevano a piedi da Alexandra. I primi generalmente, direttori aziendali ben pagati, colletti bianchi oppure esperti, i secondi manovali a buon mercato senza nessuna formazione. Negli autosaloni, nei magazzini, nei mobilifici o nelle carrozzerie, lavoravano assieme. La sera i bianchi tornavano a Sandton, i neri salivano in cima ad Alexandra.

Alexandra: sono migliaia di tetti di lamiera, di legni inchiodati, di minuscole casette di pietra, in mezzo un paio di palazzi-alveare. Non ci sono alberi, non ci sono cespugli, né spazi di verde pubblico. Su di una superficie di circa quattro chilometri quadrati sono stipate assieme 360.000 persone – più o meno quanto gli abitanti di Wuppertal. Il 65% di quelli in grado di lavorare è disoccupato. In settanta circa si dividono un rubinetto pubblico. Si registrano di continuo nuovi casi di colera perché i bambini bevono dal *jukskei*, una fogna che si dirama attraverso il quartiere. Non ci sono canalizzazioni né un servizio regolato di raccolta dei rifiuti. Nell'unica clinica mancano macchine, medicine e personale specializzato; serve, quotidianamente, dai 400 ai 600 pazienti. Le scuole sono un disastro. La criminalità è altissima. Alexandra. Questo è il terzo mondo.

Vado oltre la collina, verso Sandton, e mi trovo di fronte una città-giardino con un vecchio patrimonio arboreo. Tanto verde, parchi tranquilli e campi di golf. Qui, su 142 chilometri quadrati, ci vivono 113.485 persone. Una piazza porta un nome tedesco dei tempi dell'impero, "Lebensraum", spazio vitale. Strutture sportive, campi da gioco, lampioni, il meglio di tutto. La biblioteca per bambini nel municipio di Sandton ha più volumi di quanti non ne posseggano tutte le scuole di Alexandra messe assieme. La Sandton Clinic si occupa di 75 pazienti "esterni", al giorno, ha dieci sale operatorie, inclusa una per interventi di chirurgia estetica, una percentuale di ricoverati del 60%, abbastanza alta per un ospedale di bianchi. Nel mezzo del quartiere si erge la City: palazzi delle banche, grattacieli di uffici, hotel e centri commerciali in stile veneziano che offrono qualsiasi bene di lusso si possa immaginare. Sandton. Questo è primo mondo.

Sandton e Alexandra nel 1994 avrebbero dovuto essere fuse assieme in una grande comunità – per avere un'idea è come se Blankenese dovesse unire a sé una bidonville di Rio de Janeiro. "Noi privilegiati dobbiamo sopportare le maggiori difficoltà della ricostruzione. Altrimenti come sarebbe possibile far uscire Alexandra dalla povertà?", diceva Willem Hefner che qui offendevano chiamandolo disertore e traditore. Hefner di professione faceva il consulente aziendale e a Sandton era consigliere comunale, lui bianco, in quota all'ANC. Lo incontrai al caffè Gazebo dove le Madams sprofondavano in poltrona, sfinite dalla manicure, dai massaggi al viso e dalla prova-abiti. Mentre sorbivano gli antipasti, ostriche che arrivavano fresche da Knysna, ad Alexandra 38.000 affamati facevano la fila per un piatto di zuppa. Hefner parlava di ridistribuzione. Come doveva accadere? "Attraverso tasse e imposte". Si sarebbe dovuto di nuovo tassare il valore unitario di tutti i terreni e degli immobili e tutte le entrate, senza esclusione. "I sandtoniani hanno il reddito pro capite più alto del paese". Inoltre si sarebbero dovuti introdurre prezzi di consumo scaglionati. Il signor Smith di Sandton, se voleva irrigare il suo giardino grande come un campo di calcio, avrebbe dovuto pagare, la signora Mnisi di Alexandra, che aveva bisogno di due secchi d'acqua al giorno sarebbe stata ricompensata con tariffe più basse. Idee socialiste come queste mandavano in bestia altri consiglieri comunali. Costoro parlavano di una politica tributaria basata sull'invidia sociale. Quando Jay Naidoo, un economista politico precursore dell'ANC scherzosamente consigliò una "tassa sulle piscine", nelle ville di Sandton squillarono le sirene d'allarme. "Ci saranno ancora dure battaglie", profetizzò Hefner. "Queste persone non vogliono dividere", ma avrebbero dovuto imparare a farlo perché non avevano il vantaggio dei cittadini benestanti dell'emisfero boreale per i quali la povertà nel sud del mondo è qualcosa di astratto e lontano – per loro questa iniziava davanti alla porta di casa e si sarebbero dovuti ricordare sempre dell'ammonimento del grande industriale Anton Rupert: "Se quelli non hanno nulla da mangiare, noi non possiamo dormire". Perché Sandton/Alexandra è dappertutto in Sudafrica.

*

L'anno della svolta non era ancora finito che già nel popolo si ascoltavano le prime voci di scontento, certo abbastanza flebili, ma non tanto da non essere udite dai delegati dell'ANC riuniti nel dicembre del 1994 per il congresso del partito. Come luogo della conferenza venne scelto Bloemfontein, una località simbolica. Fu qui che, nel 1948, le vergognose leggi dell'apartheid vennero benedette al livello più alto, qui i leader neri nel 1912 fondarono il South African Native National Congress, antesignano dell'ANC. Un giovane delegato, Mzwani Sono, di East London, riportò quello che era l'umore della base: "La gente si aspetta che noi compiamo le nostre promesse elettorali. Stanno lentamente perdendo la pazienza". Dov'erano i posti di lavoro? Dove le nuove case? A quando l'allacciamento dell'acqua?

Queste domande venivano fatte sempre più spesso nelle *township*. Allo stesso tempo si diffondeva la *culture of entitlement*, una convinta cultura del pretendere. Dopo aver sofferto così a lungo si voleva tutto, e, possibilmente, gratis. In fondo i *comrades* al governo e nel parlamento già ne approfittavano. Si procuravano in modo davvero sfacciato prebende, stipendi ministeriali, auto di servizio, voli gratis ed esenzioni fiscali. Erano saltati sul *gravy train*, quello che potrebbe essere letteralmente tradotto come il treno della cuccagna. Costoro attingevano a piene mani alla mangiatoia statale.

Questo modo di fare, avrebbe dato meno fastidio se ai cittadini, dopo tanti anni di magra, fosse andata un po' meglio e avessero ricevuto qualche briciola di quel benessere e se non fosse stata rafforzata l'impressione che, per i bianchi benestanti, quello spirito di pacificazione fosse all'acqua di rose. Di fatto questi, non avevano di che lamentarsi, lo scenario apocalittico descritto in *July's People*, l'unico romanzo realmente riuscito di Nadine Gordimer, non era diventato realtà. Nessuno li aveva respinti in mare. Nessuno aveva sottratto loro ville e fattorie, azioni e piscine, la maggior parte di essi godeva ancora, come in passato, di uno stile di vita opulento. Era stata loro risparmiata una perequazione degli oneri e il governo non aveva voluto imporre una tassa di solidarietà secondo il modello della Germania riunificata – una grave dimenticanza come si analizzerà in seguito. Nonostante tutto questo i bianchi temevano per i loro privilegi e iniziavano a lamentarsi: che ne sarà di noi sotto un governo di neri che di fatto non governa per niente?

La *honeymoon*, la luna di miele dopo la "madre di tutte le elezioni" era già finita. A Bloemfontein ascoltai quella cantilena che d'ora in poi avrebbe accompagnato in Sudafrica, quel coro dissonante fatto delle convinte attese dei neri e degli eccessivi timori dei bianchi.

Risse di massa, barricate in fiamme, nuvole di gas lacrimogeno, ambulanze che sfrecciano, un campus universitario distrutto: scene come una volta nel maggio del 1968 a Parigi all'epoca delle rivolte studentesche. Si sono realizzate al Vaal Triangle Technikon presso

Johannesburg. Puntualmente, nel primo anniversario del nuovo Sudafrica, i neri sono andati contro i bianchi, colleghi universitari armati di mazze da baseball e fruste si sono scontrati fra loro. I disordini hanno mostrato quanto fosse fragile la società e quanto rapidamente potessero divampare conflitti razziali. Gli studenti bianchi hanno difeso i loro antichi benefici, i neri lottato per nuovi diritti. I primi avevano paura che venisse loro sottratto troppo. I secondi di ricevere troppo poco.

*

Il popolo non si scervella troppo sugli sforzi e sugli obblighi del governare. Nell'apparato statale nidificano i burocrati del vecchio regime, i vecchi impiegati pubblici sono spesso incompetenti e pigri, non si tratta più di uno stato a cui debbono lealtà. Ai nuovi colletti bianchi manca invece la conoscenza specifica per riuscire a realizzare i loro piani ambiziosi nella realtà. Così si verifica una situazione straordinaria per un paese in via di sviluppo, nel senso che c'è più denaro di quanto ne possa essere speso. Ci sono stati esercizi finanziari in cui dai ministeri chiave come quello della Cultura, della Salute e del Sociale sono avanzati miliardi per i progetti; nel linguaggio tecnico si dice che non è possibile implementare i mezzi perché mancano le strutture per la suddivisione e delle forze competenti. Più mi spingo ai margini dello stato, dal governo centrale passando attraverso le amministrazioni provinciali sino alle comunità rurali, tanto più i rapporti diventano pietrificati. Come si potrebbe in una cittadina come Hoopstaad smaltire i lasciti dell'apartheid? Hoopstaad, un posto polveroso e desolato nell'Orange Free State è, per quanto riguarda formazione scolastica, salari e aspettativa di vita, il luogo dove le sperequazioni sono più stridenti nel nuovo Sudafrica. Su di una scala da 0 a 1, i neri ottengono un valore di 0,09 mentre i bianchi hanno uno 0,99, undici volte di più. Se domando a un bianco quanti abitanti abbia Hoopstaad, ci risponderà: 2500 circa. I neri non contano. Non sono cittadini. Tikwana è la loro *township*, la cerco inutilmente sulla cartina geografica. È la sorella invisibile che l'apartheid ha partorito vicino ad ognuna delle città dei bianchi, quella *lokasie* degli africani, ben separata, è un conglomerato di baracche di lamiera nonostante il fatto che i bianchi facciano come se la *township* non esistesse – gli stessi suoi abitanti vengono percepiti come una massa sospetta. A Tikwana nel 1985 ci vivevano 2000 persone. Dieci anni più tardi saranno 12.000. La maggior parte di loro non ha un lavoro, né terra e nemmeno futuro. Se solo escono dalle loro capanne si ritrovano sui possedimenti dei latifondisti bianchi. Ollie Botes possedeva undici fattorie, 3600 ettari ed era un multimilionario. Mi spiegherà: ma che cosa vogliono questi signori? Ogni baracca nella *township* ha acqua e corrente, al centro c'è una clinica e al confine del quartiere un ospedale e sulle terre delle mie fattorie ho fatto costruire due scuole ed è stato progettato un asilo-nido. La gente qui vive meglio che in qualsiasi altro posto in Africa, mi avrebbe detto Botes, dia uno sguardo al nord. Se penso alle cinture di povertà di Nairobi, Kinshasa o Lagos, sarei quasi tentato di dargli ragione – una *township* in Sudafrica, se paragonata a questi slum, a queste fogne, sembra un insediamento dignitoso.

Questo paragone però non aiutava molto gli abitanti di Tikwana. Costoro vedevano come le risorse venissero suddivise in maniera ingiusta e come le cose, in fin dei conti, non è che fossero cambiate granché. A che serviva allora che il governo stabilisse i minimi salariali per i 930.000 lavoratori agricoli? Questi non potevano comunque pretendere nulla perché il *baas,* il padrone, minacciava di cacciarli via. Il Ministro del Lavoro Membathisi Mdladlana avrebbe proposto per questo stato, 400 rand al mese, decisamente troppi per il latifondista locale. In fondo le famiglie già vivevano gratis sui suoi possedimenti, potevano far pascolare i loro armenti e, come se non bastasse, ricevevano un sacco di mais al mese e tutto d'un tratto avevano persino la sfrontatezza di chiedere al loro padrone ogni quattro settimane il corrispettivo di 40 euro!

I lavoratori agricoli neri e meticci erano ancora in uno stato che ai moderni europei ricorderebbe quello della servitù della gleba. Un giorno o l'altro però, la loro pazienza si sarebbe esaurita ed era questo che d'altro canto nutriva la paura dei possidenti: sospettavano che potesse accadere come in Zimbabwe dove i senza terra, incitati da un governo criminale, hanno massacrato contadini bianchi e si sono semplicemente impossessati dei loro possedimenti. La cosa sarebbe potuta anche accadere alla chetichella, come nel caso della fattoria Modderklip vicino a Benoni. Prima un pugno di famiglie si erano stabilite in un angolino dei 2600 ettari di possedimento tenuto a maggese, ben presto sarebbero diventate un paio di centinaia, cosiddetti coloni selvaggi. Nel frattempo la loro cifra è cresciuta sino a 40.000 persone. Il proprietario parlava di esproprio. Dove dobbiamo andare? Lo stato stava a guardare sebbene la legge parlasse chiaro: l'occupazione della terra in Sudafrica è illegale e non viene tollerata. A Modderklip però, gli occupanti erano diventati troppi per far rispettare una deliberazione dell'Alta Corte e limitarsi a deportarli. Oltretutto il governo non avrebbe accettato di buon grado di farsi accusare d'essere privo di scrupoli esattamente come il regime dell'apartheid. La minaccia del proprietario di Bredell, i cui ripari di fortuna erano stati sgomberati, riecheggiava nelle loro orecchie: "Ci vorrebbero i bulldozer".

La terra ha un significato mitico. Nutre l'uomo e l'animale, crea benessere e rafforza un'identità culturale. È l'eterna patria degli avi che guidano la storia di quelli che sono venuti dopo. *Mayibuye iAfrika!* Torna Africa! Canta la gente la cui terra è stata rubata. Canta da oltre novant'anni, dal 1913, l'anno della promulgazione del Native Land Act che degradò i *natives* a nullatenenti. Da allora l'87% di tutti i campi è in mano bianca. La richiesta di terra è uno dei problemi su cui si deciderà il futuro del Sudafrica, al governo questo va ricordato, ha lottato nello spirito del Freedom Charter, in cui, già nel 1955, era stata pretesa la restituzione della terra. Nonostante tutto però, si deve riconoscere che il programma di riforma agraria sudafricano sia stato uno dei migliori mai sviluppati da un esecutivo. Dei 68.878 *claims* – si tratta di richieste di restituzione o indennizzo – alla fine del 2002 ne erano state evase pur sempre 36.279. Il tutto però va per le lunghe e l'esercito dei senza terra cresce costantemente.

*

Genadendal, la sede ufficiale del presidente a Città del Capo. Il padrone di casa entra nel salone. Non è un po' curvo? Non sembra più anziano, più invecchiato, spossato? Più si avvicina più la prima impressione si dilegua. Davanti a me c'è un uomo alto, forte e virile. Indossa qualcosa di comodo, come sempre: pantaloni di lino bianchi e una delle sue camicie etniche, marrone arachide con ornamenti neri. Una stretta forte, come quella della grossa mano di un muratore, e un sorriso impagabile. Poi si accomoda in una poltrona sotto a un dipinto che raffigura donne indiane che indossano dei sari rosso cinabro: Nelson Mandela, presidente del nuovo Sudafrica, è pronto all'intervista.

Sono talmente eccitato che non ricordo più la prima domanda. Allora Mandela chiede: "Che età aveva Adenauer quando diventò cancelliere?" – 73 anni esatti – "Aha". Quando si fece da parte – a 87 anni – non gli interessa per niente. Ed eccolo lì di nuovo. Uno strano campo di forza. Un'aura pulsante, irresistibile, circonda quest'individuo. È come se lo conoscessi da lungo tempo. Come un vecchio amico del quale condividessi preoccupazioni e speranze, qualcuno che mi toglie tutto quello scetticismo che il lavoro mi instilla. Allo stesso tempo però, in questo campo di forza, si forma anche una strana distanza. Mandela sembra una stella lontana, sconosciuta, un mito inavvicinabile, intoccabile, quasi irreale, congelato in un'icona della storia.

Nato nel 1918, cresciuto nella tranquilla Transkei, pastore di capre, scuola delle missioni, pugile, avvocato nel primo gabinetto legale nero di Città del Capo. Poi l'opposizione pacifica, la lotta armata, la condanna all'ergastolo, 27 anni di galera. Il rilascio nel 1990 e l'elezione a presidente nel 1994. Ogni persona informata di questo mondo conosce il destino di Mandela, ogni alunno di scuola nero, in Sudafrica, può elencare le tappe della sua vita. Probabilmente alla fine del XX secolo non esiste nessun altro politico su cui sia stato scritto di più. Eppure della sua personalità conosciamo abbastanza poco: aspetto e modo di camminare, abitudini, modo di gesticolare e retorica, gli occhi di Mandela, il sorriso, le rughe e i pugni. Tutto letto mille e una volta. Eppure, instancabilmente, i dietrologi cercano sempre qualcosa di nuovo. Per riuscire a carpire da apparenze esterne, qualcosa del suo essere interiore. Che cosa ha reso quest'uomo talmente orgoglioso e inflessibile? Da dove prende la sua certezza? Da dove la forza per il perdono? Perché l'odio e lo spirito di vendetta non lo hanno divorato? La chiave per questo carattere enigmatico, si trova sull'isola-prigione di Robben Island. Lì, in maniera invisibile, aveva adattato a sé stesso quel muro che il regime gli aveva costruito attorno. Contro di esso si erano infrante tutte le umiliazioni e le offese. Questa barriera crebbe così alta che nessuno avrebbe più potuto guardarci oltre. Mandela nella sua autobiografia ha accennato al fatto che non era importante che cosa ci fosse da vedere laggiù. Lui è rimasto fedele all'idea per cui ha combattuto tutta la vita: il superamento dell'apartheid e il riconoscimento dei neri come uomini e cittadini. Il detenuto Nr. 466/64, rinchiuso all'età di 46 anni e rilasciato a 74 ha superato illeso gli anni di detenzione perché nemmeno per un attimo ha dubitato di sé e della sua missione: "Noi consideravamo la lotta in prigione come un microcosmo della lotta nella sua totalità". – "Era la quintessenza della nostra opposizione", mi ha raccontato una volta Indres Naidoo che aveva trascorso dieci anni sull'isola come detenuto numero 885/63. "Ci siamo rinfrancati guardando Mandela".

Un giorno, in quegli anni senza fine, i detenuti rappresentarono l'*Antigone* di Sofocle, un'opera sulla rivolta dell'individuo contro lo stato ingiusto. Il saggio sovrano Creonte nel corso dell'assedio di

Tebe si trasformava in tiranno. Antigone gli si rivoltava contro perché costui aveva negato di dare degna sepoltura al di lei ribelle fratello Polinice. "Antigone si rifiuta perché c'è una legge più alta di quella dello stato", scrisse Mandela, "lei (Antigone) era il simbolo della nostra battaglia". I secondini non immaginavano neppure che, dietro il paravento della tragedia greca, i detenuti condannavano il sistema dell'apartheid. Allora Mandela interpretò Creonte. Un ruolo sulla fallibilità del potere.

Che dice? Lo statista più in vista del nostro tempo? La vecchia signora mi guardava incredula. Un attimo dopo le presero i cinque minuti: "Mandela, il vostro santo, ha rovinato questo paese!". E la sua politica della riconciliazione? "Non avrebbero mai dovuto lasciarli liberi questi terroristi!". La donna si agitava come una furia nel suo negozio di occhiali e probabilmente mi avrebbe preso a ceffoni se non fossi stato un affezionato cliente. "Voi stranieri non sapete nulla dello schifo di qui!". Lo schifo di qui: il nuovo Sudafrica. Cinque anni dopo la caduta dell'apartheid. Due giorni dopo un mare di bandierine nere, rosse e verdi, gruppi di ballerini che cantavano e battevano i piedi. La gioia che fuoriusciva da mille gole: evviva l'ANC, *Siyabonga*, Madiba! Grazie, Mandela! L'umore davanti al municipio di Johannesburg era così allegro, quasi come quella volta nell'aprile del 1994, alla vigilia delle prime elezioni libere. Unica differenza: nella massa che celebrava rumorosamente Nelson Mandela, di visi pallidi se ne vedevano pochi.

Un paese, due nazioni: da una parte l'anziana signora bianca, con il suo timore del futuro, la sua amarezza. Dall'altra le giovani masse nere, ottimiste e impazienti. Nel mezzo invidia, diffidenza, un sottile razzismo e un presidente che infaticabilmente gettava dei ponti – anche se gli inconciliabili non volevano metterci piede. In segreto i bianchi sono stati tutto sommato felici di essersela cavata senza danni. Prossimamente il vecchio avrebbe preso cappello e loro, i bianchi, temevano che gli sarebbe mancato: un predicatore della riconciliazione, che, in nome della pace sociale, non aveva toccato i loro privilegi. La loro psicosi ansiosa si chiamava *After Mandela*. Che ne sarebbe stato di quel bel Sudafrica una volta che lui fosse scomparso? Avrebbe fatto una misera fine come il resto dell'Africa? Esisteva la minaccia di una dittatura del partito unico? I bianchi la vedevano nera – come se dopo Mandela il futuro dovesse terminare.

Lui era là, sul podio dell'oratore. Lui era Nelson Rolihlahla Mandela, la vecchia quercia. Nodoso, un po' malfermo, ma che non si spezzava. Era la cinquantesima conferenza dell'ANC e sempre lui, prendendo congedo, fece la morale ai *comrades*, ai compagni. Il partito celebrava la sua compattezza eppure, dietro le quinte, le risse ideologiche non si potevano più nascondere. Tecnocrati e tradizionalisti, riformisti e radicali duellavano all'ultimo sangue. C'erano i giovani, risoluti neoliberisti che intonavano il requiem del socialismo, mentre i comunisti tutti d'un pezzo censuravano aspramente la svendita della rivoluzione – una rivoluzione che non era mai stata tale. La libertà politica, su questo erano tutti d'accordo, era stata conquistata. Si trattava ora di ottenere la giustizia sociale. Sotto Nelson Mandela è stata compiuta la prima tappa; davanti al suo erede, Thabo Mbeki, c'era la seconda da compiere, un percorso impervio.

Due terzi dei sudafricani vivono al di sotto della soglia di povertà. La metà sono analfabeti. Una devastante pandemia sta decimando la popolazione. Ben oltre il 40% delle persone non ha un lavoro. Il governo Mbeki non è da invidiare per il compito che si trova davanti, ma ha una chiara strategia che sembra dedotta da un manuale neoliberista: privatizzazioni, deregulation, mercati aperti, modernizzare un'economia che ormai ha segnato il passo. Il Sudafrica dev'essere in grado di competere sul mercato mondiale per poter produrre quel benessere in grado di livellare gradualmente le sperequazioni sociali del paese. Tutto questo sono costretti a farlo il governo di coalizione e i suoi alleati, i sindacati e il partito comunista. Il corso prescelto all'inizio non crea posti di lavoro, ma anzi li distrugge. Fino al 2000 il Sudafrica ha perso mezzo milione di impieghi. I capitani d'industria però, plaudono il governo. Nemmeno cinque anni fa avevano immaginato scenari ben peggiori, con nazionalizzazioni, dirigismo ed altre ricette di scuola socialista, adesso invece il presidente e il suo staff si dimostrano strateghi conservatori e appassionati globalizzatori! All'ennesimo attacco a Mbeki da parte della sinistra, lui ha risposto freddo: "Potete chiamarmi thatcheriano".

Le cose però non vanno così lisce come il governo si augurerebbe. Il concetto di *Black Economic Empowerment*, ad esempio, soffre della contraddizione per cui l'impresa africana vorrebbe creare capitale, e, allo stesso tempo, distribuirlo alle masse. Pochi si arricchiscono velocemente. Molti sbattono il muso sulla *New Economy*. La "borghesia nera", di cui parla Mbeki, non si può creare per decreto ministeriale. Una parte della nuova élite segue l'esempio dello strato benestante bianco e si arricchisce senza scrupoli con il bene pubblico. Dal fondo per le mense scolastiche sono scomparsi milioni. Agli "amici" sono stati concessi contratti da favola. Nella vulgata popolare un modello di fuoristrada è stato chiamato "Yengeni", dal nome di un corrotto alto papavero dell'ANC che, in qualità di presidente della commissione difesa, aveva ricevuto da un'azienda tedesca di armamenti uno di questi mezzi a prezzo "di favore". Così l'avidità ha la meglio sul bene comune. Il richiamo di Mandela di fronte ad una "classe di parassiti" non era stato senza motivo. "Questi se ne fregano delle masse di poveri, disoccupati e della gente senza un tetto sulla testa!", ha detto James Matthews, il rabbioso poeta delle periferie, a proposito dei nuovi ricchi. Sono riusciti a salire ai piani alti della società e si sono dimenticati di come si sta sotto. Chi può li imita. Si eredita una poltrona nel governo, un buon posto nella libera economia oppure lo scranno di funzionario in un'associazione – e chi più ne ha più ne metta. "Ma che cosa ti aspettavi?", mi aveva ammonito Nyanga Tshabalala, un mio amico di vecchia data di Soweto. "Dobbiamo recuperare il tempo perduto. Abbiamo fame di case, automobili, telefoni, frigoriferi, di tutto quel benessere che ci è stato finora sottratto. *This is a material society*".

Una società materialista in cui vengono scavati nuovi fossati fra ricchi e poveri. Una volta questi fossati dividevano le razze. Oggi dividono le classi sociali.

*

Una rapina in banca. Un tentato omicidio. Tre rapine. Due morti e un paio di feriti gravi. Era stato un turno tranquillo per i due poliziotti che ho accompagnato una notte a Johannesburg. In qualità di membri delle forze speciali erano abituati ai crimini violenti. A tutt'oggi non sono riuscito a togliermi dalla testa alcune immagini di quella notte. Per esempio lo sguardo di quel mendicante nero che si dissanguava per strada, e i cinque ragazzini che sorridevano innocenti; gli avevano fracassato il cranio con una mazza da cricket da un'auto in corsa; *kaffir bashing*, ecco come si chiama la "caccia al negro", un ameno passatempo di ragazzi bianchi perduti. O ancora l'istantanea di quel padrone di casa che con l'orgoglio di un avventuriero da caccia grossa indicava lo scassinatore ammazzato. Lo aveva freddato venti minuti prima. "Bel colpo", si era complimentato il sergente: "Dritto al cuore". Il morto, un ragazzo di colore, giaceva dietro al lettone. Era disarmato. Nel corridoio aveva accatastato la refurtiva: uno stereo impolverato e quasi privo di valore. A fianco, nella camera dei bambini, c'erano trenta paia di scarpe messe in bell'ordine. Appartenevano alla figlia di due anni del preciso tiratore. "*I'ts a jungle out there*", disse il suocero. La città là fuori era una giungla. E adesso c'era una bestia di meno.

È così che la vedono molti cittadini bianchi e se diamo un'occhiata alle statistiche riusciamo anche a capire perché. Johannesburg è una delle città con la più alta criminalità al mondo. Il Sudafrica è una delle società più violente che esistano. Ogni sei minuti si verifica un furto. Ogni 18 minuti uno stupro. Nel 2002 sono state assassinate 21.000 persone. Non passa giorno senza che a un incrocio non si verifichi un *carjackings*, un sequestro di automobili armi in pugno.

Spesso il guidatore della macchina ci resta. Nei colorati ghetti di Città del Capo le gang conducono vere e proprie guerre. Nella sola settimana in cui ho scritto queste righe, sono stati ammazzati cinque ragazzi in età scolare – erano capitati in una sparatoria. Fuori dei centri abitati, nelle fattorie sperdute, vengono uccisi i contadini bianchi. Nel 1999 ne sono morti 809. Davanti a queste cifre da panico ci si dimentica spesso che il 95% delle vittime vive nei ghetti. Anche in ciò che riguarda la percezione dei crimini si riflette la lezione razziale. C'è una grande differenza se i morti sono neri oppure bianchi. Mentre l'assassinio di nove lavoratori migranti neri a Soweto non era riuscito ad avere un titolo, neppure in cronaca, sui giornali locali, l'uccisione di un manager tedesco aveva avuto le aperture nella sezione internazionale.

È possibile comprendere come si senta la gente, guardando le loro case – sono dei fortini. Chi può permetterselo si costruisce muri di cinta, sbarramenti di filo spinato, reticolati elettrici, telecamere, barriere fotoelettriche, sensori a infrarossi, proiettori luminosi e sirene. Davanti agli ingressi i cartelli delle compagnie di vigilanza privata avvertono: *Armed response* – qui si spara! I commando di guardia vengono chiamati con il *panic button*, il bottone d'emergenza. Padri di famiglia preoccupati entrano a far parte dei *block watch*, vicini di casa, di quartiere che effettuano ronde per bonificare la zona da "elementi criminali". Spesso si tratta di persone di colore che non c'entrano nulla. Le padrone di casa fanno schede con le impronte digitali di giardinieri, collaboratrici domestiche e gente che fa loro dei lavoretti, per darle se serve alla polizia. Ai portoni d'ingresso scopro dei feticci; dovrebbero spaventare ladri superstiziosi. La cartina della città è inutilizzabile dato che alcuni quartieri non sono percorribili. I loro abitanti hanno chiuso tutte le vie d'accesso. Dietro i blocchi stradali alberga la paura.

Eppure in questo paese, che la violenza non rende certo più bello, uno ci resta. La violenza è come un'ombra che ti accompagna. Anch'io sono stato derubato più volte. Una volta due persone armate di pistola e coltello hanno cercato di rubarmi l'auto a un incrocio buio. Anch'io ho preso le mie precauzioni: sistemi d'allarme, porte blindate, sirene, un servizio d'ordine pronto a sparare. Quando guardo attraverso le grate della mia finestra, a Johannesburg, qualche volta ho l'impressione di stare in una prigione che mi sono scelto volontariamente.

Chi riconduce gli eccessi criminali alla perversa sperequazione sociale però, semplifica troppo i fatti. È ovvio che ci sono persone mosse dalla povertà e dalla fame. La maggior parte però, sono guidate dalla pura cupidigia. Spesso sono organizzate in bande comandate da uno stato maggiore e molte volte collaborano con poliziotti corrotti. Le reali cause della debordante criminalità risiedono nella devastazione morale e sociale che l'apartheid ha lasciato dietro di sé, nella scarsa considerazione per la vita umana, della proprietà, delle leggi. I ghetti, per anni terrorizzati da "forze di sicurezza" bianche e dai cosiddetti *Self Defense Units* sono degenerati in luoghi senza diritti. Informatori veri o presunti del regime in passato cadevano vittime di una brutale giustizia sommaria. Ancora oggi i poliziotti vengono visti come sgherri di uno stato ingiusto. I bianchi non hanno più avuto fiducia nella polizia perché questa non riusciva a fare il suo lavoro. Secondo gli esperti di sicurezza, dopo l'eliminazione di quel-l'ordine repressivo è sorto una specie di vuoto che ha eroso l'autorità delle istituzioni pubbliche. Ma come poteva crescere la fiducia se polizia e magistratura non sono messi in condizione di fare il loro lavoro? Gli impiegati vengono formati in maniera miserabile, sono sottopagati, carichi di compiti e spesso corruttibili. Un poliziotto su tre non sa né leggere né scrivere. Molti non hanno neppure la patente. In un anno normale sono circa 200 i membri delle forze dell'ordine uccisi in servizio. Uno studio del 1997 affermava che, ogni 1000 crimini, ne venivano denunciati solo 450. In 100 casi i giudici hanno emanato delle sentenze e 77 colpevoli sono stati condannati. Di questi 36 sono finiti dentro, solo otto però hanno avuto pene detentive di due e più anni. Otto su 1000.

La violenza impregna la società sudafricana come un veleno paralizzante. Al presidente viene rimproverato di aver minimizzato la criminalità. Quando, durante un'intervista nell'ottobre del 1998, chiesi a Thabo Mbeki che cosa lo preoccupasse di più, questi rispose senza indugiare: "L'assenza di valori morali". Questo vale per ogni gruppo di popolazione e soprattutto per quel segmento di età che provoca, in tutte le società, le emicranie maggiori: i giovani uomini fra i 15 e i 30 anni. Neri, meticci, bianchi, tutti hanno lo stesso distruttivo potenziale: menare le mani e ubriacarsi. Amano le sparatorie e le auto veloci. Il loro ideale è quello del macho. Nelle *township* le "generazioni perdute" non hanno imparato molto, a parte combattere. Non ascoltano più i loro genitori, i maestri, l'autorità. Che cosa potrebbe offrire loro la morale? A stare a cuccia, a sopportare, a sperare. Ogni giorno questi ragazzi vedono in tv tutte quelle icone consumistiche che non possono permettersi. Il modello più in voga è quello del *tsotsi* di successo, il gangster, quello che queste cose se le va a prendere – e non si ferma davanti a niente, neppure se deve derubare o ammazzare i suoi stessi fratelli.

In passato l'aggressività dei giovani veniva assorbita dall'opposizione al regime, oggi si scarica contro donne, fidanzate, madri, sorelle o sui propri bambini. L'uomo di colore, che non conta nulla, può far sentire sui deboli quel po' di potere che ha. L'uomo bianco, di fatto il boero, non si comporta in maniera diversa, ora che non è più il boss che non può più permettersi tutto quello che vuole. Vive tutto questo come qualcosa di castrante. Si comporta com'è stato abituato sin da piccolo: "A casa si parlava con il pugno", ricorda lo scrittore Henk van Woerden. Nella vita di ogni giorno quello che valeva era "la quotidiana grammatica del fucile e della pistola". In questa condotta si è impressa una mentalità da frontiera, quella stessa che ritroviamo in America, Australia o Nuova Zelanda. Ecco perché quelle terre sono i luoghi preferiti dell'emigrazione dei sudafricani bianchi. Non c'è bisogno di stato né ordine. La legge la si regola da soli. Qualche volta con furore omicida. Il diritto a portare con sé un fucile, per molti sudafricani, è sacro come può esserlo per i texani. Il popolo è in armi. A Città del Capo ci sono circa tre milioni e mezzo di armi da fuoco in mano privata.

Di regola i sudafricani bianchi sono gente aperta, pronta ad aiutare e con un buon *sense of humor.* Meravigliosamente spensierati e per nulla complicati e la loro ospitalità, alle volte, è talmente irruenta che quasi si rischia di restarne travolti. Ci sono giorni però, in cui uno maledice il loro paese. Giorni in cui si preferirebbe prendere il primo aereo e ritornare nella buona, vecchia, civile Europa. Giorni come quello in cui stavo viaggiando sull'autostrada che dall'aeroporto di Johannesburg conduce in centro. Sulla corsia di sorpasso un pick-up Toyota quasi prese il mio paraurti. Per un mio riflesso condizionato tedesco, diedi un paio di leggeri colpi di freno[19]. Il *bakkie* scartò sulla sinistra e un momento dopo mi fu di fianco. Fu allora che sentì mia moglie gridare: "Ci spara!". Quasi non credevo ai miei occhi. Eravamo a 110 all'ora e un ragazzo biondo con uno sguardo da forsennato aveva estratto dal finestrino il suo revolver. Lo teneva puntato alla testa di Antje, ma non premette il grilletto. Probabilmente ci ha salvato il colore della pelle.

Che cos'è che spinge questi matti? Forse quello aveva perduto il suo lavoro a favore di un concorrente nero. Forse era stato mollato dalla fidanzata. Forse il passaggio di poteri aveva divorato la sua psiche, come la perdita di una superiorità immaginaria. Che cosa gli restava del dominatore se all'improvviso dei *kaffirs*, dei negri, potevano dargli ordini? La pistola e un paio di cavalli motore. E poi magari arrivava pure un imbecille a frenare…

La patina della civilizzazione è sottile. Nella concorrenza per i beni di consumo diventa ancora più impalpabile. In Sudafrica è particolarmente tenue. Come attraverso la membrana dell'occhio di un serpente, vedo luccicare gli abissi di questa società che si è abbrutita in tre secoli e mezzo di dominazione bianca.

*

Tutto è in fiore. Bouganville porpora, begonie rosso cinabro, centinaia di migliaia di alberi di jacaranda rivestiti di un mantello viola. Pretoria è un sogno primaverile. – Mani mozzate, cervelli fatti a pezzi, prigionieri massacrati alla morte. Tortura, omicidio, terrore. Pretoria, la stanza dei bottoni dell'apartheid. Qui, nella capitale del Sudafrica, è stato esibito il rapporto conclusivo della *Truth and Reconciliation Commission*. 3500 pagine fitte fitte. 21.000 vittime ascoltate. 7000 domande di amnistia da parte degli aguzzini – la totalità dei crimini commessi durante l'apartheid, una galleria degli orrori. Dall'aprile del 1996 la commissione ha viaggiato per tutto il Sudafrica per rendersi conto delle gravissime infrazioni dei diritti umani commesse fra il 1960 e il 1993. Durante le audizioni pubbliche le vittime dovevano poter parlare liberamente e i carnefici dichiararsi innocenti a patto che rendessero una piena confessione e fossero stati spinti da convinzioni politiche. A quelli che si credeva fossero stati mossi solo da basse motivazioni criminali, poteva essere negata l'amnistia. Costoro avrebbero dovuto fare i conti con pene detentive.

Il Sudafrica si è sottoposto per due anni e mezzo al doloroso rituale dell'autonalisi storica. Ammissioni, menzogne di una vita, rimorso, odio, crisi di nervi, fiumi di lacrime, una tribuna itinerante in viaggio da Città del Capo a Krugerstadt. Nel motivo pedagogico si potevano vedere il grottesco e la tragedia. La commissione ha aperto ferite purulente e lacerato la nazione. È stata definita caccia al bianco, inquisizione, caccia alle streghe, tribunale dei vittoriosi. Alla fine il quadro profondo che questa istituzione ha disegnato è stato quello di una società dilaniata dalla follia razziale.

Hawa Timol dovette essere sostenuta da entrambi i figli mentre saliva le sale della chiesa metodista di Johannesburg. Adesso prendeva posto e si lisciava rapidamente il sari leggero. Aveva atteso questo momento per 25 anni. Finalmente poteva parlare di quel dolore che le aveva divorato l'anima. Raccontò delle angherie e delle umiliazioni a cui la sua famiglia era stata sottoposta, di come la polizia venisse di continuo a prendere Ahmed, il primogenito, e di come il giovane attivista un giorno non fosse più tornato a casa. Raccontò di quando le era stato comunicato che si era suicidato e in che stato le fosse stato restituito il corpo di suo figlio: "La bara era piena di sangue. Ahmed non aveva più le unghie delle mani. Un occhio penzolava fuori". Hawa Timol piangeva e ripeteva: "Vorrei conoscere finalmente la verità. Poi potrò morire in pace". La verità: Ahmed Timol venne scaraventato nel vuoto dai suoi aguzzini, dal decimo piano della centrale della polizia di Johannesburg – un metodo sperimentato per liberarsi degli oppositori.

Milioni di sudafricani dovettero vivere di sera, durante il telegiornale, scene come questa. Hawa Timol ebbe la possibilità di comunicare all'intera nazione la sua pena, la sua disperazione, il suo dolore. Quello che il pubblico televisivo non vide, fu come la donna uscì dalla chiesa: sollevò il suo sari, respinse i figli che avrebbero voluto sostenerla e si diresse fuori sorridendo.

Udienza nella sala consiliare di Pretoria. Il corridoio centrale del parquet divideva il pubblico come un confine immaginario: a sinistra i neri, in maggioranza giovani, molti vestiti alla moda, con le protesi-telefonino, brandivano cartelli con su scritte parole di rabbia. A destra i bianchi, visi rugosi, duri, con abiti azzurri o tailleurini rosa shocking. Una signora lavorava a maglia. Il vecchio e il nuovo Sudafrica. Sul banco dei testimoni Janusz Walus, un uomo cinereo, con un'espressione di pietra. "Lo chiamai 'Mister Hani!'... feci fuoco... lui cadde, gli sparai una seconda volta dietro l'orecchio". Chris Hani, dopo Mandela, il politico più amato del paese, era morto. Limpho Hani stava rivivendo con uno sguardo d'orrore l'omicidio di suo marito. Adesso conosceva tutta la verità, ma come avrebbe mai potuto perdonare questo killer a sangue freddo che non mostrava il benché minimo rimorso? Questo estremista di destra meritava forse di essere amnistiato e di poter tornare a piede libero in cambio della sua confessione? La vedova Hani pretendeva giustizia. Rimorso e giustizia però, non facevano parte dello statuto della commissione. Decisione e orgoglio. Con una punta di alterigia Frederik Willem de

Klerk si presentò a Città del Capo davanti alla commissione. Perché alla fin fine era indegno che lui, uomo di stato e premio Nobel per la pace, dovesse comparire dinanzi a questo "tribunale". L'apartheid era stato un errore chiarì De Klerk. Venne pronunciata persino la parolina magica, *sorry*, scusate. Gli venne alle labbra di malavoglia e i suoi ragionamenti successivi l'avrebbero cancellata come se non fosse mai stata articolata. De Klerk respinse categoricamente, a nome del suo National Party, le responsabilità per i crimini commessi. Proprio quel partito che aveva elevato l'apartheid a dottrina di stato pretendeva di non aver nulla a che fare con gli eccessi da esso provocati! Nessun segno di pentimento. Nessun gesto di riconciliazione – De Klerk blaterò della sua fama di ardito riformista. "La mia coscienza e immacolata", avrebbe ripetuto, quando lo intervistai sei mesi dopo. Certo, ma quegli ordini dissimulati per l'eliminazione degli avversari che provenivano dalle più alte sfere? De Klerk mi rispose in terza persona: "Il presidente non ne sapeva nulla". Agiva imperturbabilmente, in modo gioviale, quasi sereno – era un uomo che si era buttato tutto alle spalle: sua moglie Marike, il partito, il passato.

"Non ho saputo nulla perché in molti casi non volevo sapere", ammise l'ex ministro Leon Wessels. Fu il primo del gabinetto De Klerk a riconoscere le proprie responsabilità circa il mancato rispetto dei diritti umani del regime dei bianchi. Il primo a chiedere il perdono delle vittime. Uomini come Wessels dovevano rimanere l'eccezione. Per descrivere lui e quelli come Eugene de Kock gli alti papaveri dell'apartheid avevano soltanto un termine: vigliacchi. Se avessero potuto, quell'alto ufficiale di polizia, condannato all'ergastolo per 89 crimini, fra di essi sei omicidi, lo avrebbero mandato all'inferno. All'inizio l'avevano lodato e decorato con vari ordini. Oggi nessuno sa chi è. Tutti negano di averlo conosciuto. Gli ideologi, i burattinai e quelli che agivano dietro le quinte si sono coperti a vicenda. Stato d'emergenza. Resistenza di fronte al pericolo comunista. Difesa dei valori cristiani. C'era la guerra una volta. Punto. Fine della storia.

Eugene de Kock non parlava né troppo forte né troppo basso. Le lenti dei suoi occhiali con la montatura di corno erano spessissime. La riga tirata con cura. La frangetta pettinata sulla fronte. Altri segni particolari: nessuno. Un Boero che si sarebbe potuto incontrare a uno sportello di banca o in un ufficio pubblico. Quella perfetta mediocrità propria di tanti sudafricani, impercettibile come, una volta, quella del nostro fratello Adolf Eichmann[20]. De Kock guidava un commando speciale incaricato di torturare e uccidere. Lui stesso aveva sparato o ammazzato come cani un numero imprecisato di persone. Di notte, nella sua cella, tornavano a visitarlo i fantasmi del passato. "Vorrei non essere mai nato… cadaveri, sofferenza, bambini che non conosceranno mai i loro padri, ecco tutto quello che siamo riusciti a fare".

Per i membri della commissione, per i traduttori, i cronisti, quelle bestialità che hanno dovuto ascoltare per mesi sono state spesso insopportabili. Due colleghi si picchiarono per nulla. Una giornalista raccontò di come non fosse più riuscita a dormire e di come avesse combattuto le sue depressioni con il Prozac. Un interprete ammise di aver malmenato la moglie. "Sono come spugne che devono assorbire la follia di decine d'anni di apartheid", avrebbe spiegato uno psicologo. "Prima o poi si arriva al punto di rottura". La poetessa Antjie Krog ha scritto un testo affascinante sulla commissione per la riconciliazione: *Country of my skull*. Non si era trattato solo di un protocollo del dolore, ma anche di un'autoricerca, mi avrebbe spiegato due anni dopo. "Noi boeri verremo guardati in tutto il mondo come lo siete stati voi tedeschi – come figli degli aguzzini, su cui graverà per sempre quella colpa. Dobbiamo ritrovare la nostra identità".

Una bella giornata di primavera a Norwood, Johannesburg. Un uomo obeso, con barba, uscì a fatica dalla sua jaguar, si diresse in un caffè con i tavolini all'aperto e ordinò un cappuccino. Gustava l'attenzione di quelli che gli stavano attorno, gli sguardi che esprimevano, a seconda di chi li faceva, segreta ammirazione oppure profondo disprezzo. L'uomo si chiamava Craig Willimson, alias superspia, anche lui era stato un assassino estremamente efficace al soldo del regime dell'apartheid. Aveva riconosciuto parte dei suoi crimini e adesso poteva sperare di essere amnistiato. Da qualche parte in questa città però, viveva un uomo che sperava questa amnistia non fosse mai concessa. Si chiamava Marius Schoon. Una volta avevo visto anche lui seduto al tavolo di un caffè. Era un uomo magro, precocemente invecchiato. Un individuo spezzato. Una persona che aveva dimenticato come si faceva a sorridere da quando un pacco-bomba gli aveva fatto a pezzi sua moglie Jeanette e Katryn, la figlia di sei anni. Il congegno esplosivo era stato preparato da Craig Williamson. La vittima e il carnefice. Quando li incontrai avvertì un profondo malessere per il rituale della commissione.

Ai sudafricani accadde un po' quello che era successo all'angelo della storia di Walter Benjamin, condannato a volare verso il futuro. Di spalle. In modo da non poter distogliere lo sguardo dagli orrori del passato. Ci sono rapporti che parlano di squadroni della morte che facevano imboscate agli scuolabus, massacravano i bambini, bruciavano i cadaveri e poi si cuocevano delle bistecche. Ci sono i prigionieri affogati nelle latrine. C'è quell'esperto di omicidi che raccontava del metodo "Buddha". Si faceva esplodere un corpo senza vita talmente tante volte che alla fine non restavano altro che brandelli di carne, di pelle e qualche osso. C'era quella madre che voleva indietro la mano di suo figlio. Quella mano che i poliziotti avevano mozzato e messo sotto formalina. Sono bestialità che superano la nostra capacità d'immaginazione. Gli organi di sicurezza s'incaricavano di fare il lavoro sporco e tutti i settori della società, tutte le istituzioni dello stato erano prese nell'ingranaggio dell'apartheid: imprenditori e giudici, medici e insegnanti, teologi e giornalisti, scienziati e soldati. La schiacciante maggioranza della minoranza bianca ha chiuso occhi e orecchie ed ha partecipato convinta. Non mi stupisce sentire, adesso, che nessuno sapesse.

L'apartheid era un tumore in metastasi di cui furono vittime anche i suoi nemici. Quell'onnipresente terrorismo di stato produsse nei ghetti odio e tradimento e spesso la paranoia di massa esplose in eccessi di brutale violenza. Una discussione notturna, a proposito dell'assassinio di Amy Biehl, rischiò di compromettere la mia amicizia con un giovane stilista nero. Amy Biehl, una ragazza americana che volontariamente si era impegnata nelle *township*, era stata lapidata a morte, picchiata e accoltellata da un'orda di giovani neri l'ultimo giorno della sua permanenza. La commissione per la riconciliazione aveva amnistiato quelle persone perché erano riuscite a far credere di avere ucciso in qualità di convinti attivisti del Pan African Congress. In realtà quell'omicidio fu dettato da bassi motivi razziali: i carnefici si comportarono come Charles Manson: massacra una donna bionda, l'icona della società bianca, e colpirai questa al cuore. Almeno così la vedevo io. Agli occhi dello stilista invece, questo era stato un "Atto rivoluzionario".

I gioielli, il diamante al dito, gli occhiali pieni di brillantini che scintillavano sotto la tempesta di flash. Ero a Mayfair, un quartiere di Johannesburg. La star nel tailleurino alla moda, che stava facendo il suo ingresso in aula era Winnie Madikizela-Mandela, ex moglie di Nelson Mandela, accusata in riferimento alla morte di 13 persone. Troneggiava corazzata di gelo e superbia. Fece un sorriso ipocrita quando un testimone affermò che lei avrebbe accoltellato di persona l'indocile attivista Stompie. In mezzo al pubblico sedeva una donna poco appariscente che stava zittendo un bambino. Era Joyce Seipei, la madre di Stompie. Avrebbe testimoniato due giorni dopo e sarebbe stata intimidita poco dopo, nel bagno delle donne, dalle amazzoni di Winnie: "Chiudi il becco!". Poi, alla fine della finta richiesta di perdono, uno dei momenti più imbarazzanti in trenta mesi di ricerca della verità: "Ti parlo con l'amore più profondo, sei una delle maggiori personalità della nostra guerra di liberazione... alzati in piedi e dì una sola volta che le cose sono andate in modo terribilmente sbagliato. Ti supplico". Desmond Tutu, il presidente della commissione, pregò con voce tremante la compagna

Winnie; l'arcivescovo rasentò l'autodegradazione. Madikizela-Mandela esitò. Il suo avvocato le fece un cenno quasi impercettibile. "Le cose sono andate in maniera terribilmente sbagliata", sibilò la donna. La "madre della nazione" mostrò poca contrizione, esattamente come i carnefici bianchi.

La commissione per la riconciliazione è stata, alla fine di un XX secolo tragico, il più onorevole tentativo di una società di fare i conti con il proprio passato. Ha lasciato dietro di sé una grossa amarezza: i potenti di allora – ancora una volta – ne sono usciti puliti, così come i loro corresponsabili, come gli assassini, fintanto che questi avessero confessato. Era stato questo il prezzo da pagare per la commissione: sacrificare la giustizia sull'altare della verità per preservare la pace interna. Si volle ricordare ancora una volta per poi "chiudere la porta sul passato", dirà l'arcivescovo Tutu. Ma come avrebbe potuto esserci riconciliazione se la maggior parte dei carnefici vivevano nella ricchezza, mentre la massa delle vittime erano ancora nella povertà? Se le realtà sociali di ogni giorno rimandano all'ingiustizia? Le persone possono perdonare. Dimenticare mai. In tutti questi anni in Sudafrica non ho incontrato un solo bianco – a parte gli oppositori e quelli che hanno combattuto il regime – che abbia mai mostrato vergogna o pentimento. L'ammissione più coraggiosa l'ho sentita da un uomo d'affari: "Abbiamo ballato con i lupi. Che cos'altro avremmo dovuto fare?". Sempre la solita scusa dei sudditi. Davanti alla violenza delle accuse si innesca un riflesso che conosciamo dai tempi del dopoguerra tedesco: si preme semplicemente sul tasto *delete* e si cancella tutto.

Tuttavia il solo fatto che le vittime nere abbiano accettato la commissione con una schiacciante maggioranza, mentre i tanti carnefici bianchi l'hanno rifiutata, la dice lunga sull'esperimento fallito. Su quelli che sono stati umiliati e su coloro che hanno sofferto, ma che hanno potuto *coram publico*, raccontare ciò che avevano subito. Catarsi, guarigione attraverso la testimonianza e l'ascolto della verità. Da allora in poi nessuno avrebbe mai più potuto mentire sui crimini dell'apartheid. Quelli che però da questo sistema hanno attinto, i corresponsabili, quelli che hanno guardato da un'altra parte, tutti coloro i quali sono incapaci di ricordare e pentirsi, continuano a dire: di queste atrocità non ne sapevamo nulla. Ed è alla luce di questo che la predisposizione alla riconciliazione di neri, meticci e indiani appare ancora più incredibile. Niente minacce, né atti di vendetta, nessuna giustizia sommaria, nulla. Non si è nemmeno mai arrivati a una violenza iconoclasta con cui si distruggessero i simboli dell'oppressione. Ogni volta che passavo davanti al teatro pubblico di Pretoria, mi sono chiesto quanto a lungo ancora il monumento a J.G. Strijdom sarebbe rimasto dov'era: glorificava il premier dell'apartheid. Nessuno aveva buttato la scultura giù dal piedistallo, nessuno l'aveva danneggiata oppure imbrattata. È rimasta illesa sino al 31 maggio 2001. Quel giorno – ironicamente lo stesso in cui l'apartheid celebrava sé stesso con il Republic Day – senza un apparente motivo la volta di cemento al di sopra del monumento, collassò, seppellendo Strijdom sotto le macerie. È stato come se quel sistema, internamente decomposto, fosse imploso su sé stesso.

*

I sudafricani sono ancora lontani da una vera riconciliazione, e sono in molti a ritenere che la ricerca della verità abbia reso più profondi i solchi fra i gruppi. Non si vive assieme. Nel migliore dei casi si vive gli uni accanto agli altri come ieri, come l'altroieri, come cento anni fa. Quella società-arcobaleno, quel sogno naïf, quella ninna nanna multiculturale, si riflette soltanto nelle pubblicità degli alcolici. Se mi fermo a Berlino, Londra o Parigi magari ho l'impressione che fra le etnie e i differenti colori della pelle i rapporti siano più liberali, più tolleranti di quanto non succeda a Durban, Città del Capo o Pretoria. Secondo un sondaggio fra sudafricani neri l'81% degli intervistati non ha ancora mai pranzato con un bianco. D'altra parte, amici neri mi hanno spesso confermato come non si sentirebbero a proprio agio se dovessero essere utilizzati come "negri-tanto-carini". Due o tre *darkies* al ricevimento sono una cosa chic. C'è gente che si pavoneggia della sua liberalità. Anche i neri però preferiscono restare fra di loro. Al Morosa, un caffè nel centro di Città del Capo dove pranzo qualche volta, nella maggior parte dei casi sono l'unico viso pallido. Se passeggio attraverso il pittoresco Bo-Cap salendo verso Signal Hill, vedo quasi solo Malesi di città del Capo che si dirigono alla moschea. La nostra donna delle pulizie, meticcia, ci ha raccontato di come suo padre le vietasse di ascoltare musica nera – perché corrompeva i costumi e il carattere. Dappertutto confini e linee di divisioni, tabù e contatti vietati.

I benestanti si ritirano nel loro mondo dorato, in lussuosi centri commerciali, su esclusivi campi di golf, in sobborghi off-limits oppure in *gated communities*, in centri residenziali ermeticamente sbarrati. Questo fenomeno è una conseguenza della criminalità, non esiste solo in Sudafrica, ma in tutte le metropoli dell'emisfero sud dove le sperequazioni fra ricchi e poveri sono particolarmente violente. A Città del Capo però c'è anche un altro motivo: la storica mentalità da accerchiamento propria dei bianchi. È iniziata con le siepi di mandorle amare piantate da Jan van Riebeeck per tenersi lontano dai "selvaggi" ed è culminata nell'architettura dell'apartheid, nei saloni delle feste, nei palazzi pubblici, nelle banche, nei complessi residenziali, nelle università oppure nei centri commerciali che ricordano delle fortezze. L'unica differenza nello stile dopo la svolta è che adesso le cittadelle della paura sono più eleganti perché sono state abbellite con kitsch postmoderno, da elementi ellenici, romani oppure toscaneggianti.

L'Africa viene rimossa, nulla deve ricordare questo mondo minaccioso e imprevedibile. Il bianco vive al di fuori di essa, l'atteggiamento di rifiuto dei colonialisti è diventato una specie di seconda pelle. Il bianco ama gli animali, le piante, i panorami e la luce del continente. Non gli piacciono solo le persone che ci vivono. "Sarebbe così bello qui", mi confidò una pensionata, "se solo non ci fossero gli africani". Tutto quello che è africano viene rifiutato, come il bambino bianco allevato dalla tata nera, che riceve cure e regali e che quando è svezzato la ricompenserà con disprezzo o, nel migliore dei casi, con sufficienza. Spesso queste cose le noto nella quotidianità. Se entro in un negozio mi servono subito, anche se davanti a me c'è un altro cliente. L'altro cliente è nero. Smette di essere considerato non appena spunta un bianco.

Sono queste le dolorose particolarità del Sudafrica. Quando lascio il paese per andare in Nigeria, Kenya o Mozambico, provo regolarmente una specie di gioia. È quella sensazione di viaggiare finalmente in un'Africa giusta, libera – come se il paese all'estremo meridionale del continente fosse al di fuori di essa. Mi sembra non-africano, come un ermafrodito che non sa cosa sia. Questo ha certamente a che fare con il fatto che ho sempre vissuto in un mondo bianco, prima a Johannesburg, poi a Città del Capo, ma soprattutto che in nessun altro luogo dell'Africa la cultura autoctona è stata così sistematicamente distrutta come a Città del Capo. Dov'è la consapevolezza nera? Dove sono i rituali e le tradizioni, le maschere e i miti? Sono stati dimenticati, estinti, seppelliti da una modernizzazione violenta giunta in Sudafrica sotto forma di capitalismo razziale. Riesco a misurare l'entità della distruzione se visito la collezione di Alfred-Martin Duggan-Cronin, un fotografo che ha lavorato per conto del gigante dei diamanti De Beers. All'inizio del XX secolo ha realizzato dei ritratti di "nativi" ingaggiati come schiavi a cottimo nelle miniere. In queste immagini vedo la bellezza e l'orgoglio degli uomini, lo splendore della loro cultura, la molteplicità degli stili di vita. Ricordano i dagherrotipi di Edward Curtis, il famoso fotografo degli ultimi indiani liberi del Nordamerica prima del grande etnocidio. Do uno sguardo a un mondo scomparso, un cosmo dove le usanze, i costumi e le tradizioni tramandate ancora esistono al di fuori del Sudafrica. Per questo, non appena lascio la Repubblica di Città del Capo, ho l'impressione di viaggiare nella vera Africa. Quando ci ritorno avverto di nuovo quella strana distanza dall'Africa, le angosce di una società in cui persistono ancora relazioni coloniali.

*

L'apartheid è nella testa, Verwoerd, il suo creatore, ha vinto. Non ci si mischia. L'interesse verso gli altri è minimo. La maggior parte dei sudafricani bianchi non ha ancora mai sentito parlare del jazzista Hugh Masekela, conosciuto in tutto il mondo, oppure della cantante pop Yvonne Chaka Chaka; non conoscono i propri ministri e non riescono a pronunciare il nuovo nome della provincia di Mpumalanga. Non hanno la benché minima idea di come siano misere le condizioni in cui vivono tanti neri perché non sono ancora mai stati in una *township*, non gli verrebbe nemmeno mai in testa di visitarne una, per non parlare di impegnarsi laggiù. Un'assistente sociale di un orfanotrofio per bambini malati di Aids di Crossroads, a Città del Capo, mi ha guardato a bocca aperta quando le ho chiesto se fra il personale ci fosse anche qualche sudafricano bianco. "No, nemmeno uno". I giovani volontari arrivano dalla Svezia, dalla Germania o dall'America. Al fatto che non ce ne fosse nessuno del proprio paese, l'assistente sociale c'era arrivata solo attraverso la mia domanda. Non le era mai venuto in mente che potesse accadere il contrario.

Ovviamente nelle *township* incontro anche bianchi che s'impegnano senza sosta, dottoresse che lavorano gratis, maestri che tengono corsi di alfabetizzazione, casalinghe che prendono parte a campagne anti-Aids. Nelle emergenze però, mi stupisco sempre di quanti pochi siano i visi pallidi fra il personale. Se una tempesta oppure un'inondazione colpisce Cape Flats e la *township* sprofonda nel fango, sono solo una manciata i *Capetonians* che trovano la strada verso la sommità di Città del Capo. Quando però, davanti alla costa, una petroliera provoca una marea nera per un qualche incidente, si presentano spontaneamente 40.000 volontari per ripulire i pinguini minacciati.

Sulla strada che da Johannesburg conduce a Città del Capo una sera sono finito nella cittadina di Victoria-West. Era già buio quando bussai al portone dell'albergo cittadino. No, no bisbigliò una donna al citofono. Tutto esaurito. Stranamente nel parcheggio non c'era una sola auto. Insistetti ancora. Probabilmente il mio accento tedesco fu talmente riconoscibile che all'improvviso la porta si aprì. "Avevo creduto che Lei fosse un nero", si scusò la donna. "*You never know*". Non si sa mai. Quella notte fui l'unico ospite dell'albergo. Un giornalista di colore della radio, che volle passare un fine settimana in un country club, ebbe meno fortuna. Sorry, non c'è posto!, gli venne detto. Allora spedì un collega bianco e, guarda un po', costui ottenne una singola pulita. Quando il reporter, durante una trasmissione dal vivo, chiese di parlare con il gestore del simpatico ostello, venne fuori che costui faceva parte di un club che sosteneva la cultura di lingua africana.

Nel corso degli anni sono state tante le storie del genere ammassatesi nel mio archivio. Storie di scuole di bianchi che respingevano bambini neri. Di infermiere bianche che rifiutavano di fare il bagnetto a neonati di colore. Di ambulanze che lasciavano dov'erano le vittime nere di incidenti. Possidenti terrieri che maltrattavano violentemente i propri lavoranti, bianchi in preda a furore omicida che sparavano addosso ad autobus, a passanti, a bambini che si recavano a scuola. Di poliziotti bianchi della North-East Rand Dog Unit che aizzavano i propri cani contro immigrati clandestini e documentavano con dei video come questi poveracci venivano sbranati. Storie come quel caso che si verificò nella cittadina natale di Louis Trichardt dove una ragazza di colore accusata di taccheggio venne spogliata, ricoperta di vernice bianca sino alla cintola e buttata per strada. Un linciaggio che sembrava uscito dal *Deep South* di William Faulkner. Una storia accaduta nel Sudafrica del 2000. Neville Alexander, uno dei più brillanti intellettuali di sinistra di Città del Capo ha scritto: "Oltre alla ripartizione delle risorse materiali, all'educazione e alla formazione della gioventù nera, il nostro compito più impellente è sicuramente quello di convincere i cittadini bianchi del fatto che i cittadini neri di questo paese hanno i loro stessi diritti e non sono né mezzi uomini né inferiori".

I barbari poliziotti e i loro cani sanguinari: ovviamente eccessi del genere nei circoli bene dei bianchi vengono liquidati come razzismo primitivo. Quando però vengo invitato a un *braai* privato, a una grigliata, scopro un'altra forma di discriminazione, una forma più sottile, una specie di razzismo degli strati alti. Dopo la svolta si è diventati più attenti. La prima legge comportamentale recita: frena la lingua, il nero è al potere. Siccome il concetto biologico di razza non è più politicamente corretto, vengono creati nuovi significati, segni culturali, sociali, religiosi che le differenze fenotipiche del pigmento traslano in una specie di diversità genetica. Il nuovo razzismo sussurra, bisbiglia e vaticina. Parla per allusioni, per sottintesi, per linguaggi codificati, "africanizzazione", ad esempio significa: stanno rovinando il nostro paese. "Zimbabwe" – la ex Rhodesia – è indicata come un cattivo presagio: anche da noi prima o poi esisterà la minaccia di deportazioni di massa. "Le sovvenzioni per l'Opera sono cancellate" oppure "In tv ci sono sempre meno programmi in afrikaans" significa: distruggono la nostra cultura. Noi e loro, europei e nativi. Si usa il plurale perché si tratta di un potenziale minaccioso e amorfo, che sfida i bastioni del benessere, così come in passato le orde zulu avevano minacciato i beni dei *voortrekkers*. Che ogni gruppo etnico resti conchiuso in sé, postula questa nuova forma di razzismo – e recita ancora l'insegnamento dell'apartheid, tratto fuori dal Vecchio Testamento: non contaminare la razza, così è scritto nel quinto libro di Mosè. Dove arrivano i neri, i bianchi devono andar via. Non è più la loro comunità, la loro patria, il loro posto. Quando viene intonato *Nkosi sikelel'iAfrika*, la prima parte del nuovo inno nazionale, le bocche dei bianchi restano cucite – anche se le parole sono scritte su grandi schermi, ma non appena inizia la Stem, la seconda, vecchia parte dell'inno, cantano tutti fervidamente: "*Ons vir jou Suid Africa!*"

Questo Sudafrica però, non esiste più. Adesso i bianchi debbono vedere i neri che occupano i simboli del "loro" stato. Inoltre cominciano a provare quella sensazione che loro stessi hanno istituzionalizzato. Fra i neri ci sono radicali che non perdonano, che contestano persino il loro diritto a restare. *Who is African?* Solo i neri possono essere africani! I bianchi sono coloni, ladri di terra, invasori – la maledizione coloniale continuerà in eterno. Da parte loro spengono il registratore o la radio quando risuona la seconda strofa dell'inno. Il nazionalismo razzista ritorna in vesti color ebano e il nuovo ordine partorisce un nuovo tipo di sconfitto: è l'operaio bianco, l'esperto, l'impiegato che vede minacciata la sua esistenza dalla *affirmative action*. La quota per i neri svantaggiati è altamente discussa, perché spesso non esclude ingiustizie e alle volte catapulta candidati con il "giusto" colore della pelle in posizioni per cui non hanno abbastanza capacità oppure non sono assolutamente qualificati. La nota ricercatrice sociale Maphela Ramphele – lavora come direttrice del fondo monetario internazionale – nonostante tutto ha poca comprensione, se solo "i beneficiari del più lungo ed effettivo programma di finanziamento della storia moderna" chiedono aiuto. Nell'ambito del *job reservation*, l'apartheid aveva garantito un posto di lavoro al bianco anche se le sue capacità, a voler essere gentili, erano limitate. Non si mette certo in discussione il fatto che un governo che voglia sul serio superare l'aritmetica razziale, debba superare la linea di demarcazione determinata dal colore della pelle attraverso una "discriminazione positiva". Perché questo stato di cose non fa altro che spingere all'emigrazione forze lavoro competenti, di cui il paese avrebbe urgentemente bisogno. Queste persone non vedono nessun futuro per loro nel nuovo Sudafrica. *Packing for Perth*. Via, in Australia. Fino al 2000 il Sudafrica ha perduto da 1,1 a 1,6 milioni di *skilled professional*, ha calcolato il Central Bureau of Statistics. Se la cifra è esatta, questo significa che anche molte forze ben preparate non-bianche hanno lasciato il paese, ad esempio quelle infermiere che sono partite, destinazione-Inghilterra, per andare a curare gli anziani e guadagnare lassù dieci volte di più. In Europa l'erba è più verde.

Gli africani che vivono a nord del fiume di confine, il Limpopo, vedono invece il Sudafrica con occhi completamente diversi. Per loro si tratta del paese del latte e del miele. Migliaia e migliaia di immigrati illegali confluiscono ogni anno in Sudafrica perché qui hanno infinite occasioni in più rispetto ai loro stati sottosviluppati. Questi migranti poveri però, non sono benvenuti, soprattutto non lo sono dai neri che hanno già abbastanza povertà per conto loro. *Pace*, una pubblicazione illustrata e distribuita nelle *townships* mette nero su bianco il *credo* antistranieri: "Ci rubano le donne, il lavoro e le case". *Who is African?* Chi è africano? Quegli immigrati li chiamano spregiativamente *kwerekwere*, a causa delle loro lingue incomprensibili; vengono offesi, vengono messi loro i bastoni fra le ruote, qualche volta ammazzati – ben noti eccessi della xenofobia. Africani contro africani.

Il governo però, si comporta come se problemi del genere esistessero soltanto nelle società del benessere. In genere reagisce in maniera allergica alla critica soprattutto se questa viene da un bianco. Chi, ad esempio, si permette di giudicare la sua disastrosa politica in tema Aids, oppure avanza la scomoda domanda sul come il Sudafrica possa permettersi acquisti di armi per miliardi, viene tacciato di slealtà, oppure sospettato di chissà quale complotto. State zitti voi bianchi! Non avete nessun diritto di parlare così! L'obiezione spesso viene liquidata con un generale sospetto di razzismo. *Racist* è la parola magica per strozzare qualsiasi critica. Questa *forma mentis* la si vede nella vita di ogni giorno. Se m'innervosisco per una centralinista incapace oppure per un impiegato pigro, mi viene rinfacciato il solito: *You have an attitude*. Ovvero: Lei è mal disposto. Lei è un razzista.

Eppure queste reazioni a volte a me fanno addirittura piacere. Perché di norma i neri danno l'impressione di essere insicuri quando hanno dei conflitti con i bianchi, spesso sono oltremodo accondiscendenti, clementi, quando non servili. Fanno i loro lavori senza brontolare, servono come e più di prima, e accettano fin troppo. Osano ribellarsi soltanto nelle grosse aziende e nelle città dove i salariati sono rappresentati da potenti sindacati. Per fare un esempio, ogni giorno vengono davanti al ristorante vicino al mio ufficio sulla Green Market Square a Città del Capo, ballano il *toyitoyi*, la danza ritmata della ribellione, sollevano cartelli e gridano: Basta con lo sfruttamento! Il colonialismo è finito! Tornatevene in Europa! Dietro al vetro il padrone del ristorante sogghigna. "Paga 35 rand al giorno", mi dice un aiuto-cuoco. Fanno 3,50 euro. "Rifiuta di corrisponderci il minimo sindacale legale. Ci tratta come bestie". Un esempio. Uno dei tanti.

La stessa settimana finisce, di nuovo, nella mia cassetta della posta un altro di quei vergognosi volantini. I proprietari delle ville annunciano la loro resistenza ai piani dell'amministrazione cittadina per aumentare le imposte fondiarie in modo da pareggiare il dislivello di fronte a quei proprietari di case che, in rapporto, pagano di più. Per spiegare in modo un po' grossolano si potrebbe dire che le capanne sovvenzionano i palazzi. I ricchi Capetonians tuttavia non vogliono saperne della realtà. Vogliono solo che tutto resti com'è sempre stato. Una grande illusione che sembri vera. Le pareti rocciose che danno sulla città vengono illuminate ogni fine settimana. Chi si preoccupa però dell'oscurità nelle baraccopoli? Che non facciano così tanti figli laggiù. In fondo aiutare quella gente è compito del governo. Sempre le stesse storie, ancora e ancora gli stessi pregiudizi, le stesse giaculatorie: "Ai bianchi le cose vanno semplicemente troppo di lusso", dice Julian Ogilvy-Thompson, ex direttore del più grande gruppo sudafricano, Anglo American. Prima o poi uno si stufa dell'eterno noi-abbiamo-costruito-tutto-e-loro-sanno-solo-distruggere. Se, facendo molta attenzione, uno si permette di obiettare che il benessere dei bianchi non avrebbe potuto essere garantito senza la forza lavoro dei neri, quello che se ne ricava sono reazioni adirate. Voi sputasentenze liberali europei! Non vedete che questo paese non ha più un futuro? Poi, magari, capita che sono proprio i benestanti a pretendere quelle condizioni che in continuazione dicono di criticare. Il Ministero delle Finanze sudafricano ha calcolato che, dalla svolta ad oggi, almeno 20 miliardi di euro sono stati trasferiti all'estero. Alla chetichella. Non sono proprio quello che si dice *peanuts*, bruscolini, corrispondono ad una piccola legge finanziaria e, in ogni caso, la fuga di capitali non ha certo rafforzato la fiducia nella propria valuta.

Sono naturalmente molte le cose che vanno rimproverate al governo Mbeki: gli affari legati al riarmo, la politica sanitaria, la cecità contro il terrorismo di stato in Zimbabwe, ovviamente alcuni esponenti del nuovo regime sono autoreferenziali, impermeabili alle critiche oppure corrotti come i vecchi e non ci piove che l'egemonia centralista propria dell'African National Congress non sia compatibile con una democrazia. Dall'aprile del 2003 l'ANC può contare, grazie anche alla transumanza di alcuni parlamentari che hanno cambiato casacca, di una maggioranza dei due terzi in Parlamento. Il presidente può quindi governare con un potere pressoché assoluto, sostenuto da una oligarchia partitica composta da fedelissimi. I quadri hanno in mano quasi tutte le posizioni chiave tanto che i confini fra partito e stato sono diventati sempre più sfocati. È aumentata l'arroganza di quelli che hanno il potere. Alcune cassandre vedono già incombente una dittatura del partito unico: prima o poi sarà tutto azzerato, ovvero, Mbeki è uno stalinista. Quelle voci sul "livellamento" le ho già sentite in un altro periodo storico e poi chi ha intenzione di paragonare un capo di stato a uno sterminatore di massa che ha sulla coscienza circa venti milioni di persone, non sa più davvero di che cosa stia parlando.

Nelle accuse allarmistiche si evidenzia soprattutto lo stato di desolazione delle forze dell'opposizione. Il Partito Nazionale (bianco), che ha cambiato nome in Nuovo Partito Nazionale, dà l'impressione di essere smarrito sotto la debole guida di Marthinus von Schalckwyk, mentre la più forte formazione di opposizione, il liberale Democratic Party, non è diventato altro che una specie di associazione per la difesa dei benefici dei bianchi. Una formazione politica che spesso – e nella maggior parte dei casi con ragione! – denuncia i ritardi del governo, ma che è incapace di produrre una critica costruttiva. *Fight back*! Rispondi colpo su colpo! Alle scorse elezioni era stato questo lo slogan di Tony Leon, il capo del DP. I neri però, lo hanno letto in maniera del tutto diversa: *Fight blacks!* Come se si trattasse soltanto della lotta di liberazione da un esecutivo votato dalla maggioranza della popolazione. La cosa che fa spavento è che, spesso, le linee del fronte corrono parallele a quelle dei vecchi confini razziali. Al termine della sua ultima visita in Sudafrica, dopo aver incontrato rappresentanti di ogni colore razziale e politico, Marion Gräfin Donhoff. aveva affermato nella sua inimitabile e secca prosa prussiana: "La cosa migliore da fare sarebbe di dipingere tutti i sudafricani di verde".

*

Istantanee del dicembre 2002. L'economia cresceva, le esportazioni anche. Il tasso di inflazione così basso come non lo era più stato dagli anni '60. Le tasse erano ridotte, gli investimenti per salute, educazione e per il sociale aumentati. I cittadini avevano pensioni più alte e un miglior contributo statale per i figli. "Le cose andavano alla grande. Abbiamo giri d'affari da record", ammise il capo di un gruppo tedesco in una conversazione privata. Per la prima volta dal 1994 il numero degli impiegati era in ascesa. In tempi più recenti la produttività è aumentata a una velocità doppia rispetto a quella degli USA e se si fanno dei paragoni a livello di bilancio pubblico – il deficit è quasi del tutto azzerato – alcuni stati in Europa potrebbero solo invidiare i sudafricani. La loro economia, in un momento di recessione mondiale, veniva considerata una *emerging economy*, un sistema produttivo emergente. Nel 2002 il Rand faceva parte di quelle poche valute che avessero guadagnato valore rispetto al dollaro. Trevor Manuel, il Ministro delle Finanze, diceva che colleghi da ogni parte del mondo bussavano alla sua porta per chiedergli come il

Sudafrica fosse riuscito a realizzare questo piccolo miracolo economico. Nel mondo degli esperti il governo veniva additato oltre i suoi meriti come esempio di rispetto della dottrina neoliberista: deregolarizzare e privatizzare, smontare il settore statale e avviarsi su di un corso solido. Solo una cosa non funzionava: la giusta suddivisione delle risorse. La differenza di benessere dalla svolta in poi non era diminuita. Era aumentata.

"Se siamo davvero una nazione divisa in due, come critica il presidente Thabo Mbeki, – una ricca e bianca e l'altra povera e nera – perché il Governo sta allora attuando una politica a vantaggio della prima e non della seconda?". Questo editoriale non si trova nell'abbecedario radicale di un sindacato. È stato invece pubblicato in *Business Day*, il più rispettato giornale economico di Città del Capo e terminava con la frase: "Abbiamo realizzato un sistema economico di stampo europeo nel continente più povero del mondo – una caricatura". I poteri reali e i rapporti di possesso hanno messo le ali alle teorie revisioniste. Alcuni marxisti sono arrivati addirittura a parlare di "rivoluzione tradita". È una sciocchezza perché, e sono costretto a ripetermi, qui in Sudafrica una rivoluzione non c'è mai stata. Certi fatti però sono innegabili. È vero che gli africani si sono caricati di un rudere politico e hanno conquistato un paio di posizioni al vertice, ma non è che si possa parlare di una profonda trasformazione. Le leve del comando, nei grandi gruppi e nelle banche, nel settore dei media o nelle università, sono come sempre nelle mani dei bianchi. La maggioranza della popolazione aspetta ancora una vita migliore, è pagata da schifo, riceve una pessima educazione e vegeta nei ghetti, piagata da povertà, malattie e violenza.

Agli inizi del 2003 è stato pubblicato un libro che spiacque abbastanza al governo perché già il titolo – *Una storia dell'ingiustizia in Sudafrica 1652-2002* – insinuava come lo sfruttamento della popolazione nera, iniziato con lo sbarco degli europei, fosse continuato anche dopo la svolta. L'autore basava la sua tesi centrale su di uno studio accurato: "Il 50% più povero dei sudafricani, è sistematicamente estromesso dalla politica dell'African National Congress". Uno schiaffo per Thabo Mbeki e i suoi ministri. Se quest'opera fosse stata prodotta da un dissidente di sinistra dell'ANC, oppure da un giovane economista bianco ci si sarebbe probabilmente potuti permettere di fare spallucce. L'autore però era un compagno in vista, un professore dell'università Stellenbosch: Sampie Terreblanche.

Incontrai Terreblanche nel 1995, nell'ambito di una ricerca sui pionieri intellettuali della svolta. Bisogna anche aggiungere che l'Università Stellenbosch è la più antica, ricca e conservatrice *alma mater* di tutto il Sudafrica. Qui ha studiato tutta l'élite intellettuale degli Afrikaaner. Qui sono stati indottrinati futuri presidenti e premier come Verwoerd, Vorster, Malan o Strijdom. Qui ha governato la confraternita segreta, un'Opus Dei per la difesa del privilegio boero. Qui il razzismo ha ottenuto le benedizioni accademiche. Stellenbosch, "Oxford dei boeri", è stata la fucina intellettuale dell'apartheid. Proprio qui, in questo fortino della testardaggine e dell'intolleranza, l'ideologia di stato ha iniziato a sgretolarsi. Perché qui hanno insegnato anche 28 professori e docenti liberali che nel 1985 avevano prodotto un memorandum che a quelli che detenevano il potere era dovuto sembrare eretico: questo drappello di intellettuali aveva preteso un'inversione radicale. "Il governo aveva smarrito la capacità di analizzare i problemi e di risolverli", ricordava Terreblanche, allora decano della facoltà di economia e commercio e fra i firmatari del documento. Due anni più tardi, nel febbraio del 1987, quegli accademici critici sarebbero stati ricevuti dal presidente Pieter W. Botha. "Il grande coccodrillo si è infuriato e quando ha sentito le nostre proposte di riforma si è messo a gridare". Quattro anni dopo quelle stesse idee ricompariranno nel noto discorso del Rubicone con cui il presidente Frederik Willem de Klerk annunciò la fine dell'apartheid.

Sampie Terreblanche è rimasto fedele a se stesso – un cane sciolto, che non ha smesso di criticare il potere statale. "Nel mio libro si parte da un presupposto: i bianchi sono diventati ricchi in maniera ingiusta nella misura in cui hanno sfruttato gruppi della popolazione autoctona... Sono giunto alla conclusione che l'attuale governo ha fatto troppo poco contro le odiose eredità dell'apartheid e mi chiedo: perché?". La sua risposta: perché questo presupporrebbe uno zelo fondamentalista contro un capitalismo sfrenato che non va bene per un paese come questo, dopo 350 anni di colonialismo. La stizzita reazione del governo ha certamente avuto qualcosa a che fare con la critica a quelle convinzioni sacrificate sull'altare della globalizzazione. "I ricchi in Sudafrica lo sono già in un modo vergognoso", dice Terreblanche. Il paese avrebbe bisogno di un programma di ripartizione delle risorse di stampo socialdemocratico, "di modo che i venti milioni di poveri possano condurre un'esistenza dignitosa". A parlare era un rappresentante della dottrina keynesiana. Potrebbe anche essere però, che l'esecutivo non sia in grado, neppure volendolo, di mettere in atto le riforme necessarie perché lo stato che ha ereditato, oggi come allora, è ancora governato dalle strutture dell'apartheid? Questa è una spiegazione del professor Neville Alexander e le sue conclusioni avrebbero dovuto dare da pensare ai combattenti per la libertà dell'ANC: si formerà un "potente movimento di poveri" – contro di loro, i rappresentanti della nuova élite al potere.

Il governo si è difeso. Abbiamo aperto cinquecento nuove cliniche nelle *township* al fine di migliorare le necessità di base. Ci siamo preoccupati che gli alunni affamati ricevessero ogni giorno una merenda in ogni scuola statale. Abbiamo realizzato sistemi di distribuzione idrica. Adesso nove milioni di persone in più possono bere acqua potabile. Abbiamo costruito quasi un milione e mezzo di case che forse non corrispondono ai criteri occidentali, ma sono pur sempre qualcosa. Tutto questo in neppure dieci anni. Quale altro paese sottosviluppato ha mai fatto questo in un tempo così breve? Per non parlare delle conquiste che oggigiorno non sono per niente automatiche, soprattutto non lo sono in Africa: una democrazia liberale e uno stato di diritto, un accordo tariffario, tribunali indipendenti, stampa libera, una società civile vitale e, soprattutto, una costituzione che può essere annoverata fra le più moderne del mondo. Questa nazione a pezzi è riuscita a realizzare un'opera di riforma da cui l'Africa può apprendere tanto. Solo ai sudafricani, spesso, tutto questo non sembra evidente. Se questa soluzione fosse attuata in Medio Oriente, questo significherebbe: un nuovo stato, formato da Palestina e Israele, governato da un esecutivo palestinese e in aggiunta una costituzione democratica che difenda i diritti di una minoranza ebraica. Questo paragone è stato fatto dallo storico Allister Sparks e vorrebbe spiegare ai suoi compatrioti e al mondo esterno quello che è stato raggiunto al Capo di Buona Speranza.

Il fatto che lo sviluppo sudafricano venga seguito in Europa con grosso scetticismo, dipende soprattutto da quell'afro-pessimismo che inacidisce la percezione del continente. A questo si aggiunga il convincimento che in Sudafrica si decide il destino dei bianchi. Sapranno adattarsi ai nuovi rapporti? Oppure la storia si concluderà in modo tragico come accaduto in Zimbabwe dove hanno conservato il loro modo di vivere su isole coloniali e ignorato la politica, dove si è arrivati a una deportazione brutale e a un esodo di massa dei bianchi seguito da un ineguagliato crollo economico? Non lo so. Alle volte vengo colto da quel pessimismo culturale proprio del grande scrittore boero Karel Schoeman, che all'estero è quasi sconosciuto. Nel suo romanzo *n'ander land*, un altro paese, fa dire alla protagonista: "Non bisogna mai dimenticare che questo paese non ci vuole proprio. Al massimo ci tollererà per un po'".

Ai giovani questa visione pessimista non interessa. Loro non hanno un altro paese e debbono fare i conti con questa realtà sociale. E lo fanno. Soprattutto a Johannesburg, la metropoli economica e culturale, che è almeno dieci anni avanti rispetto al resto del paese. Qui si sente il polso del nuovo Sudafrica. Il numero di coppie miste aumenta, le frequentazioni fra gruppi razziali diventano più facili, in molte aziende e uffici regna un clima di cooperazione, le squadre sportive diventano più "colorate" e nel campo della cultura, le barriere razziali sono cadute da tempo. Vado in un locale notturno e vedo neri, bianchi e meticci che flirtano fra di loro senza che nessuno li costringa, come fosse la cosa più naturale del mondo. Gli piace il *kwaito*, il nuovo beat delle *township*. Si sono ripresi il cuore morto della città e non stanno a fare i musoni né a lamentarsi. Il passato? Incontro giovani bianchi che non ne vogliono più sapere degli errori dei propri genitori e giovani neri che non ne possono più delle chiacchiere dei veterani a proposito della *struggle*, della lotta per la libertà. Guardano in avanti. Il loro angelo della storia si è voltato.

*

Forse dal Sudafrica mi aspetto semplicemente un po' troppo. Questo paese deve elaborare l'ultima e più difficile eredità della dominazione coloniale. Essere un modello di riconciliazione, un laboratorio della convivenza per società del futuro, composte da molteplici gruppi razziali. Deve diventare una locomotiva economica che traini un intero continente al di fuori della miseria. Con i suoi limitati mezzi deve risolvere il problema fondamentale del XXI secolo: il superamento delle differenze fra ricchi e poveri, fra nord e sud. Perché sono le sperequazioni sociali che esasperano i conflitti culturali, religiosi ed etnici del nostro tempo – si tratta di lotte per una ridistribuzione delle risorse, per migliori possibilità di vita. Visto da questa prospettiva il Sudafrica è simile a un novello Atlante che deve sopportare le attese del mondo. Attese qualche volta sono troppo pesanti. Questo paese però, resta la speranza nera più grande di tutto il continente.

Qualche volta, quando ero assalito dai dubbi, andavo da Joseph Makapan, nella *township* Alexandra. Quasi sempre lo trovavo seduto sulla sedia a rotelle davanti alla sua officina mentre stava facendo conteggi con una calcolatrice tascabile. Joseph veniva fuori dalla povertà più terribile: nero, disoccupato e handicappato – nella scala sociale del Sudafrica non sono poi tanti i gradini peggiori. Un giorno aveva riunito assieme 15 disabili e cominciato a intrecciare cestini in una baracca di lamiera mezza aperta, vendendoli poi per un paio di centesimi. Gli affari sono andati bene. È stata fondata un'associazione per disabili, l'*Alexandra Disability Movement*, che si è trasferita in un'officina spaziosa ai confini del ghetto. Nel frattempo questa iniziativa di auto-aiuto è diventata una vera e propria piccola impresa che impiega 46 persone, tutti invalidi, dagli operai alla catena di montaggio sino al manager. Producono articoli da regalo, cestini da picnic e intrecci di ogni tipo. Ogni tanto arriva un piccolo ordine e nel cortile sul retro si preparano elementi di plastica per impianti di condizionamento d'aria. I guadagni non sono altissimi, ma sufficienti per pagare stipendi dignitosi.

Quando Joseph Makapan è morto, nel febbraio del 2003, io ho perduto un amico meraviglioso, che mi ha accompagnato attraverso tutti i miei anni in Africa. Lo ricordo spesso seduto nella sua sedia a rotelle blu cobalto, un uomo pesante, scaltro, attivo. "Non vogliamo elemosina. Qua facciamo affari", amava dire. Joseph ha scritto un piccolo capitolo della *Renaissance* africana, quell'audace visione di una rinascita del continente con le proprie forze. Quest'uomo incarna tutte quelle qualità che riconosco all'Africa e agli africani: un'immutabile serenità e speranza, quell'inventiva che ti dà il bisogno, quella forza che nasce dalla disperazione, quel grande, fortissimo "nonostante tutto". Un imprenditore paraplegico di un ghetto sudafricano – ecco a che cosa assomiglia la speranza del continente.

Addormentato sul vulcano
Africano, troppo africano

I faraglioni di Bandiagara in Mali sono larghi 140 chilometri e si ergono 300 metri sul margine di Gondo. Un brusco strapiombo di roccia quasi insormontabile. Lo sguardo si arrampica in alto, sulla parete scoscesa, restando appeso a forme curiose. All'inizio uno le prende per formazioni che il vento e il tempo hanno eroso nel granito. Poi si cominciano a distinguere tronchi di colonne, finestrelle, opere in muratura – costruzioni simili a quelle di un *pueblo*, villaggi fortificati, aggrappati come piccionaie a pareti di pietra. Sopra i tetti di paglia ci sono alcune cavità ordinate con la stereometria delle cellette di un alveare – sono le case dei Telem, gli abitanti originari, simili a nani. In un certo momento fra il decimo e il quattordicesimo secolo vennero scacciati da un popolo in fuga, da i santi guerrieri dell'Islam che provenivano dal paese di Mande e avevano trovato rifugio nella fortezza di Bandiagara: erano i leggendari Dogon.

Stava già facendo buio quando raggiunsi Sanga, il villaggio al margine dell'abisso. Dalla parte opposta giungeva un rumore sospetto. Spari, grida e canti di guerra. Che cos'era? Si trattava di una specie di *danse macabre*, mi rassicurò un contadino di ritorno dai campi. Alla luce delle torce la gente arrivava da ogni parte. Vedevo ombre che danzavano, alcuni cantavano sui tetti, vecchie donne che con frammenti di zucca si spargevano sabbia sulle spalle – era il miglio che il morto aveva piantato. Alcuni uomini si avvicinarono minacciosi alla mia casa, avevano lance e simulavano degli scontri oppure sparavano con fucili arrugginiti. Quei colpi d'arma erano le loro lacrime, dice il proverbio. Il cerchio estatico invece, riproduceva il destino del defunto. Si trattava di una cerimonia furiosa che raramente dava l'impressione di essere gioiosa. Il baccano continuò per ore e ore, s'intensificava, diminuiva e cresceva di nuovo. La morte – una festa di vita.

Era già un po' che stavo sdraiato sulla terrazza di una pensione quando sprofondai in un sonno profondo e senza sogni, accompagnato dalla lontana cacofonia di tamburi, sonagli, raganelle, fischietti e canti.

All'alba mi diressi sulla vetta, attraverso baratri e gole in cui riecheggiava la melodia del mattino con uccelli che cinguettavano, mucche rumorose, secchi che sbattevano e il rumore delle asce. Il giorno di lavoro era iniziato col primo canto del gallo. Si sfregavano pentole di latta e si intessevano fili di cotone, si facevano a pezzi alcune pietre per farne materiale da costruzione, si accomodavano buchi nei muri d'argilla oppure si scuoiavano capre appese agli alberi del pane. Gli anziani chiacchieravano, fumavano oppure masticavano noci di Kola all'ombra del *togu na*. In questo spazio di pietra si cercava consiglio e si emanava il diritto. Il *togu na* è, allo stesso tempo, cuore dell'ordine gerontocratico e cellula fondamentale della società; il villaggio era sviluppato attorno ad esso come gli organi e gli arti del corpo umano.

Chiesi di un certo Ali Dolo, il mercante di cipolle. Gli uomini mi guardarono a bocca aperta perché il nome Dolo è davvero comune a Sanga. In realtà quasi tutte le famiglie si scrivono così, e nei nove villaggi dabbasso c'erano molte persone che commerciavano in cipolle.

Le cipolle nel nutrimento dei Dolo rivestono lo stesso ruolo che da noi hanno le patate. Gli anziani non sapevano come aiutarmi, mi raccontarono però che quel giorno a valle danzavano le maschere, nel villaggio di Teseli, dove due persone avevano raggiunto gli avi.

Uomini, donne e bambini erano raggruppati in maniera precisa per settore e punti cardinali, premevano attorno alla terrazza libera, al centro del villaggio. Sulle rocce c'erano alcune persone che invocavano le maschere, queste sciamavano fuori dal labirinto delle case di argilla: visi da scimmia, teschi di toro, teste di gazzelle, facce con più occhi, la maschera della malattia con l'enorme gozzo, tre travestimenti da sauri e anche qualcosa di simile alla croce lotaringia. Queste figure si raccolsero sulla piazza e presero a saltellare, rotolare e scalpitare come puledri selvaggi. Nel mezzo c'era una tavola stretta e alta cinque metri: la *sirige*, il travestimento del serpente. Le maschere venivano portate da uomini scalzi con gonnellini violacei di rafia e sulle braccia degli ornamenti – erano gli abiti tipici della termite e della formica, le due mogli del dio Amma. Una bambola di legno con un ciuffo irochese, seni di cuoio e pesanti gioielli veniva sospinta dalle retrovie. C'era un suono di oggetti di legno mentre i tamburi rullavano. Le maschere si strinsero in cerchio, si accalcavano, danzavano leggere quasi stessero improvvisando, poi ripresero a eseguire alcune figure, meccanicamente, come un orologio. Alla fine la *sirige*, con un'acrobatica oscillazione si chinò sui veli dei cadaveri. Stava assorbendo il *nyama* dei defunti, la forza primordiale che pervade tutto il creato, gli uomini e gli animali, le piante e perfino le pietre. Se questa energia non venisse incatenata dopo la morte, potrebbe aggirarsi per il villaggio e fare del male. Queste però, sono soltanto spiegazioni fornite da studiosi stranieri. Non ne siamo completamente certi. La danza delle maschere resta un rituale enigmatico in cui il mondo dei morti e quello dei vivi s'incontrano.

Due giorni dopo riuscì a trovare Ali Dolo, il mercante di cipolle. "Santa pace!", raccontò, "il dottore zoppicante. È passato tanto tempo, come dall'indipendenza". In grembo ad Ali si dimenava uno dei suoi quindici nipoti. "Il dottore era molto curioso. Voleva sapere proprio tutto. Sogni, maschere, tabù, avi, proprio tutto". Il dottore si chiamava Paul Parin. Era giunto dalla Svizzera per studiare la vita spirituale degli africani. I Dogon sono esseri particolarmente ambiti perché hanno mantenuto intatte le loro tradizioni originarie sino ad oggi. Se gli etnologi avessero ragione potremmo immaginarci il Dogon come una persona felice. Egli non considera il lavoro come un dovere, qualcosa di imposto all'essere umano come espiazione della colpa originaria, come accade nell'Occidente cristiano, è invece un dono di dio. La pigrizia è considerata negativa. Ai Dogon il principio della colpa è sconosciuto, disprezzano la menzogna, la proprietà privata di uomini e donne è divisa in modo chiaro, non si sente mai un lattante piangere. I neonati debbono toccare il terreno con le mani e le braccia non appena viene reciso loro il cordone ombelicale, vengono "a contatto con la terra". Forse è per questo che i Dogon hanno quella calma interiore a cui noi europei corriamo dietro? Che pensieri e sentimenti sono differenti? Era stato con queste domande in mente che Paul Parin, fondatore della etno-psicoanalisi, si era messo in viaggio per Sanga nel 1960. All'epoca la sua scoperta non venne compresa: la vita spirituale dei primitivi non si distingue per nulla da quella dei "civilizzati", eppure i primi sono più felici.

"I bianchi pensano troppo", aveva detto l'ex capo del villaggio Dommo a Parin, "per questo rimuginano continuamente su come fare sempre più denaro e non gli basta mai. Perciò non sono più sereni, non sono felici". Il rapporto finale di Parin *i bianchi pensano troppo*, divenne un libro cult della rivolta studentesca del 1968, un grande controprogetto antropologico, nei confronti di un uomo civilizzato ma alienato, e il suo ambiente. Ali Dolo ha visto il libro per la prima volta nel 1999. Guardando la foto che lo ritraeva giovane rideva del ritratto di Yamasaye, la sua seconda moglie. Figlie, nipoti e vicini occhieggiavano di continuo nel deposito di cipolle. Si inserivano nel discorso, ridevano, facevano battute. Si chiacchierava liberamente di tutto; i Dogon la segretezza proprio non la sopportavano. "Il dottore ha parlato con Yamasaye perfino di sesso, fedeltà... e addirittura di *puru*, quelle cose da femmine, come i cicli mestruali. A che servivano tutte queste domande? Non lo so". Ali Dolo sorrideva. La nipote saltellava come un diavoletto sulle sue ginocchia e squadrava fissamente il visitatore bianco. Non era la prima volta che gli africani lo confondevano.

*

Un'interazione sociale, un rituale, un modello di comportamento – crediamo di aver capito qualcosa e invece ci siamo solo andati vicino. Pensiamo di vivere l'immediatezza africana, ma quel giudizio antropologico è soltanto una proiezione da ricondurre alle norme culturali e ai valori di chi lo ha emesso. Per questo tutte le affermazioni su questo "essere" africano restano solo approcci, spesso solo supposizioni. Non capiamo il loro mondo interiore così come non capiamo l'ambiente in cui vivono e perfino gli esperti che credono di averli più o meno decifrati, non è raro che poi debbano confrontarsi con qualcosa che sia l'esatto contrario. In quei casi non sanno più che pesci pigliare, come era avvenuto a quei dottori in quello sperduto villaggio del Camerun dove era stato mostrato un educational sulla malaria e sulla funesta trasmissione della zanzara anofele. Gli anziani abitanti del villaggio erano rimasti davvero impressionati dalle immagini ravvicinate dell'insetto, ma per niente preoccupati. Perché le vere zanzare erano molto più piccole di quelle bestie mostruose proiettate sulla parete. Il loro senso della vista è diverso dal nostro. Non conoscono il mezzo cinematografico e non sanno stabilire alcun rapporto di causa-effetto fra quegli insetti sovradimensionati e la malaria.

Nel mondo africano ci sono elementi e forze che hanno un valore che noi non possiamo neppure lontanamente immaginare: maghi buoni e cattivi, tabù, segni misteriosi, il tessuto dei rapporti familiari e delle tradizioni segrete. Non parliamo la lingua e anche se avessimo al nostro fianco un traduttore eccezionale, alcuni concetti ci rimarrebbero ignoti e qualche significato resterebbe un libro con sette sigilli. Dobbiamo affidarci a costruzioni di supporto assai discusse. Ad esempio a quell'analogia degli antropologi Alfred Radcliffe-Brown ed Edwars Evans-Pritchard chiamata *If I were an horse* (Se fossi un cavallo). Si tratta di quella teoria in cui un contadino, in un tiro di destrieri cerca di sostituirsi alla puledra. Gli mancano però i riferimenti. Dove può appigliarsi. Verso dove può dirigersi. L'erba? Il recinto rotto? L'ottimo pascolo vicino? Ecco, è quello che mi capita quando speculo sul mondo, il pensiero o il comportamento degli africani qualche volta prendo un filo d'erba che può essere una scultura, un evento, un proverbio, un comportamento riconosciuto, un'esperienza strana, ignota, fastidiosa oppure felice. Spesso, durante le mie spedizioni nella quotidianità di questo continente mi sono lasciato guidare da una domanda fondamentale della sociologia: perché gli uomini agiscono così?

*

In realtà a casa nostra non volevamo nessuna *maid*. Già il nome: *maid*, un'abbreviazione del superato *maiden*, significa qualcosa del genere: ragazzina, serva, *magd*. Perché noi europei illuministi e autonomi avremmo avuto bisogno di una sottoposta nella nostra piccola magione? Princess però, era già lì quando ci siamo trasferiti nella casa n° 5 al 12th Street di Orange Groove a Johannesburg. Faceva, per così dire, parte dell'arredamento. Il suo alloggio si trovava nel giardino dietro la casa. Era una cameretta ammuffita con una specie di paravento davanti all'ingresso per fare in modo che i padroni che si rosolavano al sole in piscina fossero protetti dalla sua presenza. Ogni grossa casa in Sudafrica ha un *servants quarter*, una dépendance per la servitù. I loro abitanti, le *maids*, le *nannies* e i giardinieri, sono di conseguenza i neri che stanno più vicini ai bianchi e vengono considerati come gli "africani buoni". Gli altri africani, di regola, non conoscono le *madam* e neppure il *baas*, il padrone, perché gli altri africani sono pigri e bugiardi.

Per favore tenetemi, aveva detto Princess, altrimenti sono disoccupata e non so come sfamare le mie figlie e nipoti. L'abbiamo tenuta. Il mattino seguente si era piantata davanti al nostro letto con del tè. Questo rituale coloniale, chiamato *early morning tea,* lo abbiamo subito abolito. Princess in realtà si chiama Nolizwe, ma le era stato dato un nome "bianco", come a tutte le domestiche, perché i padroni i nomi dei servi proprio non riescono a ficcarseli in testa e nemmeno a pronunciarli. A parte questo, nel nome scelto c'è anche il desiderio di benessere e fortuna: Queen, Beauty, Grace o, giustappunto, Princess.

Nolizwe era una donna rotonda, flemmatica e simpatica, dotata di saggezza contadina e di un grande cuore. Abbiamo riso spesso, e tanto. Nella nostra relazione con lei si sono anche chiariti alcuni malintesi e pregiudizi. Abbiamo superato barriere culturali e alcune antipatie reciproche che intercorrono fra africani ed europei.

La piccola Happiness, la nipotina, era spesso malata. L'inverno è freddo sull'Highveld. Tosse, catarro, infezioni virali – le conseguenze dell'umidità nella camera male arieggiata. Abbiamo fatto ricoprire di nuovo il tetto di lamiera e spedito la nipotina dal dottore che le ha prescritto un antibiotico. Happiness ha inghiottito la medicina. Il suo stato si era appena ristabilito che l'abbiamo rivista saltellare scalza sul freddo pavimento di pietra del giardino. Abbiamo spiegato a Nolizwe che avrebbe dovuto lei stessa fare qualcosa per evitare le infezioni. Il principio della prevenzione tuttavia, le è rimasto oscuro. Quando uno è malato prende le pillole miracolose dei bianchi e torna sano. Ci si affida completamente nelle mani del datore di lavoro. Costui è responsabile di tutto. Non solo dello stipendio e del cibo, ma anche di abbigliamento e trasporto, di sanità e formazione. Un giorno la dirigente scolastica mi disse che le *school fees*, le tasse scolastiche, di Happiness non erano state ancora pagate. Nolizwe mi spiegò che alcuni *tsotsis*, gangster, le avevano rubato il denaro mentre si dirigeva a scuola. Quando questo incidente si riprodusse ci fu il primo grosso conflitto serio. Per non parlare di quella storia con il conto corrente che le avevamo aperto per versarle ogni mese un piccolo contributo per la pensione. Quando abbiamo lasciato Johannesburg non c'era rimasto un centesimo – aveva immediatamente speso i fondi di riserva: per accessori di moda, che portava sua figlia Nancy, oppure per i bisogni del cugino Theo, che lavorava da noi come giardiniere e imbianchino. Cose del genere facevano cadere le braccia.

Investimento nell'educazione, assicurazioni sanitarie, pensione, risparmio – sono sistemi previdenziali occidentali. Nella vita di una donna come Nolizwe non hanno alcuna importanza perché il futuro è un concetto astratto. Non si ha molto e si ha bisogno di quello che si possiede. Chissà che cosa porterà il domani. È la magra vita nella città, un mondo estraneo, moderno, in cui la previdenza tradizionale non funziona più. Fuori di esso invece, nel villaggio natale di Nolizwe, esiste ancora: ci sono molti bambini, campi fruttiferi, granai pieni, una grossa mandria di bovini, la dote della sposa. Certo, anche nelle città troviamo reti di sostegno sociale e finanziario, la famiglia allargata, le associazioni claniche, di risparmio e quelle funerarie che, a seconda del loro paese di provenienza, vengono chiamate *stokvel* e *magkotla* (Sudafrica), *tontine* (Camerun), oppure *maliando* (Guinea), ma queste reti hanno dei buchi e proteggono solo una parte della popolazione. E così il lavoro in una casa di bianchi diventa, per centinaia di migliaia di donne, una specie di polizza assicurativa contro qualsiasi infortunio.

In quelle case tuttavia, governano ancora rapporti di sfruttamento precoloniali che erodono la capacità dei sottoposti di occuparsi del proprio quotidiano, dei loro problemi e del proprio futuro. Questa perdita conduce non solo a una dipendenza materiale, bensì a una vera e propria mentalità da accattone. *Gimme! Gimme!* Dammi!, dammi!, la colf lo pretende. In fondo, tu hai tutto. E magari la padrona di casa blocca pure il frigo – in Sudafrica tutti i frigoriferi hanno lucchetti. Il Baas, il padrone, controlla il livello della bottiglia di whisky e poi smadonna contro la furbizia e l'inutilità del lavorante. Il personale, dal canto suo, cerca di procurarsi quelle cose che gli vengono negate e non di rado questo accade nella convinzione che esse gli spettino di diritto. Quei padroni avidi in fondo devono ascrivere il loro benessere all'ingiusto sistema dell'apartheid. Vivono nel superfluo, hanno una casa gigantesca, tre televisori e tre auto e i loro cani mangiano bistecche. Nel quartiere di Melville una colf mi ha mostrato il suo "appartamento": un garage sghembo con un pavimento di argilla nuda e niente corrente, nessun rubinetto, né bagno. La sua *madame* di mestiere faceva il medico. Poi queste persone, magari, si stupiscono se sono vittime di un *inside jobs*, se le loro ville vengono saccheggiate perché la *maid* ha dato ai ladri preziosi consigli.

Una signora benestante ammette le sue colpe in un confessionale: magari racconta che sfrutta la sua colf e la paga solo venti Rand a giornata. Il parroco le concede l'assoluzione e alla fine, magari, le chiede quale sia la giornata libera della ragazza? Il libro illustrato *Madam&Eve*[21] prende in giro le assurdità fra padrone di casa e donne delle pulizie. È una specie di breviario delle furbate a cui ricorrono, non solo in Sudafrica, i lavoranti. Un amico mozambicano mi ha raccontato di come il suo guardiano notturno rientrasse davvero un po' troppo spesso al suo villaggio natale: ogni volta ottenendo del denaro per il viaggio e una settimana libera. Stranamente era sempre la madre a morire. Alla domanda circa il numero di madri che l'uomo effettivamente avesse, questi a un certo punto ha risposto: "Adesso non ce ne sono più, capo. Sono morte tutte!".

A casa abbiamo naturalmente cercato di infrangere quella dialettica padrone-servo con la generosità: uno stipendio superiore alla media, inviti alle nostre feste, pranzi tutti assieme, offerte di abiti, le tasse scolastiche pagate alla nipote, le spese sanitarie. Eppure quella "riserva di ricchezza", quell'essere comunque benestanti, è rimasto, nonostante, o forse proprio a causa delle gratifiche. Se paragonati a una donna come Nolizwe, siamo davvero ricchi. Questo me lo fanno capire anche gli amici neri. Nella maggior parte dei casi siamo noi, io e mia moglie, a pagare il conto al ristorante, a organizzare biglietti per i concerti, ad andare a prendere, e poi a riaccompagnare, gli amici a Soweto. Ci si sente sfruttati. Di cosa vi lamentate voi bianchi, in fondo avete auto fichissime, *big bucks*, denaro, frigoriferi pieni e tutti quei privilegi che vengono negati a noi *darkies*! Perfino attori ben pagati, funzionari dello sport o giovani manager, scherzando, qualche volta hanno parlato così. Ci hanno offerto il beneficio dell'innocenza per gli europei che si sono trasferiti qui, sotto sotto però, borbottava la convinzione che i beni materiali ci fossero caduti in mano solo per il nostro colore della pelle.

Un amico londinese, un esperto di sviluppo che aveva sposato una donna del Lesotho, si era visto ben presto trasformato in una gallina dalle uova d'oro – da lui non ci si attendeva soltanto che pagasse il *lobola*, l'usuale prezzo della sposa, la dote, ma che mantenesse per sempre l'intero clan. Quello che più di tutto lo ha indispettito è stato il comportamento di suo suocero George. Quest'uomo stava bene perché aveva lavorato a Maseru come autista per le Nazioni Unite e poteva fare affidamento su di una pensione principesca per i parametri africani. Invece investiva gran parte del denaro in quattro scassatissimi mezzi davanti casa sua, perlopiù a pezzi. Ogni giorno arrivavano dei ragazzi, studenti del Politecnico, che si mettevano a smanettare con le sue macchine e che per questo venivano ben retribuiti. George però, era rimasto un semestre indietro nel pagamento delle tasse scolastiche dei propri figli. A che pro versare denaro per l'istruzione? Scuola e formazione sono cose da femmine! E poi i figli dovevano diventare dei buoni pastori oppure degli imprenditori, per questo non c'è bisogno della geografia o di sciocchezze del genere. George è sicuramente un caso-limite, ma certe forme di irresponsabilità gli uomini africani le mostrano davvero assai spesso. Bevono e chiacchierano volentieri, le sparano grosse, blaterano di progetti fantastici e poi magari trascurano le proprie famiglie. Se le donne non rendessero il doppio o il triplo di loro, a questo continente andrebbe ancora peggio.

Tornando ai fatti di casa propria. Il ferro da stiro è durato un anno, l'aspirapolvere un anno e mezzo. E noi sempre a chiederci come fosse possibile. Perché gli elettrodomestici si rompevano così in fretta? Quando l'aspirapolvere ha stirato le zampe per la prima volta, la causa è stata subito chiara. Nolizwe non aveva sostituito il sacchetto. Le ho spiegato che cosa ci fosse da fare. Dopo il secondo incidente si è stabilito che, questa volta, lo aveva effettivamente cambiato, dimenticandosi però di agganciarlo. Aveva aspirato e aspirato e aspirato finché, a un certo punto, il motorino non si era bruciato.

*

La chiave dal particolare al generale è spesso assurda e sempre problematica. Molti dei comportamenti di Nolizwe Mneno però, li ho incontrati tante volte in Africa. Una macchina va avanti finché cammina: questo vale per gli aspirapolveri, i radioregistratori, le automobili, le ruspe, gli aerei o le locomotive. Spesso quello che manca è l'abitudine a trattar bene gli apparecchi, l'ignoranza su come funzionino oppure la mancanza di pezzi di ricambio o del denaro per acquistarli. Tante volte questo comportamento è anche da ascrivere all'incrollabile fiducia nella tecnica moderna, spesso però, dipende più che altro da sciatteria e superficialità e bisogna ammettere che la *culture of maintenance*, la cultura del tenere bene le cose, non è particolarmente diffusa. Soprattutto quando si tratta di oggetti pubblici.

Una volta sono stato ospite nella casa dei genitori del campione di calcio ghanese Anthony Yeboah, a Kumasi. Nella cucina c'era un vero e proprio altarino di elettrodomestici. Dal forno a microonde al mixer erano tutti modelli nuovi di zecca, nessuno di loro sembrava fosse mai stato usato. Si trattava di feticci consumistici che dovevano dimostrare come ci si potesse permettere beni di benessere occidentali. Per cucinare però, meglio utilizzare gli utensili di sempre: mortaio, pestello, pentola di latta e cucchiaio di legno. Nel salotto di una coppia di maestri di Soweto in Sudafrica, non sapevo bene dove accomodarmi, perché i mobili erano ancora incellofanati. Si è orgogliosi della guarnitura del divano che riproduce uno stile di abitare "bianco": ma non la si vuole né rovinare né consumare, perciò resta nella confezione originale. L'amore per l'ordine e la pulizia però, qualche volta sono spiccati come in Germania. In un villaggio primitivo e sperduto ho visto pavimenti d'argilla puliti, capanne che risplendevano, oppure orticelli che non avevano nulla da invidiare a quelli tedeschi.

La cultura dell'ordine e della pulizia tuttavia, raramente va oltre quelli che sono i confini del paesello, della capanna o dell'insediamento. La cosa ha conseguenze fatali se pensiamo ai mezzi di trasporto, alle infrastrutture oppure alla stabilità degli edifici pubblici. Nel lago Victoria sono affogate 700 persone perché il traghetto arrugginito che le trasportava non era mai più stato revisionato dall'epoca coloniale ed era stracarico oltre misura. A Jesse, in Nigeria, è esploso un oleodotto che era stato bucherellato dagli abitanti del villaggio. Sono morte mille persone. Sulla Moi Avenue di Nairobi in Kenya è crollata la pensilina di un supermercato sotterrando sotto le macerie una sessantina di passanti. A un ripido incrocio di Kumasi, un auto, assieme ai suoi occupanti, è stata praticamente distrutta da tronchi d'albero di koto che pesavano tonnellate. Gli anelli a cui erano assicurate le catene di fissaggio sul camion, erano stati bloccati solo con del sottile filo di ferro.

Lo stato di alcune grandi città è indescrivibile. Sulle antiche facciate non viene data una mano di vernice dai tempi delle colonie. Le strade sembrano appena uscite da un bombardamento. Non si vorrebbe essere un animale dello zoo di Kinshasa. A parte un coccodrillo filiforme ci sono solo un paio di pappagalli e una scimmia infinitamente triste. Non ci sono dubbi che moriranno tutti di fame – oppure verranno macellati da gente affamata. Io trovo che sia Conakry la più sconsolata fra le capitali del continente. È questione di gusti. Altri colleghi danno la palma a Mogadiscio, Luanda, Brazzaville, Monrovia o Freetown. La scelta è grande. A Conakry tuttavia, ho sempre avuto l'impressione che lo stesso sole al tramonto non fosse altro che un pezzo di cartone appeso al cielo, che in ogni momento potesse cascare nell'Oceano Atlantico.

I trasporti in Africa bisogna chiamarli assassini. In nessun altro continente muoiono più persone se rapportate ai chilometri di strada praticabile. Su ogni via sterrata c'è un numero infinito di carcasse, rottami o scheletri di lamiera. Non è raro che ci siano venti o trenta morti vittime di incidenti infernali. I feriti gravi hanno poche possibilità di sopravvivenza perché nella maggior parte dei casi non ci sono mezzi di soccorso. In Nigeria i cadaveri qualche volta restano stesi per giorni sul ciglio della strada. Anche le tratte interne dei voli africani non sono consigliabili. La probabilità che un aereo precipiti è 15 volte più alta che in America. Non dimenticherò mai la comunicazione del pilota durante l'atterraggio a Dar es Salaam: secondo lui c'erano dei problemi di natura idraulica. Un uomo d'affari locale che sedeva accanto a me commentò laconico: "Prima o poi doveva succedere. Questo Boeing 737 non viene revisionato da 3000 ore". Lo scrivo a lettere per essere chiaro: tremila ore (!) Anche questo velivolo però, riuscì a posarsi. Io comunque non soffro in nessun caso della sindrome di Njonjo, così chiamata dal nome del politico keniano Charles Njonjo che rifiutava categoricamente di volare su aerei pilotati da gente di colore.

*

Alle volte la superficialità mi lascia senza parole. A Kinshasa c'è una casa che si trova sul ciglio di un immenso cratere erosivo. Ogni anno ci sono porzioni di terra che scompaiono. Dopo ogni stagione delle piogge l'abisso si avvicina sempre di più. Il proprietario sono otto anni che sta a guardare. Perché non fa nulla? Lui fa spallucce. Si prendono le cose come vengono e non ci si preoccupa più di tanto. Che può fare uno se attorno tutto cade a pezzi? Le strade e i ponti, le tubature dell'acqua e i cavi della luce, gli ospedali e le scuole. Come ci può difendere dalla corruzione, dal malgoverno, dal nepotismo, da quelle grandi forze erosive che minano alla base i fondamenti della società? Quando capita qualcosa, una persona cerca di cavarsela alla meglio. Se la casa crolla se ne costruisce una nuova. Niente è fatto per durare, nulla è eterno.

E poi va sempre tenuto bene in testa che tutto potrebbe essere altrimenti. Che le cose sono molto più complicate, ci sono in gioco poteri più grandi come un qualche campo di forza, un antenato in collera o una maledizione. Ovviamente nessuno mi racconterà nulla di tutto questo. Non so neppure cosa pensino i vicini. Non parlano con lo straniero. L'esempio dell'educational sulle zanzare mi ha spiegato tante cose. Dove comincia il confine fra i fatti e le credenze? Cosa è vero e cosa è inventato? Davvero al mercato di Jankara, a

Lagos in Nigeria, si vende carne umana, oppure si tratta solo di una *urban legend*, di chiacchiere, di una storiaccia il cui vero obiettivo è quello di mettere fuori gioco, con vicende inventate, un concorrente di maggiore successo? In Africa le informazioni sono comunicate perlopiù in maniera orale. In molti posti non ci sono giornali e spesso la gente non legge perché è analfabeta. Radio e tv, di regola, vengono utilizzate dal governo come strumenti di propaganda, non sono considerate attendibili. La fonte d'informazione più importante e *radio trottoir*, il chiacchiericcio da marciapiede. La ciarla, "il parlare della foresta". Con questo mezzo di comunicazione una notizia cambia di bocca in bocca e non di rado, da puri fatti, saltan fuori miti avventurosi. Se in un piccolo villaggio alle pendici del monte Elgon in Kenya chiedo in giro da dove provenga il malvagio agente patogeno dell'Aids, tutti risponderanno: dalla montagna lassù, da una caverna fra le nuvole. Sciocche superstizioni mi dico. Se ribatto agli abitanti del villaggio che l'epidemia è provocata da un minuscolo virus che troverebbe posto milioni di volte nelle pieghe di un capello, questa versione suona alle loro orecchie astrusa come la loro a me.

Ciò che gli africani percepiscono ai miei occhi resta spesso sconosciuto. Corro nella foresta e vedo solo foresta: una vegetazione fitta, termitai alti come uomini, acacie spinose, rami secchi, erbe che crepitano sotto i piedi. Magari perdo l'orientamento e potrei ben presto morire di sete se non incontrassi le donne San che in quella foresta ci scivolano velocemente, succhiano succo da una radice, masticano liane, dissotterrano con i loro bastoni qui un mucchietto di bacche giallo cotogno, là un paio di frutti. La natura selvaggia nemica della vita? Per queste donne non è altro che un giardino. Hanno imparato a comprenderlo. Anche in una metropoli come Johannesburg però, può capitarmi una cosa del genere. Non essere in grado di riconoscere il mondo africano dei valori e dei sensi. Perché in questa città io mi muovo in maniera diversa. Scarrozzato in giro come tutti i bianchi, in auto, e non mi accorgo di una seconda, sconosciuta, rete di trasporti. Si tratta di migliaia di vicoletti, scorciatoie, stradine e strade parallele su cui si muovono i pedoni neri, le *maids* e le *nannies*, i giardinieri e i manovali, gli scolari e le *sangomas*, i musicisti di strada e i furfanti. Tutti questi percorsi magari conducono a un posto di preghiera oppure un luogo iniziatico, a un punto storicamente significativo o anche soltanto a un focolare conosciuto, un posto dove dormire, in una caverna, al centro di uno *squatter camp* o di un insediamento selvaggio.

Qualche volta la letteratura apre un piccolo spiraglio attraverso cui dare uno sguardo all'invisibile mondo africano. Seguiamo sulla *strada dell'affamato* di Ben Okri (Nigeria) il giovane spiritello Azaro che fa di continuo la spola fra il mondo dei vivi e l'aldilà; mi lascio trasportare nel regno degli spiriti di *Bones* di Cheneraj Hove (Zimbabwe) un luogo in cui il continuum temporale è soppresso; in Mia Couto (Mozambico) perdo la capacità di discernere fra apparenza e realtà, fra fatti e finzione. La cosmologia dell'uomo, il tempo, lo spazio, l'ordine delle cose, ci appaiono sotto un'altra luce e possiamo affermare che la realtà africana non è così certa, razionale e scevra da miti come quella di noi europei dopo duecento anni di Illuminismo.

Non sembra proprio che riuscirò a raggiungere Tamale prima della discesa delle tenebre. Fra me e questa città c'è il confine di stato che separa il Togo dal Ghana e all'ombra di un albero di mango, vicino alla dogana, il responsabile della stazione e il suo vice stanno giocando con una dama fatta di pezzi di sughero. I due gabellieri non sono impressionati né dalle rispettose domande e neppure da ostentati sguardi agli orologi. Che cosa ci sarebbe di tanto straordinario se mi dessero subito retta? Perché tutta questa fretta? Da questo lato della sbarra le cose si vedono esattamente come dall'altra parte. Qui c'è poco da fare e lì la situazione non è granché differente.

Chi porta un'uniforme, chi riveste una carica, può permettersi di far attendere. *He is in a meeting*, è la scusa standard nell'anticamera di una persona molto desiderata. Il collega keniano John Githongo – nel frattempo è passato a guidare un ufficio anticorruzione – una volta ha calcolato i generici tempi di attesa del suo paese. Segretario:

30 minuti. Capoufficio: 3 ore. Ministeriale: da un giorno in su. Ministro: molte settimane. Gli impiegati aspettano il loro stipendio, i meccanici i pezzi di ricambio, le infermiere attendono le medicine, i *wananchi*, la gente normale insomma, aspetta questo e quello. Attendere e fare attendere sono atteggiamenti di chi ha il potere nei confronti di chi non ne ha. In questo caso specifico significa avere pazienza perché i doganieri stanno giocando. Soltanto quando il capo sconfiggerà il suo vice otterrò il timbro sul mio passaporto. A un certo punto smetto di seguire il corso delle lancette dell'orologio e comincio ad andare appresso a quello del gioco. Prima o poi il secondo uomo lascerà vincere il primo. Prima o poi la barriera si solleverà. È allora capisco una cosa: gli europei hanno gli orologi. Gli africani hanno il tempo.

Nell'Africa tradizionale questo segue altre leggi. La gente non fa affidamento su ore, minuti e men che meno sui secondi, bensì sui cicli naturali, sulle regole culturali, sui periodi di pioggia e di siccità. Semina e raccolta. Nascita, iniziazione, matrimonio, morte. Il tempo è legato a risultati, piani, feste, riti, segni oppure necessità: la prima pioggia, la lunghezza dell'ombra, un colpo di fortuna, un evento degno di riflessione, il volo di una lancia, il canto del gallo, il borbottare dello stomaco. È mezzogiorno quindi, penseremmo noi europei, i doganieri faranno una pausa. Per gli africani invece è il contrario: quegli impiegati giocano a dama, quindi si può esser certi che il sole è allo zenit. Se chiedo l'età di un uomo mi sento rispondere che è vecchio quanto l'eucalipto là dietro, oppure che è nato quando la peste bovina ha colpito il villaggio.

Qualche volta mi sembra che l'intero continente si muova al rallentatore. Magari mi capita quando attendo in stazioni vuote dove nessuno sa quando arriverà il prossimo treno, quando vedo delle piroghe su di un lago, immobili, come in un profilo ritagliato, quando osservo alcuni vecchi, seduti davanti alla loro capanna, che nella loro fissità sembrano fatti di legno. Attraverso villaggi che sembrano sprofondati in un sonno di secoli. La vita scivola lenta come un grande fiume. Qualche volta sembra che il fiume non scorra più e si crede che il tempo, la storia stessa, si siano fermati. Nella lingua *lingala*, parlata alle foci del Congo, la parola che si usa per dire domani o ieri è la stessa. Qui il tempo globale esiste soltanto nella tabella dei fusi orari dei nostri calendari da taschino.

Noi europei abbiamo dimenticato a gestire la lentezza. Non siamo capaci di stare cinque ore sotto a un albero senza avere qualche cosa da fare, senza una distrazione, senza qualcosa da leggere. Vediamo la clessidra scorrere e ci assale una noia abissale, oppure un'agitazione nervosa. Gli africani vivono la lentezza. Possono sedere per un tempo infinito sotto a un albero, a dormire, sonnecchiare, riflettere, chiacchierare, lasciare che il giorno scorra e non fare niente, assolutamente nulla. Spesso, si obietta: non hanno altra scelta. Vero. Eppure l'Africa coltiva un'arte che la velocifera Europa, dall'epoca del romantico dolce far niente ha dimenticato: l'arte dell'ozio. Noi siamo irrequieti nomadi della modernità, equipaggiati di computer portatili, carte di credito e telefonini, siamo guidati da appuntamenti, *deadlines* e eventi. Con questa rapida tariffa urbana a tempo acceleriamo sino alla morte. "La mancanza di calma sta conducendo la nostra civiltà in una nuova barbarie", ha scritto Friedrich Nietzsche nel fresco estivo della quieta Engadin.

Un cacciatore della Namibia, un boscimano, una volta mi ha chiesto: "È vero che le persone in Germania hanno sempre fretta?" Nel suo mondo chi si affanna sembra ridicolo. Non serve a nulla preoccuparsi dei propri ritardi perché non esiste un "tempo esatto", universale, che rischiamo di perdere. L'impeto per l'immediato, per il tutto e subito, non ci aiuterà. Aspetto cinque giorni davanti ad un ufficio immigrazione a Khartoum per ottenere un lasciapassare. Attendo una settimana su di una nave che mi porti via dalla città di Kisangani nella foresta vergine, oppure siedo sul Dakar-Niger-Express, di strada fra Bamako e Kayes e il viaggio non vuol saperne di finire. Mi scorre davanti la terra dei Malinke: campi nudi caldi, una foresta secca e villaggi ricoperti di polvere. Avverto l'alito appiccicoso del Sahel. Tutto spinge verso l'estremo: il silenzio, il tempo interrotto. Quando, all'improvviso arriva il treno e un momento dopo la vita si risveglia: ci sono donne che trasportano mercanzia, venditori di tè, bambini con cesti di frutta, abramide con riso! Fegato di pecora! Verdure! Tutti i passeggeri scendono. Pausa pranzo. Si mangia, si ride, si ozia. Sotto alcuni alberi, vicino alla capanna del casellante, ballano delle ragazzine. A sera, quando il sole scende pallido e senza forze nella foresta come una palla lattiginosa, non siamo ancora arrivati. Per fare appena 500 chilometri impiegheremo quasi 15 ore. 33 chilometri all'ora. Corrisponde alla velocità dell'equipaggio con cui Mozart, con gran baccano, a suo tempo si diresse a Praga. Venti chilometri prima dell'arrivo i passeggeri balzano in piedi, raccolgono con irruenza i bagagli dalle reti, irrompono smadonnando in sala d'aspetto, quasi che fosse solo adesso, dopoché per un giorno ci siamo mossi alla velocità di una lumaca, che il tempo sia diventato prezioso. Siamo in città e qui governa il dio Chronos, il moderno regime del tempo, la dittatura della fretta.

Viaggiare in Africa vuol dire riscoprire la lentezza, il ritorno all'andante, al movimento rallentato, può servire da medicina contro la follia della rapidità della nostra cultura. Ci vuole un po' per abituarsi a rapportare l'economia del tempo alle relazioni. Io, ad esempio, nelle spedizioni lunghe non calcolo più il tempo sulla base della data che appare sul quadrante del mio orologio. Mi regolo con il grado di maturazione del mango. In questa terra all'inizio sono verdi come fichi e poi di un giallo cotogno. Quando diventano rossicci sono arrivato.

*

Gli africani non conoscono la nostra esperienza della scomparsa delle distanze, del rapidissimo superamento dello spazio con jet supersonici, con autostrade informatiche o collegamenti dal vivo. Il loro continente risulta infinitamente lento e flemmatico, ma ci sbaglieremmo alla grande se lo considerassimo immobile. Perché questa è una terra dell'irrequietezza. In ogni momento sono in movimento milioni di persone, immense armate di profughi, vittime della siccità, migranti che sfuggono la povertà, lavoratori stagionali, nomadi, orde di ribelli e truppe di soldati. Quelli che sono scacciati da un paese si raccolgono in campi che hanno le dimensioni di città, a volte di centri abitati di milioni di abitanti. Queste persone restano come relitti sulla spiaggia per poi essere di nuovo travolte dalle forze del caos e vomitate da qualche altra parte. Mi imbatto dovunque in lunghe carovane, in migliaia di scolari, in contadini che si dirigono ai campi, pastori con i loro armenti, colonne di donne che bilanciano enormi pesi sulle proprie teste. Nelle ore più fresche della mattina e della sera sembra che per strada ci siano interi villaggi. L'Africa è un continente di pedoni, la misura per comprendere la distanza è il passo dell'uomo, il tempo impiegato per coprire un tratto a piedi. Non è importante se fino alla capitale ci sono cento oppure mille chilometri. Se uno non è costretto dal bisogno o dalla guerra non va molto lontano. Il mondo termina al prossimo mercato, a un grosso incrocio nel villaggio vicino. Ugualmente vaghe sono le informazioni fornite circa la strada da intraprendere verso mete lontane. In Africa chi fa troppe domande spesso e volentieri sbaglia. Le relazioni segrete, la rete di sentieri che attraversano il bosco oppure la foresta è meglio evitarli. Non riusciremmo a leggerli e presto perderemmo l'orientamento. È come trovarsi in una *terra incognita*.

Se si sovrappone un atlante coloniale degli anni '30 su di una cartina geografica dei nostri giorni, quei territori sconosciuti di allora corrispondono molto a tratti di paese che, ancora oggi, rimangono ignoti. Il politologo francese Jean-Christophe Rufin ha affermato in maniera certa che considerevoli porzioni di territorio dell'Africa sono tornate ad essere sconosciute. Sulla *carte routière* della Michelin, la mappa più precisa che ho a disposizione, balzano agli occhi larghe zone in bianco: all'interno dell'Angola, in Mozambico, al nord dello Zambesi, nel bacino del Congo, nelle zone semidesertiche della

Somalia e nelle regioni disabitate del Ciad, nelle paludi del Sudan del sud oppure nelle foreste vergini della Sierra Leone, ci muoviamo come Graham Greene nel suo *Journey Without Maps*. Sono spedizioni senza cartine. Lo spazio perde il suo significato, il tempo il suo potere. A cosa mi servirebbe un orologio digitale? Oppure la Gold American Express? O un bel computer portatile?

D'altro canto però, continuo a stupirmi quando gli abitanti di un villaggio sperduto mi chiedono notizie di Oliver Kahn[22] oppure di Schumi e della sua Ferrari. O quando mi viene chiesto se i giovani tedeschi continuino a uccidere gli africani. Queste persone conoscono di più sul nostro mondo che noi sul loro e hanno ben chiara l'idea del paradiso in cui viviamo perché la CNN, la BBC, oppure la sudafricana M-Net, si possono ricevere sia nella savana che nella giungla. I confini spaziali non corrispondono più ai confini informativi. Le immagini globali superano le barriere geografiche. Stimolano un movimento che noi avvertiamo come minaccioso: la corrente dei profughi della povertà, attirati come da una forza magnetica verso quei luoghi dove l'uomo può vivere bene e con dignità. Ma questa, è un'altra storia.

*

Ah, l'Africa rimasta indietro! "Qualche volta la odio. Non sopporto questa sporcizia, questa ottusità, questa rozzezza", sacramenta Monsieur Kimbwala. "Dia soltanto un'occhiata a quanto è sporco il mio vestito". Porta un doppiopetto grigio, una cravatta di seta e un elegante fazzoletto da taschino – un abito da viaggio un po' scomodo perché ci troviamo a bordo della *MS Gbemena*, una motonave che sferraglia nel mezzo della foresta vergine congolese. L'aria è calda e umida come in una sauna e l'imprenditore Noah K. Kimbwala si guarda attorno in modo talmente sofferente come se l'avesse morso un serpente mamba. Lui però ha in testa grossi piani: "Costruirò una fabbrica e produrrò conserve di mango". Hai qualche difficoltà a immaginare una cosa del genere nella giungla, soprattutto perché l'uomo non ha alcun capitale da investire. "Rischio", dice, e mostra un messaggio del sovrano belga – una lettera di raccomandazione per il presidente Mobutu. Probabilmente è un falso, ma, forse, potrebbe aiutarlo a convincere il capo di stato a concedergli un credito.

Kimbwala è un uomo robusto, della statura di un boxer, è uno dei quattrocento passeggeri a bordo dello *Gbemena*. La coperta della nave sembra un mercato dove si possano comprare le merci più comuni e quelle più rare: coccodrilli vivi e sapone, carne affumicata di scimpanzé e chiodi da calzolaio, vino di palma e bigodini, spazzolini cinesi, cartucce da caccia francesi, tonno sudafricano. Si acquista e si vende, si scambia e si contratta, senza interruzione. Di quando in quando alcune piroghe sbucano fuori dai porti nella vegetazione, remano come se fossero galere e cercano di attraccare. Alle volte queste barche hanno delle avarie a causa della scia d'acqua lasciata dalla nave e il fiume inghiotte la mercanzia che si voleva vendere. Magari si è attesa una settimana e adesso le merci affondano come pietre: le tartarughe legate fra loro, gli animali da cintura e i serpenti arborei, mentre i frutti del bosco tornano a galla. Chi riesce a salire a bordo realizza affari rapidi. È la corrente del fiume che detta il prezzo. Quanto più a lungo i commercianti si prolungano, tanto più sconveniente è lo scambio, perché la nave si allontana rapidamente dal loro villaggio e il ritorno che costoro devono compiere, controcorrente, diventa più lungo e faticoso. Ad ogni colpo di pagaia in più i vestiti, il riso e il sale diventano più cari.

Monsieur Kimbwala ha venduto una porzione di larve grandi quanto un pollice, che si muovono in una busta di carta di giornale. "Conserve di mango", ripete, "è una nicchia di mercato".

*

Il battello fluviale nella foresta è un mercato galleggiante, un microcosmo economico africano. Mi mette davanti agli occhi una incredibile ricchezza di esempi che mostrano ciò che è l'economia della povertà nelle regioni più dimesse del pianeta. Intere città vengono tirate su dall'immondizia, dai cartoni, dai resti di legno, dagli avanzi di plastica. Ogni scarto, ogni pezzettino di rottame apparentemente inutile, viene destinato a un nuovo utilizzo. Questo inizia già fra i bambini che creano un incredibile gioco da un filo metallico da un rametto e un turacciolo e finisce con quell'ingegnoso calzolaio che realizza sandali fatti di copertoni d'auto. Buste di plastica si trasformano in tappeti oppure in sculture, brandelli di stoffa in corde oppure in palloni di calcio, lattine di Coca Cola in pentolini, latte per l'olio in casse di risonanza per le chitarre. Le orecchie dei guerrieri Masai sono ornate dalle scatolette vuote dei rollini fotografici. Le donne dei San fumano pipe che una volta erano state bossoli di cartucce. I guerrieri dei Betamaribé, nel Benin settentrionale, fondono le punte delle loro frecce con il rame dei cavi telefonici. I segnali stradali scomparsi a Lagos, li ritrovo sotto forma di pale oppure di coperture per tetti. A Kumsi, una città in Ghana, in un grande campo di pezzi di ricambio per bus e camion, vedo come da vecchi rottami vengano creati automezzi nuovi. Persino i beni destinati all'aiuto diventano merce di scambio: i teloni azzurri delle Nazioni Unite vengono riutilizzati come tovaglie, come protezione dalla pioggia oppure come teli per riparare i camion. I vestiti vecchi che vengono dall'Europa in Mozambico li chiamano *xicalmidade* – una parola che deriva da due termini, chic e calamità. È moda creata dal bisogno. Nei campi profughi scopro mercati fiorenti. Secondo le statistiche Onu 82.000 *enterprises*, cioè a dire chioschi, bar, negozi, parrucchieri, macellerie oppure officine sono sorte, dopo il genocidio in Ruanda, presso Goma, in Congo orientale, nel più grande campo di raccolta del continente. Nel commercio si esemplifica l'arte di curare il bisogno. È il lessico famigliare africano e, contemporaneamente, dimostra il problema della sua economia: si produce troppo poco. Il continente è quasi completamente dipendente dai beni che provengono dall'esterno; è più facile acquistare una camicia fatta in Malesia piuttosto che un pezzo di panno che sia stato filato da cotone autoctono.

Naturalmente la vita economica africana sviluppa anche una molteplicità di furbe trovate e di stratagemmi. In Nigeria vengo spesso fermato da giovanotti che vogliono incassare una sorta di tassa di riparazione, riempiono quei buchi che loro stessi in precedenza hanno prodotto nell'asfalto. Una pratica estremamente amata è anche quella di disseminare la strada di chiodi. Appartengono a quelli che sistemano i guasti. Quando uno resta con i pneumatici sgonfi, questi signori saltano fuori dalla foresta per aiutarti. In Ghana esiste il mestiere del cercatore d'automobili. Si tratta di una persona che magari ti trova subito il deflettore rubato, oppure tutta la macchina. Nella malese Djenné si è arrivati alla miracolosa proliferazione dell'Oumarou Gogo Thiokary. È il nome di una guida turistica. Da quando è stato consigliata dalla *Lonely Placet*, ogni due libri che trattano di turismo uno si chiama così. I diritti di copyright in Africa sono sconosciuti. Il proprietario intellettuale deve condividere, che lo voglia o no. "Quando produco una nuova musicassetta, ne venderò forse 40.000 pezzi e dopo appena un paio di settimane circolano qualcosa come 300.000 copie pirata", mi racconta la stella senegalese del pop, Ismael Lô. Rendono davvero bene anche le cosiddette *Lettere-419* dalla Nigeria, così chiamate dalla legge che in quel paese le considera illegali. Si tratta di proposte di investimento, inviate in tutto il mondo per fax oppure per e-mail, che promettono rendite da sogno e che riescono sempre a far cadere in trappola sia alcuni sprovveduti che gente troppo avida. Ogni due giorni mi ritrovo offerte del genere nella cassetta postale. Una cosa del genere la leggo come un indicatore di crisi. Dopo la caduta del dittatore Mobutu, non sono stati pochi quelli che si sono spacciati come membri del suo clan. Al momento proliferano le offerte da Liberia, Zimbabwe e Costa D'Avorio dove imperano violenza e anarchia.

Il sistema 419 sarebbe probabilmente la maniera più rapida con cui Monsieur Kimbwala potrebbe racimolare il suo capitale. Lui però esclude categoricamente un'eventualità del genere. "Sono un africano onesto", sottolinea. Il silenzio. La corrente. La giungla. Getto uno sguardo nell'acqua marrone e sulle pareti verdi e dopo il breve crepuscolo tropicale, quando le pareti e l'acqua si sono unite, guardo le stelle. Una sera Monsieur Kmbwala mi chiede se posso prestargli un po' di soldi. Vuole conquistare la moglie del capitano. Per far questo però, deve comprarsi della biancheria intima pulita. Potrebbe essere una tresca abbastanza pericolosa. Probabilmente non sarebbe il primo passeggero dato in pasto ai coccodrilli. Non so come sia andata a finire quell'avventura perché a Bumba ho lasciato la nave. L'ultima immagine che ho è quella di Monsieur Kimbwala sul ponte più alto, che digita sui tasti del suo telefonino e sacramenta di santa ragione. Non c'è campo per un raggio di 500 chilometri, ma qui il telefono cellulare non è certo un apparecchio di comunicazione. È un feticcio, che lega il suo proprietario agli spiriti economici del mondo.

*

Quel grasso uomo d'affari sulla *Gbemena* è come l'Africa: vitale, furbo, irruento sino alla sfacciataggine. Pieno di ottimismo, ma anche presuntuoso, lontano dalla realtà, guidato da una sopravvalutazione che sfiora l'ingenuità. Gente del genere s'incontra nelle grosse città del continente: a Nairobi, Kinshasa, Accra, Johannesburg, Dakar o Abidjan, laggiù se uno vuole arrivare a realizzare qualcosa c'è bisogno di saperla lunga e di avere un'indole robusta. Prendiamo ad esempio Lagos, la metropoli economica della Nigeria. Un'ulcera urbana, crivellata di cloache velenose, piena di immondizia, soffocata da una cappa di smog azzurro lattiginoso, separata da arterie stradali tormentate da serpentoni di lamiera. Ripetuti black-out, caldo tropicale, rumore e caos. Una megalopoli del terzo mondo, anarchica, violenta, piagata da povertà e malattie, impressionante. Come la gente possa sopravviverci è una cosa che va oltre la mia capacità di comprensione e davanti alla loro cifra, ogni impiegato non può fare altro che capitolare. Otto milioni? Dieci? Dodici addirittura? Nessuno lo sa. "Qui l'individuo come tale non esiste più", questo almeno è quello che pensa un *attaché d'affaires* austriaco. Nel suo giardino c'è una lunga pertica. Quando il puzzo davanti alla dépendance che dà sulla laguna diventa di nuovo insostenibile il suo cameriere ributta in acqua aperta i cadaveri di uomini e di animali che si sono arenati a riva. "Otto corpi portati dalla corrente, in tre anni e mezzo. La prima volta ho denunciato il fatto. Alla polizia però non interessa". Quei morti non mancano a nessuno. Riposano nella tomba d'acqua dei senza nome.

Alcune strade sono impraticabili perché bloccate da cumuli d'immondizia. La canalizzazione è quasi sempre otturata, le cassette delle lettere non vengono più svuotate, le linee telefoniche sono mute e se un tubo dell'acqua è secco, nessuno sa come fare a trovare la perdita perché ci sono almeno tre reti differenti, ma nessuna indicazione seria. In questa città qualche volta ci si meraviglia del fatto che, a parte la forza di gravità, ci sia qualcosa che ancora funzioni. Sulla targhe delle auto si leggono cose come "LA – Centre of Excellence" e ci si ritrova per forza a pensare ai cafoni che le usano. Sulla chilometrica spiaggia di Victoria Island la gente dispone sacchi di sabbia su di una superficie di circa 200 metri per evitare che il mare si prenda la terra. Durante la costruzione di una nuova sala conferenze, la prima cosa che fanno è disporre le piastrelle, di notte, nella semioscurità, per poi accorgersi il giorno successivo che sono quasi tutte storte e la metà sono malferme. "Troppo poco cemento. Il lavoro però, in fin dei conti deve essere fatto", dice un operaio. Il caos in Nigeria è dappertutto. Quando sono in coda sull'autostrada che porta ad Ajaokuta le auto escono dalla fila e cercano di superarsi nel terreno fangoso, fuori dalla strada asfaltata. Di fatto da due corsie ne nascono dieci, i serpentoni di lamiera s'intersecano disperatamente gli uni con gli altri. Tutti gridano e imprecano. A Ibadan cerco la bretella che dalla A1 dovrebbe portare alla A5. È stata progettata tre volte e tre volte finanziata. Sulla cartina è segnata. Eppure non esiste.

La Nigeria, il gigante d'Africa, la nazione nera più grande, ricca e potente del mondo, funziona secondo il principio del disordine. "Qui le fonti di energia sono la mancanza di rispetto e la sciatteria", spiega un imprenditore. La visione della sua teoria conduce alla Western House, un complesso di uffici che una volta erano un indirizzo, di quelli "giusti", della City. Nel frattempo tutte le aziende che c'erano si sono trasferite. Il motivo sono i rischi di incendio, di crollo e i furti alla luce del giorno. Di sotto, nel garage sotterraneo, in uno scantinato scuro e ammuffito, siede Olojede, il centralinista. Il suo tavolo, ricoperto da un pezzo di stoffa viola è incorniciato da cavi, lucine, fili, relè e prese. Sta leggendo nel *Guardian* la storia di Oriji il cannibale che pare abbia fatto affari con la carne di alcune donne. È una delle solite panzane. Se dietro al centralinista qualcosa si accende o suona, lui stuzzica con la penna quel guazzabuglio elettronico. Si meraviglia del fatto che io mi possa meravigliare. "*Disting never tossed. Never Wahalla*", dice in *pidgin*, in slang nigeriano. Quest'affare non si rompe mai. Mai un fastidio. Prima o poi le cose riprenderanno a funzionare. Il mondo è qualcosa di provvisorio.

Sono stato forse una dozzina di volte a Lagos e ad ogni visita ho sempre avuto questi momenti di totale esaurimento. È in occasioni come quelle che mi rifugio in un baretto, mi siedo, bevo una Cola, fumo, mi guardo attorno e smetto di ragionare. Questa città sembra succhiarti la vita dal corpo. Si capisce bene perché il saggista americano Robert Kaplan abbia scelto Lagos come quinta per i suoi scenari apocalittici. L'ingovernabilità di questo mostro urbano rappresenta una bomba a tempo demografica ed ecologica. C'è un esercito di miseri profughi interni, una lotta per la ripartizione delle scarse risorse che esplode in scontri etnici, la devastante pandemia dell'Aids – si potrebbero negare i fatti? Eppure, mentre siedo esaurito in quel bar, come inghiottito dal pessimismo, fuori la vita pulsa nelle strade, senza regole, senza misura, iperattiva, come se scorresse attraverso le azioni e gli impulsi di tutti, un'energia doppia. Il gridare e il ridere, lo strillare e il gesticolare, l'accapigliarsi e il flirtare, tutto sembra essere più forte, selvaggio, sfrenato, chiassoso. Perfino i neonati sembra che frignino in modo più rumoroso e ti trovi costretto a pensare a quella frase di Peter Eneahoros da *How to be a Nigerian*: "Alcuni popoli hanno bisogno di stimolanti. Noi di tranquillanti".

Prima o poi però, quella vita dura, dissipata, viene a riprendermi nel bar. Visito il teatro nazionale, un immenso catino di cemento nel cuore della città. Fu costruito appena venticinque anni fa, ma il Colosseo, che di anni ne ha 2000, è conservato meglio. Giro per le catacombe, scopro colonne abbandonate, uffici vuoti, caffè chiusi e non vedo l'ora di lasciare questo luogo triste. Poi però, attraverso una porta girevole e vedo danzatori che volteggiano nell'aria. Sono le prove del National Troup of Nigeria. Una manifestazione dell'arte della danza. Mi fermo a chiacchierare con ballerine e ballerini africani che scoppiano di forza e consapevolezza. La difficilissima situazione, la povertà dei ghetti, la violenza delle strade, le lotte quotidiane e le mancanze non sono riusciti a smontarli. Ridono di cose che a noi europei ci farebbero disperare. La loro maestra è stata la miseria. Spesso vanno a dormire con la pancia vuota, hanno sofferto di brutte infezioni, sono sopravvissuti a dittature, rivolte per il pane e violenze tribali e sono arrivati a quest'arte. La danza per i giovani nigeriani è il trionfo sulla guerra. La voglia di sopravvivere. È qualcosa di creativo. Per arrivare tanto lontano ci vuole naturalmente anche tanta fortuna, perché spesso le energie si smarriscono nelle avversità del quotidiano e a 45 o 50 anni le batterie sono scariche. La vita è breve, faticosa e piena di pericoli. S'invecchia velocemente e si muore presto. Solo così possiamo spiegarci perché nelle città dell'Africa s'incontrino pochi vecchi e così tanti giovani. Quasi la metà dei 700 milioni di africani ha meno di 15 anni.

*

Facciamo un balzo a Malanje in Angola. Laggiù l'aspettativa media di vita è di soli 43 anni. La città è circondata dai ribelli. Sparano alle case e di notte saccheggiano i quartieri periferici. La gente muore di fame, dappertutto è una fortissima penuria a farla da padrona e soltanto di una cosa c'è n'è più che a sufficienza: della paura. In questa città di dannati abita Antonio Marais; ha 38 anni e da 31 non conosce che la guerra. "Nonostante tutto devi goderti la vita", dice. "Perché non sai mai quando ti beccherà un colpo di artiglieria. E – bum! – tutto è finito". Un pollo soffrigge sulla griglia. Stappiamo una bottiglia di uno scadente vino portoghese e io faccio ipotesi su come e dove Antonio Marais ne sia entrato in possesso. Sua figlia ha all'orecchio una radiolina a transistor e balla al ritmo della kizomba caraibica. La voglia di vivere non si può incatenare. Persino nella miseria più nera gli africani riescono a sviluppare incredibili strategie di sopravvivenza. Al di fuori del nudo bisogno sono riusciti a mantenere un pezzetto di libertà. Questo si mostra nella loro infinita calma e fiducia. Facciamo un altro salto, a Freetown, la capitale della Sierra Leone che, dopo dieci anni di guerra civile, si è trasformata in un campo di rovine. Tanta gente del posto continua ad abitare in ciò che resta delle proprie case. Sono simili a grotte. Molte di queste persone sono traumatizzate perché hanno dovuto vedere e soffrire cose terribili. Centinaia di loro sono state orribilmente mutilate dai ribelli eppure nella città è ritornato qualcosa che assomiglia alla normalità. Le donne mercanteggiano con quei pochi averi che sono rimasti dopo le orge di rapina e morte. I ragazzini fanno decollare aquiloni di carta e muovono cerchioni di ferro nelle strade. Le ragazze giocano con i bossoli delle cartucce, fra cumuli di macerie sorgono piccoli orti. Vedo gente che ride. Questo bizzarro mix di fine del tempo e gioia fra le rovine mi lascia interdetto anche a Mogadiscio, capitale dello stato della Somalia, che, dopo un decennio di guerra civile, di fatto non esiste più. Qui ho visto l'esempio più folle dell'arte di godersi la vita all'inferno. Era una di quelle notti in cui le milizie somale e i caschi blu delle Nazioni Unite avevano ingaggiato di nuovo un violento scambio di fuoco. Il cielo era in fiamme. Fu allora che dalla terrazza del mio hotel presi a seguire uno spettacolo irreale. Mi accorsi di una luce sfarfallante in una strada vicina. C'erano dei ragazzi seduti in un edificio distrutto che certamente una volta era stato un cinema. Stavano guardando un film mentre a un chilometro scarso in linea d'aria si gettavano granate. Era un film italiano – sulla guerra in Vietnam.

In Somalia sono anche uscite quelle considerazioni antropologiche che Bodo Kirchhoff ha fatto sugli africani. In realtà lo scrittore era nel paese per protocollare come la bandiera rossa-nera e oro sventolasse nel deserto bollente e per sentire il nostro "inno del dopoguerra" – di fatto aveva accompagnato i soldati tedeschi durante il loro primo intervento militare umanitario dal 1945 nel corno d'Africa. Un giorno vide un bimbo di colore ferito e annotò nel suo diario: "Una ragazzina è rimasta accecata da un'esplosione, ferite diffuse su tutto il corpo". La bambina frignava sottovoce e l'uomo di lettere pensò: "La sofferenza è un modo di essere, come da noi la soddisfazione". Che cosa voleva dire? Che gli africani sono in grado di sopportare più di noi perché, evidentemente, hanno una natura più grezza? Che sono nati per soffrire ed essere martirizzati? Probabilmente Kirchhoff ha voluto affermare tutt'altro, nelle sue frasi però, si evince "quell'essere altro, quell'essere diversi", proprio degli africani, che Paul Parin ha confutato nel suo studio *I bianchi pensano troppo*. Si arriva a un livello di sofferenza che ha la meglio sul sofferente, costui diventa indifferente, non prova più nulla, non considera più il proprio ambiente, è completamente paralizzato. La sofferenza però, la paura, la disperazione, imperversano ugualmente in ogni essere umano. Ho solo bisogno di andare in un ospedale di Freetown a parlare con i pazienti. L'ospedale si chiama Connaught dal nome di una meravigliosa lingua di terra in Irlanda. Su di una panchina di cemento sotto a un pino in cortile siede un uomo. Indossa una camicia di tessuto a rete, di un verde turchino, pantaloncini sporchi e ciabatte. Mi allunga il suo braccio destro mozzato.

"Sono Lamin Jusu Jakka. I ribelli mi hanno tagliato tutt'e due le braccia. Sinistro, zàcchete! Destro, zàcchete!" Era una di quelle asce pesanti che gli operatori umanitari dell'Onu usano per abbattere gli alberi. Potevamo cercare rami secchi o corti. Furono mozzate molte mani e gambe. Uno di quei criminali raccolse quei pezzi di corpo e disse: "Adesso andate dal vostro presidente e lavorate per lui!". Sulla sua camicia c'era scritto "CO Cuthands", tagliatore di mani in capo. I genitori e una sorella di Jakka sono stati ammazzati subito dopo l'inizio della guerra, d'improvviso la vita ha preso un suo corso. Adesso l'uomo non sa più come andare avanti. "Un neonato sta meglio di me. Se mi prude la testa devo strofinarmi come un animale al sostegno del letto". 45 anni. Cinque figli affamati. Niente mani, nessun futuro – un misero destino in Africa. Un destino fra milioni. "Come potrei tornare a lavorare? Chi mi prenderà?", Jakka si risponde da solo: "Nessuno", la sua storia di sofferenza avrebbe probabilmente condotto alla follia qualsiasi europeo – è questa l'unica differenza che riesco a vedere fra noi e loro. Jakka racconta questa storia senza lamenti, in modo fattuale, con fredda e spaventosa precisione. "Non mi sento più tanto bene con me stesso", dice in modo talmente impassibile come se soffrisse di un bruciore di stomaco. "I neri non sono buoni gli uni con gli altri".

Spesso mi viene chiesto come faccia a elaborare esperienze e incontri del genere. Non ce la faccio. Non si cancellano dalla memoria, mi restano davanti agli occhi come se li avessi vissuti ieri. Sono un'incancellabile tessera di mosaico nell'immagine di quell'altra terribile Africa. "Ma non ti ci abitui mai? Prima o poi non riesci a superarla?", mi ha chiesto un amico. No, non mi ci abituo mai. Un bimbo affamato in cui si spegne la fiamma della vita, una montagna di persone massacrate, una donna mutilata e oltraggiata – provocano sempre una spaventosa tristezza che non si può rivestire di parole. La sofferenza assale il nocciolo più intimo della nostra umanità. Ci si potrebbe disperare per questo continente se esso non avesse migliaia di volti diversi. Se non ci fosse l'incredibile forza del perdono. Dopo l'orribile guerra del Biafra in Nigeria, non ci fu nessun atto di vendetta con i ribelli Ibo. In Uganda sembrava che il governo del terrore di Idi Amin avesse seminato discordia, invece le persone hanno superato tutto questo così velocemente come hanno dimenticato il despota. In Sudafrica sono riusciti a creare una commissione di riconciliazione per scoperchiare i crimini dell'apartheid e lasciare un modello di riconciliazione che potesse essere usato in tutto il mondo. In nessun altro posto le ferite sono così profonde come in Africa. In nessun altro luogo si sono risanate talmente in fretta. Gli africani, dice lo storico Ali Mazrui, hanno una "memoria corta dell'odio".

*

In Africa non mi sento mai solo. Sono perennemente circondato da tante persone. Non appena arrivo in un villaggio vengo subito attorniato da uno sciame di bambini vocianti. Intervisto il capo del villaggio e l'intera comunità sta ad ascoltare. Quando siedo in un bus, oppure su di un treno o sul pianale di un rimorchio, schiacciato fra altri viaggiatori e i loro polli, le loro capre e le torri i bagagli, mi sento un po' come in una scatola di sardine. Qualche volta mi augurerei una maggiore distanza, una più grande lontananza fisica. Gli africani però, non conoscono il timore della vicinanza. Crescono in gruppi, assieme agli altri bambini del villaggio, maturano fra coorti di coetanei, condividono fra loro i vari stadi dell'iniziazione e, una volta adulti, hanno imparato ad agire in forma sociale. Perché il loro ambiente è duro, le risorse sono scarse. Si vive della terra, di un piccolo campo, magari di un paio di mucche; nove africani su dieci sono agricoltori di sussistenza. Le necessità fondamentali non sono sottomesse ai tanti regolamenti che abbiamo noi. Non esiste una cultura del sonno. Si dorme quando il corpo lo richiede. Le regole a tavola sono estremamente semplici: si mangia con le mani, una volta al giorno, di regola prima del calar del sole, velocemente e più che si può perché non è sicuro che il giorno dopo la scodella sarà di nuovo piena. Anche per quello che riguarda la sessualità le cose non sono così complicate. Ovviamente esistono le tipiche follie degli innamorati, i rituali dell'offrirsi e dell'accoppiamento, la lunga romanza resta tuttavia l'eccezione. Uomo e donna arrivano subito e in modo deciso alla meta e per gli stranieri non è sempre facile resistere alle tentazioni della carne, soprattutto quando ti viene offerta la figlia del padrone di casa e questa, magari, ti fa anche gli occhi dolci. L'ospitalità è senza confini. Se in Europa immaginassimo l'ospitalità come un topolino, in Africa dovrebbe assumere le dimensioni di un elefante. Un anziano del villaggio dei Dogon mi ha salutato con le parole: "Consideri il nostro villaggio come il suo paese natale". Anche se non c'è molto, ricevo la porzione più grossa. Il pezzo di coscia di pollo più grande e il mio bicchiere non vuol saperne di svuotarsi di birra di miglio o di vino di palma. Prendo parte a una cultura che, un tempo, era anche la nostra, ma che è stata soffocata dal superfluo. Il bisogno partorisce uno scambio solidale. Diventi una persona soltanto attraverso gli altri, dice un proverbio Zulu – una regola basilare dell'etica africana, quel senso comune che determina lo sfruttamento e la cooperazione rispetto alla concorrenza. Nella capanna non hai bisogno di uno spazio proprio, di un luogo dove stare per conto tuo, della tua sfera privata, la vita è continuamente pubblica e per questo gli africani non sono circondati da quella corazza europea di individualismo. Non sono un singolo atomizzato a cui nessuno può andare troppo vicino. Sono disinvolti, spontanei e comunicativi. Avverto la forza della loro comunità quando dimostrano, quando si riuniscono, quando fanno il tifo per una squadra di calcio, durante la raccolta, quando festeggiano un'iniziazione oppure ballano il toyi-toyi. Sono una forza e vitalità collettive che non riuscirei a descrivere. Dobbiamo però guardarci dall'idealizzare quel sistema sociale. La favola secondo cui gli africani avrebbero un'infanzia felice ad esempio è una balla. È ovvio che da neonati, in fasce, vicinissimi alla mamma, ci si senta molto bene. Le coccole e la sicurezza del rapporto genitrice-bambino però, terminano non appena il piccolo comincia a camminare. Il piccino viene subito gettato fuori dal nido nella comunità e d'ora in poi camminerà in essa. Nessuno si preoccupa più di lui in maniera particolare, perché nelle fasce della mamma ora magari si sta stiracchiando un fratellino. Al momento di mangiare spesso il bambino è troppo piccolo e quando ci sono carestie è una delle prime vittime.

*

Rullano i tamburi, la polvere si solleva sotto i passi che la calpestano. Il villaggio di Ganvié balla, in onore dell'importante visitatore. Il ministro per lo Sviluppo si aggiusta il nodo della cravatta, i suoi referenti sudano. Bonn è in visita in Benin. Ganvié è un pittoresco conglomerato di palafitte. È chiamato anche la Venezia d'Africa. Sul "canal grande" i bianchi debbono difendersi da donne-mercanti troppo invadenti che vendono legna da ardere, peperoni, noci di cocco, pesce, cipolle, miglio, diesel oppure acqua potabile sulle loro piroghe e hanno la sfacciataggine di pretendere una tassa in cambio di una foto da parte dei visitatori di stato. Adesso però le loro figlie e figli danzano. Un impiegato mi sussurra in un orecchio: "Loro hanno la danza, noi la tecnica". Non c'è bisogno di dire altro. Il resto posso immaginarmelo. Questo è un popolino felice, ma anche abbastanza primitivo. Quale sarebbe stato il suo apporto al progresso dell'umanità? E poi, siamo onesti, quanti sono stati i premi Nobel che l'Africa nera ha dato sinora nel campo della scienza? Nemmeno uno. Quindi...

Certo, ma perché? Faccio rispondere due africani: "Noi non abbiamo catalogato e neppure *infilzato* la natura per poi metterla sotto formalina", scrive Chenjerai Hove, lo scrittore dello Zimbabwe, "noi queste cose le vediamo in maniera diversa e parliamo differentemente con, e di loro". John Mbira, un collega keniano, ha fatto il paragone fra uno scolaro britannico e uno africano. L'alunno africano deve compiere a piedi ogni giorno miglia e miglia per andare a scuola. Fa un caldo insostenibile. Il bimbo arriva stanchissimo e va a sedersi affamato e assetato al banco – se ne ha uno. Materiale didattico, penne, quaderni sono merce rara. Allo scolaro africano viene fatta lezione in una lingua straniera, in inglese, francese oppure portoghese. Deve confrontarsi con una cultura sconosciuta. L'alunno britannico non conosce questi problemi. Non è una cosa normale allora, che i britannici abbiano dato al mondo più scienziati rispetto agli africani? Molti di noi però, scrive Mbira, continuano a credere che non siamo poi così svegli. È proprio questo che viene furbescamente trasmesso a scuola. Li si convince del fatto che i neri cantano meglio, che possono correre più veloci e danzare con migliori risultati, che in qualche modo siano più "naturali", mentre la fredda razionalità, la riflessione, la pianificazione e l'inventiva appartengano al predominio dei bianchi. Questo mito non è forse suffragato dai fatti? Pensiamo ad esempio ai musicisti neri del jazz e alle stelle del pop. A quegli atleti dalla pelle nera che detengono tutti i record sulla breve distanza. Ai keniani e agli etiopi che vincono regolarmente ori, argenti e bronzi. Oppure al leggendario Jesse Owens che ai giochi olimpici del 1936 lasciò al palo i signori ariani di Hitler. *White man can't jump*, sfottono i giocatori di pallacanestro africani, l'uomo bianco non sa saltare. A elencare esempi noti si finisce contro un tabù: la differenza biologica. Di questa però i contemporanei politicamente corretti preferiscono non parlare. C'è il timore di risvegliare i fantasmi della dottrina razziale.

Nuove ricerche nel campo della biomeccanica hanno dimostrato che la velocità di conduzione dell'impulso nervoso nelle masse muscolari degli sprinter di colore è maggiore; il loro baricentro è più alto, dispongono di migliori riflessi e di un più elevato livello di testosterone. I muscoli dei fondisti neri hanno mostrato un potenziale ossidante più alto. Questi vantaggi si sviluppano negli altopiani come il Kenya più facilmente che, ad esempio, nella zona del Sahel. Dunque, secondo queste affermazioni, caratteri ereditari e influssi ambientali si rafforzerebbero reciprocamente. Il passaggio successivo dai fenomeni fisici alle capacità intellettive rimane invece una pura e semplice stupidaggine. L'intelligenza non è legata a determinati geni, bensì al risultato di complessi scambi all'interno del genoma umano e questo non si differenzia secondo leggi funzionali che siano "bianche" o "nere". Si può quindi soltanto sottoscrivere quello che l'ex presidente Kenneth Kaunda una volta ha affermato: "Dio ci ha dato lo stesso cervello dei britannici degli americani". E per quanto riguarda il signor Nobel e il progresso: sulle alte montagne oppure nelle paludi non c'è bisogno di inventare la ruota perché da quelle parti non serve a nulla. Al massimo può essere un giocattolo, come presso gli Inca. Ai tropici non è possibile allevare alcun animale da tiro perché sarebbero punti a morte dalle mosche tse-tse. Non c'è bisogno di architetti che costruiscano ponti d'acciaio sui fiumi perché su quelle coste vivono troppe poche persone e non ci sono città. Quello di cui c'è bisogno sono buoni artigiani che sappiano fare delle piroghe e una raffinata tecnica del pagaiare.

*

"Noi africani abbiamo altri meriti", dice Adam Shafi. Per esempio? "La luna. È nostra, al mondo l'abbiamo solo prestata". Sono seduto in alto, su di una terrazza che domina Zanzibar. Un belvedere su cui fluttua un baldacchino in seta, come su un tappeto volante. La falce dorata è immobile fra i minareti e adesso, a sera, quando la brezza del mare si porta via il caldo tropicale, la dormiente città di pietra si trasforma in un termitaio. Dal dedalo di vicoli salgono suoni strani: motocicli sferraglianti, campanelli di bicicletta, un tintinnante rumore di rottami, musica araba, un mormorio e delle risate, il cicaleccio dei bambini che sciamano come stormi di uccellini attraverso le case. Adam Shafi ha scritto *La schiavitù delle radici*, un romanzo sulla lotta di liberazione degli abitanti di Zanzibar. Racconta della sollevazione nelle piantagioni di garofani e vaniglia, del suo periodo passato in prigione, dei sanguinosi disordini e poi di quel qualcosa d'altro, a parte la luna, che gli africani hanno inventato. Quel qualcosa è la musica. La danza. E naturalmente l'umorismo, di cui danno continuamente ottimi esempi. La leggerezza e il sorriso. Gli scherzi e i lazzi, quell'*amor fati* tutto africano: Non lamentarti. Vivi! di quel Martin Luther King che amava raccontare barzellette delle piantagioni. Da qui viene la teoria secondo cui i neri sono riusciti a superare secoli di sottomissione solo perché hanno continuato a sviluppare il proprio umorismo. Il buon umore, la voglia di ridere, l'allegria della gente, appartengono a quelle qualità che mi mancano di più quando mi muovo in Europa in mezzo a visi imbronciati. Anche *l'homo ludens*, l'essere umano che si trastulla, probabilmente è originario dell'Africa. Lo vedo giocare ad ogni occasione, con le carte, con le pietre, con i turaccioli e con i gusci delle lumache, oppure con le noci che passano sui bao, il più antico gioco da tavolo del mondo e anche il più duro mercanteggiare e litigare ha qualcosa di ludico.

Gli africani amano certamente prendersela comoda. In fondo l'ozio è nato qui. Non ho mai trovato da nessuna altra parte una tale ricchezza di poggiatesta. Spesso sono piccole opere d'arte e tornano utili per un pisolino in ogni momento della giornata. Poi c'è naturalmente la danza in cui si esemplifica l'insopprimibile vitalità dell'Africa. Dappertutto vedo bambini che saltellano, piroettano da una parte all'altra e giocano, donne che cantano ai margini della strada ciondolando i loro fianchi. Uomini che semplicemente ballonzolano da una parte e dall'altra, così, senza motivo. Posso soltanto restare a bocca aperta davanti alla molteplicità di danze tradizionali, al continuo arsenale di figure, alle spontanee coreografie di massa e se da qualche parte a Soweto Colorane, Treichville oppure Matonge mi trovo in mezzo ad una festa dove il rumore si trasforma in movimento a me, uomo del nord, mi prende l'invidia. Mi convinco in fretta che anche la musica dev'essere un'invenzione dell'Africa. Mbalanx, Kwasa Kwasa, Semba, Higlife, Kalindula, Makossa, Kwaito, non importa quale sia uno dei mille stili che ascolto. Spacca, batte e fa le bollicine, ribolle, è *groove*! Come se la gioia, la rabbia, la nostalgia, l'eros, tutta la voglia di vivere del mondo, si fossero trasformate in musica. È qualcosa che supera la povertà, le tenebre, la morte. *Fiat musica, pereat mundus!* – che il mondo finisca, la musica africana sopravvivrà!

Da dove viene la tua musica? "L'ho sognata", dice Siakwede Bokotela Mudenda, "me l'hanno sussurrata i *masabe*, gli spiriti degli antenati". Siakwede e un *mwmbi*, qualcosa che nella lingua dei Tonga significa "signore dei toni". I colonialisti rhodesiani, una volta, hanno deportato questo piccolo popolo dalla valle dello Zambesi nel nord dello Zimbabwe, non appena il fiume venne arginato dal lago Kariba. Da qualche parte nel suolo torbido dei villaggi sommersi il cui nome non nomina più nessuno, riposano gli antenati. I pescatori raccontano che nei giorni di bonaccia li si può sentire, come se pestassero il miglio oppure battessero le punte delle lance sull'incudine. Qualche volta si sente il canto dei galli e il rumore di corni e tamburi. Da qualche parte là sotto, dove governa il dio Nyaminyami e cresce il Mupolopopo, l'albero della polvere da sparo, dove le rocce camminano e accadono altre cose incredibili è da lì che viene la musica.

Trrrrrrmmmmmm! All'improvviso un breve tambureggiare squarcia il silenzio. Seguono, come disseminati a caso, suoni di piffero, poi risuonano corna di antilopi, prima da sole, in coppia, in gruppo, mischiate fra loro in colorite tonalità, pure e squillanti, brontolanti e sommesse, basse come da tromba e sonore come flauti. E salgono, rinforzate da minacciosi suoni di tamburo. Brandelli di suoni da un groviglio di voci gorgheggianti, trillanti e vibranti. Ciò che all'inizio era apparso dissonante si trasforma in un furioso mix di suoni. Sembra qualcosa di arcaico, lontano anni luce, sconosciuto, eppure avanguardista in alcune cadenze, senza tempo, qualcosa di familiare come i toni di un sintetizzatore oppure il ronzare di una radio a onde corte. Sembra di ascoltare contemporaneamente il rumore di insetti giganti, di corni polifonici e di strumenti a fiato assieme a migliaia di fischietti. I musicologi europei parlano di "cheerful noise", di piacevole rumore. Costoro paragonano le composizioni dei Tonga alla cosiddetta musica seriale oppure aleatoria, alle opere di innovatori come Lieti, Stockhause oppure John Cage. In esse odono i toni di Edgar Varese oppure i glissandi[23] di una Sofjia Gubajdulina, l'astrale free jazz del leggendario Sun Ra. Come è possibile tutto questo nella giungla? La nostra scienza non sa darsi alcuna spiegazione.

Sono nel villaggio dei suonatori di tamburo Siatele, trenta musicisti suonano curvi attorno alle capanne di fango e l'intera tribù viene travolta da un vulcanico *crescendo*. È qualcosa che fa muovere la materia e trascina con sé qualsiasi cosa abbia orecchie. Le donne ballano e cantano a squarciagola, i bambini saltellano estasiati, come morsi dalla tarantola. I magri randagi compiono degli strani salti nell'aria e perfino la pigra mezzaluna, che, come è solita fare nell'emisfero australe, è sdraiata sulla schiena, sembra dondolarsi. I battiti e i respiri della gente, il corpo sociale, la natura animata si uniscono fra loro in un impetuoso gioco musicale. Poi, all'improvviso, ritorna la pace. I rumori notturni del Kral. Il riso degli uomini, il belare delle capre. Il glu glu dei tacchini. Il battito d'ali di un pipistrello. Lo scricchiolare delle carriole riposte nel pollaio, l'innuendo delle cicale, lo starnazzare delle oche, il fischiettare, il cinguettare, il razzolare dei polli sul nero soffitto di foglie sopra di noi. Il raschiare della foresta simile a una pergamena su cui soffia la brezza serotina. Siakwede si appisola. Gli avi sussurrano i toni nei suoi sogni, dal profondo del lago dove è nata la musica.

*

Si trattava di un altro di questo viaggi selvaggi e stressanti su e giù per la Nigeria e alla fine era stato Moshood, l'autista, a beccarsi tutta la mia rabbia – in rappresentanza di tutti gli altri tassisti. Il primo, per una botta di sonno, aveva messo sotto un ragazzo al delta del Niger e mi era riuscito di convincerlo a fermarsi solo dopo averlo minacciato di non dargli la mancia. Il secondo, il terzo, il quarto e il quinto autista avevano arrotato talmente tanti capi di bestiame che avevo smesso di contarli. Con il proprietario della sesta vettura stavamo venendo alle mani dopoché mi ero reso conto che a tutti gli pneumatici mancava uno dei quattro bulloni. "Tre sono sufficienti", aveva stabilito. Mosheed era il settimo o l'ottavo conducente e stava guidando col suo macinino sgarrupato in quella maniera assurda, come tutti gli altri. Non voleva capire che nei centri abitati bisogna rallentare. C'erano sempre mille scuse, buone giustificazioni, rispettoso biasimo, minacce, borbottio, nulla che servisse a dissuaderlo. Al villaggio successivo mise sotto un agnello. Fu allora che afferrai il freno a mano, scesi e percorsi il resto della strada verso Oshogbo su un camioncino carico di pomodori.

Ora siedo sul pianale di un mezzo e bevo birra calda. Ritmi *juju* nel rumore infernale di un martello pneumatico, quasi non si avverte lo stridere delle ruote. Vedo un ragazzino ruzzolare in un canale di scolo. Quell'ometto sanguinante viene sollevato e tutti decidono che non è ferito gravemente. L'autista del camion continua a guidare imperterrito. Sono questi i momenti in cui la crudezza di questa terra è insopportabile, in cui si vorrebbe essere altrove. Possibilmente lontano dall'Africa. "Di che cosa vi preoccupate, voi non ci capite", aveva detto Moshood, l'autista spericolato, al momento di separarci. Se esiste qualcosa di simile all'essere africano come potremmo comprendere le differenze? L'ingegno per sopravvivere e l'irragionevolezza, la voglia di vivere e la follia distruttiva, l'infinita superficialità e la gaia curiosità, la forza fraterna e il puro egoismo, la fantasia senza limiti e l'incapacità di pianificare. Il rigore tribale e la totale mancanza di regole. Questo è un continente che ha coltivato un ritmo rapidissimo e una grande lentezza, in cui la spensieratezza vive vicino all'orrore, la premura vicino alla mancanza di tatto, il bisogno vicino al superfluo. "In Africa non esistono confini, neppure fra la vita e la morte", ha scritto il poeta e filosofo senegalese Léopold Sédar Senghor. Quando quegli estremi mi precipitano addosso, è allora che capisco esattamente che cosa intenda.

Se dovessi comprimere questo mondo di contraddizioni in due immagini ne sceglierei una maschile e una femminile.

L'immagine maschile è quella di Pierre, la guida che mi ha condotto a Nyiragongo, un eruttante vulcano nella catena dei monti Virunga nel cuore dell'Africa. Ha marciato con dei sandali di plastica su quelle pietre affilate, dure, attraverso lo scivoloso sottobosco tropicale, aprendo la via con il suo machete, senza timore di trasportare persino la mia borsa oltre alla pesante attrezzatura per la telecamera. Senza fare una sola pausa. Quando, dopo tre ore, siamo arrivati alla sommità, si è messo sul bordo del vulcano e si è subito addormentato. Adesso io sto lì, 3431 metri sul niente e guardo nell'occhio del vulcano. Luminose fontane di lava, alte come torri, rosse come il fresco sangue di un maiale, zampillano a 600 metri di distanza dal fondo del cratere. Scrosciano pezzi di fuoco. C'è odore di zolfo. Il Nyiragongo fa rumore, borbotta e gorgoglia. Quando il fragore delle eruzioni si smorza contro le pareti del cratere si sente la crosta della lava, grigia come cenere, crepitare e scricchiolare come zolle di ghiaccio. Pierre dorme della grossa. Un africano sull'orlo del vulcano. Nella seconda immagine, quella femminile, ci metto una ragazzina di 17 anni: Kadisar. Siede a Dakar in mezzo alle nubi di smog, in una scuola di strada, all'aperto, per imparare a leggere e scrivere. È sera. Due lampadine sfarfallano su banchi fatti di materiale di recupero. Di fianco c'è un vespasiano puzzolente, montagne di rifiuti, motori ricoperti di olio e rottami. Il traffico rimbomba. Colpi di clacson, urla del mercato, i litigi dei ragazzi che tormentano una cassetta. Gli scolari – fattorini, aiuto-qualcosa, lustrascarpe, vagabondi – ricopiano con matite spuntate la frase sulla lavagna: *la chanson du rayon de lune*. La canzone del raggio di luna. In prima fila siede Kadisar. La sento dire: "Voglio avere un futuro. Io sulla luna ci voglio arrivare".

Note del traduttore

1. Regione tedesca poco sicura.

2. Famosissimo giornalista tedesco.

3. Nella versione originale il titolo era *Attenzione, elefanti bianchi!*, come vengono definite in molte lingue le cattedrali nel deserto.

4. La celebre polizia segreta della RDT.

5. Missione renana di Barman.

6. Si tratta di una sorta di ordalia, un giudizio divino.

7. Oltre ad essere stato ex cancelliere delle Repubblica Federale Tedesca, Helmut Schmidt è stato fra i fondatori del settimanale *Die Zeit* per cui Grill è corrispondente dall'Africa.

8. Simile al nostro "un solo gallo nel pollaio".

9. La forma di questo palazzo ricorda vagamente la struttura del virus dell'Aids visto al microscopio.

10. CSU, Cristiano-Sociali tedeschi. Sono un partito conservatore oggi coalizzato con la CDU, i Cristiano-Democratici.

11. DPA – Deutsche Presse Agentur.

12. Gioco di parole con la celebre canzone interpretata da Marylin Monroe: *Diamonds are a girl's best friend* (I diamanti sono il migliore amico di una donna).

13. Gli Hutu, nel linguaggio comune dei genocidari, erano chiamati scarafaggi, piattole. Gli scopi di questa operazione, di cui si sa molto poco, erano quindi sospetti.

14. Allora capo dei ribelli dell'RPF, oggi presidente del Ruanda.

15. Nome cambiato.

16. Nome cambiato.

17. I "papponi".

18. Blankenese è forse il quartiere più costoso e chic della città anseatica tedesca.

19. In Germania se qualcuno chiede strada in maniera sbagliata è tipico che chi lo preceda rallenti o dia un colpettino di freno, come a dire "calma!".

20. Noto criminale di guerra nazista. Nel 1950 riparò in Argentina, il 10 maggio 1960 venne raggiunto da agenti segreti israeliani e trasportato in circostanze fortunose nello stato d'Israele dove venne processato e condannato a morte dal tribunale di Gerusalemme. Sulla sua vicenda Hanna Arendt ha scritto il libro *La banalità del male*.

21. Gioco di parole del genere "Madama ed Eva".

22. Portiere della nazionale tedesca di calcio e del Bayern Monaco.

23. Particolare figura musicale.

Ringraziamenti

Senza lo "sta bene" di Marion Gräfin Dönhoff il mio desiderio di essere inviato in Africa come corrispondente non si sarebbe mai realizzato. L'editrice di *Die Zeit* ha accompagnato negli anni il mio lavoro a distanza, qualche volta in maniera critica, spesso dandomi coraggio, sempre ispirandomi. Alla contessa[1], come la chiamavamo alla Hamburger Pressehaus Am Sperrsort[2], va un ringraziamento tutto speciale.

C'è bisogno dell'equipaggiamento logistico e materiale di una casa madre come *Die Zeit* per poter ricercare tutte le storie che sono contenute in questo volume. Allo stesso tempo va citata anche la redazione di *Geo*, che ha finanziato in Africa due lunghe spedizioni. Un pensiero lo rivolgo pure alle interessanti discussioni con alcuni colleghi, degli amici come Hans Brandt, Johannes Dieterich, Stephen Laufer e Robert von Lucius; all'impareggiabile maniera, propria di Gerda Jacksons, di mettere in discussione tutto quello che appariva certo, ai combattivi fotografi Henner Frankenfeld e Pascal Maître con cui ho condiviso questa o quell'avventura; alla fiducia di Peter Häusslers della Fondazione Friedrich Ebert, uno dei più immarcescibili afro-ottimisti che si possano immaginare. Nelle fasi più intense di scrittura lo scrittore somalo Nuruddin Farah è stato un prezioso consigliere. Grazie a Stefan Mair esperto di Africa della Berliner Stiftung Wissenschaft und Politik a Berlino che, a titolo di amicizia, si è preso la briga di rileggere il manoscritto in maniera critica e competente.

Devo un grande ringraziamento anche ai miei amici africani: Nyanga Tshabalala, Joseph Makapan ed Esto Mollel. Mi hanno fatto un prezioso regalo per questo libro: mi hanno donato la percezione, la possibilità di vedere l'Africa con i loro occhi – perlomeno qualche volta. Per concludere un grazie alla mia musa più importante: mia moglie Antje Theine-Grill che ha avuto un'infinita pazienza (e condiscendenza) con questo scrivano vagabondo sostenendolo senza posa in tutte le fasi critiche del suo progetto. Questo può farlo soltanto un'altra persona che si sia perdutamente innamorata di questo continente difficile.

1. Gioco di parole con Gräfin (contessa), il cognome della notissima editrice del settimanale tedesco *Die Zeit* (ndt)

2. La sede del settimanale *Die Zeit* ad Amburgo (ndt)

Bibliografia

GENERALE SULL'AFRICA

Birnbaum Michael, *Die schwarze Sonne Afrikas*, Monaco 2000
Brunold Georg, *Afrika gibt es nicht*, Francoforte 1994
Chatwin Bruce, *What am I doing here*, Londra 1989
Ferdowski Mir A. (a cura di), *Africa zwischen Agonie und Aufbruch*, Monaco 1998
Harden Blaine, *Africa. Dispatches from a Fragile Continent*, New York 1991
Heinrichs Hans-Jürgen, *Afrika*, Francoforte 1986
Hofmeier Rolf e Matthies Volker, *Vergessene Kriege in Afrika*, Gottinga 1992
Holzer Werner, *26 Mal Afrika*, Monaco 1967
Imfeld Al *Verlernen, Was stumm macht.* Lesebuch zur afrikanischen Kultur, Zurigo 1980
Johnson Dominic, *Wie ein Floß in der Nacht*, Bonn 1996
Kapuściński Ryszard, *Afrikanisches Fieber*, Francoforte 1999
Kapuściński Ryszard, *König der Könige*, Francoforte 1995
Kapuściński Ryszard, *Wieder ein Tag leben*, Francoforte 1994
Klein Stefan, *Die Tränen des Löwen. Leben in Afrika*, Zurigo 1992
Marnham Patrick, *Fantastic Invasion. Dispatches from contemporary Africa*, Londra 1980
Michler Walter, *Weißbuch Afrika*, Bonn 1998
Naipaul Shiva, *North of South. An African Journey*, Londra 1978
Naipaul V.S., *Dunkle Gegenden*, Francoforte 1995
Reader John, *Africa. A Biography of the Continent*, Londra 1997
Wrong Michela, *In the Footsteps of Mr. Kurtz*, Londra 2000
Schicho Walter, *Handbuch Afrika in drei Bänden*, Francoforte 2001

ESOTISMO, PROIEZIONI, CARICATURE

Badou Gérard, *Die schwarze Venus*, Zurigo 2001
Buch Hans Christoph, *Die Nähe und die Ferne*, Frankfurter Vorlesungen, Francoforte 1991
Forbeck Karla e Wiesand Andreas Johannes, *Wir Eingeborenen. Zivilisierte Wilde und exotische Europäer/Magie und Aufklärung im Kulturvergleich*, Amburgo 1983
Frässle Joseph, *Negerpsyche*, Friburgo 1926

Germani Hans, Weiße *Söldner im schwarzen Land*, Francoforte 1966
Koebner Thomas e Pickerodt Gerhardt (a cura di), *Die andere Welt. Studien zum Exotismus*, Francoforte 1987
Kohl Karl-Heinz, *Entzauberter Blick. Das Bild vom Guten Wilden und die Erfahrung der Zivilisation*, Berlino 1981
Martin Peter, *Schwarze Teufel, edle Mohren. Afrikaner in Geschichte und Bewusstsein der Deutschen*, Amburgo 2001
Meiners Chrstoph, *Ueber die Nature der afrikanischen Neger, und die davon abhangende Befreyung, oder Einschränkung der Schwarzen*, Gottinga 1790
Miles Robert, *Rassismus*, Amburgo 1999
Räthzel Nora (a cura di), Theorien *über Rassismus*, Amburgo 2000
Richburg Keith, *Out of America. A Black Man Confronts Africa*, New York 1997
Scholl-Latour Peter, *Mord am großen Fluß*, Stoccarda 1986
Schweitzer Albert, *Afrikanische Geschichten*, Amburgo 1955

STORIA E GEOGRAFIA

Ansperger Franz, *Politische Geschichte Afrikas im 20 Jahrhundert*, Monaco 1992
Battuta Ibn, *Reisen ans Ende der Welt*, Stoccarda 1985
Davidson Basil, *Africa in History*, New York 1995
Garlake Peter, *The Kingdoms of Africa*, Oxford 1978
Harding Leonhard, *Geschichte Afrikas im 19. und 20. Jahrhundert*, Monaco 1999
Ki-Zerbo Joseph, *Histoire de l'Afrique Noire*, Parigi 1978
Kolb Peter, *Unter Hottentoten*, Tubinga 1978
Livingstone David, *Zum Sambesi und quer durchs südliche Afrika*, Stoccarda 1985
Martens Otto, *Afrika. Ein Handbuch für Wirtschaft und Reise*, Berlino 1930
Maylam Paul, A *History of African People of South Africa*, Johannesburg 1986
Park Mungo, *Reisen ins Innerste Afrikas*, Tubinga 1976

MODERNIZZAZIONE E SVILUPPO

Dirmroser Dietmar aa.vv (a cura di), *Mythos Entwicklungshilfe. Analysen und Dossiers zu einem Irrweg*, Gießen 1991
Hanckock Graham, *Lords of Poverty*, Londra 1989
Kabou Axelle, *Et si l'Afrique refusait le développement?*, Parigi 1991
Menzel Ulrich, *Das Ende der Dritten Welt und das Scheitern der großen Theorie*, Francoforte 1992
Opitz Peter J. (a cura di), *Grundprobleme der Entwicklungsregionen. Der Süden an der Schwelle zum 21. Jahrhundert*, Monaco 1997

Rodney, Walter, *Afrika. Die Geschichte einer Unterentwicklung*, Berlino 1975

RELIGIONE E ETNOLOGIA

Barley Nigel, *The Innocent Anthropologist*, New York 1986
Behrend Heike, *Alice und die Geister. Krieg im Norden Ugandas*, Monaco 1993
Elwert-Kretschmer Karola, *Religion und Angst. Soziologie der Voodoo-Kulte*, Francoforte 1997
Freud Sigmund, *Totem und Tabu*, Francoforte 1991
Lartéguy Jean, *Les Clefs de l'Afrique. Femmes, Confréries et Fétiches*, Parigi 1956
Leiris Michel, *L'Afrique Fantôme. De Dakar à Djibouti 1931-1933*, Parigi 1934
Morgenthaler Fritz e Parin Paul, *Die Weißen denken zuviel. Psychoanalytische Untersuchungen bei den Dogon in Westafrika*, Zurigo 1963
Müller Klaus E., *Soul of Africa. Magie eines Kontinents*, Colonia 1999
Shostak Marjorie Nisa, *The Life and Words of a Kung Woman*, Londra 1990

ARTE

Enwezor Okwui, *The Short Century*, Monaco/New York 2001
Förster Till, *Kunst in Afrika*, Colonia 1988
Hug Alfons, *Neue Kunst aus Afrika*, Berlino 1996
Phillips Tom, *Africa. The Art of a Continent*, Londra 1996
Szalay Miklós, *African Art from the Han Koray Collection*, Monaco/New York 1998
Williamson Sue, *Resistance Art in South Africa*, Cape Town 1990

TRATTA DEGLI SCHIAVI, COLONIALISMO, GUERRA DI LIBERAZIONE

Baer Martin e Schröter, Olaf, *Eine Kopfjagd. Deutsche in Ostafrika*, Berlino 2001
Che Guevara Ernesto, *Der afrikanische Traum*, Colonia 2000
Edwards Paul, *The life of Olaudah Equiano, or Gustavus Vassa the African*, Londra 1989
Fanon Frantz, *Die Verdammten dieser Erde*, Francoforte 1966
Fanon Frantz, *Peau noir, masques blancs*, Parigi 1952
Fieldhouse David K, *Colonialism 1870-1945*, Londra 1981
Graudenz KarlHeinz, *Die deutschen Kolonien*, Monaco 1982
Gronemeyer Reimer (a cura di), *Der faule Neger. Vom weißen Kreuzzug gegen den Schwarzen Müßiggang*, Amburgo 1991
Hochschild Adam, *King Leopold's Ghost*, Boston 1998
Klöss Erhard, *Die Herren der Welt. Die Entstehung des Kolonialismus in Europa*, Colonia 1985
Lindqvist Sven, *Durch das Herz des Finsternis*, Francoforte 1999

Meyer Jean, *Histoire de la France coloniale*, Parigi 1991
Möhle Heiko, *Branntwein, Bibeln und Bananen. Der deutsche Kolonialismus in Afrika – eine Spurensuche in Hamburg*, Amburgo 1999
Ndumbe III Kum'a, *Was wollte Hitler in Afrika?*, Francoforte 1993
Nestvolgel Renate e Tezlaff Rainer (a cura di), *Afrika und deutsche Kolonialismus, Zivilisierung zwischen Schnappshandel und Bibelstunde*, Berlino 1987
Osterhammel Jürgen, *Kolonialismus. Geschichte, Forme*, Folgen, Monaco 1995
Pakenham Thomas, *The Scramble for Africa*, Jeppestown 1991
Senghor Léopold Sédar, *Mein Bekenntnis*, Leipzig 1991
Stanley Henry Morton, Wie *ich Livingstone fand. Ein Reisebericht*, Francoforte 1988
Westphal Wilfried, *Geschichte der deutschen Kolonien*, Monaco 1984
Williams Chancellor, *The Destruction of Black Civilisation*, Chicago 1987
Witte Ludo de, *L'assassinat de Lumumba*, Parigi 2000

GENOCIDIO IN RUANDA

Berkeley Bill, *The Graves are not yet full*, New York 2001
Des Forges Alison, *Leave none to tell the Story. Genocide in Rwanda,* New York 1999
Gourevitch Philipp, *Wir möchten Ihnen mitteilen, dass wir morgen mit unseren Familien umgebracht werden. Berichte aus Ruanda*, Berlino 1999
Mamdani Mahmood, *When Victims Become Killers. Colonialism, Nativism, and the Genocide in Rwanda*, Kampala 2002

HIV E AIDS

Gronemeyer Reimer, *So stirbt man in Afrika an Aids. Warum westliche Gesundheitskonzepte in südlichen Afrika scheitern*, Francoforte 2002
Jackson Helen, *Aids, Africa. Continent in Crisis*, Harare 2002
Sunter Clem, *Aids. Challenge for South Africa*, Cape Town 2000

SUDAFRICA

Adam Heribert e Moodley, Kogila, *The Opening of the Aprtheid Mind*, Berkeley 1993
Alexander Neville, *Südafrika. Der Weg von der Apartheid zur Demokratie*, Monaco 2001
Brandt Hans e Grill Bartholomäus, *Der letzte Treck. Südafrikas Weg in die Demokratie*, Bonn 1994
Bunting Brian, *The Rise of the South African Reich*, London 1964
Coetzee J.M., *Disgrace*, Londra 1999

Coetzee J.M., *Life & Times of Michael K.*, Londra 1983
Coetzee J.M., *Waiting for the Barbarians*, Londra 1980
Dönhoff Marion Gräfin, *Der südafrikanische Teufelskreis*, Stoccarda 1987
Fisch Jörg, *Geschichte Südafrikas*, Monaco 1990
Gordimer Nadine, *July's People*, Londra 1981
Holland Heidi, *The Struggle. The History of the African National Congress*, Londra 1989
Krog Antjie, *Country of my Skull*, Londra 1998
Malan Rian, *Mein Verräterherz*, Amburgo 1990
Mandela Nelson, *Long Way to Freedom*, Londra 1994
Meredith Martin, *Nelson Mandela. A Biography*, Londra 1997
Mostert Noël, *Frontiers. The Epic of South Africa's Creation and the Tragedy of the Xhosa People*, Londra 1992
Sparks Allister, *The Mind of South Africa*, New York 1990
Sparks Allister, *Beyond the Miracle. Inside the New South Africa*, Johannesburg 2003
The Truth and Reconciliation Commission of South Africa. Report, volumi 1-5, Cape Town 1998
Woerden Henk van, *Der Bastard*, Berlino 2002

BELLETRISTICA
Achebe Chnua, *Things Fall Apart*, 1986
Bâ Mariama, *Ein so langer Brief*, Francoforte 1991
Couto Mia, *Unter dem Frangipanibaum*, Berlino 2000
Farah Nuruddin, *Geheimnisse*, Francoforte 2000
Green Graham, *Journey Without Maps*, Londra 1971
Hove Chenjerai, *Bones*, Harare 1990
Kitereza Aniceti, *Die Kinder der Regenmacher*, Wuppertal 1980
Lessing Doris, *African Laughter. For Visits to Simbabwe*, Londra 1992
Mofolo Thoma, *Chaka Zulu*, Zurigo 1988
Okri Ben, *The Famished Road*, Ibandan 1991
Parin Paul, *Der Traum von Ségou*, Amburgo 2001
Shafi, Adam Shafi, *Die Sklaverei der Gewürze*, Monaco 1997
Theroux Paul, *Dschungelliebe*, Düsseldorf 1988
Thiong'o Ngugi wa, *Verbrannte Blüten*, Wuppertal 1981
Timm Uwe, *Morenga*, Colonia 1985

Indice

nella collana Mine vaganti

1. Dorothy Porter *La maschera di scimmia*
2. David Foster Wallace *La scopa del sistema*
3. Jasmina Tesanovic *Normalità. Operetta morale di un'idiota politica*
4. Blake Morrison *Come se*
5. Tobias Hill *Underground*
6. Dorothy Porter *Akhenaton*
7. David Foster Wallace *Infinite Jest*
8. John Cheever *Il nuotatore*
9. John Cheever *Falconer*
10. Josef Škvorecký *Il miracolo*
11. Ted Heller *Slab rat*
12. Barry Gifford, Lawrence Lee *Jack's Book*
13. Dorothy Porter *Che gran capolavoro…*
14. John Cheever *Ballata*
15. Richard Fariña *Così giù che mi sembra di star su*
16. Alexander Trocchi *Il Libro di Caino*
17. John Cheever *Bullet park*
18. Ken Kalfus *Sete*
19. Stacy Schiff *Véra*
20. Rebecca Miller *Personal velocity*
21. Leonard Cohen *Beautiful Losers*
22. John Cheever *Oh città dei sogni infranti!*
23. Armand Farrachi *La dislocazione. Il Graal polverizzato*
24. Paul Cody *Il bambino rubato*
25. Nicolas Genka *L'Epimostro*
26. Louis-Marie Jourdain *Pop*
27. John Cheever *Gli Wapshot*
28. John Cheever *Il rumore della pioggia a Roma*

nella collana Documenti

1. Radio Gap *Le parole di Genova. Idee e proposte dal movimento*
2. Philippe Broussard, Danielle Laeng *La prigioniera di Lhasa*
3. *1977 l'anno in cui il futuro incominciò* a cura di Franco Berardi (Bifo) e Veronica Bridi
4. Diego Armando Maradona *Io sono el Diego*
5. Thierry Meyssan *L'incredibile menzogna*
6. John Pilger *I nuovi padroni del mondo*
7. Thierry Meyssan *il Pentagate*
8. Corrado Zunino *Preti contro*
9. Eric Laurent *La guerra dei Bush*
10. Robert Fisk *Notizie dal fronte*
11. Paola Barone, Paolo Benvenuti *Segreti di Stato*
12. John Pilger *Hidden Agendas*
13. Volker Skierka *Fidel*
14. Anna Politkovskaia *Cecenia, il disonore russo*
15. *Viva l'Italia* a cura di Oscar Iarussi
16. John Pilger *Un paese segreto*

17 Stefano Simoncini, fotografie di Giancarlo Ceraudo *Frontiera Sud*

18. Joel Bakan *The Corporation*
19. Bartholomäus Grill *Africa!*

fuori collana

Luciano Ligabue, Antonio Leotti, Chico De Luigi *Radiofreccia*
Alessandro Baricco, Gabriele Vacis, Ugo Volli *Totem*
Piero Negri, Luca Bufano Pierfrancesco Manca, Chico De Luigi *Il partigiano Fenoglio*
Roberto Pace *L'Uomo Nero*
John Birmingham *E morì con un felafel in mano*
Gabriele Muccino *L'ultimo bacio*
Michael Cimino *Big Jane*
Massimo Zamboni *Emilia parabolica*
Fernanda Pivano *Un po' di emozioni*
il Palomba *Recinzioni, critiche perimetrali 2001/2002 e altri scritti*
Riccardo de Torrebruna *Storie di ordinario amore*
il Palomba *Recinzioni, critiche perimetrali 2002/2003 e altri scritti*
Pieke Biermann *Berlin Kabbala*
il Palomba *Recinzioni, critiche perimetrali 2003/2004 e altri scritti*
Gian Maria Volonté *Lo sguardo ribelle*

Finito di stampare per conto di Fandango Libri
nel mese di febbraio 2005 da Graffiti, Roma

Redazione Fandango Libri